🎯 중등 수학 100점을 위한 단계별 교재

STEP 01
**수력충전
스타트**

수학의 기초를 쉽고 재미있게 시작

- 교과서 필수 개념을 이미지와 함께 쉽게 이해
- 기본 개념과 유형 문제를 따라 쓰고 따라 풀며 자연스럽게 터득
- 학교 시험 기본 유형을 저절로 습득하여 자신감 상승

[중1 상 / 하
　중2 상 / 하
　중3 상 / 하]

STEP 02
수력충전

수학의 기초 실력 완성

- 쉬운 문제들로 기본 연산력 강화 및 수학 실력 향상
- 풀이 과정을 채워 가면서 스스로 수학의 연산 원리를 터득
- 단원별, 유형별로 문제를 제시하여 부족한 부분 집중 학습

[중1 상 / 하
　중2 상 / 하
　중3 상 / 하]

STEP 03
**수력충전
중등 수학
개념 총정리**

중등 수학 개념을 영역별로 총정리하는 필수 개념서!

- 2015 개정 교육과정의 중등 전학년 수학 개념을 한 권으로 총정리
- 필수 개념을 이해하기 쉽게 정리하고, 고등 수학 개념과 연계성 강화
- 개념 완성 테스트＋영역별 총정리＋중등 · 고등 연결 문제로 실력 향상

[중등 수학
　개념 총정리]

STEP 04
**심플자이
스토리**

개념 * 연산 * 유형으로 수학을 심플하고 쉽게!

- 심플한 개념 정리로 쉽게 이해하기
- 연산 문제로 기초 계산 능력 향상시키기
- 깔끔한 유형 연습으로 문제 유형을 쉽게 익히기

[중1 상 / 하
　중2 상 / 하
　중3 상 / 하]

STEP 05
자이스토리

필수 유형과 서술형 문제 완벽 훈련

- 중등 수학의 모든 개념과 유형의 완벽 학습
- 친근한 대화체 풀이와 단계별 해설로 이해력 향상
- 잘 틀리는 유형의 철저한 대비를 위한 쌍둥이 문제 제시

[중1 상 / 하
　중2 상 / 하
　중3 상 / 하]

STEP 06
일등급 수학

중등 수학 최고의 순수 명품 문제

- 개념과 유형을 효과적으로 적용시키는 필수 문제 수록
- 확장된 개념을 습득하여 수학적 사고력 향상
- 일등급을 위한 고난도 서술형＋도전 문제 엄선

[중1 상 / 하
　중2 상 / 하
　중3 상 / 하]

STEP 07
**형상기억
수학 공식집**

핵심 공식과 개념의 압축

- 중등 수학의 필수 공식만을 압축하여 정리
- 개념과 공식을 한눈에 알 수 있게 시각적으로 설명
- 단계적으로 공식을 적용하는 비법을 순서화하여 문제해결법을 학습

[중1
　중2
　중3
　중등 수학 종합]

Xi story

중등 자이스토리

개념 • 유형 • 서술형

중등 수학3 (하)

자이스토리·수경출판사

중등 수학의 유형과 서술형 문제를 쉽고 단계적으로 완성!!

I

중등 수학의 교과 개념을 유형별로 촘촘히 분류하여 개념을 쉽게 연관지어 이해할 수 있습니다. 또한, 특별히 선정된 함정 유형은 반복 학습으로 극복할 수 있습니다.

● 단계적으로 유형별 문항 배치

기본적인 개념 흐름에 따라 수학에 관심과 흥미를 느낄 수 있도록 촘촘히 단계적으로 유형을 분류하였습니다.
세분화된 유형으로 중등 수학의 개념의 틀을 잡을 수 있도록 문항을 구성하였고, 이를 통해 수학적 원리를 쉽게 터득할 수 있습니다.

● 잘 틀리는 유형 훈련 +1Up

자주 틀리는 개념과 유형을 철저히 분석하여 같은 조건과 나른 상황에서 반복 연습할 수 있도록 쌍둥이 문제를 배치하였습니다. 작은 실수도 다시 한 번 점검하여 완벽한 유형 훈련을 할 수 있습니다.

II

학교시험에 꼭 출제되고, 실생활에 응용할 수 있는 서술형 문제를 단계별로 논리적으로 훈련할 수 있습니다. 또한, 난이도 있는 문제를 점층적으로 연습하여 좀 더 친근하게 수학에 접근하도록 하였습니다.

● 서술형 문제

실생활과 관련된 상황에서 수학적 사고력을 확장할 수 있는 서술형 문제를 수록하였습니다. 학생들이 어렵게 느끼는 논리적 사고 과정을 단계적으로 연습하여 더욱 효과적으로 수학적 논리력을 키워가도록 하였습니다.

● 최고난도 만점 문제

단순한 계산 문제로는 성적을 올리고, 수학적 사고력을 신장시키는 데 무리가 있습니다. 한 문제에 여러 개념을 통합한 문제를 통해 수학 사고력을 한층 더 올릴 수 있도록 하였습니다.

III

수학 공부를 할 때 흥미를 느껴 동기가 유발될 수 있도록 재미있고, 특별한 코너를 수록하였습니다.

● SKY 캠퍼스 탐방

SKY 선배들의 즐거운 대학 생활에 대한 소개를 통해 공부에 대한 동기 부여를 할 수 있습니다. 먼저 꿈을 이룬 선배들의 한마디, 한마디가 공부하는 데 큰 힘이 될 것입니다.

하루 100분, 중3 수학(하) 94개 유형을 효과적으로 공부하자!!

DAY	문항 번호	틀린 문제, 헷갈리는 문제 번호 적기	학습 날짜	복습 날짜
01	J001~077		월 일	월 일
02	J078~133		월 일	월 일
03	J134~159		월 일	월 일
04	K001~066		월 일	월 일
05	K067~109		월 일	월 일
06	K110~137		월 일	월 일
07	L001~073		월 일	월 일
08	L074~117		월 일	월 일
09	L118~145		월 일	월 일
10	M001~073		월 일	월 일
11	M074~131		월 일	월 일
12	M132~159		월 일	월 일
13	N001~065		월 일	월 일
14	N066~105		월 일	월 일
15	N106~131		월 일	월 일
16	O001~045		월 일	월 일
17	O046~068		월 일	월 일

story 구성과 활용법

01 개념 다지기 + 체크 문제

콕콕 집어주는 개념 정리를 보며, 개념 문제를
쭉쭉 풀어보자.

① 수학은 손에서부터 실력이 올라갑니다. 연습장을
꺼내 해당 개념에 대한 문제를 차례로 풀어봅니다.
② 개념 내용과 연계된 개념 연습 문제를 1:1로 배치
하여 개념에 대한 문제가 어떻게 연결되는지 바로
확인합니다.
③ 필수개념에는 강조 표시, 계산 실수나 개념을 잘못
이해하여 틀린 문제에도 주의 표시하여 개념을 정
확히 짚고 갑시다.

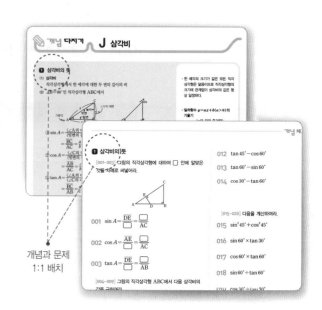

개념과 문제
1:1 배치

02 유형 다지기 (학교시험 + 학력평가)

꼭 알아야 하는 대표 유형을 시작으로 반복하여
연습하자.

① 수학은 유형 파악이 중요한 과목이므로 먼저 대표
유형을 정확히 이해하면서 문제를 풀어 봅니다.
② 대표 유형과 유사하지만 확장된 문항을 풀어보면서
개념이나 유형 접근방법을 한 번 더 연습합니다.
③ 대표 유형과 함께 제공한 다음 내용도 나만의 비법
으로 정리해 둡니다.

　＊ 개념 찾기 : 개념 복습하기
　＊ Check Key : 해법의 단서 파악하기
　＊ 접근법 : 문제해결 방법 제시

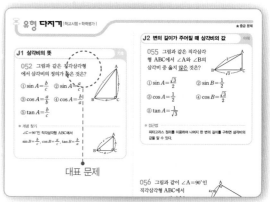

대표 문제

★는 중 난이도 체크

03 잘 틀리는 유형 훈련 +1up

잘 틀리는 문제를 한 번 더 반복하여 확실히
마스터하자.

① 실수가 자주 발생하는 유형은 반복하여 풀어가는
것이 최선의 방법입니다.
② 유형에 대한 개념이나 접근 방식이 이해가 되지
않는다면 앞에서 공부한 유형다지기에서 다시금
학습합니다.
③ +1up에서 비슷한 유형의 문제를 또 풀어보면 실수
를 한 번 더 방지할 수 있습니다.

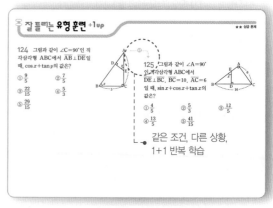

같은 조건, 다른 상황,
1+1 반복 학습

★★는 상 난이도 체크

04 서술형 다지기 Step 1, 2

서술형 문제를 단계별로 연습하고, 스스로 서
술하여 논리적으로 풀어가는 방법을 배우자.

① 서술형 문제를 풀어가는 순서를 익히는 코너이므로
순차적으로 써가면서 풀어봐야 합니다.
② 🔍 단계별로 서술하기에서는 쌍둥이 문제로 한 번
더 반복하여 유사문제를 단계별로 풀어갑니다.

> 먼저, 문제를 꼼꼼히 읽어 묻는 것이 무엇인지, 어떻
> 게 접근하는지 파악합니다.

> 그다음, 직접적, 간접적으로 주어진 조건을 이용하여
> 답을 구하는 과정을 논리적으로 서술합니다.

> 그래서, 앞에서 풀어간 내용을 종합적으로 정리하여
> 답을 구합니다.

③ 🔍 스스로 서술하기에서는 앞 단계에서 익힌 서술
형 풀이 순서를 이용해 스스로 문제를 풀어가는 연
습을 합니다.

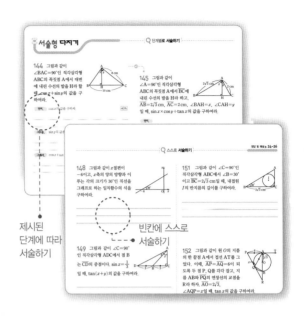

제시된
단계에 따라
서술하기

빈칸에 스스로
서술하기

05 최고난도 만점 문제

여러 가지 개념이 들어 있는 최고난도 문제를
차근차근 정복하자.

① 여러 개념이 있는 문제를 풀어보며 고득점에 도전
합시다.
② 너무 어렵다면 먼저 친구와 선생님에게 조언을 구하
여 최고난도 문제의 원리를 이해하도록 합니다.
③ 문제를 풀지 못해서 좌절하기보다는 통합적 개념이
어떻게 쓰였는지 확인하는 것부터 시작해도 됩니다.

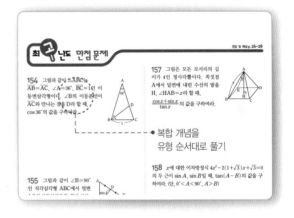

복합 개념을
유형 순서대로 풀기

06 단계적 풀이 및 오답 피하기

혼자서도 학습이 가능한 쉽게 이해되는
단계적인 해설

① 자이스토리의 장점인 단계적인 풀이는 문제만큼이
나 해설을 꼼꼼히 보는 것이 좋습니다.
② 틀린 문제는 반드시 해설을 확인하고, 맞은 문제도
자신의 풀이와 다른 점이 있는지 체크체크~
③ 오답피하기도 반드시 읽어서 자신만의 풀이로 정리
해 둡니다.

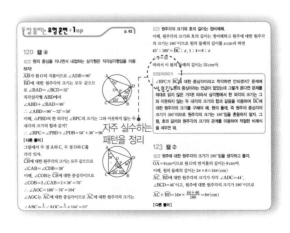

자주 실수하는
패턴을 정리

story 이 책의 차례

M 원주각

VII 통계

N 대푯값과 산포도

O 산점도와 상관관계

"노력은 최고의 재능이다"

중학생 때는 아직 공부를 왜 해야 되는지 잘 모르겠고 그냥 부모님이 시켜서 하는 경우가 많을 거야. 그러면 사실 자기주도학습을 하기 위한 동기부여를 받기가 힘들어. 그래서 나는 공부를 할 때, 그리고 삶을 살아가는데 있어서 목표를 세우는 게 정말 중요하다고 생각해. 그 목표가 직업이든, 대학이든, 사소한 것이든 무엇이든 상관없어. 너에게 확실한 목표가 생긴다면 그 목표를 이루기 위해 어떤 노력을 해야 하는지 알게 될 거야. 그럼 그 자체만으로도 노력을 하기 위한 강력한 동기부여가 된다고 나는 생각해. 목표가 있는, 동기부여를 받은 상태에서의 공부는 그냥 하는 공부보다 효율이 훨씬 좋아질 거야. 아직 중학생이기 때문에 앞으로 목표가 많이 바뀔 수도 있어. 그래도 상관없어. 너의 목표가 바뀐다고 해서 그 전 목표를 이루기 위해 너희가 한 노력이 사라지는 건 절대 아니거든. 그 노력들은 모두 남아서 너에게 큰 힘이 될 거야. 그러니까 친구들 모두 자신만의 목표를 만들어보았으면 좋겠어. 파이팅!

박성재
서울대학교 지구환경과학과
서울 동화 고등학교
서울 삼육 중학교

"경험은 미래의 나를 결정짓는다"

아마 대학교 오기 전에는 많이 지치고 힘든 상태일지도 몰라. 해야할 공부가 많아 버겁거나 미래에 대한 막연한 불안감, 수많은 고민들 같은 이유들이 있으니까. 나도 분명히 그랬던 시기가 있었고, 대부분의 사람들이 그렇게 느꼈을 거야. 그런데 지금 돌아보면 중고등 학생시절이 그립기도 하고, 참 뿌듯하게 느껴져. 그리고 수많은 고민을 했기 때문에 내 자신이 조금 성숙해질 수 있었던 것 같아. 자신의 목표를 생각하면서, 친구들에게 서로 의지하면서 결국에는 이뤄낼 수 있었어. 대학교에 오면 많은 일들을 스스로 해야 해. 중고등학생 시절에 열심히 공부하며 스스로를 조절하는 경험이나 시간을 관리했던 경험이 있어서 대학생활도 잘 하고 있는 것 같아. 마지막으로, 우리는 모두 다 꿈을 이루기 위해서 살고 있잖아? 그 과정은 고통스러울지는 몰라도 미래에 받을 달콤한 결과를 생각하면서 즐기는 것이 어때? 꿈을 쫓는 과정은 다 아름답다고 생각해. 열심히 노력해서 꼭 학창시절이 의미 있고, 아름다운 추억으로 남길 바랄게!

정혜원
고려대학교 수학과
제주 과학 고등학교
제주 아라 중학교

"바람이 불지 않아 바람개비가 돌지 않으면 앞으로 달려 나가면 된다"

공부는 많이 외로워. 아무리 많은 수업을 듣고 과외를 받는다고 해도 결국 머릿속에 내용을 집어넣고 문제를 풀며 감각을 익히는 연습을 하는 것은 자신밖에 할 수 없는 일이니까. 나도 그런 점 때문에 중학교 때부터 참 많이 억울하고 서러웠던 것 같아. 왜 남들은 놀면서 적당히 하는 공부를 나는 혼자 아등바등 해야 하는지, 왜 남들은 족집게 강사가 시험에 나올만한 내용도 다 집어준다는데 나는 그 모든 것을 혼자서 해결해야 하는지. 그런데 지나고 생각해 보니까, 그냥 사람마다 다 갈 길이 다른 것뿐이더라. 동일한 목적지를 향해 누구는 이런 길로, 누구는 저런 길로 갈 뿐이었어. 나는 그냥 내 길을 가면 되는 일이더라고. 내가 중학교 때 그랬던 것처럼 남들과 자신을 비교하면서 스스로를 불쌍하게 여기는 짓은 하지 말았으면 좋겠어. 그저 나는 나만의 길을 간다!는 마음으로 묵묵히 열심히 하다보면 뭐든지 이룰 수 있을 거야. 파이팅!!

방은비
연세대학교 노어노문학과
강원 외국어 고등학교
남춘천 여자 중학교

Ⅴ 삼각비

J 삼각비
[18유형, 159문항]

K 삼각비의 활용
[16유형, 137문항]

1 삼각비의 뜻

(1) 삼각비
직각삼각형에서 한 예각에 대한 두 변의 길이의 비

(2) ∠B＝90°인 직각삼각형 ABC에서

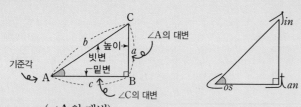

① $\sin A = \dfrac{(∠\text{A의 대변})}{(\text{빗변의 길이})} = \dfrac{(\text{높이})}{(\text{빗변의 길이})}$

$= \dfrac{\overline{BC}}{\overline{AC}} = \dfrac{a}{b}$

② $\cos A = \dfrac{(∠\text{C의 대변})}{(\text{빗변의 길이})} = \dfrac{(\text{밑변})}{(\text{빗변의 길이})}$

$= \dfrac{\overline{AB}}{\overline{AC}} = \dfrac{c}{b}$

③ $\tan A = \dfrac{(∠\text{A의 대변})}{(∠\text{C의 대변})} = \dfrac{(\text{높이})}{(\text{밑변})}$

$= \dfrac{\overline{BC}}{\overline{AB}} = \dfrac{a}{c}$

기준이 되는 각의 대변이 항상 높이가 된다.

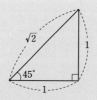

④ 그림에서 ∠C에 대한 삼각비는

$$\sin C = \dfrac{c}{b},\ \cos C = \dfrac{a}{b},\ \tan C = \dfrac{c}{a}$$

2 특수한 각의 삼각비의 값

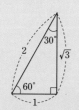

삼각비 \ A	30°	45°	60°
$\sin A$	$\dfrac{1}{2}$	$\dfrac{\sqrt{2}}{2}$	$\dfrac{\sqrt{3}}{2}$
$\cos A$	$\dfrac{\sqrt{3}}{2}$	$\dfrac{\sqrt{2}}{2}$	$\dfrac{1}{2}$
$\tan A$	$\dfrac{\sqrt{3}}{3}$	1	$\sqrt{3}$

① $\sin 30° = \cos 60°$
② $\sin 45° = \cos 45°$
③ $\sin 60° = \cos 30°$

• 한 예각의 크기가 같은 모든 직각삼각형은 닮음이므로 직각삼각형의 크기에 관계없이 삼각비의 값은 항상 일정하다.

• 일차함수 $y = ax + b\,(a > 0)$의 기울기

$\tan \theta = \dfrac{(y\text{의 값의 증가량})}{(x\text{의 값의 증가량})}$

$=$ (일차함수의 그래프의 기울기)

$= a$

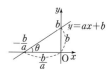

• $\sin^2 A = (\sin A)^2 \neq \sin A^2$

• **특수한 각을 갖는 직각삼각형에서 세 변의 길이의 비**

(1)

$\overline{BC} : \overline{CA} : \overline{AB} = 1 : 1 : \sqrt{2}$

(2)

$\overline{BC} : \overline{CA} : \overline{AB} = 1 : \sqrt{3} : 2$

• **sin과 cos의 특수한 각의 삼각비의 값 쉽게 외우기**
특수각이 30°, 45°, 60°의 크기 순서대로 있을 때, sin의 값은 $\dfrac{\sqrt{1}}{2}$, $\dfrac{\sqrt{2}}{2}$, $\dfrac{\sqrt{3}}{2}$처럼 분모는 2로 고정하고, 분자는 √ 안이 1씩 커지면 된다.
cos의 값은 $\dfrac{\sqrt{3}}{2}$, $\dfrac{\sqrt{2}}{2}$, $\dfrac{\sqrt{1}}{2}$처럼 분모는 2로 고정하고, 분자는 √ 안이 1씩 작아지면 된다.

❶ 삼각비의 뜻

[001~003] 그림의 직각삼각형에 대하여 ▢ 안에 알맞은 것을 차례로 써넣어라.

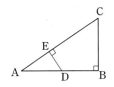

001 $\sin A = \dfrac{\overline{DE}}{\boxed{}} = \dfrac{\boxed{}}{\overline{AC}}$

002 $\cos A = \dfrac{\overline{AE}}{\boxed{}} = \dfrac{\boxed{}}{\overline{AC}}$

003 $\tan A = \dfrac{\overline{DE}}{\boxed{}} = \dfrac{\boxed{}}{\overline{AB}}$

[004~009] 그림의 직각삼각형 ABC에서 다음 삼각비의 값을 구하여라.

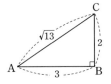

004 $\sin A$

005 $\cos A$

006 $\tan A$

007 $\sin C$

008 $\cos C$

009 $\tan C$

❷ 특수한 각의 삼각비의 값

[010~014] 다음을 계산하여라.

010 $\sin 30° + \cos 60°$

011 $\sin 45° + \cos 45°$

012 $\tan 45° - \cos 60°$

013 $\tan 60° - \sin 60°$

014 $\cos 30° - \tan 60°$

[015~020] 다음을 계산하여라.

015 $\sin^2 45° + \cos^2 45°$

016 $\sin 60° \times \tan 30°$

017 $\cos 60° \times \tan 60°$

018 $\sin 60° \div \tan 60°$

019 $\cos 30° \div \tan 30°$

020 $\tan 30° \div \sin 30°$

[021~027] 다음을 만족시키는 x의 값을 구하여라.
(단, $0° < x° < 90°$)

021 $\sin x° = \dfrac{1}{2}$

022 $\cos x° = \dfrac{1}{2}$

023 $\tan x° = \dfrac{1}{\sqrt{3}}$

024 $\sin(x° + 10°) = \dfrac{\sqrt{3}}{2}$

025 $\cos(2x° - 10°) = \dfrac{\sqrt{3}}{2}$

026 $\tan(3x° - 12°) = \sqrt{3}$

027 $\dfrac{1}{\cos x°} = \dfrac{2}{\sqrt{3}}$

3 임의의 예각의 삼각비의 값

(1) 반지름의 길이가 1인 사분원에서 임의의 예각 x에 대하여

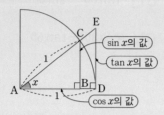

① $\sin x = \dfrac{\overline{BC}}{\overline{AC}} = \dfrac{\overline{BC}}{1} = \overline{BC}$

② $\cos x = \dfrac{\overline{AB}}{\overline{AC}} = \dfrac{\overline{AB}}{1} = \overline{AB}$

③ $\tan x = \dfrac{\overline{DE}}{\overline{AD}} = \dfrac{\overline{DE}}{1} = \overline{DE}$

(2) $0°$, $90°$의 삼각비의 값

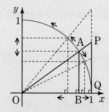

① ∠AOB의 크기가 $0°$에 가까워지면 $\overline{AB}$, $\overline{OB}$, $\overline{PQ}$의 길이는 각각 0, 1, 0 에 가까워지므로 $\sin 0° = 0, \cos 0° = 1, \tan 0° = 0$

② ∠AOB의 크기가 $90°$에 가까워지면 $\overline{AB}$, $\overline{OB}$의 길이는 각각 1, 0에 가 까워지고 $\overline{PQ}$의 길이는 한없이 커지므로 $\sin 90° = 1, \cos 90° = 0$이고 $\tan 90°$의 값은 정할 수 없다.

(3) **삼각비의 값의 대소 관계**

① $0° \le x \le 90°$일 때, $\sin x$의 값은 x의 값이 크면 클수록 커진다.

② $0° \le x \le 90°$일 때, $\cos x$의 값은 x의 값이 크면 클수록 작아진다.

③ $\sin 45° = \cos 45°$, $\tan 45° = 1$임을 이용하여 여러 가지 삼각비들의 값의 대소를 따진다.

4 삼각비의 표

(1) **삼각비의 표**

$0°$에서 $90°$까지 $1°$단위로 삼각비를 소 수점 아래 다섯째 자리에서 반올림하여 넷째 자리까지 나타낸 표

(2) **삼각비의 표 보는 방법**

구하려는 각도의 가로줄과 세로줄이 만 나는 곳을 읽는다.

예 $\cos 88° = 0.0349$

$\tan 89° = 57.2900$

각도	사인 (sin)	코사인 (cos)	탄젠트 (tan)
0°	0.0000	1.0000	0.0000
⋮	⋮	⋮	⋮
88°	0.9994 →	0.0349	28.6363
89°	0.9998	0.0175	57.2900
90°	1.0000	0.0000	정할 수 없다.

• $0° \le x \le 90°$에서 x의 값이 커지면
① $\sin x$의 값은 0에서 1로 커진다.
② $\cos x$의 값은 1에서 0으로 작아진다.
③ $\tan x$의 값은 0에서 무한히 커진다.

• **삼각비의 대소 관계**
① $0° < x < 45°$일 때,
 $\sin x < \cos x$, $0 < \tan x < 1$
② $x = 45°$일 때,
 $\sin x = \cos x < \tan x = 1$
③ $45° < x < 90°$일 때,
 $\cos x < \sin x < \tan x$,
 $\tan x > 1$

• **삼각비의 값을 보고 각도 찾기**
각각의 삼각비의 표는 어느 한 각 에 대하여 삼각비의 값이 하나씩 결정되기 때문에 삼각비의 값이 정 해지면 각도 결정된다.
예 $\cos x = 0.0175$
 삼각비의 표에서 $\cos 89° = 0.0175$ 이므로 $x = 89°$이다.

3 임의의 예각의 삼각비의 값

[028~030] 그림과 같이 반지름의 길이가 1인 사분원에서 다음 삼각비의 값을 나타내는 선분을 구하여라.

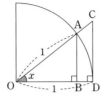

028 $\sin x$

029 $\cos x$

030 $\tan x$

[031~033] 그림과 같이 좌표평면 위의 원점 O를 중심으로 하고 반지름의 길이가 1인 사분원에서 다음 삼각비의 값을 구하여라.

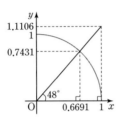

031 $\sin 48°$

032 $\cos 48°$

033 $\tan 48°$

034 다음과 같은 삼각비의 값을 크기가 작은 것부터 차례로 나열하여라.

| $\tan 47°$ $\quad$ $\sin 90°$ $\quad$ $\cos 1°$ $\quad$ $\sin 40°$ |

[035~040] 다음을 계산하여라.

035 $\tan 0° + \cos 90°$

036 $\sin 90° + \cos 0°$

037 $\sin 90° + \tan 0°$

038 $\sin 90° + \cos 90°$

039 $\sin 0° + \cos 0° + \tan 0°$

040 $\dfrac{\cos 0°}{\sin 90°}$

4 삼각비의 표

[041~048] 삼각비의 표를 이용하여 삼각비의 값을 구하여라.

각도	사인(sin)	코사인(cos)	탄젠트(tan)
13°	0.2250	0.9744	0.2309
14°	0.2419	0.9703	0.2493
15°	0.2588	0.9659	0.2679
16°	0.2756	0.9613	0.2867

041 $\cos 14°$

042 $\sin 13°$

043 $\cos 15°$

044 $\tan 16°$

045 $\cos 13° + \sin 14°$

046 $\tan 16° + \sin 15°$

047 $\cos 13° - \sin 16°$

048 $\cos 16° - \tan 14°$

[049~051] 삼각비의 표에서 다음을 만족시키는 x의 크기를 구하여라.

각도	사인(sin)	코사인(cos)	탄젠트(tan)
80°	0.9848	0.1736	5.6713
81°	0.9877	0.1564	6.3138
82°	0.9903	0.1392	7.1154
83°	0.9925	0.1219	8.1443
84°	0.9945	0.1045	9.5144

049 $\sin x = 0.9903$

050 $\cos x = 0.1045$

051 $\tan x = 5.6713$

J1 삼각비의 뜻 `기초`

052 그림과 같은 직각삼각형에서 삼각비의 정의가 옳은 것은?

① $\sin A = \dfrac{b}{c}$ ② $\sin A = \dfrac{a}{c}$

③ $\cos A = \dfrac{a}{b}$ ④ $\cos A = \dfrac{b}{a}$

⑤ $\tan A = \dfrac{b}{c}$

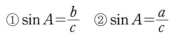

＊ 개념 찾기

$\angle C = 90°$인 직각삼각형 ABC에서

$\sin B = \dfrac{b}{c}$, $\cos B = \dfrac{a}{c}$, $\tan B = \dfrac{b}{a}$

053 그림과 같은 직각삼각형 ABC에서 삼각비를 옳게 나타낸 것은?

① $\sin A = \dfrac{\overline{AC}}{\overline{AB}}$ ② $\sin B = \dfrac{\overline{BC}}{\overline{AC}}$

③ $\cos A = \dfrac{\overline{AB}}{\overline{AC}}$ ④ $\cos B = \dfrac{\overline{BC}}{\overline{AB}}$

⑤ $\tan A = \dfrac{\overline{AC}}{\overline{BC}}$

054 그림과 같은 직각삼각형 ABC에서

$\sin A \times \cos A \times \tan C$

의 값을 구하여라.

J2 변의 길이가 주어질 때 삼각비의 값 `이해`

055 그림과 같은 직각삼각형 ABC에서 $\angle A$와 $\angle B$의 삼각비 중 옳지 <u>않은</u> 것은?

① $\sin A = \dfrac{\sqrt{3}}{2}$ ② $\sin B = \dfrac{1}{2}$

③ $\cos A = \dfrac{1}{2}$ ④ $\cos B = \dfrac{\sqrt{3}}{2}$

⑤ $\tan A = \dfrac{1}{\sqrt{3}}$

＊ 접근법

피타고라스 정리를 이용하여 나머지 한 변의 길이를 구하면 삼각비의 값을 알 수 있다.

056 그림과 같이 $\angle A = 90°$인 직각삼각형 ABC에서 $\tan x + \tan y$의 값은?

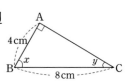

① $\dfrac{3\sqrt{3}}{2}$ ② $\dfrac{4\sqrt{3}}{3}$ ③ $\dfrac{7\sqrt{3}}{6}$

④ 2 ⑤ $\dfrac{5\sqrt{3}}{6}$

057 그림과 같이 $\angle C$가 직각인 직각삼각형 ABC에서 $\overline{AB} = 4$, $\overline{BC} = 3$일 때, $(\sin B + \cos B) \times (\tan B - 1)$의 값은?

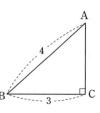

① $-\dfrac{3}{4}$ ② $-\dfrac{1}{6}$ ③ $\dfrac{1}{6}$

④ $\dfrac{3}{4}$ ⑤ $\dfrac{\sqrt{3}}{2}$

J3 삼각비의 값이 주어질 때 변의 길이 　　이해

058 그림과 같이 ∠B=90°인 직각삼각형 ABC에서 $\overline{AC}$=18 cm이고, $\sin C=\dfrac{2}{3}$일 때, $\overline{BC}$의 길이는?

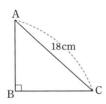

① $4\sqrt{3}$ cm　　② $4\sqrt{5}$ cm　　③ $6\sqrt{3}$ cm
④ 12 cm　　⑤ $6\sqrt{5}$ cm

* 접근법 ⋯⋯⋯⋯⋯⋯⋯⋯⋯⋯⋯⋯⋯⋯⋯⋯⋯⋯⋯⋯
　삼각비는 직각삼각형의 두 변의 길이의 비이므로 삼각비와 한 변의
　길이가 주어지면 다른 변의 길이를 알 수 있다.

059 그림과 같이 ∠C=90°인 직각삼각형 ABC에서 $\tan A=\dfrac{3}{2}$, $\overline{AC}$=6 cm일 때, $\overline{BC}$의 길이는?

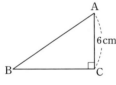

① 6 cm　　② 7 cm　　③ 8 cm
④ 9 cm　　⑤ 10 cm

060 그림과 같이 ∠C=90°인 직각삼각형 ABC에서 $\overline{AB}$=20이고, $\cos A=\dfrac{3}{5}$일 때, $\overline{BC}$의 길이는?

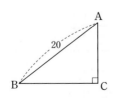

① 14　　② 16　　③ 18
④ 20　　⑤ 22

061 그림과 같은 직각삼각형 ABC에서 $\overline{AC}$=4이고, $\tan B=\dfrac{2}{3}$일 때, 삼각형 ABC의 둘레의 길이는?

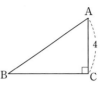

① $10+2\sqrt{7}$　　② $10+4\sqrt{2}$　　③ 16
④ $10+2\sqrt{11}$　　⑤ $10+2\sqrt{13}$

062 그림과 같이 $\overline{AB}$=8인 직각삼각형 ABC에서 $\sin A+\sin B=\dfrac{1+\sqrt{3}}{2}$일 때, $\overline{BC}+\overline{AC}$의 값을 구하여라.

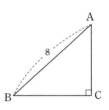

063 그림과 같이 ∠BAC=90°인 직각삼각형 ABC에서 $\overline{AD}\perp\overline{BC}$, $\overline{AC}$=8, $\cos C=\dfrac{\sqrt{5}}{5}$일 때, $\overline{BD}$의 길이를 구하여라.

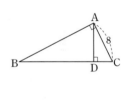

064 그림과 같이 △ABC에서 ∠B=∠C, $\overline{AB}$=9 cm, $\cos B=\dfrac{2}{3}$일 때, $\overline{BC}$의 길이를 구하여라.

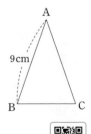

J4 삼각비의 값이 주어질 때 다른 삼각비의 값 이해

065 $\sin A = \dfrac{4}{5}$일 때, $\cos A$의 값은?

(단, $0° < A < 90°$)

① $\dfrac{5}{3}$　　② $\dfrac{4}{3}$　　③ $\dfrac{5}{4}$

④ $\dfrac{4}{5}$　　⑤ $\dfrac{3}{5}$

* 접근법

주어진 삼각비의 값을 이용하여 이를 만족시키는 직각삼각형을 그린 뒤, 세 변의 길이의 비를 구하여 다른 삼각비의 값을 구한다.

066 $\tan A = \dfrac{1}{3}$일 때, $\cos A + \sin A$의 값은?

(단, $0° < A < 90°$)

① $\sqrt{10}$　　② $\dfrac{2\sqrt{10}}{3}$　　③ $\dfrac{\sqrt{10}}{2}$

④ $\dfrac{2\sqrt{10}}{5}$　　⑤ $\dfrac{\sqrt{10}}{3}$

067 $\tan A = 3$일 때, $\dfrac{3\sin A + 2\cos A}{2\sin A - \cos A}$의 값을 구하여라. (단, $0° < A < 90°$)

068 $\angle C = 90°$인 직각삼각형 ABC에서 $\cos A = \dfrac{3}{4}$일 때, $\sin B \times \cos B \times \tan B$의 값은?

① $\dfrac{3}{8}$　　② $\dfrac{7}{16}$　　③ $\dfrac{1}{2}$

④ $\dfrac{9}{16}$　　⑤ $\dfrac{5}{8}$

J5 직각삼각형의 닮음과 삼각비 이해

069 그림과 같이 $\angle C = 90°$인 △ABC에서 $\overline{AB} \perp \overline{CD}$일 때, 다음 중 $\cos A$를 나타내는 식을 모두 고르면? (정답 2개)

① $\dfrac{\overline{BC}}{\overline{AB}}$　　② $\dfrac{\overline{AD}}{\overline{AC}}$　　③ $\dfrac{\overline{CD}}{\overline{AC}}$

④ $\dfrac{\overline{AC}}{\overline{BC}}$　　⑤ $\dfrac{\overline{CD}}{\overline{BC}}$

* Check Key

△ABC∽△CBD∽△ACD
⇔ ∠ABC=∠ACD,
　∠BCD=∠BAC

070 다음 중 $\cos x$를 나타내는 것은?

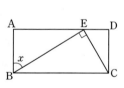

① $\dfrac{\overline{BC}}{\overline{AC}}$　　② $\dfrac{\overline{AB}}{\overline{BC}}$

③ $\dfrac{\overline{BE}}{\overline{ED}}$　　④ $\dfrac{\overline{BD}}{\overline{BE}}$

⑤ $\dfrac{\overline{ED}}{\overline{BE}}$

071 그림과 같이 직사각형 ABCD에서 $\angle ABE = x$라 한다. $\sin x$를 나타낸 것을 〈보기〉에서 모두 고른 것은?

> **보기**
>
> ㄱ. $\dfrac{\overline{BE}}{\overline{BC}}$　　ㄴ. $\dfrac{\overline{CD}}{\overline{CE}}$　　ㄷ. $\dfrac{\overline{AB}}{\overline{BE}}$

① ㄱ　　② ㄱ, ㄴ　　③ ㄱ, ㄷ

④ ㄴ, ㄷ　　⑤ ㄱ, ㄴ, ㄷ

J6 직각삼각형의 닮음을 이용한 삼각비의 값 I 응용

072 그림에서
△ABC는 $\overline{AB}$=6,
$\overline{AC}$=8, $\overline{AH}\perp\overline{BC}$,
∠BAC=90°일 때,
$\sin x + \sin y$의 값은?

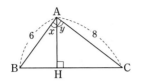

① $\dfrac{5}{2}$　　② 2　　③ $\dfrac{5}{3}$

④ $\dfrac{7}{5}$　　⑤ $\dfrac{6}{5}$

* 접근법

　삼각비의 값을 바로 구할 수 없으면 변의 길이가 주어진 삼각형에서
　피타고라스 정리를 이용하거나 닮음을 이용하면 된다.

073 그림에서 △ABC는
$\overline{AB}$=4, $\overline{BC}$=5, ∠BAC=90°,
$\overline{AH}\perp\overline{BC}$일 때, $\tan x$의 값은?

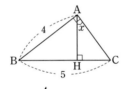

① $\dfrac{3}{5}$　　② $\dfrac{3}{4}$　　③ $\dfrac{4}{5}$

④ $\dfrac{5}{4}$　　⑤ $\dfrac{4}{3}$

074 그림에서 □ABCD는
$\overline{AB}=\sqrt{11}$ cm, $\overline{BC}$=5 cm
인 직사각형이다.
∠ABH=x라 할 때,
$\cos x + \sin x$의 값을 구하여라.

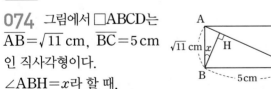

J7 직각삼각형의 닮음을 이용한 삼각비의 값 II 응용

075 그림과 같이
∠A=90°인 직각삼각형
ABC에서 $\overline{BC}\perp\overline{DE}$일
때, $\sin x - \cos x$의 값은?

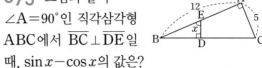

① $\dfrac{7}{13}$　　② $\dfrac{7}{12}$　　③ $\dfrac{15}{13}$

④ $\dfrac{17}{13}$　　⑤ $\dfrac{17}{12}$

* **Check Key**

　한 각을 공유하는 두 직각삼각형은 항상 닮음이다. 닮은 도형은 대응
　각의 크기가 같음을 이용하자.

076 그림과 같이 ∠A=90°
인 직각삼각형 ABC에서
$\overline{BC}\perp\overline{DE}$일 때, $\sin x$의 값은?

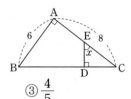

① $\dfrac{3}{5}$　　② $\dfrac{3}{4}$　　③ $\dfrac{4}{5}$

④ $\dfrac{4}{3}$　　⑤ $\dfrac{5}{4}$

077 그림에서 $\overline{AB}\,/\!/\,\overline{CD}$, $\overline{AB}\perp\overline{BC}$
이다. ∠EAB=x라 할 때, $\cos x$의 값
을 구하여라.

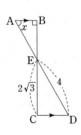

J8 특수한 각에 대한 삼각비의 값 _{기초}

078 다음 식을 계산하면?

$$\sin 45° \div \cos 45° + \tan 30° \times \cos 30°$$

① $\dfrac{1}{2}$ 　　② 1 　　③ $\dfrac{3}{2}$

④ 2 　　⑤ 3

* 개념 찾기

삼각비 \ A	$30°$	$45°$	$60°$
$\sin A$	$\dfrac{1}{2}$	$\dfrac{\sqrt{2}}{2}$	$\dfrac{\sqrt{3}}{2}$
$\cos A$	$\dfrac{\sqrt{3}}{2}$	$\dfrac{\sqrt{2}}{2}$	$\dfrac{1}{2}$
$\tan A$	$\dfrac{1}{\sqrt{3}}$	1	$\sqrt{3}$

079 다음 중 계산이 옳은 것은?

① $\sin 30° + \cos 60° = 1$

② $\cos 30° \times \tan 60° = \dfrac{1}{2}$

③ $\sin 60° \times \cos 30° = \dfrac{\sqrt{3}}{4}$

④ $\tan 45° \div \sin 45° = \dfrac{\sqrt{2}}{2}$

⑤ $\tan 60° - \cos 45° = \dfrac{2\sqrt{3} - 3\sqrt{2}}{6}$

080 $\cos 30° + \sin 30° + \tan 45°$의 값은?

① $1 + \dfrac{\sqrt{3}}{2}$ 　　② $\dfrac{3 + \sqrt{3}}{2}$ 　　③ $2 + \dfrac{\sqrt{3}}{2}$

④ $\dfrac{5 + \sqrt{3}}{2}$ 　　⑤ $3 + \dfrac{\sqrt{3}}{2}$

081 $\dfrac{\sin 60° + \cos 60°}{\tan 60° + \tan 45°}$의 값은?

① $\dfrac{1}{2}$ 　　② 1 　　③ $\dfrac{\sqrt{3}}{2}$

④ $\dfrac{\sqrt{3} + 1}{2}$ 　　⑤ $\sqrt{3} + 1$

082 다음 식을 만족시키는 x에 대하여 $\cos x$의 값을 구하여라. (단, $0° \le x \le 90°$)

$$\cos^2 30° - \sin 60° \times \tan x + \sin^2 45° = \dfrac{3}{4}$$

083 삼각형의 세 내각의 크기의 비가
$\angle A : \angle B : \angle C = 1 : 2 : 3$일 때, $\sin B \times \tan A$의 값은?

① $\dfrac{\sqrt{6}}{2}$ 　　② $\dfrac{2\sqrt{2}}{3}$ 　　③ $\dfrac{1}{2}$

④ $\dfrac{\sqrt{3}}{6}$ 　　⑤ $\dfrac{\sqrt{2}}{6}$

J9 특수한 각의 삼각비의 값을 이용한 직각삼각형의 변의 길이 구하기 이해

084 직각삼각형 ABC에서 $\overline{BC}$의 길이를 구하여라.

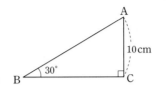

＊접근법

(1) 직각삼각형에서 직각이 아닌 한 각을 기준각으로 하면
  ① 밑변과 높이가 주어진 경우, tan를 이용
  ② 빗변과 높이가 주어진 경우, sin을 이용
  ③ 빗변과 밑변이 주어진 경우, cos을 이용

(2) 두 직각삼각형이 한 변을 공통으로 겹쳐지는 경우, 공통인 변의 길이를 변 사이의 관계와 삼각비를 이용하여 먼저 구한다.

(3) 특수한 각을 갖는 직각삼각형의 변의 길이의 비를 이용할 수 있다.
  ① 직각이 아닌 각이 45°인 경우 길이가 짧은 변부터 순서대로
     $1 : 1 : \sqrt{2}$
  ② 직각이 아닌 각이 30° 또는 60°인 경우 길이가 짧은 변부터
     순서대로 $1 : \sqrt{3} : 2$

085 그림에서 xy의 값을 구하여라.

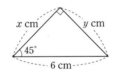

086 그림에서 $\overline{BC}$를 공통으로 하는 △ABC와 △BCD는 각각 ∠A=90°, ∠C=90°인 직각삼각형이다. ∠DBC=30°, ∠ACB=45°이고 $\overline{CD}=5$일 때, $\overline{AB}$의 길이는?

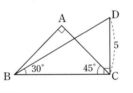

① $\dfrac{5\sqrt{3}}{2}$ ② $\dfrac{7\sqrt{3}}{2}$ ③ $\dfrac{5\sqrt{6}}{2}$

④ $\dfrac{7\sqrt{6}}{2}$ ⑤ $5\sqrt{3}$

087 그림과 같이 두 개의 직각삼각형이 $\overline{AC}$를 공통인 변으로 하고 있다. $\overline{AD}$의 길이를 구하여라.

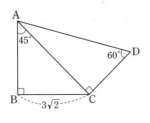

088 그림과 같은 직각삼각형 ABC에서 xy의 값은?

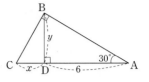

① $\sqrt{3}$ ② $2\sqrt{3}$

③ 6 ④ $4\sqrt{3}$

⑤ 8

J10 직선의 기울기와 삼각비의 값 응용

089 그림과 같이 직선 $x-\sqrt{3}y+6\sqrt{3}=0$이 x축의 양의 방향과 이루는 각의 크기를 a라 할 때, $\tan a$의 값은?

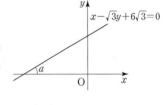

① $-\dfrac{3}{2}$ ② $-\dfrac{2}{3}$ ③ $\dfrac{\sqrt{3}}{3}$

④ $\dfrac{\sqrt{3}}{2}$ ⑤ $\sqrt{3}$

＊개념 찾기

직선 $y=mx+n$이 x축의 양의 방향과 이루는 각의 크기를 θ라 하면 (직선의 기울기)$=m=\tan\theta$

090 일차함수 $3x-4y=12$의 그래프와 x축, y축과의 교점을 각각 A, B라 할 때, △AOB에 대하여 $\sin A - \sin B$의 값은?

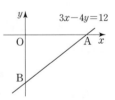

① $-\dfrac{1}{4}$ ② $-\dfrac{1}{5}$ ③ 0

④ $\dfrac{1}{5}$ ⑤ $\dfrac{1}{4}$

091 직선 $y+a=bx+\sqrt{3}$이 x축의 양의 방향과 이루는 각의 크기가 60°이고 y절편이 $-\sqrt{3}+4$일 때, $a+b$의 값을 구하여라. (단, $b>0$)

J11 입체도형에서 삼각비의 값

응용

092 그림과 같은 정육면체에서 $\angle ECG = x$일 때, $\sin x$의 값을 구하여라.

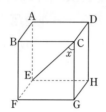

* **Check Key**

입체도형에서 직각삼각형을 찾아 삼각비를 구한다. 이때, 많이 사용하는 입체도형의 길이를 다시 확인하자.

(1) 정육면체

(2) 정사면체

$l = \sqrt{3}a$

$h = \frac{\sqrt{6}}{3}a$

093 그림은 한 모서리의 길이가 6인 정사면체이다. 점 M은 $\overline{BC}$의 중점이고 $\angle AMD = x$일 때, $\sin x$의 값을 구하여라.

094 그림과 같이 정사면체의 꼭짓점 A에서 밑면에 내린 수선의 발을 H라 하고, $\angle ABH = x$라 할 때, $\tan x$의 값은?

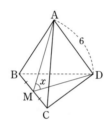

① $\sqrt{2}$ ② $\sqrt{3}$ ③ 3

④ $2\sqrt{3}$ ⑤ $2\sqrt{6}$

095 ★ 그림과 같이 한 모서리의 길이가 10인 정육면체의 점 D에서 $\overline{BH}$에 내린 수선의 발을 N, $\angle NDH = x$라 할 때, $\sin x \times \cos x \times \tan x$의 값은?

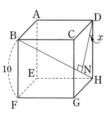

① $\frac{\sqrt{6}}{3}$ ② $\frac{\sqrt{2}}{2}$ ③ $\frac{\sqrt{3}}{3}$

④ $\frac{1}{2}$ ⑤ $\frac{1}{3}$

J12 사분원에서 삼각비의 값 I

이해

096 그림에서 부채꼴 AEF는 반지름의 길이가 1인 사분원이다. 그림에서 $\sin x$, $\cos x$를 나타내는 선분을 차례로 구한 것은?

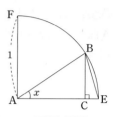

① $\overline{AB}$, $\overline{AC}$ ② $\overline{AB}$, $\overline{AE}$ ③ $\overline{BC}$, $\overline{AC}$

④ $\overline{BC}$, $\overline{AE}$ ⑤ $\overline{BE}$, $\overline{AC}$

* **접근법**

원은 중심에서 일정한 거리에 있는 점들의 모임이다. 즉, 점 A가 사분원의 중심일 때 $\overline{AB} = \overline{AE} = \overline{AF} = 1$임을 이용하자.

097 그림과 같이 사분원의 반지름의 길이가 1일 때, $\tan 40°$의 값을 나타내는 선분을 말하여라.

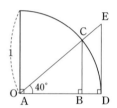

098 그림에서 부채꼴 AEF는 반지름의 길이가 1인 사분원이다. 그림에서 $0° \le x \le 90°$일 때, x의 크기가 증가함에 따른 $\sin x$와 $\cos x$의 값의 변화를 증가 또는 감소를 사용하여 각각 말하여라.

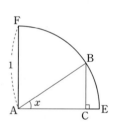

099 ★ 그림과 같이 반지름의 길이가 1인 사분원에서 $\angle AOB = x$, $\angle OAB = y$라 할 때, 다음 〈보기〉에서 옳은 것을 있는 대로 골라라.

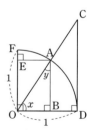

─── 보기 ───

ㄱ. $\overline{AB} = \sin y$ ㄴ. $\overline{CD} = \tan x$

ㄷ. $\overline{BD} = 1 - \cos x$ ㄹ. $\overline{EF} = 1 - \cos y$

ㅁ. $\overline{AC} = \dfrac{1}{\sin x} - 1$

J13 사분원에서 삼각비의 값 Ⅱ 이해

100 그림과 같이 좌표평면 위의 반지름의 길이가 2인 사분원에서 $\cos 40°$의 값은?

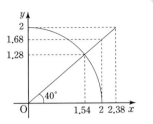

① 0.64 　② 0.77

③ 1.28 　④ 1.54

⑤ 1.68

＊ 개념 찾기

(1) 반지름의 길이가 1인 사분원에서 x에 대하여

　① $\sin x = a$

　② $\cos x = b$

　③ $\tan x = c$

(2) 반지름의 길이가 1이 아닌 경우 삼각비의 값을 주의하여 구한다.

101 그림과 같이 좌표평면 위의 사분원을 이용하여 $\sin 32° - \cos 32° + \tan 32°$의 값을 구하여라.

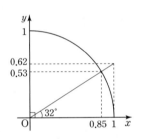

102 그림과 같은 좌표평면 위에서 $\sin 36°$의 값은?

① 0 　② 0.5878

③ 0.8090 　④ 1

⑤ 1.3764

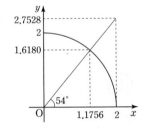

103 그림과 같이 반지름의 길이가 1인 사분원 위의 점 A에서 x축, y축에 내린 수선의 발을 각각 B, C라 하자. 점 C의 좌표가 $\left(0, \dfrac{\sqrt{3}}{2}\right)$이고 $\angle AOB = \theta$일 때, $\tan\theta$의 값을 구하여라.

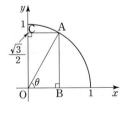

J14 0°, 90°의 삼각비의 값 이해

104 $\cos 0° \times \sin 90° + \sin 60° \times \tan 30°$의 값은?

① 1 　② $\dfrac{3}{2}$ 　③ $\dfrac{4\sqrt{3}}{3}$

④ 2 　⑤ $\dfrac{2+3\sqrt{2}}{6}$

＊ 개념 찾기

A \ 삼각비	sin A	cos A	tan A
0°	0	1	0
90°	1	0	정할 수 없다.

105 다음 중 옳지 <u>않은</u> 것은?

① $\sin 0° + \cos 0° = 1$

② $\sin 30° + \tan 45° = \dfrac{3}{2}$

③ $\cos 90° - \tan 45° + \sin 0° = 1$

④ $\sin 60° \times \cos 90° = 0$

⑤ $\sin 60° \times \tan 30° = \dfrac{1}{2}$

106 다음 중 등식이 성립하지 <u>않는</u> 것은?

① $\sin 0° = \tan 0°$

② $\sin 45° = \cos 45°$

③ $\sin 60° = \cos 30°$

④ $\cos 0° = \sin 90°$

⑤ $\sin 90° = \tan 90°$

107 다음 식의 값을 구하여라.

$$\cos 0° \times (1 + \tan 45° + \cos 0°) + \sin 60° \times \tan 45° \times \cos 30° + (1 + \sin 30°) \times (1 - \cos 60°)$$

J15 삼각비의 값의 대소 관계 이해

108 $45°<A<90°$일 때, $\sin A$, $\cos A$, $\tan A$의 값의 대소 관계를 옳게 나타낸 것은?

① $\sin A<\cos A<\tan A$
② $\cos A<\sin A<\tan A$
③ $\sin A<\tan A<\cos A$
④ $\cos A<\tan A<\sin A$
⑤ $\tan A<\cos A<\sin A$

✱ **Check Key**

$0°\le x\le90°$에서 x의 크기가 커지면
(1) $\sin x$의 값은 0에서 1까지 증가한다.
(2) $\cos x$의 값은 1에서 0까지 감소한다.
(3) $\tan x$의 값은 0에서 무한히 증가한다.

109 다음 삼각비의 값 중에서 가장 큰 것은?

① $\cos 0°$ ② $\sin 30°$ ③ $\cos 30°$
④ $\tan 30°$ ⑤ $\sin 60°$

110 $0°\le A\le90°$일 때, 다음 중 옳지 <u>않은</u> 것은?

① A가 커지면 $\tan A$의 값은 커진다.
② A가 커지면 $\cos A$의 값은 작아진다.
③ $\sin A$의 최솟값은 0이고, 최댓값은 1이다.
④ $\cos A$의 최솟값은 0이고, 최댓값은 1이다.
⑤ $\tan A$의 최솟값은 0이고, 최댓값은 57.29이다.

111* 다음 삼각비의 값을 작은 것부터 차례로 나열하면?

| Ⅰ. $\sin 45°$ | Ⅱ. $\cos 0°$ | Ⅲ. $\cos 35°$ |
| Ⅳ. $\sin 75°$ | Ⅴ. $\tan 50°$ | Ⅵ. $\tan 65°$ |

① Ⅰ－Ⅲ－Ⅳ－Ⅴ－Ⅵ－Ⅱ
② Ⅰ－Ⅲ－Ⅳ－Ⅱ－Ⅴ－Ⅵ
③ Ⅰ－Ⅲ－Ⅴ－Ⅵ－Ⅳ－Ⅱ
④ Ⅱ－Ⅲ－Ⅰ－Ⅴ－Ⅵ－Ⅳ
⑤ Ⅱ－Ⅲ－Ⅳ－Ⅴ－Ⅵ－Ⅰ

J16 삼각비의 대소 관계를 이용한 식의 계산 이해

112 $0°<x<45°$일 때,
$$\sqrt{(\sin x-\cos x)^2}-\sqrt{(1-\sin x)^2}$$
을 간단히 하여라.

✱ **Check Key**

범위에 따른 삼각비의 대소 관계
(1) $0°\le x<45°$일 때, $\sin x<\cos x$
(2) $x=45°$일 때, $\sin x=\cos x<\tan x=1$
(3) $45°<x<90°$일 때, $\cos x<\sin x<\tan x$

113 $0°\le x\le90°$인 x에 대하여
$$\sqrt{(\cos x+1)^2}-\sqrt{(\cos x-1)^2}$$ 을 간단히 하면?

① 0 ② $2\cos x-2$ ③ $\cos x$
④ $2\cos x$ ⑤ 2

114 $45°<x<90°$일 때,
$$\sqrt{(1-\tan x)^2}-\sqrt{(1+\tan x)^2}$$을 간단히 하면?

① $-2\tan x$ ② -2 ③ 0
④ 2 ⑤ $2\tan x$

115* 다음 〈보기〉의 설명 중 옳은 것을 모두 고른 것은?

─ 보기 ─

ㄱ. $45°<x<90°$일 때, $\sin x-\tan x<0$이다.
ㄴ. $45°<x<90°$일 때, $\tan x-1>0$이다.
ㄷ. $0°<x<90°$일 때, $\sin x-\cos x>0$이다.

① ㄱ ② ㄴ ③ ㄱ, ㄴ
④ ㄴ, ㄷ ⑤ ㄱ, ㄴ, ㄷ

J17 삼각비의 표를 이용한 삼각비의 값과 각의 크기 구하기 `이해`

116 삼각비의 표를 이용하여 다음 값을 구하여라.

각도	사인(sin)	코사인(cos)	탄젠트(tan)
21°	0.3584	0.9336	0.3839
22°	0.3746	0.9272	0.4040
23°	0.3907	0.9205	0.4245
24°	0.4067	0.9135	0.4452
25°	0.4226	0.9063	0.4663

(1) $\sin 25° + \cos 23°$ (2) $\cos 21° - \tan 24°$

✳ Check Key

(1) 삼각비의 표에서 각도의 가로줄과 sin, cos, tan의 세로줄이 만나는 곳의 수를 구한다.
(2) 삼각비의 값을 표에서 찾으면 만족시키는 각을 찾을 수 있다.

117 삼각비의 표를 이용하여
$\cos 36° - \sin 32° + \tan 35°$의 값을 구하여라.

각도	사인(sin)	코사인(cos)	탄젠트(tan)
32°	0.5299	0.8480	0.6249
⋮	⋮	⋮	⋮
35°	0.5736	0.8192	0.7002
36°	0.5878	0.8090	0.7265

118 삼각비의 표를 이용하여 $\sin x = 0.2419$, $\tan y = 0.2867$을 만족시키는 $x+y$의 크기를 구하여라.

각도	사인(sin)	코사인(cos)	탄젠트(tan)
14°	0.2419	0.9703	0.2493
15°	0.2588	0.9659	0.2679
16°	0.2756	0.9613	0.2867

119 삼각비의 표를 이용하여 $\sin x + 1.088 = \tan 63°$를 만족시키는 x의 크기를 구하여라.

각도	사인(sin)	코사인(cos)	탄젠트(tan)
61°	0.8746	0.4848	1.8040
62°	0.8829	0.4695	1.8807
63°	0.8910	0.4540	1.9626

J18 삼각비의 표를 이용하여 변의 길이 구하기 `이해`

120 그림의 직각삼각형 ABC에서 삼각비의 표를 이용하여 $x+y$의 값을 구하여라.

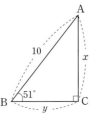

각도	사인(sin)	코사인(cos)	탄젠트(tan)
51°	0.7771	0.6293	1.2349
52°	0.7880	0.6157	1.2799
53°	0.7986	0.6018	1.3270
54°	0.8090	0.5878	1.3764
55°	0.8192	0.5736	1.4281

✳ 접근법

주어진 조건에 따른 (구해야 할 변의 길이) → (이용할 삼각비)

(1) 빗변의 길이가 주어질 경우, (밑변) → cos, (높이) → sin
(2) 밑변의 길이가 주어질 경우, (빗변) → cos, (높이) → tan
(3) 높이가 주어질 경우, (빗변) → sin, (밑변) → tan

121 그림과 같은 △ABC에서 $y-x$의 값을 120번의 삼각비의 표를 이용하여 구하여라.

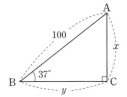

122 120번의 삼각비의 표를 이용하여 그림과 같은 △ABC에서 $\overline{BC}$의 길이를 구하여라.

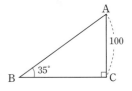

★123 그림의 직각삼각형 ABC의 점 C에서 $\overline{AB}$에 내린 수선의 발을 D라 하자. $\angle A = 42°$, $\overline{BC} = 40$일 때, 다음 삼각비의 표를 이용하여 $\overline{CD}$의 길이를 구하여라. (단, 소수점 아래 둘째 자리에서 반올림하여 구한다.)

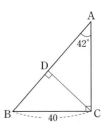

각도	사인(sin)	코사인(cos)	탄젠트(tan)
48°	0.7431	0.6691	1.1106
49°	0.7547	0.6561	1.1504

124 그림과 같이 ∠C=90°인 직각삼각형 ABC에서 $\overline{AB} \perp \overline{DE}$일 때, $\cos x + \tan y$의 값은?

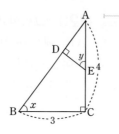

① $\dfrac{9}{5}$

② $\dfrac{7}{5}$

③ $\dfrac{22}{15}$

④ $\dfrac{5}{3}$

⑤ $\dfrac{29}{15}$

125 그림과 같이 ∠A=90°인 직각삼각형 ABC에서 $\overline{DE} \perp \overline{BC}$, $\overline{BC}=10$, $\overline{AC}=6$일 때, $\sin x + \cos x + \tan x$의 값은?

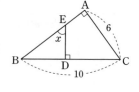

① $\dfrac{4}{5}$

② $\dfrac{5}{3}$

③ $\dfrac{12}{5}$

④ $\dfrac{13}{5}$

⑤ $\dfrac{41}{15}$

126 그림에서 △ABC는 ∠A=90°인 직각삼각형이고, 꼭짓점 A에서 $\overline{BC}$에 내린 수선의 발을 D라 하면 $\overline{BD} : \overline{DC}=16 : 9$이다. 이때, $\cos x$의 값을 구하여라.

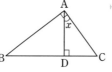

127 그림과 같이 ∠A=90°인 직각삼각형 ABC의 꼭짓점 A에서 변 BC에 내린 수선의 발을 D, 점 D에서 변 AC에 내린 수선의 발을 E라 하자. $\overline{AE}=6$, $\overline{CE}=8$이고 ∠BAD=x, ∠CAD=y일 때, $\sin^2 x + \cos^2 y$의 값은?

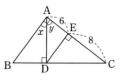

① $\dfrac{2}{7}$

② $\dfrac{3}{7}$

③ $\dfrac{5}{7}$

④ $\dfrac{6}{7}$

⑤ 1

128 $\tan A = 2$일 때, $\dfrac{1+2\sin A \times \cos A}{\sin^2 A - \cos^2 A}$ 의 값은?

(단, $0° < A < 90°$)

① $\dfrac{1}{4}$ ② $\dfrac{1}{3}$ ③ $\dfrac{1}{2}$

④ 3 ⑤ 4

129 $0° < A < 90°$이고, $\tan A = \dfrac{1}{2}$일 때,

$\dfrac{\sin A \times \cos A + \sin^2 A}{(\cos A + \sin A) \times (\cos A - \sin A)}$ 의 값은?

① $2\sqrt{3}$ ② $\sqrt{3}$ ③ 1

④ $\dfrac{1}{2}$ ⑤ $\dfrac{\sqrt{5}}{5}$

130 $\sin(2x+10°) = \dfrac{1}{2}$ 을 만족시키는 $\cos 6x$의 값은? (단, $0° < x < 40°$)

① $\dfrac{\sqrt{2}}{3}$ ② $\dfrac{1}{2}$ ③ $\dfrac{\sqrt{2}}{2}$

④ $\dfrac{\sqrt{3}}{2}$ ⑤ 1

131 $\cos(5x+10°) = \dfrac{1}{2\tan 45°}$ 일 때, $\sin 3x$의 값은?

(단, $0° < x < 16°$)

① $\dfrac{1}{2}$ ② $\dfrac{\sqrt{3}}{3}$ ③ $\dfrac{\sqrt{2}}{2}$

④ $\dfrac{\sqrt{3}}{2}$ ⑤ 1

132 다음 중 옳지 <u>않은</u> 것은?

① $\sin 90° - \tan 30° \times \tan 60° = 0$

② $\tan 45° \times \sin 0° + \tan 30° \div \tan 60° = 0$

③ $\cos 90° - \tan 45° = -1$

④ $\sin 90° \times \cos 30° + \cos 0° \times \sin 60° = \sqrt{3}$

⑤ $2\sin 30° \times \cos 60° - \sin 45° \times \cos 45° = 0$

133 다음 〈보기〉 중 옳은 것을 모두 고른 것은?

> ─── 보기 ───
>
> ㄱ. $\sin^2 30° + \cos^2 60° = 1$
>
> ㄴ. $\sin 30° = \cos 30° \times \tan 30°$
>
> ㄷ. $\sin 30° + \sin 60° = \sin 90°$
>
> ㄹ. $\tan 30° = \dfrac{1}{\tan 60°}$

① ㄱ, ㄴ   ② ㄱ, ㄷ   ③ ㄴ, ㄹ

④ ㄱ, ㄷ, ㄹ   ⑤ ㄴ, ㄷ, ㄹ

134 $0° \leq A \leq 90°$이고, $\cos^2 A + 4\cos A - 5 = 0$을 만족시키는 A의 크기는?

① $0°$ ② $30°$ ③ $45°$
④ $60°$ ⑤ $90°$

135 $2\sin^2 x + \sin x - 1 = 0$일 때, $\tan x$의 값은?
(단, $0° \leq x \leq 90°$)

① 0 ② $\dfrac{1}{2}$ ③ $\dfrac{\sqrt{3}}{3}$
④ 1 ⑤ $\sqrt{3}$

136 일차함수 $y = -\dfrac{4}{3}x + 4$의 그래프와 x축의 양의 방향이 이루는 예각의 크기를 A라 할 때, $\dfrac{1}{\sin A - \cos A}$의 값은?

① $\dfrac{1}{5}$ ② $\dfrac{1}{4}$ ③ 1
④ 4 ⑤ 5

137 일차함수 $3x - 4y + 12 = 0$의 그래프와 x축의 양의 방향이 이루는 예각의 크기를 θ라 할 때, $\sin \theta + \cos \theta$의 값을 구하여라.

138 $0° < A < 45°$일 때, $\sqrt{(\sin A - \cos A)^2} + |1 - \cos A|$를 간단히 하여라.

139 $45° \leq A < 90°$이고, $\sqrt{(\sin A + \cos A)^2} + \sqrt{(\cos A - \sin A)^2} = \sqrt{2}$ 일 때, $\cos(105° - A)$의 값을 구하여라.

140 다음 삼각비의 값에 대하여 대소 관계가 옳은 것은?

$$\cos 0°, \ \cos 15°, \ \tan 46°, \ \sin 89°$$

① $\cos 0° < \cos 15° < \tan 46° < \sin 89°$
② $\cos 15° < \sin 89° < \cos 0° < \tan 46°$
③ $\cos 15° < \cos 0° < \sin 89° < \tan 46°$
④ $\cos 15° < \sin 89° < \tan 46° < \cos 0°$
⑤ $\sin 89° < \tan 46° < \cos 15° < \cos 0°$

141 다음 삼각비의 값을 작은 것부터 차례로 나열한 것은?

| Ⅰ. $\sin 25°$ | Ⅱ. $\cos 0°$ | Ⅲ. $\cos 25°$ |
| Ⅳ. $\sin 45°$ | Ⅴ. $\tan 50°$ | Ⅵ. $\tan 65°$ |

① Ⅰ － Ⅲ － Ⅳ － Ⅱ － Ⅴ － Ⅵ
② Ⅰ － Ⅳ － Ⅴ － Ⅵ － Ⅲ － Ⅱ
③ Ⅰ － Ⅳ － Ⅲ － Ⅱ － Ⅴ － Ⅵ
④ Ⅱ － Ⅲ － Ⅰ － Ⅴ － Ⅵ － Ⅳ
⑤ Ⅱ － Ⅳ － Ⅲ － Ⅴ － Ⅵ － Ⅰ

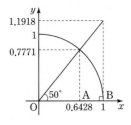

142 그림과 같이 반지름의 길이가 1인 사분원에서 $\tan 48° - \cos 42°$의 값은?

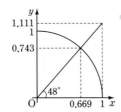

① 0.077
② 0.367
③ 0.368
④ 0.441
⑤ 0.443

143 그림과 같이 반지름의 길이가 1인 사분원에서 다음 중 옳지 <u>않은</u> 것은?

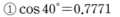

① $\cos 40° = 0.7771$
② $\sin 40° = 0.6428$
③ $\sin 50° = 0.6428$
④ $\tan 50° = 1.1918$
⑤ $\overline{AB} = 1 - \sin 40°$

144 그림과 같이 ∠BAC＝90°인 직각삼각형 ABC의 꼭짓점 A에서 대변에 내린 수선의 발을 H라 할 때, $\cos x + \sin y$의 값을 구하여라.

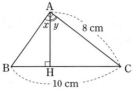

먼저, $\cos x$의 값을 구하자. 40%

그다음, $\sin y$의 값을 구하자. 40%

그래서, $\cos x + \sin y$의 값을 구하자. 20%

145 그림과 같이 ∠A＝90°인 직각삼각형 ABC의 꼭짓점 A에서 $\overline{BC}$에 내린 수선의 발을 H라 하고, $\overline{AB}=2\sqrt{3}$ cm, $\overline{AC}=2$ cm, ∠BAH＝x, ∠CAH＝y 일 때, $\sin x \times \cos y \div \tan x$의 값을 구하여라.

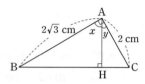

먼저,

그다음,

그래서,

146 그림에서 $\overline{AB}$가 원 O의 지름이고 $\overline{AO}=7.5$, $\overline{BC}=12$일 때, $\cos A + \tan B$의 값을 구하여라.

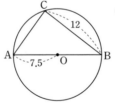

먼저, $\cos A$의 값을 구하자. 50%

그다음, $\tan B$의 값을 구하자. 30%

그래서, $\cos A + \tan B$의 값을 구하자. 20%

147 그림과 같이 △ABC가 반지름의 길이가 4인 원 O에 내접하고, ∠CAB＝60°이다. 이때, △ABC의 둘레의 길이를 구하여라.

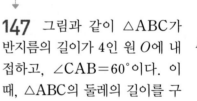

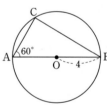

먼저,

그다음,

그래서,

148 그림과 같이 x절편이 -6이고, x축의 양의 방향과 이루는 각의 크기가 $30°$인 직선을 그래프로 하는 일차함수의 식을 구하여라.

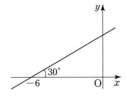

151 그림과 같이 $\angle C=90°$인 직각삼각형 ABC에서 $\angle B=30°$이고 $\overline{BC}=2\sqrt{3}$ cm일 때, 내접원 I의 반지름의 길이를 구하여라.

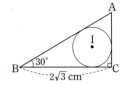

149 그림과 같이 $\angle C=90°$인 직각삼각형 ADC에서 점 B는 $\overline{CD}$의 중점이다. $\sin x=\dfrac{1}{3}$일 때, $\tan(x+y)$의 값을 구하여라.

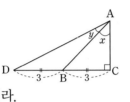

152 그림과 같이 원 O의 지름의 한 끝점 A에서 접선 AT를 그었다. 이때, $\overline{AP}=\overline{AQ}=6$이 되도록 두 점 P, Q를 각각 잡고, 지름 AB와 $\overline{PQ}$의 연장선의 교점을 R라 하자. $\overline{AO}=2\sqrt{3}$, $\angle AQP=x$일 때, $\tan x$의 값을 구하여라.

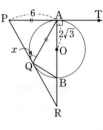

150 그림과 같이 반지름의 길이가 1인 사분원에서 $\overline{OC}=0.57$이고, $\overline{CD}=x$, $\overline{AB}=y$일 때, $x+y$의 값을 다음 삼각비의 표를 이용하여 구하여라.

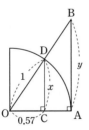

각도	사인(sin)	코사인(cos)	탄젠트(tan)
53°	0.80	0.60	1.33
54°	0.81	0.59	1.38
55°	0.82	0.57	1.43
56°	0.83	0.56	1.48

153 그림과 같이 직사각형 ABCD를 대각선 BD를 접는 선으로 하여 꼭짓점 C가 점 C′에 오도록 접었더니 $\angle C'ED=45°$가 되었다. $\tan 67.5°$의 값을 구하여라.

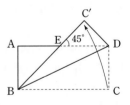

최고난도 만점 문제

154 그림과 같이 △ABC는 $\overline{AB}=\overline{AC}$, ∠A=36°, $\overline{BC}=1$인 이등변삼각형이다. ∠B의 이등분선이 $\overline{AC}$와 만나는 점을 D라 할 때, cos 36°의 값을 구하여라.

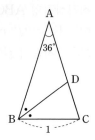

155 그림과 같이 ∠B=90°인 직각삼각형 ABC에서 빗변 AC의 삼등분점을 D, E라 하자. $\overline{BD}=\sin x$, $\overline{BE}=\cos x$이고, $\overline{BD}^2+\overline{BE}^2=1$이 성립할 때, 빗변 AC의 길이를 구하여라. (단, 0°<x<90°)

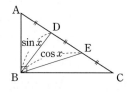

156 다음 조건을 모두 만족시키는 A에 대하여 $\sin^2 A+\sin^4 A$의 값은?

(가) $\cos A+\cos^2 A=1$
(나) $\sin^2 A+\cos^2 A=1$

① $\dfrac{1}{4}$ 　　② $\dfrac{1}{2}$ 　　③ 1

④ $\dfrac{3}{2}$ 　　⑤ 2

157 그림은 모든 모서리의 길이가 4인 정사각뿔이다. 꼭짓점 A에서 밑면에 내린 수선의 발을 H, ∠HAB=x라 할 때, $\dfrac{\cos x+\sin x}{\tan x}$의 값을 구하여라.

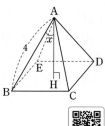

158 x에 대한 이차방정식 $4x^2-2(1+\sqrt{3})x+\sqrt{3}=0$의 두 근이 sin A, sin B일 때, tan(A-B)의 값을 구하여라. (단, 0°<A<90°, A>B)

159 그림은 반지름의 길이가 1인 사분원과 원점을 지나는 두 직선 l, m을 그린 것이다. 다음 두 수 x, y의 크기를 비교하여라. (단, A=35°, B=54°)

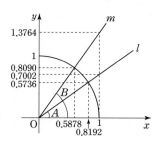

$x=\cos 35°+\cos 54°+\tan 35°$
$y=\sin 54°+\tan 54°$

관정도서관 전경 – 워낙 커서 카메라에 다 담기지 조차 않아.

이용자 맞춤형 공간인 관정도서관

우리학교에는 원래 행정관 뒤에 중앙도서관이 있어. 하지만 중앙도서관의 시설 노후와 학업 공간 부족으로 인해 2015년에 중앙도서관 뒤에 새로 8층 규모의 관정도서관을 짓게 되었어. 관정도서관은 신축 금액 모금을 통해 지어졌는데, 이 중 가장 큰 금액인 600억원을 기부하신 이종환 회장님의 호인 '관정'을 따서 도서관 이름을 '관정도서관'이라고 지었어. 관정도서관은 총 8층으로 세 층에 걸쳐서 스터디 가든이 있어서 학업에 매진하는 학생들을 쉽게 구경할 수 있어. 공부하다가 지치면 5, 6층의 멀티미디어 룸에서 DVD를 보거나 옥상 정원에서 시원한 바람을 쐬며 쉴 수 있어. 5층에 작게 있는 출입구로 나가면 편의점과 롯데리아가 있어서 간식거리를 사먹을 수도 있단다.

관정도서관 출입구 – 지하철 개찰구처럼 개찰구 위에 학생증을 올려놓으면 도서관 안으로 들어갈 수 있어.

글 · 사진 : **박성재**(서울대 지구환경과학과)

1 직각삼각형의 변의 길이

∠B=90°인 직각삼각형 ABC에서

(1) ∠A의 크기와 빗변의 길이 b를 알 때,
$$a=b\sin A, \; c=b\cos A$$

(2) ∠A의 크기와 밑변의 길이 c를 알 때,
$$a=c\tan A, \; b=\frac{c}{\cos A}$$

(3) ∠A의 크기와 높이 a를 알 때,
$$c=\frac{a}{\tan A}, \; b=\frac{a}{\sin A}$$

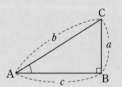

• **물체의 높이 구하기**
어떤 사람의 눈과 지면 사이의 높이가 k이고, 수평으로부터 물체의 꼭대기까지의 각의 크기가 θ, 물체로부터 a만큼 떨어져 있을 때 물체의 높이는

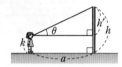

$$h=k+h'=k+a\tan\theta$$

2 일반 삼각형의 변의 길이

(1) △ABC에서 두 변의 길이 a, c와 그 끼인각인 ∠B의 크기를 알 때,
$$\overline{AC}=\sqrt{(c\sin B)^2+(a-c\cos B)^2}$$

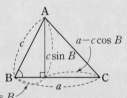

(2) △ABC에서 한 변의 길이 a와 그 양 끝각 ∠B, ∠C의 크기를 알 때,
$$\overline{AC}=\frac{a\sin B}{\sin A}=\frac{a\sin B}{\sin(180°-B-C)}$$
$$\overline{AB}=\frac{a\sin C}{\sin A}=\frac{a\sin C}{\sin(180°-B-C)}$$

두 각 ∠B, ∠C의 크기를 알기 때문에 $180°-(∠B+∠C)$로 쉽게 알 수 있다.

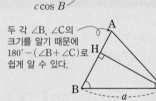

[증명] 점 C에서 $\overline{AB}$에 수선의 발 H를 내리자.
　　직각삼각형 AHC에서 $\overline{CH}=\overline{AC}\sin A$ ⋯ ㉠
　　직각삼각형 BCH에서 $\overline{CH}=\overline{BC}\sin B=a\sin B$ ⋯ ㉡

　㉠=㉡이므로 $\overline{AC}\sin A=a\sin B$　∴ $\overline{AC}=\frac{a\sin B}{\sin A}$

　마찬가지 방법으로 점 B에서 $\overline{AC}$에 수선의 발을 내리면 $\overline{AB}=\frac{a\sin C}{\sin A}$

3 삼각형의 높이

△ABC에서 한 변의 길이 c와 두 각 x, y의 크기를 알 때, 높이 h는

(1) 주어진 각이 모두 예각일 때,
$$\overline{AH}=h\tan x, \; \overline{BH}=h\tan y \text{이고}$$
$$\overline{AH}+\overline{BH}=c \text{이므로}$$
$$h=\frac{c}{\tan x+\tan y}$$

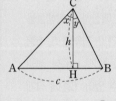

(2) 주어진 각 중 한 각이 둔각일 때,
$$\overline{AH}=h\tan x, \; \overline{BH}=h\tan y \text{이고}$$
$$\overline{AH}-\overline{BH}=c \text{이므로}$$
$$h=\frac{c}{\tan x-\tan y}$$

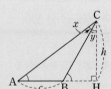

• **떠 있는 물체의 높이 구하기**

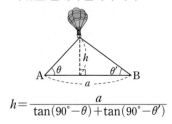

$$h=\frac{a}{\tan(90°-\theta)+\tan(90°-\theta')}$$

❶ 직각삼각형의 변의 길이

[001~006] 다음 그림에서 x, y의 값을 각각 구하여라.

001

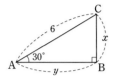

002

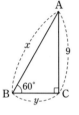

003

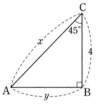

004

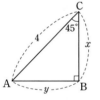

005

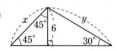

006

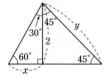

❷ 일반 삼각형의 변의 길이

[007~008] 다음 그림에서 x의 값을 구하여라.

007

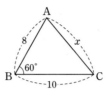

008

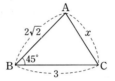

[009~010] 다음 그림에서 x의 값을 구하여라.

009

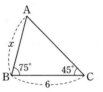

010

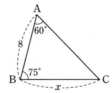

❸ 삼각형의 높이

[011~012] 다음 그림에서 △ABC의 높이인 $\overline{\mathrm{AH}}$의 길이를 구하여라.

011

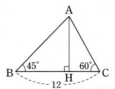

012

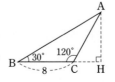

❹ 삼각형의 넓이 구하기

△ABC에서 두 변의 길이 a, c와 그 끼인각 ∠B의 크기를 알 때, 넓이 S는

(1) ∠B가 예각이면

(2) ∠B가 둔각이면

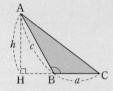

$$S=\frac{1}{2}ac\sin B$$

$$S=\frac{1}{2}ac\sin(180°-B)$$

[증명] (1) 예각삼각형 ABC의 높이를 h라 하면

$$S=\frac{1}{2}\times\overline{BC}\times\overline{AH}=\frac{1}{2}\times a\times h=\frac{1}{2}ah \cdots ㉠$$

△ABH에서 $\sin B=\dfrac{\overline{AH}}{\overline{AB}}=\dfrac{h}{c}$ ∴ $h=c\sin B$

㉠에 이를 대입하면 $S=\dfrac{1}{2}ah=\dfrac{1}{2}ac\sin B$

(2) 둔각삼각형 ABC의 높이를 h라 하면 $S=\dfrac{1}{2}ah \cdots ㉡$

△ABH에서 ∠ABH$=180°-B$이므로

$\sin(180°-B)=\dfrac{\overline{AH}}{\overline{AB}}=\dfrac{h}{c}$ ∴ $h=c\sin(180°-B)$

㉡에 이를 대입하면 $S=\dfrac{1}{2}ac\sin(180°-B)$

❺ 평행사변형의 넓이 구하기

이웃하는 두 변의 길이가 a, b이고 그 끼인각의 크기가 x일 때, 평행사변형 ABCD의 넓이를 S라 하면

$$S=ab\sin x \text{ (단, } 0°<x\leq90°)$$

[참고] x가 둔각이면 $S=ab\sin(180°-x)$

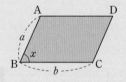

❻ 사각형의 넓이 구하기

두 대각선의 길이가 a, b이고 두 대각선이 이루는 각의 크기가 x일 때, 사각형 ABCD의 넓이를 S라 하면

$$S=\frac{1}{2}ab\sin x \text{ (단, } 0°<x\leq90°)$$

[참고] x가 둔각이면 $S=\dfrac{1}{2}ab\sin(180°-x)$

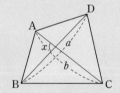

• 삼각형의 넓이 이해하기

(1)

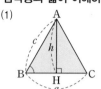

$$S=\frac{1}{2}\times(\text{밑변의 길이})\times(\text{높이})$$
$$=\frac{1}{2}\times a\times h$$
$$=\frac{1}{2}\times a\times c\sin B$$

(2)

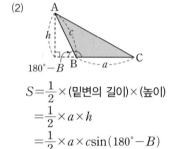

$$S=\frac{1}{2}\times(\text{밑변의 길이})\times(\text{높이})$$
$$=\frac{1}{2}\times a\times h$$
$$=\frac{1}{2}\times a\times c\sin(180°-B)$$

• 평행사변형의 넓이의 식 이해하기

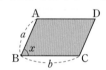

□ABCD$=2\triangle$ABC
$$=2\times\frac{1}{2}ab\sin x$$
$$=ab\sin x$$

• 사각형의 넓이의 식 이해하기

그림과 같이 □ABCD의 네 꼭짓점 A, B, C, D를 지나고 대각선 AC, BD에 평행한 직선을 그어 이들이 만나는 점을 각각 E, F, G, H라 하면

□ABCD$=\dfrac{1}{2}$□EFGH
$$=\frac{1}{2}ab\sin x$$

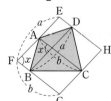

4 삼각형의 넓이 구하기

[013~016] 다음 삼각형의 넓이를 구하여라.

013

014

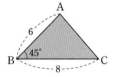

015

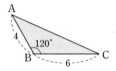

016

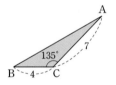

5 평행사변형의 넓이 구하기

[017~020] 다음 평행사변형의 넓이를 구하여라.

017

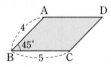

018

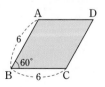

019

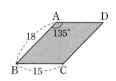

020

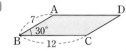

6 사각형의 넓이 구하기

[021~024] 다음 사각형의 넓이를 구하여라.

021

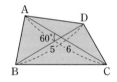

022

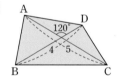

023

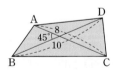

024

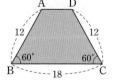

★중급 문제

K1 직각삼각형의 변의 길이 기초

025 그림에서 x의 값을 구하는 식으로 옳은 것은?

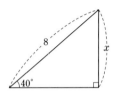

① $x=8\sin 40°$
② $x=8\cos 40°$
③ $x=8\tan 40°$
④ $x=\dfrac{8}{\sin 40°}$
⑤ $x=\dfrac{8}{\cos 40°}$

* 접근법
직각삼각형에서 한 예각의 크기와 한 변의 길이를 알면 다른 두 변의 길이를 구할 수 있다.

026 그림의 직각삼각형 ABC 에서 $\overline{AC}=12$이고 $\tan B=\dfrac{2}{3}$ 일 때, $\overline{BC}$의 길이는?

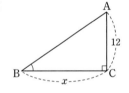

① 12
② 14
③ 16
④ 18
⑤ 20

027 그림과 같이 △ABC의 꼭짓점 A에서 $\overline{BC}$에 내린 수선의 발을 D라 하면 ∠ABD=45°, ∠CAD=60° 이다. $\overline{AB}=6$일 때, $\overline{DC}$의 길이는?

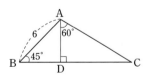

① $3\sqrt{2}$
② $3\sqrt{3}$
③ 6
④ $3\sqrt{5}$
⑤ $3\sqrt{6}$

028 그림의 △ABC의 둘레의 길이를 반올림하여 소수점 아래 첫째 자리까지 구하여라.
(단, $\sin 42°=0.6691$, $\cos 42°=0.7431$로 계산한다.)

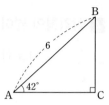

029 다음 중 그림의 직각삼각형 ABC에서 x, y의 길이를 각각 바르게 나타낸 것은?

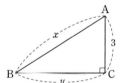

① $x=3\sin A$, $y=3\sin B$
② $x=3\sin B$, $y=3\tan B$
③ $x=3\cos A$, $y=3\sin A$
④ $x=\dfrac{3}{\sin A}$, $y=\dfrac{3}{\tan A}$
⑤ $x=\dfrac{3}{\sin B}$, $y=\dfrac{3}{\tan B}$

030 그림과 같이 ∠C=90°인 직각삼각형 ABC가 있다. 다음 〈보기〉 중 옳은 것을 모두 고른 것은?

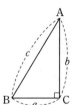

─ 보기 ─
ㄱ. $a=c\sin A$
ㄴ. $b=c\sin B$
ㄷ. $a=b\tan A$

① ㄱ
② ㄱ, ㄴ
③ ㄱ, ㄷ
④ ㄴ, ㄷ
⑤ ㄱ, ㄴ, ㄷ

04 DAY

K2 입체도형에서 직각삼각형의 변의 길이의 응용 응용

031 그림과 같이 모선의 길이가 10 cm인 원뿔에서 ∠ABH=60°일 때, 원뿔의 높이는?

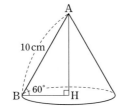

① 5 cm   ② 6 cm

③ $5\sqrt{2}$ cm   ④ 8 cm

⑤ $5\sqrt{3}$ cm

* 개념 찾기
(1) (뿔의 부피)$=\dfrac{1}{3}\times$(밑면의 넓이)$\times$(높이)
(2) 한 모서리의 길이가 a인 정육면체에서
  ① (겉넓이)$=6a^2$ ② (대각선의 길이)$=\sqrt{3}a$ ③ (부피)$=a^3$

032 그림의 정사각뿔 O–ABCD에서 밑면은 한 변의 길이가 6 cm인 정사각형이고 $\overline{OA}=12$ cm, 꼭짓점 O에서 밑면에 내린 수선의 발을 H라 한다. ∠OAH=α라 할 때, $\sin\alpha=\dfrac{\sqrt{14}}{4}$이다. 정사각뿔의 부피를 구하여라.

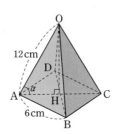

033 그림과 같은 정육면체에서 ∠BHF=x라 할 때, $\cos x=\dfrac{\sqrt{6}}{3}$이라고 한다. 이 정육면체의 대각선의 길이가 $\overline{BH}=4\sqrt{3}$ cm일 때, 정육면체의 겉넓이를 구하여라.

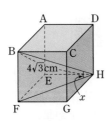

034 그림과 같이 $\overline{FH}=12$, $\overline{DH}=3$, ∠HFG=30°인 직육면체의 부피를 구하여라.

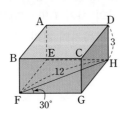

K3 두 직각삼각형의 변의 길이와 넓이 이해

035 그림에서 $\overline{AH}=4$, ∠ABH=30°, ∠ACH=45°일 때, $\dfrac{\overline{AB}}{\overline{AC}}$의 값을 구하여라.

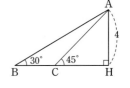

* 접근법
(1) 직각삼각형에서 한 예각의 크기와 한 변의 길이를 이용하면 다른 두 변의 길이를 구할 수 있다.
(2) 특수한 각을 갖는 직각삼각형의 변의 길이의 비를 이용한다.
  ① 직각이 아닌 한 각의 크기가 45°일 때, 길이가 짧은 변부터 순서대로 $1:1:\sqrt{2}$
  ② 직각이 아닌 한 각의 크기가 30° 또는 60°일 때, 길이가 짧은 변부터 순서대로 $1:\sqrt{3}:2$

036 그림의 △ABC에서 ∠C=90°, ∠B=30°, $\overline{AB}=6$이다. ∠A의 이등분선이 $\overline{BC}$와 만나는 점을 D라 할 때, $\overline{BD}$의 길이는?

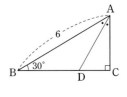

① $\sqrt{3}$ ② $\dfrac{4\sqrt{3}}{3}$ ③ $\dfrac{3\sqrt{3}}{2}$

④ $2\sqrt{3}$ ⑤ $3\sqrt{3}$

★
037 그림에서 $\overline{BC}=8$, ∠D=90°, ∠ACD=30°이고 $\overline{AC}=\overline{BC}$일 때, tan 15°의 값은?

① $2-\sqrt{3}$ ② $4-\sqrt{3}$ ③ $2+\sqrt{3}$

④ 4   ⑤ $4+\sqrt{3}$

K4 직각삼각형의 변의 길이의 활용   응용

038 저수지의 두 지점에서 A, B 사이의 거리를 구하기 위해 그림과 같이 측정하였다. 두 지점 A, B 사이의 거리는?

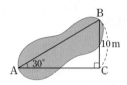

① 10 m   ② $10\sqrt{2}$ m   ③ $10\sqrt{3}$ m
④ 20 m   ⑤ $10\sqrt{5}$ m

＊ **Check Key**

주어진 그림에서 직각삼각형을 찾으면 삼각비를 이용하여 각 변의 길이를 구할 수 있다.

039 그림과 같이 바다를 항해하는 A, B 두 배 사이의 거리는 160 m이다. A에서 기구 C와 B를 바라본 각의 크기가 90°이고, B에서 기구 C를 바라본 각의 크기가 27°라 할 때, A와 C 사이의 거리를 구하여라.

(단, $\tan 27° = 0.5095$로 계산한다.)

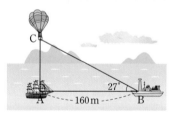

040 그림과 같이 나무로부터 20 m 떨어진 A 지점에서 나무의 꼭대기 B를 올려다본 각의 크기가 66°이었다. 이 사람의 눈높이가 1.58 m일 때, 다음 삼각비의 표를 이용하여 나무의 높이를 구하여라.

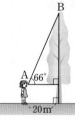

각도	사인(sin)	코사인(cos)	탄젠트(tan)
66°	0.9135	0.4067	2.2460

041 그림과 같이 지면에 수직으로 서 있던 나무가 부러지면서 지면과 30°를 이루었다. 처음 나무의 높이는?

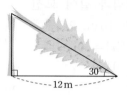

① $6\sqrt{3}$ m   ② 12 m   ③ $12\sqrt{2}$ m
④ $12\sqrt{3}$ m   ⑤ $12\sqrt{6}$ m

042 그림과 같이 거리가 40 m인 두 건물 A, B가 있다. 건물 A의 옥상에서 건물 B를 올려다본 각도는 30°이고, 내려다본 각도는 45°일 때, 건물 B의 높이는?

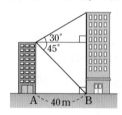

① 60 m   ② $\dfrac{40(3+\sqrt{3})}{3}$ m
③ 80 m   ④ $40(\sqrt{2}+1)$ m
⑤ $40(\sqrt{3}+1)$ m

★
043 그림과 같이 A 지점에서 매달린 진자는 B 지점에서 C 지점까지 왕복운동을 한다. 진자가 A 지점에서 B 지점 또는 C 지점으로 이동할 때 45°의 각도를 이

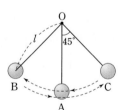

룬다. 진자의 중심이 가장 높을 때와 가장 낮을 때의 높이의 차가 $(40-20\sqrt{2})$ cm일 때, 진자의 중심에서 O 지점까지의 거리 l을 구하여라.

04 DAY

K5 두 변의 길이와 끼인각의 크기를 알 때 변의 길이 구하기 [기초]

044 그림에서
$\overline{AC}=3\sqrt{2}$, $\angle A=75°$,
$\angle B=60°$일 때, x의 값을
구하여라.

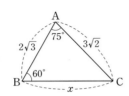

* 접근법

(i) 주어진 두 변 중 하나에 수선의 발을 내려 직각삼각형을 만든다.

(ii) 삼각비를 이용하여 나머지 변의 길이를 구한다.

045 그림에서 $\overline{AB}=3\sqrt{2}$,
$\overline{BC}=9$이고, $\angle B=45°$일
때, $\overline{AC}$의 길이는?

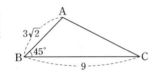

① $2\sqrt{10}$ ② $3\sqrt{5}$

③ $4\sqrt{3}$ ④ $5\sqrt{2}$

⑤ $2\sqrt{13}$

046 그림과 같은 △ABC에서
$\overline{AC}=8\,cm$, $\overline{BC}=10\,cm$,
$\angle C=60°$일 때, $\overline{AB}$의 길이는?

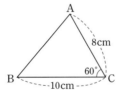

① $\sqrt{21}\,cm$ ② $2\sqrt{21}\,cm$

③ $3\sqrt{21}\,cm$ ④ $4\sqrt{21}\,cm$

⑤ $5\sqrt{21}\,cm$

K6 한 변의 길이와 양 끝각을 알 때 변의 길이 구하기 [기초]

047 그림과 같은 △ABC
에서 $\overline{BC}=6$, $\angle B=75°$,
$\angle C=60°$일 때, $\overline{AB}$의 길이를
구하여라.

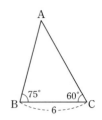

* 접근법

(i) 보조선을 이용하여 특수한 각을 가지는 직각삼각형을 만들 수 있으면 먼저 만들어 변의 길이를 구한다.

(ii) 구하려는 변이 아닌 다른 변에 수선의 발을 내려 직각삼각형을 만들어 변의 길이를 구한다.

048 그림의 △ABC에서 $\overline{BC}=4$,
$\angle B=62°$, $\angle C=70°$일 때, 다음 중
x의 값을 나타내는 식은?

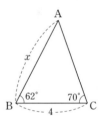

① $4\sin 70°$ ② $4\sin 62°$

③ $4\sin 48°$ ④ $\dfrac{\sin 70°}{4\sin 48°}$

⑤ $\dfrac{4\sin 70°}{\sin 48°}$

049 그림의 △ABC에서 xy
의 값을 구하여라.

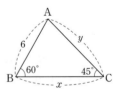

050 그림의 △ABC에서 두
점 D, E는 각각 $\overline{AC}$, $\overline{BC}$의 중
점일 때, $\overline{CD}$의 길이는?

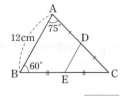

① $2\sqrt{6}\,cm$ ② $2\sqrt{3}\,cm$

③ $3\sqrt{2}\,cm$ ④ $3\sqrt{3}\,cm$

⑤ $3\sqrt{6}\,cm$

K7 삼각형의 변의 길이의 활용 <small>응용</small>

051 연못의 두 지점 A, C 사이의 거리를 알 아보기 위하여 그림과 같 이 측량하였다. 두 지점 A, C 사이의 거리를 구 하여라.

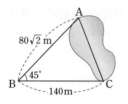

* 개념 찾기

(1) 두 변의 길이 a, c와 그 끼인각 ∠B의 크기를 알 때,

$$\overline{AC}=\sqrt{(c\sin B)^2+(a-c\cos B)^2}$$

(2) 한 변의 길이 a와 그 양 끝각 ∠B, ∠C의 크기를 알 때,

$$\overline{AC}=\frac{a\sin B}{\sin A},\ \overline{AB}=\frac{a\sin C}{\sin A}$$

052 그림과 같이 180 m 떨어 진 두 지점 A, B에서 C 지점에 있는 나무를 바라본 각의 크기가 각각 85°, 30°이다. A 지점과 나 무 사이의 거리를 구하여라.
(단, $\sin 65°=0.9$로 계산한다.)

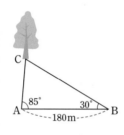

053 호수의 폭을 구하기 위하 여 그림과 같이 측량하였다. 호수 의 폭 $\overline{AC}$의 길이를 구하여라.

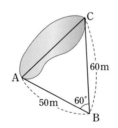

054 그림의 해안가 B 지점에 서 배 C까지의 거리를 구하여라.

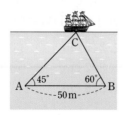

K8 삼각형의 높이 <small>이해</small>

055 그림의 △ABC에서 ∠B=45°, ∠C=30°, $\overline{BC}=8$일 때, $\overline{AH}$의 길이 를 구하여라.

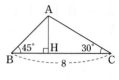

* 접근법

주어진 조건을 보고 이용할 수 있는 공식을 찾아야 한다. 공식이 기 억나지 않을 때는 보조선을 그어 유도하자.

(1)
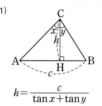

$$h=\frac{c}{\tan x+\tan y}$$

(2)
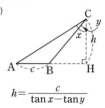

$$h=\frac{c}{\tan x-\tan y}$$

056 그림의 △ABC에서 ∠B=30°, ∠C=45°, $\overline{BC}=40$ cm일 때, △ABC의 넓 이는?

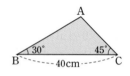

① $100(\sqrt{3}-1)$ cm²
② $200(\sqrt{3}-1)$ cm²
③ $400(\sqrt{3}-1)$ cm²
④ $200(\sqrt{3}+1)$ cm²
⑤ $400(\sqrt{3}+1)$ cm²

057 그림과 같은 △ABC에서 높이 h를 구하여라.

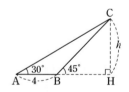

058 그림의 △ABC에서 ∠ACB=120°, ∠B=30°, $\overline{BC}=6$ cm일 때, $\overline{AH}$의 길이는?

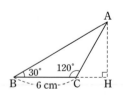

① $2\sqrt{2}$ cm
② $2\sqrt{3}$ cm
③ $3\sqrt{2}$ cm
④ $3\sqrt{3}$ cm
⑤ $4\sqrt{2}$ cm

K9 삼각형의 높이의 활용 응용

059 그림과 같이 강의 폭을 재기 위하여 강 건너 보이는 큰 나무를 기준으로 각도를 재었다. 이 강의 폭은 몇 m인지 구하여라.

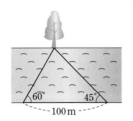

＊ **Check Key**

높이를 구할 때 두 개의 직각삼각형에서 주어진 변의 길이를 tan로 나타내도록 한다.

060 그림과 같이 높이가 같은 두 전신주 사이의 거리가 14 m 일 때, 전신주의 높이를 구하여라.

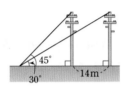

061 그림에서 열기구의 높이 $\overline{\text{AH}}$의 길이를 tan의 식으로 나타내어라.

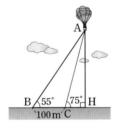

062 선생님께서 학교의 국기 게양대의 높이를 재어 오라는 수행 과제를 내주셨다. 정희와 은정이는 2인 1조가 되어 그림과 같은 방법으로 국기게양대의 높이를 재었다. 정희와 은정이의 눈높이가 똑같이 1.27 m일 때, 국기게양대의 높이는 얼마인지 구하여라. (단, $\sqrt{3}=1.73$으로 계산한다.)

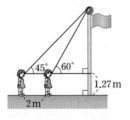

K10 삼각형의 넓이 이해

063 그림의 △ABC에서 ∠B=60°, $\overline{\text{AB}}=6\sqrt{2}$, $\overline{\text{BC}}=6$일 때, △ABC의 넓이는?

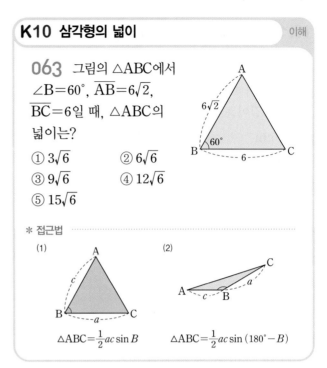

① $3\sqrt{6}$ ② $6\sqrt{6}$
③ $9\sqrt{6}$ ④ $12\sqrt{6}$
⑤ $15\sqrt{6}$

＊ 접근법

(1) (2)

$$\triangle\text{ABC}=\frac{1}{2}ac\sin B \qquad \triangle\text{ABC}=\frac{1}{2}ac\sin(180°-B)$$

064 그림과 같은 △ABC에서 $\overline{\text{AB}}=\overline{\text{AC}}=4\,\text{cm}$이고, ∠A=30°인 삼각형의 넓이를 구하여라.

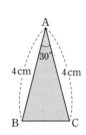

065 다음 삼각형의 넓이를 구하여라.

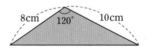

066 그림과 같이 $\overline{\text{AB}}=\overline{\text{AC}}=4\,\text{cm}$, ∠B=22.5° 인 이등변삼각형 ABC의 넓이는?

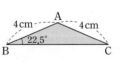

① $2\sqrt{3}\ \text{cm}^2$ ② $4\sqrt{2}\ \text{cm}^2$ ③ $4\sqrt{3}\ \text{cm}^2$
④ $4\sqrt{6}\ \text{cm}^2$ ⑤ $8\ \text{cm}^2$

K11 삼각형의 넓이를 이용한 각의 크기와 변의 길이 　응용

067 그림에서 △ABC
의 넓이가 40 cm²일 때,
$\overline{BC}$의 길이는?

① 8 cm　　② 10 cm　　③ $8\sqrt{5}$ cm

④ $12\sqrt{5}$ cm　　⑤ $18\sqrt{5}$ cm

* 접근법 ┄┄┄┄┄┄┄┄┄┄┄┄┄┄┄┄┄┄┄
삼각형의 넓이를 구하는 공식을 이용하면 변의 길이와 각의 크기를
알 수 있다.

068 그림과 같은 △ABC의
넓이가 $6\sqrt{3}$ cm²일 때, ∠A의
크기는? (단, ∠A는 예각이다.)

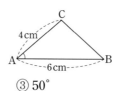

① 30°　　② 45°　　③ 50°

④ 60°　　⑤ 65°

069 그림과 같이 $\overline{BC}=20$ cm,
∠B=60°인 △ABC의 넓이가
$60\sqrt{3}$ cm²일 때, $\overline{AC}$의 길이를
구하여라.

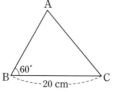

070 그림과 같이 $\overline{AB}=\overline{AC}$이고
$\cos A=\dfrac{\sqrt{5}}{3}$인 이등변삼각형 ABC의
넓이가 27일 때, $\overline{AB}+\overline{AC}$의 값은?
(단, ∠A는 예각이다.)

① 12　　② 18　　③ 24

④ 27　　⑤ 36

071 그림과 같이 폭이 2 cm
인 종이테이프를 선분 AC에서
접었다. ∠ABC=45°일 때,
△ABC의 넓이는?

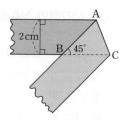

① $2\sqrt{2}$ cm²　　② $4\sqrt{2}$ cm²

③ $6\sqrt{2}$ cm²　　④ $8\sqrt{2}$ cm²

⑤ $10\sqrt{2}$ cm²

072 그림의 △ABC에서
∠C=150°, $\overline{BC}=8$ cm,
△ABC의 넓이가 $8\sqrt{3}$ cm²
일 때, $\overline{AC}$의 길이는?

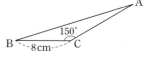

① $\sqrt{3}$ cm　　② $2\sqrt{3}$ cm　　③ $3\sqrt{3}$ cm

④ $4\sqrt{3}$ cm　　⑤ $5\sqrt{3}$ cm

073 그림과 같은 △ABC에서 $\overline{BC} : \overline{AC}=3 : 2$,
∠C=120°인 △ABC의 넓이가
$24\sqrt{3}$일 때, $\overline{BC}-\overline{AC}$의 값은?

① $2\sqrt{2}$　　② 4

③ $4\sqrt{2}$　　④ 6

⑤ $4\sqrt{3}$

K12 삼각형의 넓이의 응용 응용

074 그림과 같은 △ABC에서 $\overline{AB}=4$ cm, $\overline{BC}=8$ cm, ∠ABD=45°, ∠DBC=30°일 때, $\overline{AD} : \overline{CD}$는?

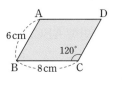

① 1 : 1　　② 1 : $\sqrt{2}$　　③ 1 : $\sqrt{3}$

④ 1 : 2　　⑤ 1 : $\sqrt{5}$

* Check Key
높이가 같은 두 삼각형의 넓이의 비는 밑변의 길이의 비와 같다.

075 그림과 같이 △ABC에서 $\overline{AB}=10$ cm, $\overline{AC}=4$ cm, ∠BAD=∠CAD=30°일 때, $\overline{AD}$의 길이는?

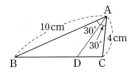

① $\dfrac{12\sqrt{3}}{7}$ cm　　② $2\sqrt{3}$ cm　　③ $\dfrac{17\sqrt{3}}{7}$ cm

④ $\dfrac{20\sqrt{3}}{7}$ cm　　⑤ $3\sqrt{3}$ cm

076 그림의 △ABC에서 $\overline{AD}$의 길이를 구하여라.

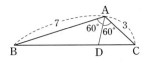

077 △ABC에서 세 변의 길이 a, b, c 사이의 관계가 다음과 같다.

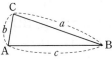

$$a-6b+c=0,\ a+3b-2c=0$$

$\sin A : \sin B : \sin C$를 구하여라.

K13 평행사변형의 넓이 응용

078 그림과 같이 $\overline{AB}=6$ cm, $\overline{BC}=8$ cm, ∠BCD=120°인 평행사변형 ABCD의 넓이는?

① $12\sqrt{3}$ cm²　　② $16\sqrt{3}$ cm²　　③ $20\sqrt{3}$ cm²

④ $24\sqrt{3}$ cm²　　⑤ $28\sqrt{3}$ cm²

* 개념 찾기
두 변의 길이 a, b와 그 끼인각 B의 크기를 알 때,
① ∠B가 예각이면 □ABCD=$ab \sin B$
② ∠B가 둔각이면
　□ABCD=$ab \sin (180-B)$

079 그림의 마름모 ABCD에서 $\overline{AB}=2\sqrt{3}$ cm이고, ∠B=60°일 때, 마름모 ABCD의 넓이를 구하여라.

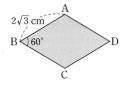

080 그림과 같은 평행사변형 ABCD에서 $\overline{AB}=2\sqrt{2}$ cm, $\overline{BC}=4$ cm이고, $\overline{AC} \perp \overline{CD}$일 때, □ABCD의 넓이를 구하여라.

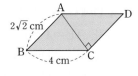

081 평행사변형 ABCD에서 점 P는 대각선 AC, BD의 교점이고 ∠BAD=60°, $\overline{AD}=5$ cm, $\overline{AB}=2$ cm일 때, △APD+△BCP의 넓이는?

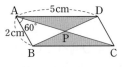

① $\dfrac{4\sqrt{3}}{3}$ cm²　　② $\dfrac{3\sqrt{3}}{2}$ cm²　　③ $\dfrac{5\sqrt{3}}{2}$ cm²

④ $\dfrac{10\sqrt{3}}{3}$ cm²　　⑤ $5\sqrt{3}$ cm²

082 $2\overline{AB}=\overline{BC}$이고 $\angle A=120°$인 평행사변형 ABCD의 넓이가 $64\sqrt{3}$일 때, 평행사변형 ABCD의 둘레의 길이는?

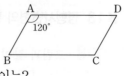

① 16   ② 24   ③ 32
④ 48   ⑤ 64

083 이웃하는 두 변의 길이가 각각 5 cm, 8 cm이고 넓이가 20 cm²인 평행사변형 ABCD의 x, y의 값은? (단, $x<y$)

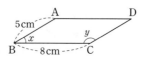

① $x=30°$, $y=140°$ ② $x=30°$, $y=150°$
③ $x=45°$, $y=135°$ ④ $x=60°$, $y=120°$
⑤ $x=60°$, $y=110°$

084 그림과 같은 평행사변형 ABCD에서 $\overline{BC}$의 중점을 M이라 하자. $\overline{AB}=4$ cm, $\overline{AD}=6$ cm, $\angle D=60°$일 때, △AMC의 넓이를 구하여라.

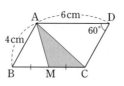

085 그림의 평행사변형 ABCD에서 $\angle C=120°$, $\overline{BE}:\overline{EC}=1:2$일 때, △BED의 넓이는?

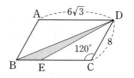

① 12   ② 18   ③ 22
④ 24   ⑤ 28

K14 사각형의 넓이

이해

086 그림의 사각형 ABCD에서 두 대각선이 이루는 각의 크기는 60°이다. $\overline{AC}=8$, $\overline{BD}=6$일 때, 사각형 ABCD의 넓이는?

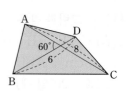

① 6   ② 12   ③ $12\sqrt{3}$
④ 24   ⑤ $24\sqrt{3}$

＊ 개념 찾기

두 대각선의 길이가 a, b이고 두 대각선이 이루는 각의 크기가 x일 때, 사각형 ABCD의 넓이
$S=\dfrac{1}{2}ab\sin x\,(0°<x\le90°)$

087 그림의 □ABCD에서 $\overline{AC}\perp\overline{BD}$, $\overline{AC}=6$ cm, $\overline{BD}=5$ cm일 때, □ABCD의 넓이는?

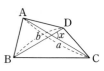

① 5 cm²   ② 10 cm²
③ 15 cm²   ④ 20 cm²
⑤ 25 cm²

088 그림과 같이 $\angle AOD=135°$, $\overline{AC}=6$인 □ABCD의 넓이가 $12\sqrt{2}$일 때, $\overline{BD}$의 길이는? (단, 점 O는 두 대각선 AC와 BD의 교점이다.)

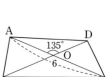

① 6   ② 8   ③ 10
④ 12   ⑤ 14

089 그림과 같이 □ABCD에서 $\overline{AC}=6$ cm, $\overline{BD}=10$ cm, □ABCD$=15\sqrt{3}$ cm²일 때, $\angle x$의 크기는? (단, 점 O는 두 대각선 AC와 BD의 교점이다.)

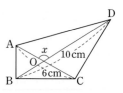

① 100°   ② 105°   ③ 108°
④ 110°   ⑤ 120°

K15 사다리꼴의 넓이 응용

090 그림과 같이 $\overline{AD}=7$, $\overline{BC}=11$, $\angle B=\angle C=60°$인 등변 사다리꼴 ABCD의 넓이는?

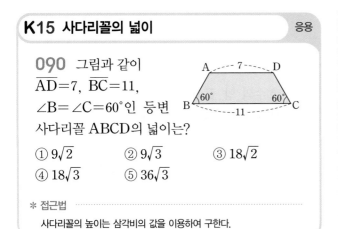

① $9\sqrt{2}$ ② $9\sqrt{3}$ ③ $18\sqrt{2}$
④ $18\sqrt{3}$ ⑤ $36\sqrt{3}$

* 접근법
사다리꼴의 높이는 삼각비의 값을 이용하여 구한다.

091 그림과 같은 사다리꼴 ABCD의 넓이는?

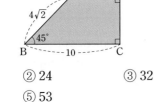

① 12   ② 24   ③ 32
④ 46   ⑤ 53

092 사다리꼴 ABCD에서 $\angle DCB=60°$, $\overline{AD}=4$, $\overline{BC}=8$, $\overline{CD}=4$일 때, 이 사다리꼴 ABCD의 넓이는?

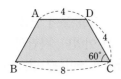

① $4\sqrt{3}$ ② $8\sqrt{3}$ ③ $12\sqrt{3}$
④ $16\sqrt{3}$ ⑤ $20\sqrt{3}$

093 ★ 그림과 같은 등변사다리꼴 ABCD에서 두 대각선이 이루는 각의 크기가 120°이고, 넓이가 $4\sqrt{3}$일 때, $\overline{AC}$의 길이를 구하여라.

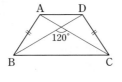

K16 다각형의 넓이 응용

094 그림의 사각형 ABCD의 넓이는?

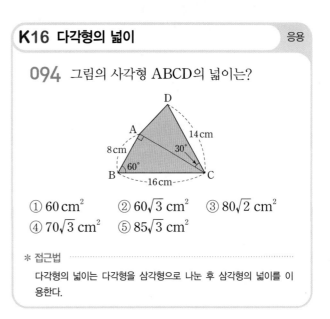

① $60\,cm^2$ ② $60\sqrt{3}\,cm^2$ ③ $80\sqrt{2}\,cm^2$
④ $70\sqrt{3}\,cm^2$ ⑤ $85\sqrt{3}\,cm^2$

* 접근법
다각형의 넓이는 다각형을 삼각형으로 나눈 후 삼각형의 넓이를 이용한다.

095 그림의 사각형 ABCD의 넓이를 구하여라.

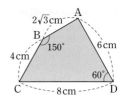

096 그림과 같이 반지름의 길이가 8 cm인 원 O에 내접하는 정육각형의 넓이를 구하여라.

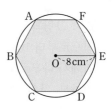

097 그림과 같이 사각형 ABCD는 $\overline{AB}=\overline{BC}=a$, $\overline{CD}=8$, $\overline{AD}=4$, $\angle ABC=120°$, $\angle CDA=60°$이고, 넓이는 $12\sqrt{3}$이라 한다. a의 값은?

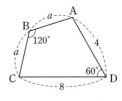

① 2   ② $2\sqrt{2}$ ③ $2\sqrt{3}$
④ 4   ⑤ $4\sqrt{2}$

098 그림과 같이 강의 양쪽에 있는 두 지점 A, B 사이의 거리를 구하기 위해 A 지점에서 100 m 떨어진 곳에 C 지점을 정하였다. C 지점에서 A 지점과 B 지점을 바라본 각이 C일 때, 두 지점 A, B 사이의 거리는? $\left(\text{단, } \sin C = \dfrac{3}{5}\text{으로 계산한다.}\right)$

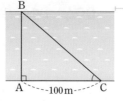

① 65 m ② 75 m ③ 76 m
④ 85 m ⑤ 86 m

099 호수의 양 끝의 두 지점 A, B 사이의 거리를 구하기 위하여 그림과 같이 측정하였다. 다음 중 두 지점 A, B 사이의 거리를 바르게 나타낸 것을 모두 고르면? (정답 2개)

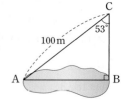

① $100 \sin 53°$ m ② $100 \tan 53°$ m
③ $100 \cos 37°$ m ④ $100 \sin 37°$ m
⑤ $100 \cos 53°$ m

100 그림과 같이 반지름의 길이가 6 cm인 원에 내접하는 정팔각형의 넓이를 구하여라.

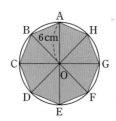

101 그림과 같이 반지름의 길이가 4 cm인 원에 내접하는 정십이각형의 넓이를 구하여라.

102 그림과 같이 나무의 B 지점으로부터 10 m 떨어진 A 지점에서 나무 꼭대기 C 지점을 올려다본 각의 크기가 35°, 사람의 눈높이가 1.5 m일 때, 이 나무의 높이는? (단, $\sin 35° = 0.57$, $\cos 35° = 0.82$, $\tan 35° = 0.70$으로 계산한다.)

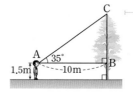

① 6.2 m ② 6.32 m ③ 7.0 m
④ 7.3 m ⑤ 8.5 m

103 그림과 같이 실을 풀어 연을 띄우고, 연을 올려다본 각의 크기가 28°이었다. 사람의 눈높이가 1.5 m일 때, 지면에서 연까지의 높이는? (단, $\sin 28° = 0.47$, $\cos 28° = 0.88$로 계산한다.)

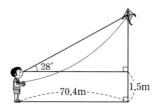

① 36.8 m ② 37.6 m ③ 39.1 m
④ 40.4 m ⑤ 41.8 m

104 그림은 산의 높이를 구하기 위하여 산 아래쪽의 지면 위에 $\overline{AB}=300\,m$가 되도록 두 지점 A, B를 잡고 측량한 것이다. 산의 높이를 구하여라.

105 그림과 같이 A 지점과 B 지점은 24 m 떨어져 있다. A 지점에서 나무의 밑을 본 각도의 크기가 45°, B 지점에서 나무의 꼭대기를 올려다본 각의 크기가 30°라고 한다. 이 나무의 높이를 구하여라.

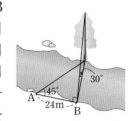

106 그림과 같은 풍력 발전기의 높이를 구하려고 한다. 눈높이가 1.6 m인 사람이 A 지점에서 풍력 발전기의 날개의 중심을 올려다본 각도가 30°이고, 8 m 앞으로 다가간 B 지점에서 풍력 발전기의 날개의 중심을 올려다본 각도는 45°이다. 지면에서 풍력 발전기의 날개의 중심까지의 높이를 구하여라.

(단, $\sqrt{3}=1.73$으로 계산한다.)

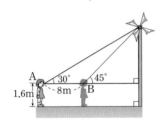

107 그림과 같이 지면 위 A 지점에서 카메라로 세종대왕상을 올려다본 각의 크기가 61°이고, A 지점에서 2 m 떨어진 B 지점에서 세종대왕상을 올려다본 각의 크기가 71°일 때, 아래에서부터 세종대왕상까지의 높이를 반올림하여 소수점 아래 첫째 자리까지 구하여라.
(단, $\tan 61°=1.8$, $\tan 71°=2.9$로 계산한다. 카메라는 동상을 받치고 있는 기단의 바닥 위치에 있다.)

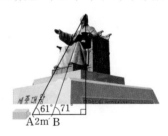

108 그림과 같은 사각형 ABCD의 넓이를 구하였더니 $(a\sqrt{3}+b\sqrt{30})\,cm^2$라 한다. $a+b$의 값은?
(단, a, b는 유리수)

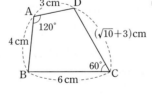

① 8
② $\dfrac{17}{2}$
③ 9
④ $\dfrac{19}{2}$
⑤ 10

109 그림에서 사각형 ABCD의 넓이는?

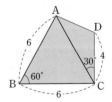

① $3+3\sqrt{3}$
② $4+6\sqrt{3}$
③ $4+9\sqrt{3}$
④ $6+9\sqrt{3}$
⑤ $9+9\sqrt{3}$

110 그림과 같이 두 대각선의 길이가 각각 6 cm, 10 cm인 사각형의 넓이의 최댓값을 구하여라.

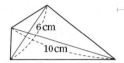

111 그림의 평행사변형 ABCD에서 $\overline{CD}$의 중점을 M, $\overline{AD}=7$ cm, $\overline{AB}=5$ cm라 할 때, 색칠한 부분의 넓이를 구하여라.

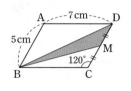

112 그림과 같은 등변사다리꼴 ABCD에서 $\overline{AD}=5$, $\overline{AB}=4$, $\angle ABC=60°$일 때, $\sin(\angle CED)$의 값을 구하여라.

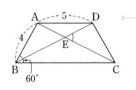

113 □ABCD의 두 대각선이 만나서 생기는 예각의 크기가 60°이고, $\overline{BD}=2\overline{AC}$이다. □ABCD의 넓이가 $8\sqrt{3}$일 때, $\overline{BD}$의 길이는?

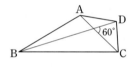

① 4   ② 5   ③ $4\sqrt{3}$

④ 8   ⑤ 9

114 그림과 같이 반지름의 길이가 6 cm인 사분원 AOB가 있다. $\overline{BC}$를 접는 선으로 하여 접었을 때, 중심 O가 $\overparen{AB}$ 위의 점 D와 일치한다. 색칠한 부분의 넓이는?

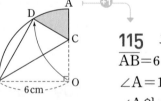

① $(3\pi-3\sqrt{3})$ cm²   ② $(3\pi-2\sqrt{3})$ cm²

③ $(3\pi-\sqrt{3})$ cm²   ④ $(4\pi-3\sqrt{3})$ cm²

⑤ $(4\pi-\sqrt{3})$ cm²

115 그림과 같이 $\overline{AB}=6$ cm, $\overline{AC}=12$ cm, $\angle A=120°$인 △ABC에서 $\angle A$의 이등분선과 $\overline{BC}$의 교점을 D라 할 때, x의 값을 구하여라.

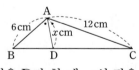

116 그림의 △ABC에서 점 G는 △ABC의 무게중심이고 $\overline{AB}=10$ cm, $\overline{AC}=8\sqrt{3}$ cm, ∠A=60°일 때, △GBD의 넓이는?

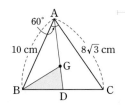

① $8\,\text{cm}^2$　　② $8\sqrt{3}\,\text{cm}^2$　　③ $10\,\text{cm}^2$

④ $10\sqrt{3}\,\text{cm}^2$　　⑤ $12\,\text{cm}^2$

117 그림과 같이 점 G가 △ABC의 무게중심일 때, △AGC의 넓이는?

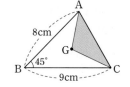

① $4\sqrt{2}\,\text{cm}^2$　　② $4\sqrt{3}\,\text{cm}^2$

③ $6\,\text{cm}^2$　　④ $6\sqrt{2}\,\text{cm}^2$

⑤ $6\sqrt{3}\,\text{cm}^2$

118 그림과 같이 한 변의 길이가 $3\sqrt{3}$ cm인 정사각형 ABCD를 점 A를 중심으로 30°만큼 회전시켜 □AB′C′D′을 만들었다. 두 정사각형이 겹쳐지는 부분의 넓이를 구하여라.

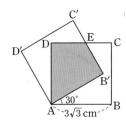

119 그림에서 정육각형 AB′C′D′E′F′은 한 변의 길이가 2 cm인 정육각형 ABCDEF를 점 A를 중심으로 30°만큼 회전하여 얻은 것이다. 두 정육각형이 겹쳐지는 부분의 넓이를 구하여라.

(단, tan 15°=$2-\sqrt{3}$으로 계산한다.)

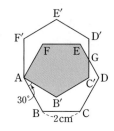

120 그림과 같이 2 km 떨어진 두 지점 B, C에서 비행기를 올려다본 각의 크기가 각각 60°, 45°일 때, 비행기의 높이 $\overline{AH}$를 구하여라.

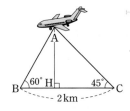

121 10 km 높이의 비행기를 A, B 두 지점에서 올려다본 각의 크기가 각각 50°, 60°이었다. A, B 두 지점 사이의 거리를 구하여라.

(단, tan 30°=0.5774, tan 40°=0.8391로 계산한다.)

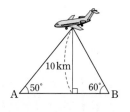

122 그림과 같이 수평면과 30°
기울어진 비탈길 밑에 서 있는 나
무의 높이를 알기 위해 비탈길을
따라 18 m 올라간 곳에서 나무
꼭대기를 올려다본 각의 크기가
45°이었다. 이때, 이 나무의 높이
를 구하여라.

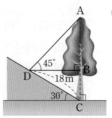

먼저, $\overline{BC}$의 길이를 구하자.   30%

그다음, $\overline{BD}$의 길이를 구하자.   30%

그래서, 아나무의 높이를 구하자.   40%

123 그림과 같이 송신탑으로
부터 12 m 떨어진 곳에서 송신탑
의 꼭대기를 올려다본 각의 크기
가 45°이고, 송신탑의 아래의 끝
을 내려다본 각의 크기가 30°일
때, 송신탑의 높이를 구하여라.

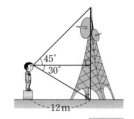

먼저,

그다음,

그래서,

124 그림과 같이 길이가 2 m
인 그네를 타고 있는 사람이 D
지점에 있을 때, 지면으로부터 몇
m의 높이에 있는지 구하여라.

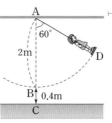

먼저, 그림으로 간단히 나타내자.   30%

그다음, 그네 꼭대기에서 그네까지의 높이를 구하자.   40%

그래서, 지면으로부터 그네까지의 높이를 구하자.   30%

125 그림과 같이 실에 추를 달아 점 O
를 고정시키고, 추를 늘어뜨려 A 지점에
오도록 하였다. 점 O에서 추의 중심까지
의 거리가 12 cm이고, 추를 잡아 당겨 B
지점에 오도록 하였을 때, A 지점과 B 지
점에서의 추의 중심의 높이의 차를 구하
여라.

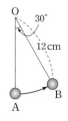

먼저,

그다음,

그래서,

스스로 **서술하기**

126 도로가 수평에서 기울어진 경사각을 ∠A라 할 때, 도로의 경사도는
(경사도)$=\tan A \times 100(\%)$
와 같이 나타낸다. 산의 정상으로 올라가기 위해서 해발 $1000\,\mathrm{m}$인 지점에서 출발하여 경사도가 $20\,\%$인 도로를 $520\,\mathrm{m}$ 달린 후 멈추었다. 멈춘 위치는 해발 몇 m인지 구하여라.
(단, $\sqrt{26}=5.1$로 계산한다.)

127 그림과 같이 원 위의 세점과 그 원의 중심을 각각 꼭짓점으로 하는 □AOBC가 있다.
$\overline{AC}=8\,\mathrm{cm}$, ∠ABC$=45°$,
∠AOB$=150°$일 때, $\overline{AB}$의 길이를 구하여라.

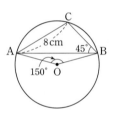

128 그림과 같이 반지름의 길이가 각각 15, 9인 두 원 O, O'이 두 점 A, B에서 만나고,
∠AOB, ∠AO'B의 크기가 각각 $60°$, $120°$일 때, 두 원이 겹치는 부분의 넓이를 구하여라.

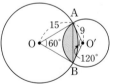

129 그림과 같이 지름의 길이가 $10\,\mathrm{cm}$이고 크기가 같은 원기둥 모양의 배관용 파이프가 5단으로 쌓여있다. 쌓아 올린 배관용 파이프의 바닥에서 최상단까지의 높이 h는 $a+b\sqrt{3}\,\mathrm{cm}$이다. $a+b$의 값을 구하여라. (단, a, b는 유리수)

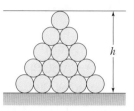

130 그림과 같이 A 지점에서 풍차의 중심 C 지점을 올려다본 각의 크기가 $42°$이고, A 지점으로부터 풍차 쪽으로 직선거리로 $50\,\mathrm{m}$ 간 B 지점에서 풍차의 중심 C 지점을 올려다본 각의 크기가 $55°$일 때, 풍차의 중심까지의 높이인 $\overline{CH}$는 몇 m인지 구하여라. (단, 세 점 A, B, H는 한 직선 위에 있다. 또한, $\tan 35°=0.7002$, $\tan 48°=1.1106$으로 계산하며, 답은 소수점 아래 첫째 자리에서 반올림한다.)

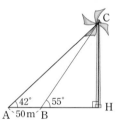

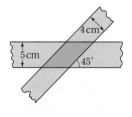

131 폭이 각각 $5\,\mathrm{cm}$, $4\,\mathrm{cm}$로 일정한 두 종이테이프가 그림과 같이 겹쳐 있을 때, 겹친 부분의 넓이를 구하여라.

최고난도 만점문제

132 한 모서리가 6 cm인 정사면체 O−ABC의 꼭짓점 O에서 밑면 ABC에 내린 수선의 발을 H라 하면 점 H는 정삼각형 ABC의 무게중심이다. ∠OCH=x라 할 때, $\cos x$의 값은?

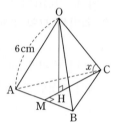

① $\dfrac{\sqrt{3}}{12}$ ② $\dfrac{\sqrt{3}}{6}$ ③ $\dfrac{\sqrt{3}}{3}$

④ $\dfrac{\sqrt{3}}{2}$ ⑤ $\dfrac{1}{2}$

133 그림과 같은 직사각형 모양의 종이띠 ABCD를 점 A와 점 C가 겹쳐지도록 접었다. $\overline{AB}=3$ cm, $\overline{AP}=5$ cm, ∠CPQ=x일 때, $\tan x$의 값은?

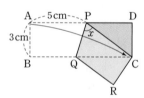

① $\dfrac{1}{3}$ ② $\dfrac{\sqrt{3}}{2}$ ③ 1

④ $\sqrt{3}$ ⑤ 3

134 그림과 같이 두 척의 배가 같은 지점 O에서 동시에 출발하여, 서로 다른 방향으로 시속 24 km, 30 km로 달려서 20분 후 두 지점 P, Q에 이르렀다. 두 점 P, Q 사이의 거리를 구하여라.

(단, ∠PON=20°, ∠NOQ=40°)

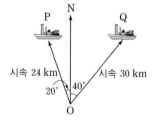

135 지면에 수직으로 전봇대가 서 있다. 햇빛은 전봇대에 대하여 30°의 각을 이루며 비치고 있었다. 전봇대의 그림자의 일부는 지면과 30°의 각을 이루는 둑의 경사면 때문에 꺾여 있다. 전봇대의 높이를 x m라 할 때, x의 값을 구하여라.

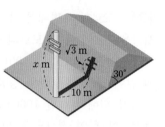

136 그림과 같은 삼각형 ABC에서 $\overline{AB}$의 길이는 20 % 줄이고, $\overline{BC}$의 길이는 30 % 늘여서 새로운 삼각형 A′BC′을 만들 때, 다음 중 삼각형의 넓이의 변화를 바르게 설명한 것은?

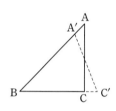

① 변함이 없다. ② 1 % 줄어든다.
③ 4 % 줄어든다. ④ 1 % 늘어난다.
⑤ 4 % 늘어난다.

137 그림에서 $\overline{AD}$는 원 O의 지름이고, $\overline{BC}$는 접선이다. $\overline{AD}=8$ cm, ∠A=60°일 때, □ABCD의 넓이를 구하여라.

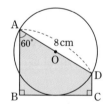

VI 원의 성질

L 원과 직선

M 원주각
[22유형, 159문항]

1 중심각의 크기와 호, 현의 길이

한 원 또는 합동인 두 원에서

(1) 크기가 같은 두 중심각에 대한 호의 길이와 현의 길이는 각각 같다.

즉, $\angle AOB = \angle COD$이면 $\overset{\frown}{AB} = \overset{\frown}{CD}$, $\overline{AB} = \overline{CD}$

(2) 길이가 같은 두 호 또는 두 현에 대한 중심각의 크기는 각각 같다.

즉, $\overset{\frown}{AB} = \overset{\frown}{CD}$ 또는 $\overline{AB} = \overline{CD}$이면 $\angle AOB = \angle COD$

[참고] 중심각의 크기와 호의 길이는 정비례하지만 중심각의 크기와 현의 길이는 정비례하지 않는다.

　원 O에서 $\angle AOB = \angle BOC$일 때, $\overline{AB} = \overline{BC}$이지만 $\overline{AC} < 2\overline{AB}$가 되므로 중심각의 크기가 2배 된다고 해서 현의 길이가 2배 되지는 않는다.

2 원의 중심과 현의 수직이등분선

(1) 원의 중심에서 현에 내린 수선은 그 현을 이등분한다.

즉, $\overline{OM} \perp \overline{AB}$이면 $\overline{AM} = \overline{BM}$

[증명] $\triangle OAM$과 $\triangle OBM$에서

$\overline{OA} = \overline{OB}$,

$\angle OMA = \angle OMB = 90°$,

$\overline{OM}$은 공통이므로

$\triangle OAM \equiv \triangle OBM$(RHS 합동)

∴ $\overline{AM} = \overline{BM}$

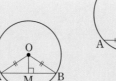

(2) 원에서 현의 수직이등분선은 그 원의 중심을 지난다.

[증명] 원 O에서 $\triangle OAB$는 $\overline{OA} = \overline{OB}$인 이등변삼각형이므로 $\angle AOB$의 이등분선은 $\overline{AB}$를 수직이등분한다.

즉, $\triangle OAB$의 밑변 AB의 수직이등분선은 꼭짓점 O를 지나므로 원에서 현의 수직이등분선은 그 원의 중심을 지난다.

[참고] 그림에서 현 AB의 수직이등분선을 l이라 하면 두 점 A, B로부터 같은 거리에 있는 점들은 모두 직선 l 위에 있다.

따라서 원의 중심도 직선 l 위에 있다.

3 현의 길이

한 원 또는 합동인 두 원에서

(1) 중심으로부터 같은 거리에 있는 두 현의 길이는 서로 같다.

즉, $\overline{OM} = \overline{ON}$이면 $\overline{AB} = \overline{CD}$

(2) 길이가 같은 두 현은 원의 중심으로부터 같은 거리에 있다.

즉, $\overline{AB} = \overline{CD}$이면 $\overline{OM} = \overline{ON}$

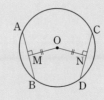

• 호, 현, 중심각

① 호 : 원 위의 두 점을 양 끝점으로 하는 원의 일부분

호 AB($\overset{\frown}{AB}$)는 보통 길이가 짧은 쪽을 나타내고, 길이가 긴 쪽의 호는 그 호 위에 한 점 E를 잡아 $\overset{\frown}{AEB}$와 같이 나타낸다.

② 현 : 원 위의 두 점을 이은 선분

③ 중심각 : 두 반지름이 이루는 각

• 직각삼각형의 합동 조건

① RHA 합동 : 빗변의 길이와 한 예각의 크기가 각각 같은 두 직각삼각형은 서로 합동이다.

② RHS 합동 : 빗변의 길이와 다른 한 변의 길이가 각각 같은 두 직각삼각형은 서로 합동이다.

• 3 -(1) 자세히 알아보기

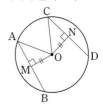

$\triangle OAM$과 $\triangle OCN$에서

$\angle OMA = \angle ONC = 90°$,

$\overline{OA} = \overline{OC}$ (반지름),

$\overline{OM} = \overline{ON}$이므로

$\triangle OAM \equiv \triangle OCN$(RHS 합동)

∴ $\overline{AM} = \overline{CN}$

그런데 $\overline{AB} = 2\overline{AM}$, $\overline{CD} = 2\overline{CN}$이므로 $\overline{AB} = \overline{CD}$

❶ 중심각의 크기와 호, 현의 길이

[001~005] 그림에서 x의 값을 구하여라.

001
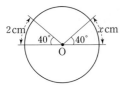

002
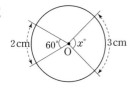

003
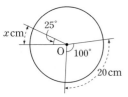

004
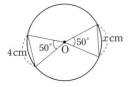

005
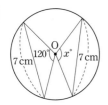

❷ 원의 중심과 현의 수직이등분선

[006~007] 다음 ☐ 안에 알맞은 말을 써넣어라.

006 원의 중심에서 현에 내린 ☐은 그 현을 이등분한다.

007 원에서 현의 ☐은 그 원의 중심을 지난다.

[008~009] 그림에서 x의 값을 구하여라.

008

009

❸ 현의 길이

[010~013] 그림에서 x의 값을 구하여라.

010

011
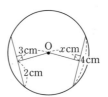

012

013

4 원의 접선의 길이

(1) 접선의 길이

원 O의 외부의 한 점 P에서 그 원에 그을 수 있는 접선은 2개이고, 접점을 각각 A, B라 하면 $\overline{PA}$, $\overline{PB}$의 길이를 점 P에서 원 O에 그은 **접선의 길이**라 한다.

[참고] □APBO에서 $\overline{PA}$, $\overline{PB}$는 원 O의 접선이므로 $\overline{PA} \perp \overline{OA}$, $\overline{PB} \perp \overline{OB}$이다.

따라서 $\angle P + \angle AOB = 180°$이다.

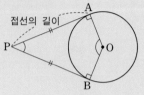

(2) 원의 외부에 있는 한 점에서 그 원에 그은 두 접선의 길이는 서로 같다. 즉, $\overline{PA} = \overline{PB}$

5 삼각형의 내접원

반지름의 길이가 r인 원 O가 △ABC의 내접원이고 점 D, E, F는 접점일 때,

(1) $\overline{AD} = \overline{AF}$, $\overline{BD} = \overline{BE}$, $\overline{CE} = \overline{CF}$

(2) $a = y+z$, $b = x+z$, $c = x+y$이므로
(△ABC의 둘레의 길이) $= a+b+c$
$$= 2(x+y+z)$$

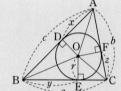

(3) △ABC = △ABO + △BCO + △CAO
$$= \frac{1}{2}cr + \frac{1}{2}ar + \frac{1}{2}br$$
$$= \frac{1}{2}r(a+b+c)$$

6 외접사각형의 성질

□ABCD가 원 O에 외접하고 접점을 각각 P, Q, R, S라고 하면

(1) $\overline{AP} = \overline{AS}$, $\overline{BP} = \overline{BQ}$, $\overline{CQ} = \overline{CR}$, $\overline{DR} = \overline{DS}$

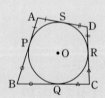

(2) 원의 외접사각형의 두 쌍의 대변의 길이의 합은 서로 같다. 즉, $\overline{AB} + \overline{CD} = \overline{AD} + \overline{BC}$

(3) 대변의 길이의 합이 같은 사각형은 원에 외접한다.

• **원의 접선과 반지름**

원의 접선은 그 접점을 지나는 원의 반지름과 서로 수직이다. 즉, 점 T가 접점이면 $\overline{OT} \perp l$

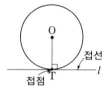

• △PAO와 △PBO에서
$\angle PAO = \angle PBO = 90°$,
$\overline{OA} = \overline{OB}$ (반지름의 길이),
$\overline{OP}$는 공통이므로
△PAO ≡ △PBO (RHS 합동)
∴ $\overline{PA} = \overline{PB}$

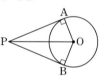

• **직각삼각형의 내접원**

$\angle C = 90°$인 직각삼각형 ABC의 내접원 O의 반지름의 길이를 r라 할 때,

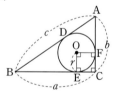

① □OECF는 한 변의 길이가 r인 정사각형이다.

② △ABC $= \frac{1}{2}r(a+b+c)$
$$= \frac{1}{2}ab$$

• **6 -(2) 자세히 알아보기**
$\overline{AB} + \overline{CD}$
$= (\overline{AP} + \overline{BP}) + (\overline{CR} + \overline{DR})$
$= (\overline{AS} + \overline{BQ}) + (\overline{CQ} + \overline{DS})$
$= (\overline{AS} + \overline{DS}) + (\overline{BQ} + \overline{CQ})$
$= \overline{AD} + \overline{BC}$

❹ 원의 접선의 길이

[014~016] 그림에서 두 직선 PA, PB가 각각 원 O의 접선일 때, x의 값을 구하여라.

014

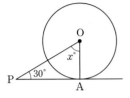

015

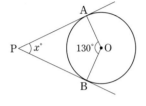

016

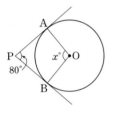

[017~019] 그림에서 $\overline{PA}$, $\overline{PB}$가 원 O의 접선일 때, x의 값을 구하여라.

017

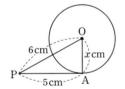

018

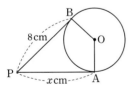

019

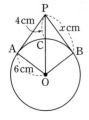

❺ 삼각형의 내접원

[020~022] 그림과 같이 원 O가 삼각형 ABC에 내접할 때, 다음 물음에 답하여라.

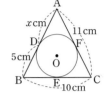

020 $\overline{AF}$의 길이를 x를 사용하여 나타내어라.

021 $\overline{CF}$의 길이를 x를 사용하여 나타내어라.

022 x의 값을 구하여라.

[023~024] 그림과 같이 원 O가 직각삼각형 ABC에 내접할 때, 다음 물음에 답하여라.

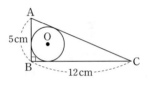

023 $\overline{AC}$의 길이를 구하여라.

024 원 O의 반지름의 길이를 구하여라.

❻ 외접사각형의 성질

[025~026] 그림에서 □ABCD가 원 O에 외접할 때, x의 값을 구하여라.

025

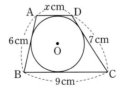

026

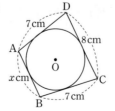

★중급 문제

L1 중심각의 크기와 호의 길이 _{기초}

027 그림에서 x, y의 값을 각각 구하면?

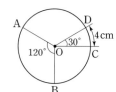

① $x=4$, $y=75$
② $x=4$, $y=100$
③ $x=4$, $y=125$
④ $x=5$, $y=75$
⑤ $x=5$, $y=100$

＊ 개념 찾기
　한 원 또는 합동인 두 원에서 중심각의 크기와 호의 길이는 정비례한다.

028 그림의 원 O에서 $\angle AOB=120°$, $\angle COD=30°$이고 $\widehat{CD}=4\,cm$일 때, $\widehat{AB}$의 길이는?

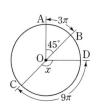

① 12 cm ② 14 cm
③ 16 cm ④ 18 cm
⑤ 20 cm

029 그림에서 $\angle x$의 크기를 구하여라.

030 ★ 그림과 같이 $\overline{AB}$는 원 O의 지름이다. $\overline{AB}\perp\overline{CD}$, $\widehat{BC}=9\,cm$이고 $\angle COE=3\angle OCE$일 때, $\widehat{AD}$의 길이는?

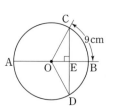

① 11 cm ② 12 cm
③ 15 cm ④ 16 cm
⑤ 18 cm

L2 중심각의 크기와 호, 현의 길이의 관계 _{이해}

031 그림과 같이 $\overline{AB}=3\,cm$이고 $\angle AOB=\angle COD$일 때, $\overline{CD}$의 길이를 구하여라.

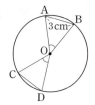

＊ 개념 찾기
　한 원 또는 합동인 두 원에서 중심각의 크기가 같으면 현의 길이도 같다.

032 그림과 같은 원 O에서 $\angle AOB=60°$, $\angle COD=20°$이다. 다음 〈보기〉 중 옳은 것을 모두 골라라.

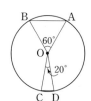

─ 보기 ─
ㄱ. $\overline{AB}=3\overline{CD}$
ㄴ. $\widehat{AB}=3\widehat{CD}$
ㄷ. (부채꼴 OCD의 넓이)
　　$=\dfrac{1}{3}$(부채꼴 OAB의 넓이)
ㄹ. $\triangle OAB$는 정삼각형이다.

033 그림과 같이 $\angle AOB=\angle COD=\angle DOE$일 때, 다음 중 옳지 <u>않은</u> 것은?

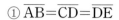
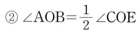

① $\overline{AB}=\overline{CD}=\overline{DE}$
② $\angle AOB=\dfrac{1}{2}\angle COE$
③ $\overline{AB}=3\,cm$이면 $\overline{CE}=6\,cm$이다.
④ $\widehat{CE}=8\,cm$이면 $\widehat{AB}=4\,cm$이다.
⑤ 부채꼴 OCE의 넓이는 부채꼴 OAB의 넓이의 2배이다.

L3 평행선을 이용한 호의 길이 _{응용}

034 그림과 같이 현 AB는 원 O의 지름이고 $\overline{AD}/\!/\overline{OC}$일 때, $\overset{\frown}{CD}$의 길이는?

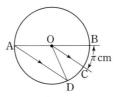

① $\dfrac{\pi}{2}$ cm ② $\dfrac{2}{3}\pi$ cm ③ $\dfrac{4}{5}\pi$ cm

④ π cm ⑤ $\dfrac{6}{5}\pi$ cm

※ 개념 찾기
(1) 평행선에서 동위각의 크기와 엇각의 크기는 각각 같다.
(2) 이등변삼각형의 두 밑각의 크기는 같다.

035 그림과 같이 반원 O에서 $\overline{AB}/\!/\overline{CD}$, $\angle BOD=30°$, $\overset{\frown}{BD}=2$ cm일 때, $\overset{\frown}{AB}$의 길이는?

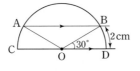

① 6 cm ② 8 cm ③ 10 cm
④ 12 cm ⑤ 14 cm

036 그림과 같이 $\overline{AB}$는 원 O의 지름이고, $\overline{OC}/\!/\overline{AD}$이다. $\angle BOC=40°$, $\overset{\frown}{BC}=6$ cm일 때, $\overset{\frown}{AD}$의 길이를 구하여라.

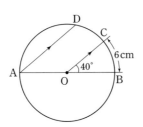

★037 그림과 같이 $\overline{AO}/\!/\overline{BC}$이고, $\overline{BD}$는 원 O의 지름이다. $\overset{\frown}{AB}=5$ cm일 때, $\overset{\frown}{CD}$의 길이를 구하여라.

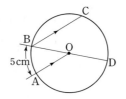

L4 원의 중심과 현의 수직이등분선 _{이해}

038 그림과 같이 $\overline{OH}\perp\overline{AB}$이고, $\overline{OH}=3$ cm, $\overline{AB}=8$ cm일 때, 원 O의 반지름의 길이는?

① 3 cm ② 3.5 cm ③ 4 cm
④ 4.5 cm ⑤ 5 cm

※ 개념 찾기
원의 중심에서 현에 내린 수선은 그 현을 이등분한다.

039 그림과 같이 반지름의 길이가 5 cm인 원 O에서 $\overline{AB}\perp\overline{CD}$, $\overline{CD}=6$ cm일 때, $\overline{BM}$의 길이는?

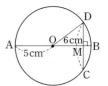

① 1 cm ② 1.5 cm
③ 2 cm ④ 2.5 cm
⑤ 3 cm

040 그림과 같이 반지름의 길이가 8 cm인 원 O에서 반지름 OC를 수직이등분하는 현 AB의 길이를 구하여라.

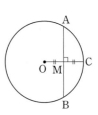

★041 그림과 같이 원 O에서 $\overline{AB}\perp\overline{OP}$이고, $\overline{AB}=8$ cm, $\overline{MP}=2$ cm일 때, 원 O의 반지름의 길이는?

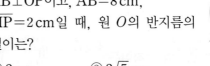

① 2 cm ② $2\sqrt{5}$ cm
③ 5 cm ④ $3\sqrt{5}$ cm
⑤ $5\sqrt{2}$ cm

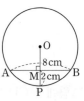

L5 원의 일부분에서 현의 수직이등분선　응용

042 그림의 $\overset{\frown}{AB}$는 원의 일부이다. 이 원의 반지름의 길이를 구하여라.

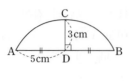

＊접근법

원에서 현의 수직이등분선은 그 원의 중심을 지난다.
원의 일부분이 주어진 경우에는 원의 중심을 찾아 반지름의 길이를 r로 놓은 뒤 피타고라스 정리를 이용한다.

043 그림의 $\overset{\frown}{AB}$는 원의 일부이다. $\overline{AB}=8$, $\overline{CD}=2$이고 $\overline{CD}$가 현 AB의 수직이등분선일 때, 이 원의 반지름의 길이는?

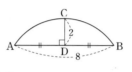

① 4 　② 5 　③ 6
④ 7 　⑤ 8

044 그림은 반지름의 길이가 10 cm인 원의 일부이다. △ACD의 넓이는?

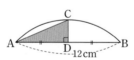

① $2\,cm^2$ 　② $4\,cm^2$
③ $4\sqrt{2}\,cm^2$ 　④ $6\,cm^2$
⑤ $6\sqrt{2}\,cm^2$

★
045 원 모양의 접시의 깨진 조각을 그림과 같이 측정하였다. 그림에서 $\overline{CH}$가 $\overline{AB}$의 수직이등분선일 때, 원래 접시의 둘레의 길이를 구하여라.

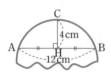

L6 접힌 원에서 현의 수직이등분선　응용

046 그림과 같이 반지름의 길이가 4 cm인 원 O 위의 한 점 P를 원의 중심과 겹쳐지도록 접었을 때, $\overline{AB}$의 길이는?

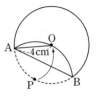

① 2 cm 　② $2\sqrt{2}$ cm 　③ $2\sqrt{3}$ cm
④ 4 cm 　⑤ $4\sqrt{3}$ cm

＊Check Key

원주 위의 한 점 P가 원의 중심 O에 오도록 접는 경우

(1) $\overline{OP}\perp\overline{AB}$ 　(2) $\overline{AM}=\overline{BM}$
(3) $\overline{OM}=\overline{PM}=\frac{1}{2}\overline{OP}=\frac{1}{2}\overline{OA}$
(4) $\overline{OA}^2=\overline{AM}^2+\overline{OM}^2$

047 그림과 같이 원 모양의 종이를 원주 위의 한 점이 원의 중심 O에 겹쳐지도록 접었을 때, 접힌 현의 길이가 6 cm이었다. 원의 반지름의 길이는?

① 2 cm 　② $2\sqrt{2}$ cm 　③ 3 cm
④ $2\sqrt{3}$ cm 　⑤ $3\sqrt{2}$ cm

048 그림과 같이 원 O에서 원주 위의 한 점이 원의 중심 O에 겹쳐지도록 접었을 때, $\overline{OA}=8$ cm이다. $\overline{AB}$의 길이를 구하여라.

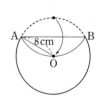

★
049 그림과 같이 원 O에서 원주 위의 한 점이 원의 중심 O에 겹쳐지도록 접었을 때, ∠AOB의 크기를 구하여라.

L7 현의 길이 이해

050 그림과 같이 원의 중심 O에서 $\overline{AB}$, $\overline{CD}$에 내린 수선의 발을 각각 M, N이라 하자. $\overline{OM}=\overline{ON}$일 때, $\overline{CD}$의 길이를 구하여라.

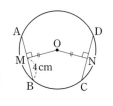

* 개념 찾기

한 원 또는 합동인 두 원에서
(1) 원의 중심으로부터 같은 거리에 있는 두 현의 길이는 같다.
(2) 길이가 같은 두 현은 원의 중심으로부터 같은 거리에 있다.

051 그림과 같이 원 O에서 $\overline{OM}=\overline{ON}=3$이고, $\overline{AO}=5$일 때, $\overline{CD}$의 길이는?

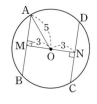

① 5 　　② 6
③ 7 　　④ 8
⑤ 9

052 그림과 같이 원 O에서 $\overline{AB}\perp\overline{OM}$, $\overline{CD}\perp\overline{ON}$이고, $\overline{BM}=3\,cm$, $\overline{OM}=\overline{ON}=4\,cm$일 때, 다음 중 옳지 <u>않은</u> 것은?

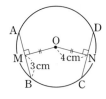

① $\overline{AM}=3\,cm$
② $\overline{AB}=\overline{CD}$
③ $\angle AOC=\angle BOD$
④ $\triangle OAB\equiv\triangle OCD$
⑤ $\angle AOD=\angle BON$

053 그림과 같이 원 O에서 $\overline{AB}\perp\overline{OM}$이고 $\overline{AB}=\overline{CD}$일 때, $\triangle OCD$의 넓이는?

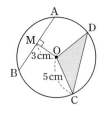

① $6\,cm^2$ 　　② $8\,cm^2$
③ $12\,cm^2$ 　　④ $18\,cm^2$
⑤ $24\,cm^2$

L8 내접하는 삼각형에서 현의 길이 응용

054 그림과 같이 원 O에 △ABC가 내접하고 $\angle B=65^\circ$, $\overline{OM}\perp\overline{AB}$, $\overline{ON}\perp\overline{AC}$, $\overline{OM}=\overline{ON}$이다. 이때, $\angle x$의 크기는?

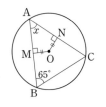

① 48° 　　② 50° 　　③ 52°
④ 54° 　　⑤ 56°

* 개념 찾기

그림의 원 O에서 $\overline{OM}=\overline{ON}$일 때,
(1) $\overline{AB}=\overline{AC}$
(2) △ABC는 이등변삼각형이므로
　 $\angle ABC=\angle ACB$

055 그림과 같이 원의 중심 O에서 $\overline{AB}$, $\overline{AC}$에 내린 수선의 발을 각각 M, N이라 하고 $\overline{OM}=\overline{ON}$, $\angle A=56^\circ$일 때, $\angle B$의 크기를 구하여라.

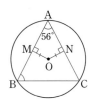

056 그림과 같이 원 O에서 $\overline{OM}=\overline{ON}$이고, $\angle MON=140^\circ$일 때, $\angle C$의 크기는?

① 60° 　　② 65°
③ 68° 　　④ 70°
⑤ 75°

057 그림과 같이 $\overline{AB}\perp\overline{OL}$, $\overline{BC}\perp\overline{OM}$, $\overline{AC}\perp\overline{ON}$이고, $\overline{OL}=\overline{OM}=\overline{ON}$, $\overline{CN}=2\,cm$일 때, △ABC의 넓이를 구하여라.

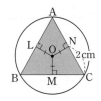

L9 원의 접선의 성질Ⅰ 기초

058 그림에서 두 점 A, B는 원 밖의 점 P에서 원 O에 그은 두 접선의 접점이다. ∠APB=50°일 때, ∠AOB의 크기를 구하여라.

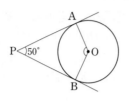

∗ 개념 찾기

$\overline{PA}$와 $\overline{PB}$가 원 O의 접선이고 두 접선의 접점을 각각 A, B 할 때
(1) $\overline{PA}=\overline{PB}$
(2) ∠PAO=∠PBO=90°
(3) ∠APB+∠AOB=180°

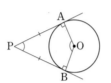

059 그림에서 두 점 A, B는 원 밖의 한 점 P에서 원 O에 그은 두 접선의 접점이다. ∠APB=48°일 때, ∠PAB의 크기를 구하여라.

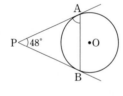

060 그림과 같이 ∠APB=45°이고, $\overline{PA}$, $\overline{PB}$는 반지름의 길이가 6 cm인 원 O의 접선일 때, $\widehat{AB}$의 길이는?

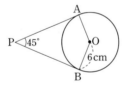

① 3π cm
② $\dfrac{7}{2}\pi$ cm
③ 4π cm

④ $\dfrac{9}{2}\pi$ cm
⑤ 5π cm

061 ★ 그림에서 두 반직선 PA, PB는 원 O의 접선이고 두 점 A, B는 그 접점이다. ∠APB=60°일 때, 원 O의 넓이를 구하여라.

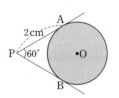

L10 원의 접선의 성질Ⅱ 이해

062 그림과 같이 원 밖의 한 점 P에서 원 O에 그은 접선의 접점을 A라 할 때, $\overline{PA}$의 길이는?

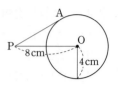

① 4 cm
② $4\sqrt{2}$ cm
③ $4\sqrt{3}$ cm
④ 8 cm
⑤ $8\sqrt{2}$ cm

∗ Check Key

$\overline{PA}$와 $\overline{PB}$가 원 O의 접선이고 두 접선의 접점을 각각 A, B 할 때, △PAO와 △PBO는 직각삼각형이므로
$\overline{PO}^2=\overline{PA}^2+\overline{AO}^2=\overline{PB}^2+\overline{BO}^2$

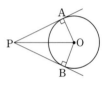

063 그림과 같이 원 밖의 한 점 P에서 원 O에 그은 접선의 접점을 A라 하고 점 P와 원의 중심 O를 연결한 선분이 원 O와 만나는 점을 B라 하자. $\overline{PB}=2$ cm, $\overline{OB}=3$ cm일 때, $\overline{PA}$의 길이를 구하여라.

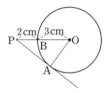

064 그림에서 $\overline{PA}$가 점 A를 접점으로 하는 원 O의 접선일 때, x의 값을 구하여라.

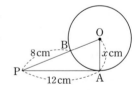

065 ★ 그림과 같이 원 밖의 한 점 P에서 원 O에 그은 접선의 접점을 A라 하고, $\overline{PO}$와 원이 만나는 점을 B라 하자. $\overline{PA}=8$ cm이고 원 O의 둘레의 길이가 12π cm일 때, $\overline{BP}$의 길이는?

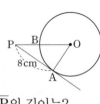

① $2\sqrt{2}$ cm
② $2\sqrt{3}$ cm
③ 4 cm
④ $4\sqrt{2}$ cm
⑤ $4\sqrt{3}$ cm

L11 원의 접선의 성질Ⅲ 이해

066 그림에서 $\overline{PA}$, $\overline{PB}$는 원 O의 접선이고, 두 점 A, B는 접점이다. $\overline{PA}=6$ cm, ∠APB=90°일 때, $\overline{PO}$의 길이는?

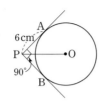

① 4 cm ② $4\sqrt{2}$ cm ③ 6 cm
④ $6\sqrt{2}$ cm ⑤ $6\sqrt{3}$ cm

＊ 개념 찾기
원 밖의 한 점 P에서 원 O에 그은 두 접선의 접점을 각각 A, B라 할 때,
(1) △PAO≡△PBO
(2) ∠APO=∠BPO=$\frac{1}{2}$∠APB

067 그림에서 $\overline{PA}$, $\overline{PB}$는 원 O의 접선이고, 두 점 A, B는 접점이다. $\overline{PA}=4$ cm, ∠APB=120°일 때, 원 O의 반지름의 길이는?

① $\frac{4\sqrt{3}}{3}$ cm ② $2\sqrt{2}$ cm ③ $2\sqrt{3}$ cm
④ $4\sqrt{2}$ cm ⑤ $4\sqrt{3}$ cm

068 그림에서 $\overline{PA}$, $\overline{PB}$는 원 O의 접선이고 두 점 A, B는 접점이다. ∠APB=60°, $\overline{PA}=9$ cm일 때, △OAB의 넓이를 구하여라.

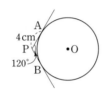

069 그림에서 $\overline{PA}$, $\overline{PB}$는 원 O의 접선이고, 두 점 A, B는 접점이다. $\overline{PA}=2$ cm, ∠APB=120°일 때, 부채꼴 OAB의 넓이를 구하여라.

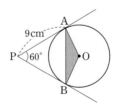

L12 원의 접선의 성질의 응용 응용

070 그림과 같이 세 점 P, Q, R는 원 O의 중심에서 삼각형 ABC의 변 또는 그 연장선에 내린 수선의 발이다. $\overline{BC}=9$ cm, $\overline{AC}=7$ cm, $\overline{CP}=3$ cm일 때, $\overline{AB}$의 길이는?

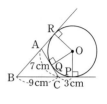

① 6 cm ② 6.5 cm ③ 7 cm
④ 7.5 cm ⑤ 8 cm

＊ 개념 찾기
$\overline{AD}$, $\overline{AE}$, $\overline{CB}$가 원 O의 접선이고 점 D, E, F가 각각 접점일 때,
(1) $\overline{AD}=\overline{AE}$, $\overline{BD}=\overline{BF}$, $\overline{CE}=\overline{CF}$
(2) (△ABC의 둘레의 길이) $=\overline{AD}+\overline{AE}=2\overline{AD}$

071 그림과 같이 점 P에서 원 O에 그은 두 접선의 접점을 각각 A, B라 하자. $\overline{CD}$가 점 E에서 원 O와 접하고 $\overline{PC}=8$ cm, $\overline{CA}=1$ cm일 때, △PCD의 둘레의 길이를 구하여라.

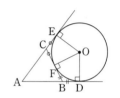

072 그림과 같이 $\overline{PX}$, $\overline{PY}$는 원 O의 접선이고, $\overline{PA}=7$ cm, $\overline{PB}=8$ cm, $\overline{BC}=3$ cm일 때, $\overline{AC}$의 길이를 구하여라.

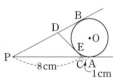

073 ★ 그림에서 세 직선 AD, AE, BC는 원 O의 접선이고 두 점 D, E는 접점이다. $\overline{AO}=13$ cm, $\overline{EO}=5$ cm일 때, △ABC의 둘레의 길이를 구하여라.

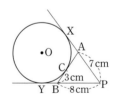

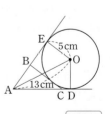

L13 반원에서의 접선의 성질 응용

074 그림과 같이 $\overline{AD}$, $\overline{BC}$, $\overline{DC}$가 반원에 각각 접할 때, 이 반원의 반지름의 길이를 구하여라.

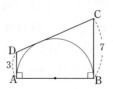

※ 접근법

$\overline{AB}$, $\overline{CD}$, $\overline{AD}$가 반원 O의 접선일 때
(i) 점 A에서 $\overline{CD}$에 내린 수선을 발을 H라 하자.
(ii) $\overline{AB}=\overline{AE}$, $\overline{DC}=\overline{DE}$이므로
 $\overline{AD}=\overline{AB}+\overline{CD}$
(iii) 점 A에서 $\overline{CD}$에 내린 수선의 발을 H라 하면 직각삼각형 AHD에서
 $\overline{BC}=\overline{AH}=\sqrt{\overline{AD}^2-\overline{DH}^2}$

075 그림과 같이 $\overline{AB}$는 반원 O의 지름이고 $\overline{AD}$, $\overline{BC}$, $\overline{CD}$는 반원에 접한다. $\overline{AD}=2\,\text{cm}$, $\overline{BC}=5\,\text{cm}$일 때, 반원 O의 반지름의 길이는?

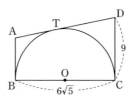

① $\sqrt{2}$ cm ② 2 cm
③ $\sqrt{6}$ cm ④ $2\sqrt{2}$ cm
⑤ $\sqrt{10}$ cm

076 반원 O 위의 한 점 T에서 그은 접선이 지름 BC의 양 끝점 B, C에서 그은 접선과 만나는 점을 각각 A, D라고 할 때, 선분 AB의 길이를 구하여라.

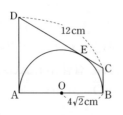

077 그림과 같이 $\overline{AB}$는 반지름의 길이가 $4\sqrt{2}$ cm인 반원 O의 지름이고, $\overline{AD}$, $\overline{CD}$, $\overline{BC}$는 반원 O의 접선이다. $\overline{CD}=12$ cm일 때, $\overline{BC}$의 길이를 구하여라.
(단, $\overline{AD}>\overline{BC}$)

L14 동심원과 원의 접선의 성질 응용

078 그림은 반지름의 길이가 각각 4 cm, 5 cm인 두 동심원이다. 작은 원 위의 점 P에서 접선을 그어 큰 원과 만나는 점을 각각 A, B라고 할 때, $\overline{AB}$의 길이를 구하여라.

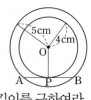

※ 접근법

그림과 같이 중심이 같고 반지름의 길이가 다른 두 원에서 큰 원의 현 AB가 작은 원의 접선일 때,
(i) 원의 중심 O에서 $\overline{AB}$에 내린 수선의 발을 H라 하자. ⇨ $\overline{OH}\perp\overline{AB}$
(ii) $\overline{AH}=\overline{BH}$
(iii) $\overline{OA}^2=\overline{OH}^2+\overline{AH}^2$

079 그림은 $\overline{OM}=3$ cm, $\overline{MN}=4$ cm인 동심원이고, $\overline{AB}$는 작은 원의 접선이다. 이때, $\overline{AB}$의 길이는?

① $\sqrt{5}$ cm ② $\sqrt{10}$ cm
③ $2\sqrt{10}$ cm ④ $3\sqrt{10}$ cm
⑤ $4\sqrt{10}$ cm

080 그림과 같은 동심원에서 $\overline{AD}$는 큰 원의 지름이다. $\overline{AC}$, $\overline{CD}$는 각각 작은 원과 큰 원에 점 H와 점 D에서 접할 때, $\overline{CD}$의 길이를 구하여라.

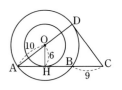

081 그림에서 중심이 같은 두 원의 반지름의 길이는 각각 3 cm, 5 cm이다. 작은 원 위의 두 점 Q, R에서 접선을 그어 큰 원과 만나는 점을 각각 A, B, C, D라 하고 큰 원의 두 현 AB와 CD의 교점을 P라 할 때, $\angle QPR=90°$이다. $\overline{BP}$의 길이를 구하여라.

L15 삼각형의 내접원 응용

082 그림과 같이 원 O는 △ABC의 내접원이고, 세 점 D, E, F는 접점이다. $\overline{AB}=7$ cm, $\overline{BC}=10$ cm, $\overline{CA}=9$ cm일 때, $\overline{CF}$의 길이를 구하여라.

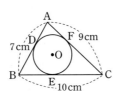

＊개념 찾기

원 O가 △ABC의 내접원이고 세 점 D, E, F가 접점일 때,
$\overline{AF}=\overline{AE}$, $\overline{BD}=\overline{BF}$, $\overline{CD}=\overline{CE}$

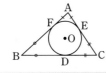

L16 직각삼각형의 내접원 응용

086 그림과 같이 원 O가 $\angle C=90°$인 직각삼각형 ABC에 내접할 때, 내접원 O의 반지름의 길이를 구하여라.

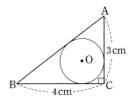

＊Check Key

원 O가 직각삼각형 ABC의 내접원일 때,
(1) $c^2=a^2+b^2$
(2) □ODCE는 정사각형
(3) $\triangle ABC=\dfrac{1}{2}ab=\dfrac{1}{2}r(a+b+c)$

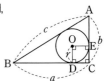

08 DAY

083 그림과 같이 원 O가 △ABC에 내접하고, 세 점 D, E, F는 접점이다. $\overline{AB}=11$ cm, $\overline{AC}=8$ cm, $\overline{AE}=3$ cm일 때, $\overline{BC}$의 길이를 구하여라.

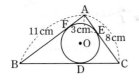

087 그림과 같이 원 O는 $\overline{AC}=3$ cm, $\overline{BC}=4$ cm, $\angle C=90°$인 직각삼각형 ABC의 내접원일 때, 색칠한 부분의 넓이를 구하여라.

084 그림과 같이 원 O가 직각삼각형 ABC에 내접하고 점 D, E, F는 접점일 때, $\overline{AE}+\overline{BF}+\overline{CD}$의 길이는?

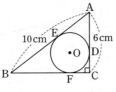

① 10 cm ② 11 cm ③ 12 cm
④ 13 cm ⑤ 14 cm

088 그림과 같이 원 O는 직각삼각형 ABC의 내접원이고, 세 점 D, E, F는 접점이다. 원 O의 둘레의 길이는?

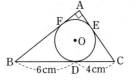

① $\dfrac{\pi}{2}$ cm ② π cm ③ 2π cm
④ 3π cm ⑤ 4π cm

085 그림과 같이 원 O는 △ABC의 내접원이고, $\overline{DE}$는 원 O에 접한다. $\overline{AB}=9$ cm, $\overline{BC}=11$ cm, $\overline{AC}=7$ cm일 때, △BDE의 둘레의 길이를 구하여라.

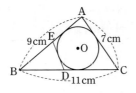

089 그림과 같이 $\angle C=90°$, $\overline{BC}=8$ cm인 직각삼각형 ABC가 있다. 이 직각삼각형 ABC의 내접원 O의 반지름의 길이가 3 cm일 때, 직각삼각형 ABC의 넓이를 구하여라.

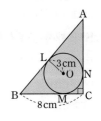

L17 외접사각형의 성질 I
이해

090 그림에서 사각형 ABCD가 원 O에 외접할 때, $\overline{CD}$의 길이를 구하여라.

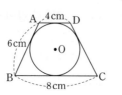

* 개념 찾기

원 O에 외접하는 사각형 ABCD에서
$\overline{AB}+\overline{CD}=\overline{AD}+\overline{BC}$

091 그림에서 사각형 ABCD가 원 O에 외접할 때, $\overline{CF}$의 길이는?

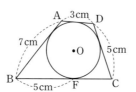

① 2 cm   ② 2.5 cm
③ 3 cm   ④ 3.5 cm
⑤ 4 cm

092 원 O에 외접하는 사각형의 네 변의 길이가 그림과 같을 때, x의 값은?

① 2   ② 3
③ 4   ④ 5
⑤ 6

093 그림에서 □ABCD가 원 O에 외접할 때, 접점을 P, Q, R, S라 하자. $\overline{AP}+\overline{CR}$의 길이는?

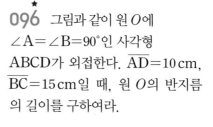

① 6 cm   ② 6.5 cm
③ 7 cm   ④ 7.5 cm
⑤ 8 cm

094 그림에서 $\overline{BC}=12$ cm, $\overline{CD}=10$ cm인 □ABCD는 원 O에 외접하고 $\overline{AB}$와 원 O의 접점 Q에 의하여 $\overline{AQ}=\overline{BQ}$이다. $\overline{AD}$와 원 O의 접점을 P라 하고 $\overline{AP}=4$ cm일 때, $\overline{DP}$의 길이는?

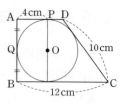

① 1 cm   ② 1.5 cm   ③ 2 cm
④ 2.5 cm   ⑤ 3 cm

095 그림과 같이 ∠C=90°인 □ABCD가 원 O에 외접할 때, $\overline{AB}$의 길이는?

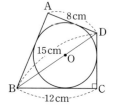

① 10 cm   ② 11 cm
③ 12 cm   ④ 13 cm
⑤ 14 cm

096 그림과 같이 원 O에 ∠A=∠B=90°인 사각형 ABCD가 외접한다. $\overline{AD}=10$ cm, $\overline{BC}=15$ cm일 때, 원 O의 반지름의 길이를 구하여라.

097 그림과 같이 원 O에 외접하는 등변사다리꼴 ABCD에서 $\overline{AD}=8$ cm, $\overline{BC}=16$ cm일 때, 원 O의 넓이는?

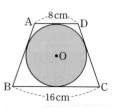

① $4\sqrt{2}\pi$ cm² ② $8\sqrt{2}\pi$ cm²
③ 16π cm²   ④ 32π cm²
⑤ 64π cm²

L18 외접사각형의 성질 Ⅱ 응용

098 그림과 같이 원 O가 직사각형 ABCD의 세 변과 접하고 $\overline{DE}$가 원 O의 접선이다. $\overline{CD}=4\,cm$, $\overline{DE}=5\,cm$일 때, $\overline{BE}$를 구하여라.

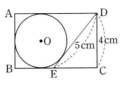

✱ **Check Key**

원 O가 직사각형 ABCD의 세 변 및 $\overline{DE}$와 접할 때,

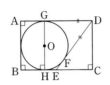

(1) $\overline{DE}=\overline{EH}+\overline{DG}$
(2) $\overline{AB}+\overline{DE}=\overline{AD}+\overline{BE}$
(3) $\overline{DE}^2=\overline{CD}^2+\overline{CE}^2$
(4) $\overline{AB}=\overline{GH}=\overline{DC}=$(원 O의 지름)

099 그림은 $\overline{AB}=8$, $\overline{AD}=12$인 직사각형 ABCD 이다. 이때, 원 O는 직사각형의 세 변과 접하고 선분 DE가 원 O의 접선일 때, $\overline{EF}$의 길이를 구하여라.

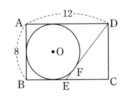

100 그림과 같이 직사각형 ABCD의 세 변에 원 O가 접하고 $\overline{DE}$가 원 O의 접선일 때, △CDE의 넓이를 구하여라.

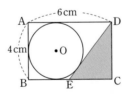

101 그림과 같이 정사각형 ABCD의 내부에 $\overline{BC}$를 지름으로 하는 반원 O가 있고, $\overline{AE}$는 반원의 접선이다. 점 E가 $\overline{DC}$ 위에 있을 때, $\overline{AE}$의 길이를 구하여라.

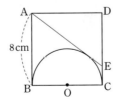

L19 외접하는 두 원의 성질 응용

102 그림과 같이 $\overline{AB}=18\,cm$, $\overline{AD}=25\,cm$ 인 직사각형 ABCD의 변에 접하는 두 원이 외접할 때, 작은 원의 반지름의 길이를 구하여라.

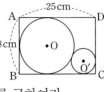

✱ **Check Key**

두 원 O와 O'이 외접하면서 동시에 직사각형 ABCD에 접할 때,

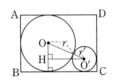

(1) $\overline{OO'}=r+r'$ (2) $\overline{OH}=r-r'$
(3) $\overline{O'H}=\overline{AD}-(r+r')$

103 그림에서 원 O는 직사각형 ABCD에 내접하는 가장 큰 원이고, 원 O'은 그 나머지 부분에 내접하는 가장 큰 원이다. 원 O'의 둘레의 길이를 구하여라.

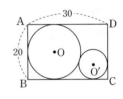

104 그림에서 두 원 P, Q는 외접하면서 동시에 반원 O에 내접한다. 반원 O의 반지름의 길이가 20일 때, 두 원 P, Q의 반지름의 길이의 비를 구하여라.

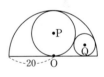

105 그림과 같이 반지름의 길이가 각각 4 cm, 6 cm 인 두 원 O, O'이 외접하고 있다. $\overline{AB}$와 $\overline{PT}$가 두 원에 공통으로 접하고 세 점 A, B, T는 접점이다. $\overline{PT}$의 길이를 구하여라.

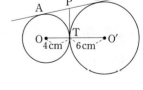

106 그림에서 $\overline{AB}$는 원 O의 지름이고, $\overline{AB} \parallel \overline{CD}$, $\angle BOD = 20°$, $\overset{\frown}{BD} = 3$ cm일 때, $\overset{\frown}{CD}$의 길이는?

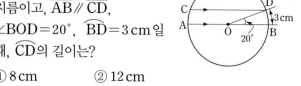

① 8 cm ② 12 cm
③ 21 cm ④ 24 cm
⑤ 28 cm

107 그림과 같이 원 O에서 지름 AB의 연장선과 현 CD의 연장선이 만나는 점을 E라 하자. $\overline{DE} = \overline{DO}$이고 $\angle AEC = 15°$, $\overset{\frown}{AC} = 15$ cm일 때, $\overset{\frown}{BD}$의 길이를 구하여라.

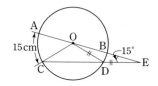

108 그림과 같이 원 O에서 $\overline{AB} \perp \overline{OP}$이고, $\overline{AB} = 6\sqrt{3}$ cm, $\overline{MP} = 3$ cm일 때, 색칠한 부분의 넓이를 구하여라.

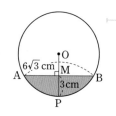

109 그림은 원 O의 일부분이다. $\overline{AD} = \overline{BD} = 8$ cm, $\overline{CD} = 4$ cm, $\overline{CD} \perp \overline{AB}$일 때, 원 O의 반지름의 길이를 구하여라.

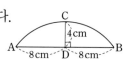

110 그림과 같이 반지름의 길이가 6 cm인 원 위의 점 P를 원의 중심 O에 겹쳐지도록 접었을 때, $\overset{\frown}{AOB}$의 길이는?

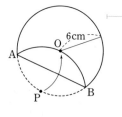

① $\dfrac{4}{3}\pi$ cm ② 2π cm

③ $\dfrac{8}{3}\pi$ cm ④ 3π cm

⑤ 4π cm

111 그림과 같이 원 O 위의 한 점 P를 원의 중심에 겹쳐지게 접었다. $\overline{PC}$는 원 O의 지름이고 $\overline{AO} = 10$일 때, $\overline{BC}$의 길이를 구하여라.

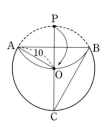

112 그림과 같이 지름의 길이가 $2\sqrt{2}$ cm인 원 O에 직각삼각형 ABC가 내접하고 있다. $\overline{OD}=\overline{OE}$일 때, △ABC의 넓이는?

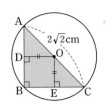

① $1\,cm^2$　　② $2\,cm^2$
③ $3\,cm^2$　　④ $4\,cm^2$
⑤ $5\,cm^2$

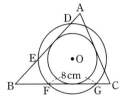

113 그림에서 두 원의 중심인 점 O는 △ABC의 내심이고, 네 점 D, E, F, G는 점 O를 중심으로 하는 바깥원이 $\overline{AB}$, $\overline{BC}$와 만나는 점이다. $\overline{FG}=8$ cm일 때, $\overline{DE}$의 길이를 구하여라.

114 그림과 같이 반지름의 길이가 5 cm인 원 O에서 $\overline{AC}$, $\overline{BD}$는 원 O의 지름이고 $\overline{AB}=8$ cm이다. 원의 중심 O에서 $\overline{AB}$, $\overline{CD}$에 내린 수선의 발을 각각 M, N이라 할 때, $\overline{MN}$의 길이는?

① $5\,cm$　　② $6\,cm$　　③ $7\,cm$
④ $8\,cm$　　⑤ $9\,cm$

115 그림과 같이 두 원의 한 교점 P를 지나는 직선이 두 원 O, O'과 만나는 점을 각각 A, B라고 할 때, $\overline{AB}=28$ cm이다. 두 점 O, O'에서 $\overline{AB}$에 내린 수선의 발을 각각 M, N이라 할 때, $\overline{MN}$의 길이를 구하여라.

116 그림과 같이 원 O에서 $\overline{OP}\perp\overline{AB}$, $\overline{OQ}\perp\overline{AC}$이고, $\overline{OP}=\overline{OQ}$이다. 원의 넓이가 36π이고 ∠BAC$=60°$일 때, $\overline{BC}$의 길이는?

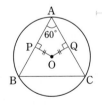

① 6　　② $6\sqrt{2}$
③ $6\sqrt{3}$　　④ $8\sqrt{2}$
⑤ $8\sqrt{3}$

117 그림과 같이 원 O에 내접하는 △ABC에 대하여 ∠A$=60°$이고 $\overline{OP}\perp\overline{AB}$, $\overline{OQ}\perp\overline{AC}$, $\overline{OP}=\overline{OQ}=2$ cm일 때, $\overline{AB}$의 길이를 구하여라.

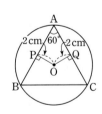

118 그림에서 반직선 PA, PB 는 원 O의 접선이고 두 점 A, B 는 그 접점이다. ∠APB=60°일 때, △OAB의 넓이를 구하여라.

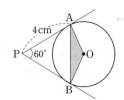

119 그림과 같이 $\overline{\mathrm{PA}}$, $\overline{\mathrm{PB}}$는 반지름의 길이가 2 cm인 원 O의 접선일 때, 사각형 OAPB의 둘레의 길이를 구하여라.

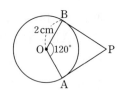

120 그림과 같이 점 O를 중심으로 하고 반지름의 길이가 각각 4 cm, $2\sqrt{3}$ cm인 동심원이 있다. 작은 원에 접하는 직선 AB에 대하여 접점이 T일 때, 색칠한 부분의 넓이를 구하여라.

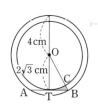

121 그림과 같이 중심 O가 같고 반지름의 길이가 다른 동심원에서 $\overline{\mathrm{AB}}=\overline{\mathrm{BC}}=\overline{\mathrm{CD}}=4$ cm이고 두 원의 반지름의 길이의 합이 10 cm일 때, 작은 원의 넓이를 구하여라.

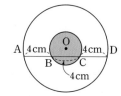

122 그림과 같이 원 O는 둘레의 길이가 30 cm인 삼각형 ABC에 내접하고 있다. 원 O의 반지름의 길이가 4 cm일 때, 삼각형 ABC의 넓이를 구하여라.

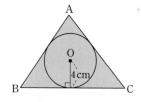

123 그림에서 원 O는 △ABC의 내접원이고, 점 D, E, F는 내접원과 세 변의 접점이다. △ABC의 둘레의 길이가 40 cm일 때, $\overline{\mathrm{AB}}$의 길이를 구하여라.

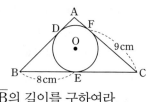

124 그림과 같이 반원의 호 AB 위의 한 점 T를 지나는 접선이 지름 AB의 양 끝점에서 그은 접선과 만나는 점을 각각 D, C라 할 때, 색칠한 부분의 넓이를 구하여라.

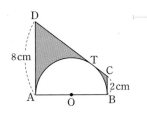

125 그림과 같은 직각삼각형 ABC에서 ∠A의 이등분선이 내접원의 중심 O를 지날 때, 이 직선이 $\overline{BC}$와 만나는 점을 D라고 하자. $\overline{BD}=5$, $\overline{DC}=3$ 일 때, 색칠한 부분의 넓이를 구하여라.

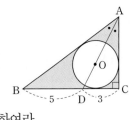

126 그림과 같이 원 O는 △ABC의 내접원이고 $\overline{DE}$는 원 O에 접한다. $\overline{AB}=11$ cm, $\overline{BC}=15$ cm, $\overline{CA}=10$ cm일 때, △DEC의 둘레의 길이는?

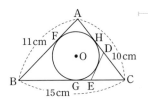

① 11 cm　　② 12 cm　　③ 13 cm
④ 14 cm　　⑤ 15 cm

127 그림에서 원 O는 □ADEC의 내접원이고, 점 P, Q, R, S는 접점이다. 이때, $\overline{AD}$와 $\overline{CE}$의 연장선이 만나는 점을 B라 하면 $\overline{BE}=4$, $\overline{DE}=3$이다.
∠ACE=∠DEB=90°일 때, 원 O의 반지름의 길이를 구하여라.

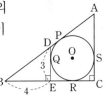

128 그림과 같이 사각형 ABCD는 원 O에 외접하고 점 E, F, G, H는 접점이다. $\overline{AD}=12$ cm, $\overline{BC}=18$ cm이고 $\overline{AB}:\overline{CD}=5:4$ 일 때, $\overline{AB}-\overline{CD}$의 값을 구하여라.

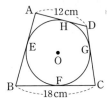

129 그림과 같이 사각형 ABCD는 원 O에 외접하고 점 E, F, G, H는 접점일 때, 색칠한 부분의 넓이를 구하여라.

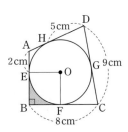

130 그림과 같이 $\overrightarrow{AE}$, $\overrightarrow{AF}$, $\overleftrightarrow{BC}$는 원 O의 접선이고, 세 점 D, E, F는 접점이다. $\overline{AO}=10$, $\angle BAC=60°$일 때, 삼각형 ABC의 둘레의 길이를 구하여라.

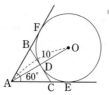

먼저, $\angle OAF$의 크기를 구하자. 40%

그다음, $\overline{AF}$의 길이를 구하자. 30%

그래서, $\triangle ABC$의 둘레의 길이를 구하자. 30%

+1

131 그림에서 $\overline{PC}$, $\overline{PD}$, $\overline{AB}$가 원 O의 접선이고, $\cos(\angle POD)=\dfrac{5}{13}$일 때, $\triangle PAB$의 둘레의 길이를 구하여라.

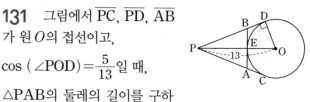

먼저,

그다음,

그래서,

132 그림과 같이 원 O는 □ABCD의 내접원이고, 네 점 P, Q, R, S는 접점이다. 이때, $x+y$의 값을 구하여라.

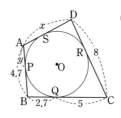

먼저, $\overline{AD}+\overline{BC}=\overline{AB}+\overline{CD}$를 이용하여 x의 값을 구하자. 40%

그다음, y의 값을 구하자. 40%

그래서, $x+y$의 값을 구하자. 20%

+1

133 그림과 같이 사각형 ABCD는 원 O에 외접하고 점 E, F, G, H는 접점이다. $\overline{AB}=9$, $\overline{BF}=7$, $\overline{CD}=15$, $\overline{DH}=4$일 때, $x-y$의 값을 구하여라.

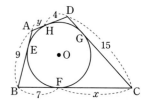

먼저,

그다음,

그래서,

134 그림과 같이 △ABC의 외접원의 중심 O에서 세 변 AB, BC, CA에 내린 수선의 발을 각각 L, M, N이라 하자. $\overline{OL}=\overline{OM}=\overline{ON}$이고 $\overline{AL}=3$ cm일 때, △ABC의 둘레의 길이를 구하여라.

137 그림과 같은 활꼴에서 $\overparen{AB}$의 길이를 구하여라.

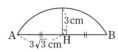

135 그림과 같이 원 O에서 $\overline{AB}\perp\overline{OC}$, $\overline{OB}=13$ cm, $\overline{OP}=5$ cm일 때, $\overline{AC}$의 길이를 구하여라.

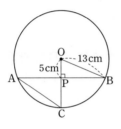

138 그림과 같이 $\overline{AC}=5$ cm, $\overline{BD}=3$ cm일 때, $\overline{AD}$의 길이를 구하여라.

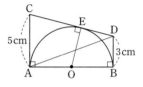

136 그림에서 원 O는 ∠A=90°인 △ABC의 내접원이고, 세 점 D, E, F는 접점이다. 원 O의 반지름의 길이를 구하여라.

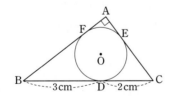

139 그림의 정사각형 ABCD에서 $\overline{DE}$는 $\overline{BC}$를 지름으로 하는 반원 O에 점 P에서 접한다. $\overline{DE}=8$일 때, 정사각형 ABCD의 한 변의 길이를 구하여라.

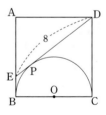

최고 난도 만점 문제

140 그림과 같이 □ABCD는 원 O에 외접하고 두 대각선은 서로 수직으로 만난다. $\overline{BE}=6\,cm$, $\overline{CF}=2\,cm$, $\overline{DG}=3\,cm$일 때, □ABCD의 둘레의 길이를 구하여라.

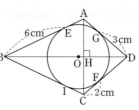
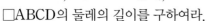

143 그림과 같이 가로, 세로의 길이가 각각 9 cm, 6 cm인 직사각형 ABCD에 원 O'이 세 변에 접하고, $\overline{AF}$는 원 O'과 점 E에서 접한다. 원 O가 △ABF에 내접할 때, 두 원 O, O'의 둘레의 길이의 차를 구하여라.

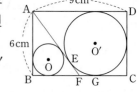

141 밑면의 반지름인 $\overline{BH}$의 길이가 3 cm, 모선인 $\overline{AB}$의 길이가 9 cm인 원뿔에 그림과 같이 꼭 들어맞는 구를 내접시킬 때, 구의 부피를 구하여라.

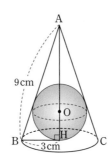

144 그림과 같이 원 O는 한 변의 길이가 18인 정사각형 ABCD의 두 변 AB, AD에 각각 접하고, 나머지 두 변 BC, CD와 두 점에서 각각 만난다. 원 O와 $\overline{BC}$의 교점을 각각 P, Q라 하고 $\overline{BP}=4$일 때, $\overline{PQ}$의 길이를 구하여라.

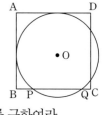

142 그림과 같이 가로, 세로의 길이가 각각 13 cm, 12 cm인 직사각형에서 점 C를 중심으로 반지름의 길이가 12 cm인 사분원을 그렸다. 점 B에서 이 사분원에 접선을 그어 사분원과 만나는 점을 E, $\overline{BE}$의 연장선이 $\overline{AD}$와 만나는 점을 F라 할 때, △ABF의 넓이를 구하여라.

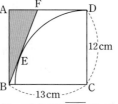

145 그림과 같이 반지름의 길이가 9 cm인 반원에 세 원 O, O', O''이 내접하고 있다. 세 점 A, B, C는 각각 원 O, O', O''과 반원의 접점이고, 두 원 O', O''의 반지름의 길이가 각각 2 cm일 때, 삼각형 OBC의 넓이를 구하여라. (단, 점 A는 반원의 중심이다.)

고대생의 열정과 화합 **응원문화**

응원문화는 내가 고려대학교 문화 중에서 가장 좋아하는 문화야! 우리학교 축제인 입실렌티와 다들 알다시피 유명한 '고연전' 같은 행사에서 동기들끼리 화합하고 우리학교 선수들을 응원하기 위해서 응원을 해. 새내기 배움터에서 응원을 처음 배우는데 정말 재미있어. 그리고 연세대학교와 합동응원도 하고 응원전이 끝나고 교류하기도 해. 동기들끼리 다 같이 어깨동무하고 몸을 좌우로 흔들면서 응원구호를 외치면 이제까지 쌓였던 공부 스트레스가 다 날아가는 느낌이랄까? 유투브같은 동영상사이트에서 봤을 수도 있지만 실제로 그 현장의 열기는 정말 대단해! 우리학교 만의 응원곡도 정말 많단다. 특히 고연전에서 우리 고대 선수가 승리했을 때는 승리의 세레모니로 다같이 '뱃노래'를 불러. 그리고 고대생이 제일 사랑하는 응원가는 '민족의 아리아' 야. 고대생들이 민족의 아리아를 부를 때 고대생이라는 자긍심이 느껴지고 정말 두근거려!

'타오르는 자유~ 나아가는 정의~ 솟구치는 진리~ 민족의 힘으로~'
'자~ 지축을 박차고, 자~ 포효하라 그대~ 조국의 영원한~ 고동이 되리라~'

글 : **정혜원**(고려대 수학과)/사진 : **디카츄의 사진창고**

1 원주각과 중심각의 크기

(1) **원주각** : 원 O에서 $\widehat{AB}$를 제외한 원 위의 점을 P라 할 때, $\angle APB$를 $\widehat{AB}$에 대한 **원주각**이라 한다.

(2) **원주각과 중심각의 크기** : 한 원에서 한 호에 대한 원주각의 크기는 그 호에 대한 중심각의 크기의 $\dfrac{1}{2}$이다.

$$\angle APB = \dfrac{1}{2}\angle AOB$$

2 원주각의 성질

(1) 한 원에서 같은 호에 대한 원주각의 크기는 모두 같다.

$$\angle APB = \angle AQB = \angle ARB$$

(2) 반원에 대한 원주각의 크기는 항상 $90°$이다.

$$\angle APB = \angle AQB = 90°$$

[참고] 반원에 대한 중심각의 크기는 $180°$이므로

$$\angle APB = \dfrac{1}{2} \times 180° = 90°$$

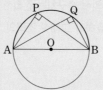

3 원주각의 크기와 호의 길이

(1) 한 원 또는 합동인 두 원에서

① 길이가 같은 호에 대한 원주각의 크기는 서로 같다.

② 크기가 같은 원주각에 대한 호의 길이는 서로 같다.

$$\widehat{AB} = \widehat{CD} \Longleftrightarrow \angle APB = \angle CQD$$

(2) 원주각의 크기와 호의 길이는 정비례한다.

[참고] 원주각의 크기와 현의 길이는 정비례하지 않는다.

4 네 점이 한 원 위에 있을 조건

두 점 C, D가 $\overline{AB}$에 대하여 같은 쪽에 있을 때,

(1) $\angle ACB = \angle ADB$이면 네 점 A, B, C, D는 한 원 위에 있다.

(2) 네 점 A, B, C, D가 한 원 위에 있으면 $\angle ACB = \angle ADB$이다.

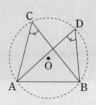

• **1**–(2) 자세히 알아보기

지름 PQ를 그으면 △OAP, △OBP는 이등변삼각형이므로

$\angle APO = \angle PAO$,

$\angle BPO = \angle PBO$

이때,

$\angle AOQ = \angle APO + \angle PAO$

$\quad\quad = 2\angle APO$

$\angle BOQ = \angle BPO + \angle PBO$

$\quad\quad = 2\angle BPO$

이므로

$\angle AOB = \angle AOQ + \angle BOQ$

$\quad\quad = 2\angle APO + 2\angle BPO$

$\quad\quad = 2(\angle APO + \angle BPO)$

$\quad\quad = 2\angle APB$

$\therefore \angle APB = \dfrac{1}{2}\angle AOB$

• 직각삼각형의 빗변이 원의 지름일 때, 직각삼각형의 외심은 빗변의 중점이다.

• 호 AB의 길이가 원주의 $\dfrac{1}{k}$배이면

$$\angle ACB = \dfrac{1}{k} \times 180°$$

① 원주각과 중심각의 크기

[001~004] 다음 그림에서 ∠x의 크기를 구하여라.

001

002

003

004

② 원주각의 성질

[005~007] 다음 그림에서 ∠x, ∠y의 크기를 각각 구하여라.

005

006

007

[008~009] 다음 그림에서 $\overline{AB}$가 원 O의 지름일 때, ∠x의 크기를 구하여라.

008

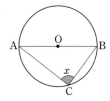

009

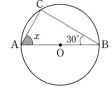

③ 원주각의 크기와 호의 길이

[010~011] 다음 그림에서 x의 값을 구하여라.

010

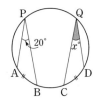

011

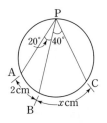

④ 네 점이 한 원 위에 있을 조건

[012~013] 다음 그림에서 네 점 A, B, C, D가 한 원 위에 있도록 하는 ∠x의 크기를 구하여라.

012

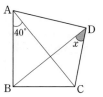

013

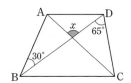

5 원에 내접하는 사각형의 성질

(1) 원에 내접하는 사각형의 한 쌍의 대각의 크기의 합은 180°이다.

$$\angle A + \angle C = \angle B + \angle D = 180°$$

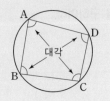

(2) 원에 내접하는 사각형의 한 외각의 크기는 그와 이웃한 내각의 대각의 크기와 같다.

$$\angle A = \angle DCE$$

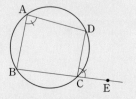

6 사각형이 원에 내접하기 위한 조건

(1) 한 쌍의 대각의 크기의 합이 180°인 사각형은 원에 내접한다.

(2) 한 외각의 크기가 그와 이웃한 내각의 대각의 크기와 같은 사각형은 원에 내접한다.

7 접선과 현이 이루는 각

(1) 원의 접선과 그 접점을 지나는 현이 이루는 각의 크기는 그 각의 내부에 있는 호에 대한 원주각의 크기와 같다.

$$\angle BAT = \angle ACB$$

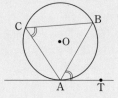

(2) **접선이 되기 위한 조건** : 원 O에서

$\angle BAT = \angle ACB$이면 직선 AT는 원 O의 접선이다.

8 두 원에서 접선과 현이 이루는 각

두 원의 교점 T에서의 접선 PQ가 다음 그림과 같이 그어져 있을 때, 다음 각 경우에 대하여 $\overline{AB} /\!/ \overline{DC}$가 성립한다.

(1)

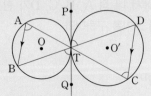

$$\begin{aligned} \angle BAT &= \angle BTQ \\ &= \angle DTP \\ &= \angle DCT \end{aligned}$$

즉, 엇각의 크기가 같으므로
$$\overline{AB} /\!/ \overline{DC}$$

(2)

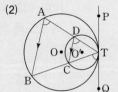

$$\begin{aligned} \angle BAT &= \angle BTQ \\ &= \angle CTQ \\ &= \angle CDT \end{aligned}$$

즉, 동위각의 크기가 같으므로
$$\overline{AB} /\!/ \overline{DC}$$

• 삼각형의 외접원은 항상 존재하지만 사각형의 외접원은 존재하지 않을 수 있다. 즉, **5**–(1) 또는 (2)를 만족시켜야 한다.

• 정사각형, 직사각형, 등변사다리꼴은 항상 원에 내접한다.

• **7**–(1) 자세히 알아보기

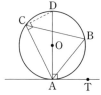

직선 AT가 원 O의 접선일 때, 점 A를 지나는 지름 AD를 그으면
$$\angle DAT = \angle DCA = 90°$$
$$\angle BAT = 90° - \angle DAB$$
$$\angle ACB = 90° - \angle DCB$$
이때, $\angle DAB = \angle DCB (\because \stackrel{\frown}{BD}$에 대한 원주각)이므로
$$\angle BAT = \angle ACB$$

• 두 직선이 서로 평행할 조건
서로 다른 두 직선이 한 직선과 만날 때,
① 동위각의 크기가 같으면 두 직선은 서로 평행하다.
② 엇각의 크기가 같으면 두 직선은 서로 평행하다.

5 원에 내접하는 사각형의 성질

[014~015] 다음 그림에서 ∠x, ∠y의 크기를 각각 구하여라.

014

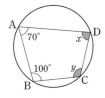

015

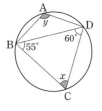

[016~017] 다음 그림에서 ∠x의 크기를 구하여라.

016

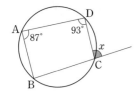

017

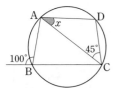

6 사각형이 원에 내접하기 위한 조건

[018~019] 다음 그림의 □ABCD가 원에 내접하면 ○표, 내접하지 않으면 ×표를 하여라.

018

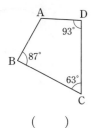

( )

019

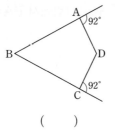

( )

[020~021] 다음 그림의 □ABCD가 원에 내접하도록 하는 ∠x의 크기를 구하여라.

020

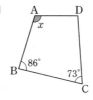

021

7 접선과 현이 이루는 각

[022~024] 다음 그림에서 직선 AT가 원 O의 접선일 때, ∠x의 크기를 구하여라.

022

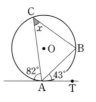

023

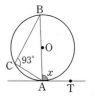

024

8 두 원에서 접선과 현이 이루는 각

[025~026] 다음 그림에서 직선 PQ는 두 원에 공통으로 접하는 직선일 때, ∠x의 크기를 구하여라.

025

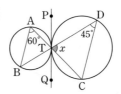

026

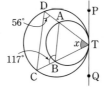

M1 원주각과 중심각의 크기
기초

027 그림에서 ∠AOB=130°일 때, ∠x의 크기를 구하여라.

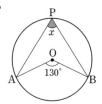

＊개념 찾기

한 원에서 한 호에 대한 원주각의 크기는 그 호에 대한 중심각의 크기의 $\frac{1}{2}$이다.

M2 원주각과 중심각의 크기의 응용
응용

031 그림과 같은 원 O에서 ∠AOB=130°일 때, ∠x의 크기를 구하여라.

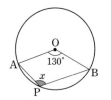

＊개념 찾기

$∠x=\frac{1}{2}×(360°-∠AOB)$

028 그림에서 ∠OAB=28°일 때, ∠x의 크기는?

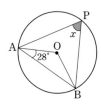

① 38° ② 46°
③ 54° ④ 62°
⑤ 70°

032 그림에서 ∠x의 크기를 구하여라.

(1)
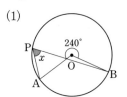

(2)
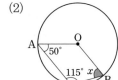

029 그림에서 ∠APB=36°일 때, ∠OAB의 크기는?

① 48° ② 50°
③ 52° ④ 54°
⑤ 56°

033 그림에서 ∠x＋∠y의 크기를 구하여라.

(1)
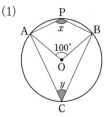

(2)
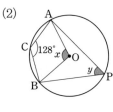

030 그림에서 ∠OAP=10°, ∠OBP=30°일 때, ∠AOB의 크기는?

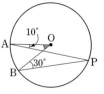

① 30° ② 35°
③ 40° ④ 45°
⑤ 50°

034 그림에서 $\overline{PA}=\overline{PB}$이고 ∠PAB=25°일 때, ∠AOB의 크기를 구하여라.

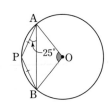

M3 원 밖의 한 점이 존재할 때, 원주각과 중심각의 크기 응용

035 그림에서 $\overline{PA}$, $\overline{PB}$는 원 O의 접선이다. ∠APB=70°일 때, ∠ACB의 크기는?

① 45° ② 50°
③ 55° ④ 60°
⑤ 65°

036 그림에서 $\overrightarrow{PA}$, $\overrightarrow{PB}$는 원 O의 접선이고, ∠APB=48°일 때, ∠ACB의 크기는?

① 112° ② 113°
③ 114° ④ 115°
⑤ 116°

037 그림에서 $\overrightarrow{PA}$, $\overrightarrow{PB}$는 원 O의 접선이고, ∠ACB=132°일 때, ∠APB의 크기는?

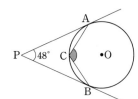

① 80° ② 84°
③ 86° ④ 90°
⑤ 94°

038 ★ 그림에서 $\overrightarrow{PA}$, $\overrightarrow{PB}$는 원 O의 접선이고, $\overline{AQ}=\overline{BQ}$, ∠APB=68°일 때, ∠ABQ의 크기는?

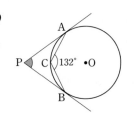

① 62° ② 64°
③ 66° ④ 68°
⑤ 70°

M4 원주각의 성질 이해

039 그림에서 ∠CBD=20°, ∠DFE=30°일 때, ∠x의 크기는?

① 30° ② 40°
③ 50° ④ 60°
⑤ 70°

040 그림과 같은 원 O에서 ∠BAC=25°, ∠COD=70°일 때, ∠x의 크기를 구하여라.

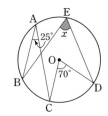

041 그림과 같은 원 O에서 ∠AOB=150°, ∠APC=42°일 때, ∠x의 크기는?

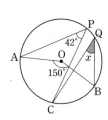

① 24° ② 27°
③ 30° ④ 33°
⑤ 36°

042 ★ 그림에서 ∠P=30°, ∠BED=100°일 때, ∠x와 ∠y의 크기를 각각 구하여라.

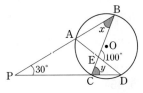

M5 반원과 원주각의 성질

응용

043 그림에서 $\overline{AB}$는 원 O의 지름이고 $\angle APB = 130°$일 때, $\angle x$의 크기는?

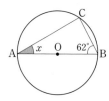

① 25° ② 30°
③ 35° ④ 40°
⑤ 45°

＊ 접근법
(i) 원의 중심을 지나는 지름을 구한다.
(ii) 반원에 대한 원주각의 크기는 90°임을 이용한다.

044 그림에서 $\overline{AB}$는 원 O의 지름이고 $\angle ABC = 62°$일 때, $\angle x$의 크기를 구하여라.

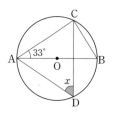

045 그림에서 $\overline{AB}$가 원의 중심 O를 지나고, $\angle CAB = 33°$일 때, $\angle x$의 크기는?

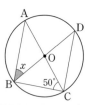

① 54° ② 55°
③ 56° ④ 57°
⑤ 58°

046 그림에서 $\overline{BD}$가 원의 중심 O를 지나고, $\angle ACB = 50°$일 때, $\angle x$의 크기는?

① 25° ② 30°
③ 35° ④ 40°
⑤ 45°

047 그림에서 $\overline{AB}$는 원 O의 지름이고, $\angle ACE = 48°$일 때, $\angle BDE$의 크기는?

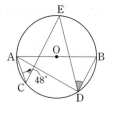

① 38° ② 39°
③ 40° ④ 41°
⑤ 42°

048 그림에서 $\overline{BD}$는 원 O의 지름이고 $\angle ACD = 26°$, $\angle CAD = 29°$일 때, $\angle y - \angle x$의 크기를 구하여라.

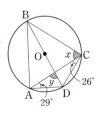

049 그림에서 $\overline{AB}$는 반원 O의 지름이고 $\angle APB = 60°$일 때, $\angle COD$의 크기는?

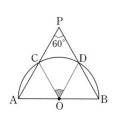

① 50° ② 55°
③ 60° ④ 65°
⑤ 70°

050 그림과 같이 두 원 O, O'이 서로 내접하고 있다. 원 O의 반지름의 길이는 원 O'의 지름의 길이와 같고, $\overline{AP}$는 원 O'의 접선이다. $\overline{AB} = 12\,\text{cm}$일 때, $\overline{AQ}$의 길이를 구하여라.

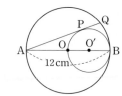

M6 원주각과 삼각비의 값 (이해)

051 그림과 같이 $\overline{AB}$가 원 O의 지름이고 $\overline{AO}=10$, $\overline{BC}=12$일 때, $\triangle ABC$의 $\angle A$에 대하여 $\sin A+\cos A$의 값을 구하여라.

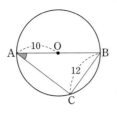

* 개념 찾기

직각삼각형 ABC에서

(1) $\sin A = \dfrac{(높이)}{(빗변의 길이)} = \dfrac{\overline{BC}}{\overline{AC}}$

(2) $\cos A = \dfrac{(밑변의 길이)}{(빗변의 길이)} = \dfrac{\overline{AB}}{\overline{AC}}$

(3) $\tan A = \dfrac{(높이)}{(밑변의 길이)} = \dfrac{\overline{BC}}{\overline{AB}}$

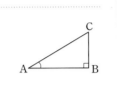

052 그림과 같이 반지름의 길이가 5인 원 O에 내접하는 $\triangle ABC$에서 $\overline{BC}=6$일 때, $\sin A$의 값은?

① $\dfrac{1}{5}$ ② $\dfrac{2}{5}$

③ $\dfrac{3}{5}$ ④ $\dfrac{3}{4}$

⑤ $\dfrac{4}{5}$

053 그림과 같이 $\overline{BC}=\sqrt{15}$인 $\triangle ABC$에 외접하는 원 O의 반지름의 길이가 3일 때, $\tan A$의 값을 구하여라.

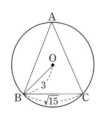

054 그림과 같이 원 O에 내접하는 $\triangle ABC$에서 $\overline{BC}=6\sqrt{2}$, $\sin A=\dfrac{2\sqrt{2}}{3}$일 때, 원 O의 지름의 길이를 구하여라.

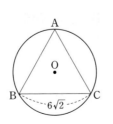

M7 원주각과 특수각의 삼각비 응용 (응용)

055 그림에서 $\overline{AC}$가 원 O의 지름이고, $\overline{BC}=6\,\text{cm}$, $\angle A=30°$일 때, 원 O의 넓이는?

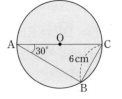

① $24\pi\,\text{cm}^2$ ② $32\pi\,\text{cm}^2$

③ $36\pi\,\text{cm}^2$ ④ $42\pi\,\text{cm}^2$

⑤ $48\pi\,\text{cm}^2$

* 접근법

특수각의 삼각비의 값과 반원에 대한 원주각의 크기가 90°임을 이용한다.

056 그림과 같이 $\triangle ABC$는 지름의 길이가 4 cm인 원 O에 내접한다. $\overline{AB}$는 원 O의 지름이고, $\angle A=60°$일 때, $\triangle ABC$의 둘레의 길이를 구하여라.

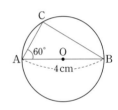

057 그림과 같이 $\angle A=45°$, $\overline{BC}=10$인 $\triangle ABC$의 외접원 O의 반지름의 길이는?

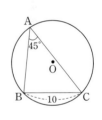

① $5\sqrt{2}$ ② $5\sqrt{3}$

③ $8\sqrt{2}$ ④ $8\sqrt{3}$

⑤ $10\sqrt{2}$

058 그림과 같이 반지름의 길이가 6 cm인 원 O에 내접하는 정삼각형의 넓이를 구하여라.

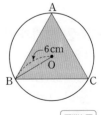

M8 원주각의 크기와 호의 길이   이해

059 그림에서
$\overset{\frown}{AD}=\overset{\frown}{DE}=\overset{\frown}{EB}$이고, $\overline{AB}$
가 원 O의 지름일 때, $\angle DCE$
의 크기는?

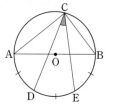

① 20°   ② 30°

③ 40°   ④ 50°

⑤ 60°

* **Check Key**

한 원에서 길이가 같은 호에 대한 원주각의 크기는 모두 같으므로
(1) 한 원이나 합동인 두 원에서 호의 길이가 같을 때 원주각의 크기가 같다.
(2) 호의 길이와 원주각의 크기는 정비례한다.

060 그림에서 $\overset{\frown}{AB}=\overset{\frown}{BC}$이고,
$\angle APB=32°$일 때, $\angle x$의 크기를
구하여라.

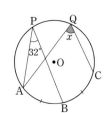

061 그림에서 $\overline{AC}$와 $\overline{BD}$의 교점
을 P라 하고 $\angle DBC=40°$,
$\overset{\frown}{AB}=\overset{\frown}{CD}$일 때, $\angle BPC$의 크기는?

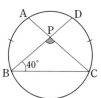

① 100°   ② 105°

③ 110°   ④ 115°

⑤ 120°

062 그림과 같이 $\overline{AC}$와 $\overline{BD}$의 교
점을 P라 하자. 원 O에서
$\overset{\frown}{BC}=2\overset{\frown}{AD}$이고 $\angle DPC=96°$일 때,
$\angle x$의 크기를 구하여라.

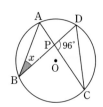

M9 원주각의 크기의 비   이해

063 그림과 같이 원 O에
내접한 $\triangle ABC$가 있다.
$\overset{\frown}{AB}:\overset{\frown}{BC}:\overset{\frown}{CA}=2:3:4$일
때, $\triangle ABC$에서 $\angle A$, $\angle B$, $\angle C$
의 크기를 각각 구하여라.

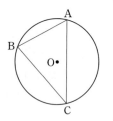

* **개념 찾기**

원에 내접하는 삼각형 ABC에서
$\overset{\frown}{AB}$의 길이가 원주의 $\dfrac{1}{m}$이면
$$\angle ACB=\dfrac{1}{m}\times180°$$

064 그림과 같이 주어진 원 O에
서 $\overline{BP}$와 $\overline{AQ}$의 교점을 C라 하자.
$\overset{\frown}{AB}$, $\overset{\frown}{APB}$의 길이는 각각 원주의
$\dfrac{1}{3}$, $\dfrac{2}{3}$이고, $\overset{\frown}{AP}=\overset{\frown}{PQ}=\overset{\frown}{QB}$일 때,
$\angle PCA$의 크기를 구하여라.

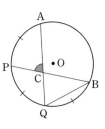

065 그림에서
$\overset{\frown}{AB}:\overset{\frown}{BC}:\overset{\frown}{CD}:\overset{\frown}{DA}=3:2:5:2$
일 때, $\angle BAD$의 크기는?

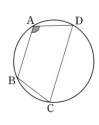

① 90°   ② 95°

③ 100°   ④ 105°

⑤ 110°

066 ★ 그림에서 $\overset{\frown}{AB}$,
$\overset{\frown}{CD}$의 길이가 각각 원주
의 $\dfrac{1}{9}$, $\dfrac{1}{4}$일 때, $\angle APB$
의 크기를 구하여라.

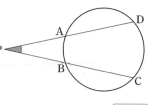

M10 원주각의 크기와 호의 길이의 응용 응용

067 그림에서 $\overset{\frown}{AB}$의 길이는 원주의 $\frac{1}{6}$이다. $\overline{AC}$와 $\overline{BD}$의 교점 P에 대하여 ∠APB=50°일 때, $\overset{\frown}{CD}$의 길이는 원주의 몇 배인지 구하여라.

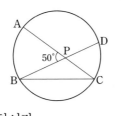

> ※ **Check Key**
> 한 원에서 원주각의 크기와 호의 길이는 정비례한다.

068 그림과 같이 원에서 $\overline{AB}$와 $\overline{CD}$의 교점은 P이고, $\overset{\frown}{BC}$=10 cm일 때, 이 원의 둘레의 길이는?

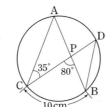

① 10 cm   ② 20 cm
③ 30 cm   ④ 40 cm
⑤ 50 cm

069 ★ 그림과 같은 원 O에서 $\overset{\frown}{BC}$의 길이를 구하여라.

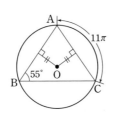

070 ★ 그림과 같이 주어진 원에서 두 현 AC, BD의 교점을 P라 하자. ∠APD=60°일 때, $\overset{\frown}{AD}$+$\overset{\frown}{BC}$의 길이는 이 원의 둘레의 길이의 몇 배인가?

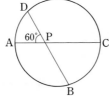

① $\frac{1}{6}$배   ② $\frac{1}{5}$배   ③ $\frac{1}{4}$배
④ $\frac{1}{3}$배   ⑤ $\frac{1}{2}$배

M11 네 점이 한 원 위에 있을 조건 이해

071 그림에서 네 점 A, B, C, D가 한 원 위에 있지 <u>않은</u> 것은?

① 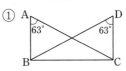   ②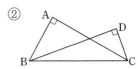

③ 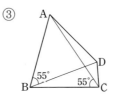   ④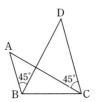

⑤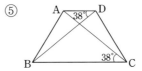

> ※ **접근법**
> (i) 두 점 C, D가 $\overline{AB}$에 대하여 같은 쪽에 있고, ∠ACB=∠ADB
> (ii) 두 점 A, B가 $\overline{CD}$에 대하여 같은 쪽에 있고 ∠CAD=∠CBD
> (i), (ii) 중 어느 하나만 만족시키면 네 점 A, B, C, D는 한 원 위에 있다.
>

072 그림에서 네 점 A, B, C, D가 한 원 위에 있을 때, ∠x의 크기는?

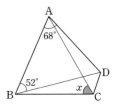

① 52°   ② 56°
③ 60°   ④ 64°
⑤ 68°

073 그림에서 네 점 A, B, C, D가 한 원 위에 있을 때, ∠x+∠y의 크기는?

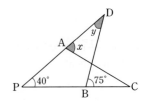

① 105°   ② 110°
③ 115°   ④ 120°
⑤ 125°

M12 원에 내접하는 사각형의 성질 I 이해

074 그림과 같이 지름이 $\overline{AD}$인 원 O에 내접하는 □ABCD에서 ∠CAD=20°일 때, ∠x의 크기는?

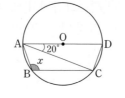

① 90° ② 95° ③ 100°
④ 105° ⑤ 110°

* 접근법

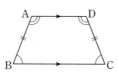

(i) 원에 내접하는 사각형 ABCD의 한 쌍의 대각의 크기의 합은 180°이다. 즉,
∠A+∠C=∠B+∠D=180°
(ii) 사각형 ABCD가 등변사다리꼴의 경우에는 ∠A=∠D, ∠B=∠C

075 그림과 같이 원 O에 내접하는 □ABCD에서 ∠x, ∠y의 크기를 각각 구하여라.

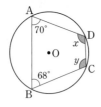

076 그림과 같이 원 O에 내접하는 □ABCD에서 ∠x+∠y의 크기를 구하여라.

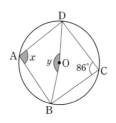

077 그림과 같이 □ABCD가 원 O에 내접할 때, ∠x의 크기는?

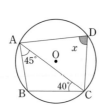

① 79° ② 82°
③ 85° ④ 88°
⑤ 91°

078 그림에서 $\overline{AB}$는 원 O의 지름이고 ∠CAB=28°일 때, ∠ADC의 크기는?

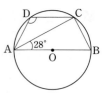

① 110° ② 112°
③ 114° ④ 116°
⑤ 118°

079 그림에서 $\overline{AB}=\overline{AC}$이고 ∠BAC=30°일 때, ∠ADC의 크기는?

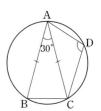

① 99° ② 101°
③ 103° ④ 105°
⑤ 107°

080 그림에서 ∠FAE=34°, ∠ADC=86°일 때, ∠x+∠y의 크기는?

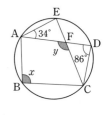

① 212° ② 214°
③ 216° ④ 218°
⑤ 220°

081 그림에서 ∠AOB의 크기를 구하여라.

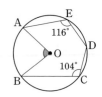

M13 원에 내접하는 사각형의 성질 Ⅱ 　　이해

082 그림에서 □ABCD가 원에 내접하고, ∠BAC=50˚, ∠DCE=85˚일 때, ∠x의 크기는?

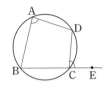

① 34˚　　② 35˚　　③ 36˚
④ 37˚　　⑤ 38˚

＊ 개념 찾기

원에 내접하는 사각형에서 한 외각의 크기는 그와 이웃하는 내각의 대각의 크기와 같다.
즉, ∠DCE=∠BAD

083 그림에서 ∠CAD=30˚, ∠BDC=70˚일 때, ∠DCE의 크기는?

① 96˚　　② 98˚
③ 100˚　　④ 102˚
⑤ 104˚

084 그림에서 □ABCD가 원에 내접하고, ∠APB=30˚, ∠BCD=78˚일 때, ∠x의 크기는?

① 70˚　　② 71˚
③ 72˚　　④ 73˚
⑤ 74˚

085 그림에서 □ABCD가 원 O에 내접하고, ∠BOD=130˚일 때, ∠DCE의 크기를 구하여라.

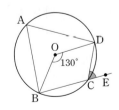

M14 원에 내접하는 다각형 　　응용

086 그림과 같이 오각형 ABCDE는 원 O에 내접하고 ∠ABC=120˚, ∠COD=60˚일 때, ∠AED의 크기는?

① 86˚　　② 88˚　　③ 90˚
④ 92˚　　⑤ 94˚

＊ 접근법

(i) 적당히 보조선을 긋고, 주어진 다각형을 이용하여 원에 내접하는 사각형을 만든다.
(ii) 이 사각형에 대하여 원에 내접하는 사각형의 성질과 원주각의 성질을 이용한다.

087 그림에서 ∠ABC=115˚, ∠AED=120˚일 때, ∠CAD의 크기는?

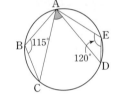

① 45˚　　② 50˚
③ 55˚　　④ 60˚
⑤ 65˚

088 그림에서 오각형 ABCDE는 원 O에 내접하고 ∠AOE=70˚일 때, ∠ABC+∠CDE의 크기는?

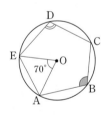

① 205˚　　② 210˚
③ 215˚　　④ 220˚
⑤ 225˚

089 그림과 같이 육각형 ABCDEF가 원에 내접할 때, ∠A+∠C+∠E의 크기는?

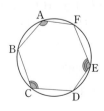

① 320˚　　② 330˚
③ 340˚　　④ 350˚
⑤ 360˚

M15 두 원에서 내접하는 사각형의 성질의 응용 · 응용

090 그림과 같이 두 원 O, O'이 두 점 P, Q 에서 만난다. $\angle A=75°$일 때, $\angle D$의 크기는?

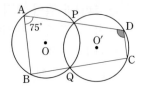

① 75°　　② 85°　　③ 95°

④ 105°　　⑤ 115°

＊ Check Key
□ABQP, □PQCD가 각각 원에 내접할 때, $\angle A+\angle D=180°$, $\angle B+\angle C=180°$

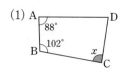

091 그림에서 $\angle x+\angle y$의 크기는?

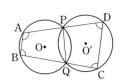

① 150°　　② 155°

③ 160°　　④ 165°

⑤ 170°

092 그림과 같이 두 원 O, O'이 각각 내접하는 □ABFE, □CDEF에 대하여 다음 〈보기〉 중 옳은 것을 모두 골라라.

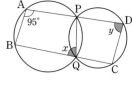

── 보기 ──
ㄱ. $\angle A+\angle D=180°$　　ㄴ. $\overline{AB}\ /\!/\ \overline{CD}$
ㄷ. $\angle B=\angle DEF$　　ㄹ. $\angle A=\angle C$

093 ★ 그림과 같이 두 원 O, O'이 두 점 P, Q에서 만난다. $\angle D=94°$일 때, $\angle POB$의 크기는?

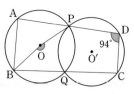

① 132°　　② 142°　　③ 152°

④ 162°　　⑤ 172°

M16 사각형이 원에 내접하기 위한 조건 · 이해

094 그림에서 □ABCD가 원에 내접하기 위한 $\angle x$의 크기를 구하여라.

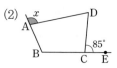

＊ 개념 찾기
사각형의 한 쌍의 대각의 크기의 합이 180°이거나, 한 외각의 크기가 그와 이웃하는 내각의 대각의 크기와 같으면 그 사각형은 원에 내접한다.

095 다음 사각형 중 원에 내접하지 <u>않는</u> 것은?

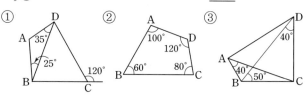

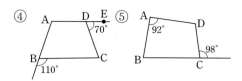

096 다음 〈보기〉 중 항상 원에 내접하는 사각형을 모두 골라라. (정답 3개)

── 보기 ──
ㄱ. 정사각형　　ㄴ. 직사각형　　ㄷ. 평행사변형
ㄹ. 마름모　　ㅁ. 사다리꼴　　ㅂ. 등변사다리꼴

097 ★ 그림에서 점 O는 △ABC의 세 꼭짓점에서 대변에 내린 수선의 교점이다. 다음 사각형 중 원에 내접하지 <u>않는</u> 것은?

① □ABEF　　② □ADOF

③ □BEFD　　④ □CFOE

⑤ □ADEC

M17 접선과 현이 이루는 각 Ⅰ 기초

098 그림에서 직선 TT'이 원O의 접선일 때, ∠x, ∠y의 크기를 각각 구하면?

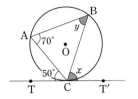

① ∠x=50°, ∠y=70°
② ∠x=60°, ∠y=80°
③ ∠x=70°, ∠y=50°
④ ∠x=80°, ∠y=60°
⑤ ∠x=80°, ∠y=80°

＊개념 찾기
원의 접선과 그 접점을 지나는 현이 이루는 각의 크기는 그 각의 내부에 있는 호에 대한 원주각의 크기와 같다.

099 그림에서 $\overrightarrow{AT}$가 원O의 접선일 때, ∠x의 크기를 구하여라.

(1) 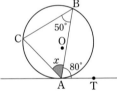 (2)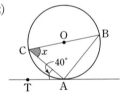

100 그림에서 직선 AT는 원O의 접선이고, ∠BAT=55°일 때, ∠AOB의 크기는?

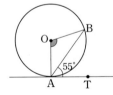

① 105° ② 110°
③ 115° ④ 120°
⑤ 125°

101 ★ 그림에서 $\overrightarrow{CT}$는 원O의 접선이고 $\overparen{AB}:\overparen{BC}:\overparen{CA}=2:3:4$일 때, ∠ACT의 크기를 구하여라.

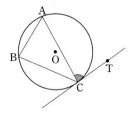

M18 접선과 현이 이루는 각 Ⅱ 이해

102 그림에서 □ABCD가 원에 내접하고 $\overrightarrow{CT}$는 원의 접선이다. ∠BAD=92°, ∠DCT=63°일 때, ∠x의 크기를 구하여라.

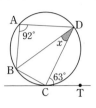

＊개념 찾기
원에 내접하는 사각형의 성질
(1) 원에 내접하는 사각형은 한 쌍의 대각의 크기의 합이 180°이다.
즉, ∠BAD+∠BCD=180°

(2) ∠CBD=∠DCT, ∠BDC=∠BCT'

103 그림에서 $\overrightarrow{AT}$는 원의 접선이다. ∠CAD=40°, ∠ABC=100°일 때, ∠x의 크기는?

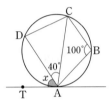

① 55° ② 60°
③ 65° ④ 70°
⑤ 75°

104 그림에서 □ABCD가 원에 내접하고 $\overrightarrow{AT}$는 원의 접선이다. ∠DAT=50°, ∠BDA=35°일 때, ∠x의 크기는?

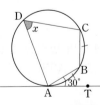

① 65° ② 70°
③ 75° ④ 80°
⑤ 85°

105 ★ 그림에서 □ABCD가 원에 내접하고 $\overrightarrow{AT}$는 원의 접선이다. $\overparen{AB}=\overparen{BC}$이고 ∠BAT=30°일 때, ∠x의 크기는?

① 60° ② 62°
③ 64° ④ 66°
⑤ 68°

M19 접선과 현이 이루는 각의 응용 · 응용

106 그림에서 $\overline{AB}$는 원 O의 지름이다. $\overleftrightarrow{PT}$가 원 O의 접선일 때, $\angle x$의 크기는?

① 48°   ② 50°

③ 52°   ④ 54°

⑤ 56°

✳ **Check Key**

$\overleftrightarrow{PT}$가 원의 접선일 때,

(1) $\angle BAT = \angle BTP$

(2) 할선이 원의 중심을 지날 때, 이 반원의 원주각의 크기가 90°임을 이용한다.

(3) 삼각형의 한 외각의 크기는 그와 이웃하지 않는 두 내각의 크기의 합과 같다.

107 그림에서 $\overleftrightarrow{PT}$는 원의 접선이고, $\overline{BT} = \overline{BP}$, $\angle BPT = 40°$일 때, $\angle x$의 크기는?

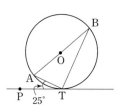

① 54°   ② 56°

③ 58°   ④ 60°

⑤ 62°

108 그림과 같이 지름이 $\overline{AB}$인 원 O에서 $\overleftrightarrow{PT}$는 접선이고, $\angle ATP = 25°$일 때, $\overgroup{AT} : \overgroup{BT}$를 구하여라.

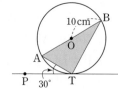

109 그림과 같이 지름이 $\overline{AB}$인 원 O에서 $\overleftrightarrow{PT}$는 접선이다. 원 O의 반지름의 길이가 10 cm이고 $\angle ATP = 30°$일 때, $\triangle ABT$의 넓이는?

① $20\sqrt{2}$ cm²   ② $30\sqrt{2}$ cm²   ③ $30\sqrt{3}$ cm²

④ $50\sqrt{2}$ cm²   ⑤ $50\sqrt{3}$ cm²

M20 두 개 이상의 접선과 현이 이루는 각의 크기 · 응용

110 그림에서 원 O는 $\triangle ABC$의 내접원이면서, $\triangle DEF$의 외접원이다.
$\angle DAF = 80°$,
$\angle ECF = 40°$일 때, $\angle DFE$의 크기는?

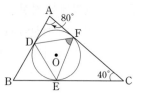

① 50°   ② 55°   ③ 60°

④ 65°   ⑤ 70°

✳ **접근법**

$\overline{BD}$, $\overline{BE}$가 원의 접선일 때,
$\angle BDE = \angle BED = \angle DFE$이다.

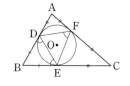

111 그림과 같이 원 O는 $\triangle ABC$의 내접원이면서 $\triangle DEF$의 외접원이다.
$\angle BAC = 70°$,
$\angle DFE = 60°$일 때,
$\angle EDF$의 크기를 구하여라.

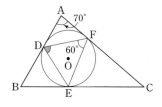

112 그림에서 $\overrightarrow{PA}$, $\overrightarrow{PB}$는 원의 접선이다.
$\angle APB = 30°$,
$\overgroup{AQ} : \overgroup{QB} = 2 : 3$일 때,
$\angle BAQ$의 크기를 구하여라.

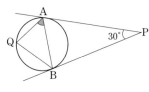

113 그림에서 $\overrightarrow{PA}$, $\overrightarrow{PB}$는 원 O의 접선이다. 이때, 큰 호 AB의 삼등분점을 각각 C, D라 하고, $\overline{AD}$와 $\overline{BC}$의 교점을 E라 하자. $\angle APB = 66°$일 때, $\angle CED$의 크기는?

① 92°   ② 94°   ③ 96°

④ 98°   ⑤ 100°

M21 외접하는 두 원에서 접선과 현이 이루는 각 이해

114 그림에서 직선 PQ는 두 원에 공통으로 접하는 직선이고, 점 T가 접점일 때, $\angle x$, $\angle y$의 크기를 각각 구하면?

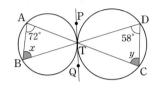

① $\angle x=58°$, $\angle y=72°$ ② $\angle x=58°$, $\angle y=78°$
③ $\angle x=72°$, $\angle y=58°$ ④ $\angle x=78°$, $\angle y=92°$
⑤ $\angle x=92°$, $\angle y=72°$

＊ 개념 찾기

두 원이 외접할 때,
(1) $\overrightarrow{TT'}$은 왼쪽 원의 접선이므로
  $\angle B=\angle APT$이고
  $\angle APT=\angle CPT'$(∵ 맞꼭지각)
(2) $\overrightarrow{TT'}$은 오른쪽 원의 접선이므로
  $\angle CPT'=\angle D$
  ∴ $\angle B=\angle D$
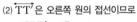
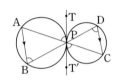
(3) (1), (2)에서 엇각의 크기가 같으므로 $\overline{AB}\,/\!/\,\overline{CD}$

115 그림에서 직선 PQ는 두 원에 공통으로 접하는 직선이고, 점 T가 접점일 때, $\angle x$, $\angle y$의 크기를 각각 구하여라.

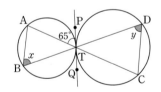

116 그림에서 직선 PQ는 두 원에 공통으로 접하는 직선이고, 점 T가 접점일 때, $\angle x$의 크기는?

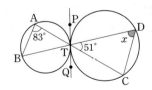

① $34°$ ② $46°$ ③ $58°$
④ $70°$ ⑤ $82°$

M22 내접하는 두 원에서 접선과 현이 이루는 각 이해

117 그림에서 직선 PQ는 두 원에 공통으로 접하는 직선이고, 점 T가 접점일 때, $\angle x$, $\angle y$의 크기를 각각 구하면?

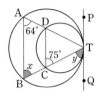

① $\angle x=73°$, $\angle y=64°$ ② $\angle x=74°$, $\angle y=66°$
③ $\angle x=75°$, $\angle y=64°$ ④ $\angle x=75°$, $\angle y=66°$
⑤ $\angle x=76°$, $\angle y=65°$

＊ 개념 찾기

두 원이 내접할 때,
  $\overrightarrow{TT'}$이 두 원에 공통으로 접하는 직선이므로
  $\angle CPT=\angle CDP$, $\angle CPT=\angle ABP$
  ∴ $\angle CDP=\angle ABP$
  따라서 동위각의 크기가 같으므로 $\overline{AB}\,/\!/\,\overline{CD}$

118 그림에서 직선 PQ는 두 원에 공통으로 접하는 직선이고, 점 T가 접점일 때, $\angle x$, $\angle y$의 크기를 각각 구하여라.

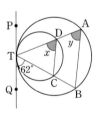

119 그림에서 직선 PQ는 두 원에 공통으로 접하는 직선이고, 두 선분 AB, CD는 각각 두 원의 현일 때, 다음 중 옳지 않은 것은?

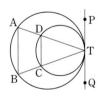

① $\overline{AB}\,/\!/\,\overline{CD}$ ② $\overline{AB}\,/\!/\,\overline{PQ}$
③ $\angle ABT=\angle DTP$ ④ $\angle DCT=\angle ATP$
⑤ $\angle BAT=\angle CDT$

120 그림과 같이 $\overline{AB}$는 원 O의 지름이고, ∠BCD=32°, ∠CDB=38°일 때, ∠BPC의 크기는?

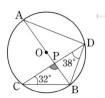

① 84°　　　② 88°
③ 92°　　　④ 96°
⑤ 100°

121 그림에서 $\overline{AB}$는 원 O의 지름이고 $\overline{AB}$와 $\overline{DC}$의 교점을 P라 하자. ∠BCD=30°, ∠BDC=68°일 때, ∠BPC의 크기는?

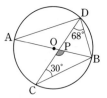

① 120°　　　② 122°
③ 124°　　　④ 126°
⑤ 128°

122 그림에서 점 P는 두 현 AB, CD의 교점이고, $\overset{\frown}{BC}$=8 cm, ∠ACD=30°, ∠BPC=75°일 때, 이 원의 둘레의 길이는?

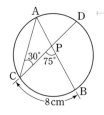

① 28 cm　　　② 32 cm
③ 36 cm　　　④ 40 cm
⑤ 44 cm

123 그림에서 $\overline{AB}$는 원 O의 지름이고, $\overline{OA}$=8 cm, ∠ADC=44°, ∠BCD=46°일 때, $\overset{\frown}{AC}+\overset{\frown}{BD}$의 길이는?

① 4π cm　　　② 8π cm
③ 12π cm　　　④ 16π cm
⑤ 20π cm

★★
124 그림에서 $\overline{AB}$는 원 O의 지름이다. ∠DOE =40°일 때, ∠ACE의 크기는?

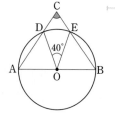

① 60°　　　② 65°
③ 70°　　　④ 75°
⑤ 80°

125 그림에서 $\overline{AB}$는 원 O의 지름이다. $\overset{\frown}{AD}=\overset{\frown}{BE}$이고 ∠ACB=50°일 때, ∠DFE+∠ABE의 크기는?

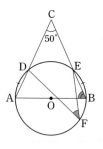

① 50°　　　② 75°
③ 105°　　　④ 130°
⑤ 155°

126 그림과 같이 □ABCD가 원 O에 내접하고, ∠BAD=80°, ∠ADC=110°일 때, ∠x+∠y 의 크기는?

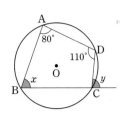

① 130° ② 140°
③ 150° ④ 160°
⑤ 170°

127 그림에서 □ABCD는 원 O에 내접한다. ∠ABC=84°, ∠DCE=100° 일 때, ∠x+∠y의 크기는?

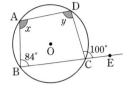

① 184° ② 188°
③ 192° ④ 196°
⑤ 200°

128 그림에서 □ABCD는 원 O에 내접하고, $\overarc{BC}=\overarc{CD}$이 다. ∠BOC=94°일 때, ∠DCE의 크기는?

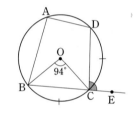

① 92° ② 93°
③ 94° ④ 95°
⑤ 96°

129 그림과 같이 □ABCD는 원 O에 내접하고, $\overarc{BC}:\overarc{CD}=2:1$이다. ∠DCE=81°일 때, ∠BOC의 크기는?

① 92° ② 96° ③ 100°
④ 104° ⑤ 108°

130 그림에서 네 점 A, B, C, D가 한 원 위에 있 을 때, ∠APB의 크기를 구 하여라.

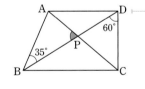

131 그림에서 $\overline{AC}$와 $\overline{BD}$의 교점이 P이고, 네 점 A, B, C, D가 한 원 위에 있을 때, ∠x의 크기를 구하여라.

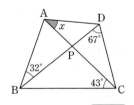

11 DAY

132 그림과 같이 □ABCD는 원에 내접하고 $\overline{AD}$와 $\overline{BC}$, $\overline{CD}$와 $\overline{AB}$를 연장하여 만나는 점을 각각 E, F라 하자. ∠E=27°, ∠F=37°일 때, ∠x의 크기는?

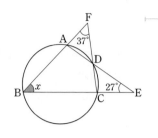

① 52° ② 54° ③ 56°
④ 58° ⑤ 60°

133 그림과 같이 □ABCD는 원에 내접하고 $\overline{AD}$와 $\overline{BC}$, $\overline{CD}$와 $\overline{AB}$를 연장하여 만나는 점을 각각 E, F라 하자. ∠B=50°, ∠F=55°일 때, ∠x의 크기는?

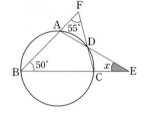

① 15° ② 20° ③ 25°
④ 30° ⑤ 35°

134 그림에서 ∠APT=70°일 때, ∠x의 크기는?

① 20° ② 30°
③ 40° ④ 50°
⑤ 60°

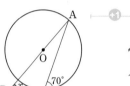

135 그림에서 $\overleftrightarrow{PT}$는 원 O의 접선이고, $\overline{AB}$는 원 O의 중심을 지난다. ∠BAP=25°일 때, ∠x의 크기는?

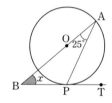

① 25° ② 30°
③ 35° ④ 40°
⑤ 45°

136 그림에서 직선 PT는 원 O의 접선이고 점 A는 접점이다. $\overline{PB}$가 원 O의 중심을 지나고 $\overline{AB}=\overline{AP}$일 때, ∠TAB 의 크기는?

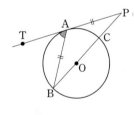

① 55° ② 60° ③ 65°
④ 70° ⑤ 75°

137 그림과 같이 $\overline{AB}$와 $\overline{BC}$를 각각 지름으로 하는 두 반원에서 $\overleftrightarrow{AE}$는 작은 반원의 접선이고 점 D는 접점이다. ∠DAC=24°일 때, ∠x의 크기는?

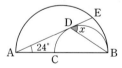

① 54° ② 57° ③ 60°
④ 63° ⑤ 66°

138 그림에서 $\overline{AB}$는 원 O의 지름이고, 직선 TC는 원 O의 접선이다. 점 B에서 직선 TC에 내린 수선의 발을 D라 하고, $\overline{AC}=6$, $\overline{BC}=8$일 때, $\overline{BD}$의 길이를 구하여라.

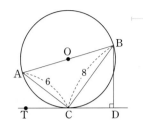

139 그림에서 $\overline{AB}$는 원 O의 지름이고, 직선 TC는 원 O의 접선이다. 점 B에서 직선 TC에 내린 수선의 발을 D라 하고, $\overline{CD}=6$, $\overline{BD}=8$일 때, △ABC의 넓이를 구하여라.

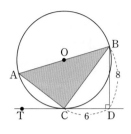

140 그림과 같이 두 원 O, O'이 두 점 P, Q에서 만난다. ∠A$=85°$이고, 원 O'에서 $\overset{\frown}{PQ}$, $\overset{\frown}{QC}$의 길이의 비가 3 : 2일 때, ∠PCQ의 크기는?

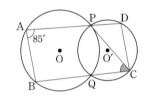

① 49° ② 51° ③ 53°
④ 55° ⑤ 57°

141 그림과 같이 두 원 O, O'이 두 점 P, Q에서 만난다. ∠D$=96°$이고, 원 O에서 $\overset{\frown}{BQ}$, $\overset{\frown}{QP}$의 길이의 비가 4 : 3일 때, ∠PBQ의 크기는?

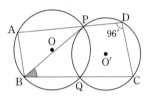

① 36° ② 48° ③ 60°
④ 72° ⑤ 84°

142 그림에서 직선 TT′은 두 원에 공통으로 접하는 직선이고, ∠PCD$=70°$일 때, ∠x의 크기는?

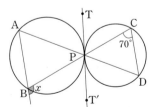

① 70° ② 80° ③ 90°
④ 100° ⑤ 110°

143 그림에서 $\overleftrightarrow{TT'}$은 두 원에 공통으로 접하는 직선이고, ∠BAP$=70°$, ∠PCD$=65°$일 때, ∠x의 크기는?

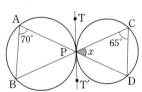

① 40° ② 45° ③ 50°
④ 55° ⑤ 60°

144 그림에서 $\overline{AB}$는 원 O의 지름이고 $\angle CAB = 36°$, $\angle ACD = 52°$일 때, $\angle x$, $\angle y$의 크기를 각각 구하여라.

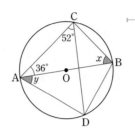

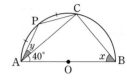

145 그림에서 $\overline{AB}$는 반원 O의 지름이고, $\overparen{AP} = \overparen{PC}$, $\angle BAC = 40°$일 때, $\angle x$, $\angle y$의 크기를 각각 구하여라.

> 먼저, 반원에 대한 원주각의 크기를 구하자. 20%

> 그다음, $\angle x$의 크기를 구하자. 40%

> 그래서, $\angle y$의 크기를 구하자. 40%

> 먼저,

> 그다음,

> 그래서,

146 그림에서 직선 TT'은 원 O의 접선이다. $\angle ABD = 70°$, $\angle BCD = 104°$일 때, $\angle ABT$의 크기를 구하여라.

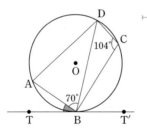
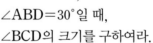

> 먼저, $\angle ACD$의 크기를 구하자. 30%

> 그다음, $\angle ACB$의 크기를 구하자. 30%

> 그래서, 구하고자 하는 각의 크기를 구하자. 40%

147 그림에서 직선 AT는 원 O의 접선이고, 사각형 $ABCD$는 원 O에 내접한다. $\angle BAT = 42°$, $\angle ABD = 30°$일 때, $\angle BCD$의 크기를 구하여라.

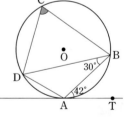

> 먼저,

> 그다음,

> 그래서,

148 그림과 같이 두 현 AB, CD의 연장선의 교점을 P, 두 현 AD, BC의 교점을 Q라 하자. ∠APC=30°, ∠BQD=80°일 때, ∠ABC 의 크기를 구하여라.

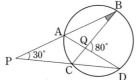

151 그림에서 두 반직 선 PA, PB는 원 O의 접선이고, $\widehat{AD}=\widehat{DC}=\widehat{CB}$이다. ∠P=30°일 때, ∠AEB의 크기를 구하여라.

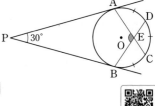

149 그림과 같이 ∠ABO=40°, ∠ACO=20°이고, 원 O의 반지름의 길이가 9 cm일 때, 부채꼴 OBC의 넓이를 구하 여라.

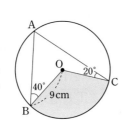

152 그림에서 $\widehat{AD}=5$ cm, $\widehat{BC}=2$ cm, ∠ACD=65°일 때, ∠x의 크기를 구하여라.

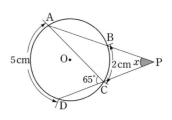

150 그림과 같이 네 점 A, B, C, D가 원 O 위에 있다. ∠CPD=95° 이고, $\overline{BC}$가 원 O의 반지름의 길이 와 같을 때, ∠ABD의 크기를 구 하여라.

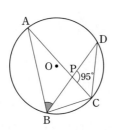

153 그림과 같이 $\overrightarrow{PA}$ 는 원 O의 접선이고, ∠APC의 이등분선이 $\overline{AB}$, $\overline{AC}$와 만나는 점 을 각각 D, E라 하자. $\overline{AP}=19$, $\overline{PD}=14$, $\overline{AD}=7$일 때, $\overline{AE}$의 길이를 구하 여라.

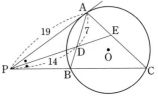

난도 만점 문제

154 그림에서 점 P는 원 O의 두 현 AB, CD의 연장선이 만나는 점이다.
$\angle AOC=76°$, $\angle BOD=28°$일 때, $\angle BPD$의 크기는?

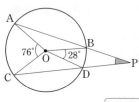

① 24° ② 25° ③ 26°
④ 27° ⑤ 28°

157 그림과 같이 □ABCD는 원 O에 내접하고, 변 CD의 연장선과 점 A에서 접하는 직선의 교점을 P라 하자.
$\angle ABC=85°$, $\angle APD=45°$일 때, $\overarc{CD}$에 대한 원주각의 크기는?

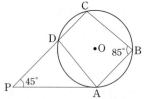

① 30° ② 35° ③ 40°
④ 45° ⑤ 50°

155 그림과 같이 두 변의 길이가 각각 10, 8인 △ABC의 외접원 O의 반지름의 길이가 6이다. 점 A에서 $\overline{BC}$에 내린 수선의 발을 H라 할 때, $\overline{AH}$의 길이는?

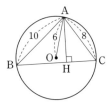

① $\dfrac{19}{3}$ ② $\dfrac{20}{3}$ ③ 7
④ $\dfrac{22}{3}$ ⑤ $\dfrac{23}{3}$

158 그림에서 $\overleftrightarrow{TT'}$은 원 O의 접선이고 $\overline{AB}$는 원 O의 지름이다.
$\overline{BC} /\!/ \overleftrightarrow{TT'}$일 때, $\angle x + \angle y$의 크기는?

① 110° ② 115°
③ 120° ④ 125°
⑤ 130°

156 그림과 같이 반지름의 길이가 같은 두 원 O, O'이 두 점 P, Q에서 만날 때,
$\angle PAQ : \angle PBQ = 1 : 3$이다. 이때, $\angle PAQ$의 크기는?

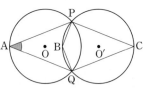

① 30° ② 35° ③ 40°
④ 45° ⑤ 50°

159 그림에서 $\overleftrightarrow{TB}$는 두 원과 점 B에서 접하고 $\overline{AC}$는 점 D에서 작은 원과 접한다.
$\angle ABT=45°$, $\angle DAB=55°$일 때, $\angle ABD$의 크기를 구하여라.

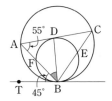

VII 통계

1 대푯값

자료 전체의 특징을 대표적으로 나타내는 값

(1) **평균** : 변량의 총합을 변량의 개수로 나눈 값 ← 극단적으로 값이 없는 자료의 대표값으로 적절하다.

$$(평균) = \frac{(변량)의\ 총합}{(변량)의\ 개수}$$

(2) **중앙값** : 자료의 변량을 작은 값부터 크기순으로 나열하였을 때 중앙에 위치한 값

① 변량의 개수가 홀수인 경우

주어진 변량을 작은 값부터 크기순으로 나열할 때, 가운데에 위치한 변량의 값

예 4, 5, 7, 8, 10의 중앙값은 7이다.

② 변량의 개수가 짝수인 경우

주어진 변량을 작은 값부터 크기순으로 나열할 때, 가운데에 위치한 두 변량의 평균

예 3, 5, 9, 14의 중앙값은 $\frac{5+9}{2} = 7$이다.

(3) **최빈값** : 자료의 변량 중에 가장 많이 나타나는 값

2 산포도

(1) **산포도** : 변량들이 대푯값을 중심으로 흩어져 있는 정도를 하나의 수로 나타낸 값

(2) **편차** : 각 변량에서 평균을 뺀 값, 즉 (편차) = (변량) − (평균)

(3) **편차의 성질**

① 평균보다 큰 변량의 편차는 양수이고 평균보다 작은 변량의 편차는 음수이다.

② 편차의 절댓값이 클수록 평균에서 멀리 떨어져 있다.

③ 편차의 총합은 항상 0이다.

(4) **분산** : 각 편차의 제곱의 합을 전체 변량의 개수로 나눈 값, 즉 편차의 제곱의 평균

$$(분산) = \frac{\{(편차)^2\}의\ 총합}{(변량)의\ 개수}$$

(5) **표준편차** : 분산의 양의 제곱근, 즉 (표준편차) = $\sqrt{(분산)}$

(6) **표준편차 구하는 순서**

(i) 평균 구하기

(ii) 편차 구하기

(iii) 분산 구하기

(iv) 표준편차 구하기

• **평균 구하기**

n개의 변량 $x_1, x_2, x_3, \cdots, x_n$의 평균을 m이라 하면

$$m = \frac{(변량의\ 총합)}{(변량의\ 개수)}$$
$$= \frac{x_1 + x_2 + x_3 + \cdots + x_n}{n}$$

• 극단적인 값이 자료에 포함되어 있으면 평균보다는 중앙값이 대푯값으로 적절하다.

• **최빈값 구하기**

자료 중에서 가장 많이 나타나는 값을 찾는다.

예 ① 3, 4, 4, 4, 5, 5의 최빈값 : 4

② 2, 3, 5, 9, 10의 최빈값 : 없다.

③ 밤, 사과, 사과, 포도, 감, 감, 감 의 최빈값 : 감

• 같은 평균을 가지는 두 자료에서 자료의 분포 상태를 조사하기 위해서는 분산이나 표준편차와 같은 산포도를 구해야 한다.

• **자료의 해석**

① 표준편차가 작을수록 자료는 평균 근처에 모여 있으므로 분포 상태가 고르다.

② 표준편차가 클수록 자료는 평균 근처에 모여 있지 않으므로 분포 상태가 고르지 않다.

❶ 대푯값

[001~002] 다음은 7명의 학생들의 한 달 용돈을 나타낸 표이다. 물음에 답하여라.

[단위 : 원]

학생	A	B	C	D	E	F	G
용돈	5000	4000	5000	7000	55000	62000	9000

001 7명의 학생들의 한 달 용돈의 평균을 구하여라.

002 용돈의 중앙값을 구하여라.

[003~006] 다음 각 자료의 중앙값을 구하여라.

003 2, 3, 4, 8, 9, 11, 12 　　　　　　(　)

004 17.2, 18.6, 19.4, 20.7, 26.4 　　　(　)

005 10, 12, 14, 16, 17, 18 　　　　　(　)

006 $\dfrac{2}{15}, \dfrac{4}{15}, \dfrac{5}{15}, \dfrac{11}{15}, \dfrac{13}{15}, \dfrac{14}{15}$ 　(　)

[007~010] 다음 각 자료의 최빈값을 구하여라.

007 노랑, 빨강, 파랑, 파랑, 빨강, 주황, 파랑 (　)

008 20, 25, 26, 26, 26, 27, 27, 27, 29, 29 　(　)

009 165 cm, 167 cm, 168 cm, 169 cm, 171 cm, 173 cm 　　　　　　　　(　)

010 축구, 야구, 축구, 야구, 농구, 야구, 야구, 농구, 배구 　　　　　　　　　　　(　)

011 오른쪽 줄기와 잎 그림은 희선이네 반 학생들의 줄넘기 기록을 조사하여 나타낸 것이다. 이 자료의 평균, 중앙값, 최빈값을 각각 구하여라.

[단, 1|2는 12회]

줄기	잎
1	2 6 8 8 8
2	1 3 3 4 5 9
3	2 2 4 5

❷ 산포도

[012~014] 병현이가 야구게임을 하고 있다. 공을 10개 던져서 공의 시속을 측정해 보았더니 다음과 같았다. 물음에 답하여라.

[단위 : 시속 km]

회차	1	2	3	4	5	6	7	8	9	10
속력	52	59	61	48	47	52	54	60	59	58

012 던진 공의 속력의 평균을 구하여라.

013 각 변량의 편차를 구하여라.

[단위 : 시속 km]

회차	1	2	3	4	5	6	7	8	9	10
편차										

014 각 편차의 합을 구하여라.

[015~016] 다음은 연준이의 5회에 걸친 수학시험과 영어시험 성적이다. 물음에 답하여라.

회	1	2	3	4	5
수학(점)	80	85	70	85	80
영어(점)	100	70	60	90	80

015 두 과목 점수의 분산과 표준편차를 각각 구하여라.

016 두 과목 중 성적이 더 고른 과목을 말하여라.

[017~019] 어느 반 학생 10명의 수학 실기 점수를 조사하였다. 다음 물음에 답하여라.

점수(점)	학생 수(명)
7	1
8	2
9	3
10	4
합계	10

017 수학 실기 점수의 평균을 구하여라.

018 수학 실기 점수의 분산을 구하여라.

019 수학 실기 점수의 표준편차를 구하여라.

13 DAY

N1 평균 구하기

기초

020 다음은 윤주의 성적을 나타낸 표이다. 물음에 답하여라.

과목	국어	수학	사회	과학
점수(점)	88	92	76	80

(1) 네 과목 점수의 평균을 구하여라.
(2) 위의 네 과목에 영어 점수를 합하여 다섯 과목 점수의 평균을 구했더니 85점이 되었다. 윤주의 영어 점수를 구하여라.

＊ 개념 찾기

(1) 대푯값 : 자료 전체의 특징을 나타내는 값. 대푯값에는 평균, 중앙값, 최빈값 등 여러 가지가 있으나 그 중에서 극단적인 값이 없는 자료에서 평균을 가장 많이 사용한다.
(2) 평균 : 전체 변량의 총합을 변량의 개수로 나눈 값

021 다음은 A, B 두 분단의 수학 성적이다. A 분단의 평균은 80점이고, A, B 두 분단 전체의 평균은 75점일 때, $x-y$의 값을 구하여라.

[단위 : 점]

A 분단:	70	90	x	85	90	65
B 분단:	70	70	85	70	y	50

★
022 윤지가 3번의 시험에서 얻은 수학 점수의 평균이 79점이다. 4번째 시험까지의 수학 점수의 평균이 80점 이상이 되려면 4번째 시험에서 수학 점수를 최소 몇 점을 받아야 하는지 구하여라.

★
023 어느 중학교 3학년 학생 100명의 수학 성적을 분석한 결과 상위 20명의 평균이 91점이고, 나머지 학생들의 평균은 72점이었다. 이 학교 3학년 학생 100명의 수학 성적의 평균을 구하여라.

N2 중앙값 구하기

기초

024 다음은 어느 날 주요 도시의 불쾌지수를 나타낸 표이다. 불쾌지수의 중앙값은?

도시	서울	부산	대전	대구	광주	인천	울산
불쾌지수	81	76	81	83	77	79	79

① 76   ② 77   ③ 79
④ 81   ⑤ 83

＊ 접근법

중앙값 구하기
변량을 작은 값부터 크기 순서대로 나열하였을 때,
(1) 변량의 개수가 홀수이면 변량의 중앙에 있는 값
(2) 변량의 개수가 짝수이면 변량의 중앙에 있는 두 개의 값의 평균

025 다음은 친구 10명의 몸무게를 나타낸 것이다. 몸무게의 중앙값을 구하여라.

[단위 : kg]

53	42	44	57	47
55	57	49	45	59

026 다음은 은지네 분단 학생 10명을 대상으로 지난 한 달 동안 관람한 영화 편 수를 조사하여 나타낸 것이다. 관람한 영화 편 수의 중앙값을 구하여라.

[단위 : 편]

2	4	2	1	3
2	0	2	4	3

027 다음은 어느 반 학생들이 방학 때 읽은 책의 쪽 수를 쓴 것이다. 읽은 책의 쪽 수의 중앙값은?

[단위 : 쪽]

320	480	273	174	219	334	249

① 219쪽   ② 249쪽   ③ 273쪽
④ 320쪽   ⑤ 334쪽

028 다음은 어느 양궁 선수가 10발의 화살을 쏴서 얻은 점수를 낮은 점수부터 차례로 나열한 것이다. 평균과 중앙값을 각각 구하여라.

[단위 : 점]

> 6 7 7 8 8 9 9 10 10 10

★
029 학생 6명의 수학 점수를 작은 값에서부터 크기 순으로 나열할 때, 3번째 학생의 점수는 70점이고, 중앙값은 74점이라고 한다. 이 집단에 수학 점수가 80점인 학생이 들어왔을 때, 7명의 수학 점수의 중앙값을 구하여라.

N3 최빈값 구하기   기초

030 다음은 어느 중학교 학생 10명의 일주일 동안 인터넷 사용 시간을 나타낸 것이다. 인터넷 사용 시간의 최빈값을 구하여라.

[단위 : 시간]

> 5 6 6 6 7 7 7 7 8 9

* 접근법

최빈값 구하기
(1) 자료 중에서 가장 많이 나타나는 값을 찾는다.
(2) 자료에 따라 존재하지 않을 수도 있고 두 개 이상일 수도 있으며 자료의 수가 적은 경우에는 자료의 중심 경향을 잘 반영하지 못할 수도 있다.

031 다음은 어느 회사 직원의 월급을 나타낸 것이다. 이 회사 직원의 월급의 최빈값을 구하여라.

[단위 : 만 원]

100	100	150	200	200
200	300	500	500	1000

032 다음은 우리 반 학생들의 희망 진로 중 최다 순위 5개를 조사한 것이다. 이 자료의 최빈값은?

진로	판사	교사	의사	회사원	공무원
인원(명)	5	6	8	7	9

① 판사   ② 교사   ③ 의사
④ 회사원   ⑤ 공무원

033 다음은 10가지 과일 및 채소의 100 g당 열량을 조사하여 나타낸 것이다. 이 자료의 중앙값과 최빈값을 순서대로 나열하면?

과일 및 채소	열량(kcal)	과일 및 채소	열량(kcal)
포도	56	키위	54
수박	24	바나나	80
당근	34	고구마	128
복숭아	34	자두	25
귤	38	옥수수	131

① 46 kcal, 34 kcal   ② 47 kcal, 34 kcal
③ 46 kcal, 38 kcal   ④ 47 kcal, 38 kcal
⑤ 48 kcal, 34 kcal

034 다음은 서진이의 줄넘기 연습 기록을 나타낸 것이다. 줄넘기 연습 기록의 중앙값을 a개, 최빈값을 b개라 할 때, $a-b$의 값은?

[단위 : 개]

> 84 82 85 87 84 82 86 79 84

① -2 ② -1 ③ 0
④ 1   ⑤ 2

N4 대푯값이 주어졌을 때 변량 구하기 응용

035 네 수 6, 12, 15, a에 대하여 다음 물음에 답하여라.

(1) 평균이 11일 때, a의 값을 구하여라.
(2) 중앙값이 11일 때, a의 값을 구하여라.

＊ 접근법
주어진 대푯값으로 자료의 값을 구한 뒤, 그 자료를 이용하여 나머지 대푯값을 찾는다.

036 다음은 은영이의 일주일 동안의 독서 시간을 나타낸 표이다. 이 자료의 평균이 65분일 때, x의 값을 구하여라.

요일	월	화	수	목	금	토	일
시간(분)	37	x	65	55	77	93	82

037 5개의 변량을 크기 순서대로 나열하였더니 11, 13, 14, 16, x이다. 자료의 평균과 중앙값이 같다고 할 때, x의 값을 구하여라.

★
038 다음 7개 자료의 평균이 1이고 최빈값이 2일 때, a, b의 값을 각각 구하여라. (단, $a<b$)

-5	4	0	a	2	b	3

N5 여러 가지 자료에서 평균, 중앙값, 최빈값 구하기 응용

039 학생 5명의 수학 점수가 각각 85점, 93점, 90점, 74점, 88점일 때, 수학 점수의 평균과 중앙값을 각각 구하여라.

＊ Check Key
특별한 언급이 없을 때, 중앙값과 최빈값을 구하는 경우에는 주어진 변량들을 크기가 작은 값부터 다시 나열한 뒤 구해야 한다.

040 다음은 어느 반 학생들의 던지기 기록을 나타낸 줄기와 잎 그림이다. 던지기 기록의 중앙값과 최빈값을 각각 x m, y m라 할 때, $x+y$의 값을 구하여라.

[단, 2|1은 21 m]

줄기	잎
2	1 2 2 7
3	2 6 6 6 8
4	1 1 5 5

041 다음 자료는 학생 10명의 제기차기 기록을 조사하여 나타낸 것이다. 이 자료의 평균, 중앙값, 최빈값을 각각 구하여라.

[단위 : 개]

5	13	2	7	22	14	16	5	12	8

042 다음 표는 A, B 두 모둠의 수학 성적을 나타낸 것이다. 다음 중 옳은 것은?

[단위 : 점]

| A 분단: | 70 | 84 | 84 | 82 | 80 | 80 | 82 | 80 | 78 |
| B 분단: | 75 | 85 | 60 | 95 | 75 | 80 | 80 | 60 | 90 |

① A 모둠의 평균과 B 모둠의 평균은 같다.
② A 모둠은 평균, 중앙값, 최빈값이 모두 같다.
③ B 모둠의 평균과 중앙값은 같다.
④ B 모둠의 중앙값은 평균보다 작다.
⑤ B 모둠의 최빈값은 중앙값보다 작다.

043 다음 10개의 자료에 대하여 물음에 답하여라.
(단, a, b는 자연수이다.)

[단위 : 시간]

| a | 7 | b | 6 | 2 |
| 10 | 6 | 6 | 3 | 8 |

(1) $6 < b < a$일 때, 중앙값과 최빈값을 각각 구하여라.
(2) $a < b < 6$일 때, 중앙값과 최빈값을 각각 구하여라.

044 다음 표는 어느 중학교 3학년 학생 20명의 수학 수행평가 점수를 조사하여 나타낸 것이다. 평균을 a점, 최빈값을 b점, 중앙값을 c점이라 할 때, $a+b+c$의 값을 구하여라.

점수 (점)	6	7	8	9	10
학생 수 (명)	2	3	6	8	1

N6 평균, 중앙값, 최빈값의 성질　이해

045 다음 자료 중 평균을 대푯값으로 하기에 가장 적절하지 <u>않은</u> 것은?

① 5, 5, 5, 5, 5, 5
② 1, 3, 2, 2, 4, 90
③ 10, 20, 30, 45, 50, 30
④ 10, 10, 15, 20, 20, 30
⑤ 90, 150, 200, 250, 130, 140

＊ Check Key

평균은 자료 중 극단적인 값이 있을 때는 자료 전체의 특징을 반영하지 못한다.

046 다음 설명 중 옳지 <u>않은</u> 것은?

① 중앙값은 항상 주어진 자료 중에 존재한다.
② 대푯값에는 평균, 중앙값, 최빈값 등이 있다.
③ 변량 중에서 도수가 가장 큰 값이 최빈값이다.
④ 자료 전체의 특징을 대표하는 값이 대푯값이다.
⑤ 자료를 작은 값에서부터 크기순으로 나열할 때, 가운데에 위치한 값이 중앙값이다.

047 다음 설명 중 옳지 <u>않은</u> 것을 모두 고르면?
(정답 2개)

① 평균, 중앙값, 최빈값이 모두 같은 경우가 있다.
② 중앙값은 자료에 따라 하나로 정해지지 않는 경우도 있다.
③ 최빈값은 자료에 따라 하나로 정해지지 않은 경우도 있다.
④ 자료에 극단적인 값이 있을 경우 평균이 대푯값이 될 수 있다.
⑤ 자료의 개수가 짝수일 때, 크기순으로 나열하면 가운데 값 2개의 평균이 중앙값이다.

048 다음 자료는 학생 10명의 지난 한 달간 봉사활동 시간을 나타낸 것이다. 주어진 자료의 평균과 중앙값을 구하고, 이 중 어느 것이 대푯값으로 적절한지 말하여라.

[단위 : 시간]

| 1 | 3 | 3 | 2 | 1 |
| 3 | 2 | 46 | 3 | 2 |

N7 편차 구하기 기초

049 다음 표는 어느 분단 학생들의 수학 성적에 대한 편차이다. x의 값은?

학생	A	B	C	D	E
편차(점)	-3	4	-1	x	3

① -4 ② -3 ③ -2
④ 2   ⑤ 3

＊개념 찾기

편차의 성질
(1) 평균보다 큰 변량의 편차는 양수이고 평균보다 작은 변량의 편차는 음수이다.
(2) 편차의 총합은 항상 0이다.

050 다음은 어떤 조 4명의 매달리기 기록이다. 편차의 합은?

[단위 : 초]

32	13	15	20

① -3초   ② -2초   ③ -1초
④ 0초   ⑤ 1초

051 다음 자료는 어느 팀의 야구 선수 6명의 한 해 홈런의 개수의 편차를 나타낸 것이다. 이때, x의 값은?

[단위 : 개]

-4	3	x	-2	4	2

① -3 ② -1 ③ 0
④ 1   ⑤ 3

052 다음 표는 윤아의 5회에 걸친 영어 단어 시험 성적에 대한 편차를 나타낸 것이다. $a+b$의 값은?

회	1	2	3	4	5
편차(점)	-5	1	a	3	b

① -2 ② -1 ③ 0
④ 1   ⑤ 2

053 다음 표는 어떤 자료에 대한 편차와 도수를 나타낸 것이다. 편차가 1인 계급의 도수는?

편차	-2	-1	0	1	2	3
도수	7	8	3	x	3	4

① 7   ② 6   ③ 5
④ 4   ⑤ 3

★
054 다음 표는 5명의 학생 A, B, C, D, E의 수학 성적에서 C학생의 성적을 뺀 값을 나타낸 것이다. 5명의 평균이 70점일 때, D학생의 점수는?

학생	A	B	C	D	E
과부족(점)	7	4	0	4	5

① 70점   ② 74점   ③ 76점
④ 77점   ⑤ 80점

N8 편차를 이용하여 변량 구하기 이해

055 다음은 어느 반 학생 6명의 과학 성적의 편차를 나타낸 것이다. 이 6명의 학생의 과학 성적의 평균이 75점일 때, 편차가 x점인 학생의 과학 성적을 구하여라.

[단위 : 점]

-2	6	x	8	-4	-3

＊개념 찾기

(1) (편차)＝(변량)－(평균)
(2) 편차의 합은 항상 0이다.

056 윤석이네 반 학생들의 몸무게의 평균이 58 kg이다. 윤석이의 몸무게의 편차가 5 kg일 때, 윤석이의 몸무게를 구하여라.

057 다음은 현준이네 반 학생 6명의 과학 탐구 보고서 점수를 조사하여 나타낸 것이다. 이 변량들의 편차가 될 수 <u>없는</u> 것은?

[단위 : 점]

15	12	17	15	13	18

① −3점　　　　② −2점　　　　③ 1점
④ 2점　　　　⑤ 3점

058 네 학생 A, B, C, D가 시험을 본 결과, 학생 A의 점수는 학생 B보다 5점이 낮고, 학생 C보다는 2점이 높으며, 네 명의 평균보다는 3점이 낮다고 한다. 학생 A의 점수가 78점일 때, 학생 D의 점수를 구하여라.

059 다음 표는 유진이의 4회에 걸친 수학 점수의 편차를 나타낸 것이다. 평균이 76점일 때, 2회의 점수를 구하여라.

횟차(회)	1	2	3	4
편차(점)	−2	x	−6	4

060 ★ 다음 표는 어떤 28개의 자료에 대한 편차와 도수를 나타낸 것이다. 편차가 −2인 자료의 변량이 83이라 할 때, 편차가 b인 자료의 변량을 구하여라.

편차	−2	−1	0	1	b	3
도수	8	7	a	1	5	4

061 ★ 다음 표는 5명의 학생 A, B, C, D, E의 기말고사 영어 성적의 편차를 나타낸 것이다.

학생	A	B	C	D	E
편차(점)	−5	$x+1$	x	−2	$x+3$

5명의 영어 성적의 평균이 80점일 때, B의 점수는?

① 78점　　　　② 79점　　　　③ 80점
④ 81점　　　　⑤ 82점

N9 분산 구하기　기초

062 학생 다섯 명의 영어 성적의 편차가 다음과 같았다. D의 편차인 a의 값과 다섯 명의 성적에 대한 분산을 차례로 구한 것은?

학생	A	B	C	D	E
편차(점)	2	−3	−1	a	−2

① 4, 6.8　　　　② 4, 6.9　　　　③ 5, 6.8
④ 5, 6.9　　　　⑤ 6, 6.8

＊ 개념 찾기
분산 : 각 변량의 편차의 제곱의 평균

$$(분산) = \frac{(편차)^2의\ 총합}{(변량)의\ 개수}$$

063 다음은 주사위 1개를 5번 던져서 나온 눈의 수를 각각 나타낸 것이다. 나온 눈의 수의 분산을 구하여라.

1	3	1	4	6

064 다음 표는 어느 분단 학생들의 수학 성적에 대한 편차이다. 수학 성적의 분산은?

학생	A	B	C	D	E
편차(점)	−6	5	−3	x	3

① 1　　　　② 4　　　　③ 9
④ 16　　　　⑤ 18

065 다음 자료는 5명의 하루 동안 TV시청 시간을 조사하여 나타낸 것이다. TV시청 시간의 분산을 구하여라.

[단위 : 분]

20	10	50	20	40

066 5개의 변량 7, 6, x, 10, 3의 평균이 7일 때, 분산은?

① 5   ② 6   ③ 7

④ 8   ⑤ 9

067 연속한 5개의 자연수의 분산을 구하여라.

068 5개의 자료 a, b, c, d, e의 평균이 10, 분산이 5일 때, 자료 $2a$, $2b$, $2c$, $2d$, $2e$의 평균과 분산을 각각 구하여라.

069 5개의 수 x, -1, 3, y, -1의 평균은 1이고, 분산은 5이다. xy의 값은?

① $-\dfrac{3}{2}$ ② -1 ③ $-\dfrac{1}{2}$

④ 0   ⑤ $\dfrac{1}{2}$

N10 표준편차 구하기 기초

070 다음 자료의 표준편차를 구하여라.

9	8	8	7	6	7	9	8	9	9

＊ 접근법

표준편차 구하는 순서

평균 구하기 ⇒ 편차 구하기 ⇒ 분산 구하기 ⇒ 표준편차 구하기

071 다음은 학생 5명의 어떤 자료의 편차를 구하여 제곱한 값을 나타낸 표이다. 이 자료의 분산과 표준편차를 각각 구하여라.

학생	A	B	C	D	E
(편차)^2	16	1	0	4	9

072 다음 표는 지영이가 일주일 동안 한 윗몸일으키기 개수의 편차를 나타낸 표이다. 윗몸일으키기 개수의 표준편차를 구하여라.

요일	월	화	수	목	금	토	일
편차(개)	2	-1	3	x	-2	1	4

073 다음 자료의 표준편차를 구하여라.

$a-4$	$a-2$	$a+2$	$a+4$

074 다음 표는 어느 야구팀이 연습 경기에서 친 안타 수를 조사하여 나타낸 것이다. 안타 수의 평균이 8개일 때, 표준편차를 구하여라.

요일	월	화	수	목	금	토
안타 수(개)	a	9	6	10	8	12

★
075 다음 표는 경표의 5회에 걸친 수학 성적의 편차를 나타낸 것이다. 이 편차를 이용하여 구한 1회부터 3회까지의 분산이 7이고, 4회부터 5회까지의 분산이 $\dfrac{13}{2}$ 이라 한다. 전체 수학 성적의 표준편차를 구하여라.

회	1	2	3	4	5
점수(점)	a	b	c	d	e

★
076 5개의 변량의 편차는 -2, -2, a, 3, b이고 표준편차는 $3\sqrt{3}$일 때, ab의 값을 구하여라.

★
077 다음은 한 양궁선수가 10회 연습하여 얻은 점수를 기록한 표이다.

점수(점)	7	8	9	10
횟수(회)	a	2	b	4

이 선수의 연습 기록의 평균이 9점일 때, 연습 기록의 표준편차는?

① 5점 　　② 4점 　　③ 3점
④ 2점 　　⑤ 1점

N11 표준편차를 이용하여 식의 값 구하기　　응용

078 5개의 변량의 편차가 각각 -3, -1, a, 1, b이고 표준편차가 $\sqrt{6}$일 때, 가능한 모든 b의 값의 합은?

① -3 　　② -1 　　③ 1
④ 3 　　⑤ 5

⁎ 개념 찾기
n개의 변량 x_1, x_2, x_3, $\cdots$, x_n에서 평균을 m이라 하면
(1) $m = \dfrac{x_1 + x_2 + x_3 + \cdots + x_n}{n}$
(2) (분산) $= \dfrac{1}{n}\{(x_1 - m)^2 + (x_2 - m)^2 + \cdots + (x_n - m)^2\}$
(3) (표준편차) $= \sqrt{(분산)}$

079 다음은 수연이가 지난 1월부터 5월까지 매달 도서관에 간 횟수를 조사하여 나타낸 것이다. 평균이 5회이고 분산이 4일 때, ab의 값은?

월	1	2	3	4	5
횟수(회)	8	4	a	b	5

① 5 　　② 6 　　③ 10
④ 12 　　⑤ 15

★
080 3개의 변량 6, $a+5$, $2a+1$의 표준편차가 $\sqrt{2}$일 때, 모든 a의 값의 곱은?

① 2 　　② 3 　　③ 4
④ 5 　　⑤ 6

★
081 다음 10개 자료의 평균이 5이고 분산이 9일 때, a, b의 값을 각각 구하여라. (단, $a < b$)

4,	8,	5,	a,	7,	8,	3,	3,	2,	b

14 DAY

N12 두 집단 전체의 평균과 표준편차 <small>응용</small>

082 표는 인원 수가 각각 20명인 A, B 두 그룹의 기말고사 성적의 평균과 표준편차를 나타낸 것이다. 두 그룹 전체 성적의 표준편차를 구하여라.

그룹	평균 (점)	표준편차 (점)
A	80	10
B	80	8

＊ 개념 찾기

평균이 같은 A, B 두 집단의 도수가 각각 a, b이고 표준편차가 각각 x, y일 때, A, B 두 집단 전체의 표준편차는

$$\sqrt{\dfrac{(\text{편차})^2 \text{의 총합}}{(\text{도수})\text{의 총합}}} = \sqrt{\dfrac{ax^2 + by^2}{a+b}}$$

083 다음 표는 A, B 두 반의 시험 성적을 나타낸 것이다. 두 반 전체의 평균과 분산을 각각 구하여라.

반	학생 수 (명)	평균 (점)	분산
A	30	75	100
B	20	75	120

084 다음 표는 도수가 다른 남, 여 두 그룹에 대한 수학 성적의 평균과 표준편차를 나타낸 것이다. 두 그룹을 합한 수학 성적의 분산을 구하여라.

그룹	도수 (명)	평균 (점)	표준편차 (점)
남	24	70	3
여	16	70	6

085 다음 표는 학생 30명의 몸무게의 표준편차를 분단별로 조사하여 나타낸 것이다. 세 분단 학생들의 몸무게에 대한 평균이 모두 같을 때, 학생 30명의 몸무게의 표준편차를 구하여라.

분단	학생 수 (명)	표준편차 (kg)
A	10	5
B	10	7
C	10	2

N13 표준편차의 직관적 비교 <small>응용</small>

086 다음 자료 중 표준편차가 가장 큰 것은?

① 3, 4, 5, 6, 7, 8
② 1, 2, 8, 8, 1, 1
③ 6, 6, 6, 6, 6, 6
④ 3, 4, 3, 4, 3, 4
⑤ 7, 8, 7, 8, 7, 8

＊ Check Key

(1) 표준편차가 작으면 변량들이 평균 가까이에 모여 있다.
(2) 표준편차가 크면 변량들이 평균에서 멀리 떨어져 있다.

087 다음 자료 중 표준편차가 가장 큰 것은?

① 1, 6, 1, 6, 2, 5
② 1, 4, 1, 4, 3, 2
③ 2, 4, 2, 4, 2, 4
④ 2, 4, 2, 4, 3, 3
⑤ 7, 7, 7, 7, 7, 7

088 다음 중 표준편차가 가장 작은 것은?

① 1, 5, 1, 5, 1, 5, 1, 5, 1, 5
② 1, 3, 1, 3, 1, 3, 2, 5, 2, 6
③ 1, 4, 1, 4, 1, 4, 2, 3, 2, 3
④ 2, 4, 2, 4, 2, 4, 3, 3, 3, 3
⑤ 3, 5, 5, 5, 5, 5, 5, 5, 4, 4

089 다음 중 표준편차가 가장 큰 것은?

① 1, 6, 2, 7, 3, 8, 4, 9, 5, 10
② 1, 5, 1, 5, 1, 5, 3, 3, 3, 3
③ 3, 4, 3, 4, 3, 4, 3, 4, 3, 4
④ 2, 4, 2, 4, 2, 4, 3, 3, 3, 3
⑤ 5, 5, 5, 5, 5, 5, 5, 5, 5, 5

N14 표준편차의 크기와 자료의 분포 　기초

090 어느 중학교 3학년 학생 10명을 A, B 두 조로 나눈 후 수학 시험을 치른 결과는 표와 같다. 다음 〈보기〉 중 옳은 것을 모두 골라라.

[단위 : 점]

| A 조: | 8 | 7 | 7 | 6 | 7 |
| B 조: | 7 | 5 | 8 | 9 | 6 |

────── 보기 ──────
ㄱ. A조와 B조의 시험 점수의 평균은 같다.
ㄴ. A조의 시험 점수의 표준편차는 $\sqrt{2}$점이다.
ㄷ. A조의 학생들의 수학 점수가 B조 학생들보다 더 고르다.

✳ **Check Key**
(1) 표준편차가 작을수록 자료는 평균 근방에 모여 있으므로 분포 상태가 고르다고 할 수 있다.
(2) 표준편차가 클수록 자료는 평균 근방에 모여 있지 않으므로 분포 상태가 고르지 않다고 할 수 있다.

091 다음 표는 현수네 반 학생들의 중간고사 점수의 표준편차를 나타낸 것이다. 점수가 가장 고른 과목은?

과목	국어	영어	수학	사회	과학
표준편차(점)	4.3	3.8	8.0	3.4	5.7

① 국어　　② 영어　　③ 수학
④ 사회　　⑤ 과학

092 다음 〈보기〉 중 옳은 것을 모두 골라라.

────── 보기 ──────
ㄱ. 평균보다 큰 변량의 편차는 음수이다.
ㄴ. 각 변량의 편차의 평균은 0이다.
ㄷ. 변량들이 고르게 분포되어 있을수록 표준편차는 작아진다.

093 다음은 5명의 학생들의 일주일 동안의 독서 시간에 대한 평균과 표준편차를 나타낸 것이다. 독서 시간이 가장 불규칙한 학생을 구하여라.

이름	민재	창민	영훈	세진	연준
평균(시간)	12	15	11	20	7
표준편차(시간)	1	0.5	1.6	0.8	1.4

094 각 문항당 배점이 10점씩인 서술형 문제 6개를 푸는 수학시험에서 A, B, C는 각 문항당 점수를 다음과 같이 받아 각각의 합계가 모두 42점이었다.

[단위 : 점]

A의 점수:	9	9	9	3	9	3
B의 점수:	7	6	6	8	7	8
C의 점수:	7	7	7	7	6	8

각 문항당 받은 점수의 표준편차가 가장 큰 사람과 가장 작은 사람을 차례로 나타내어라.

095 다음은 준희의 5회에 걸친 영어 점수와 수학 점수를 나타낸 표이다. 영어 점수의 평균과 수학 점수의 평균이 같을 때, 영어 점수와 수학 점수의 분산을 구하여, 평균을 중심으로 흩어진 정도가 더 작은 과목을 구하여라.

[단위 : 점]

과목 ＼ 회	1회	2회	3회	4회	5회
영어	75	85	85	90	90
수학	75	80	85	90	

096 다음 표는 어느 학교 1학년 학생들의 키를 기록한 것이다. 다음 설명 중 옳은 것은?

반	A	B	C	D
평균(cm)	161	164.5	163	162
표준편차(cm)	5	9	2	3

① 160 cm 이상인 학생이 가장 많은 반은 A반이다.
② 키 차이가 가장 많이 나는 반은 B반이다.
③ B반 학생 수가 A반 학생 수보다 많다.
④ C반 학생들의 키가 가장 크다.
⑤ D반에는 160 cm 이하의 학생은 없다.

097 다음은 5개의 도시 A, B, C, D, E에서 8년 동안 오존 농도의 평균과 표준편차를 나타낸 것이다. 5개 도시 중 8년 동안 오존 농도의 변화가 가장 작은 도시를 말하여라.

도시	A	B	C	D	E
평균(ppm)	17	25	23	21	19
표준편차(ppm)	1.2	2.2	1.7	1.1	1.8

098 두 자연수 a, b에 대하여 변량 2, 3, 7, a, b의 중앙값이 5이고, 변량 6, 10, a, b의 중앙값이 7일 때, $a+b$의 값을 구하여라. (단, $a<b$)

099 다음 두 자료 A, B에 대하여 자료 A의 중앙값이 15이고, 두 자료 A, B를 섞은 전체 자료의 중앙값이 16일 때, a, b의 값을 각각 구하여라.

(단, a, b는 $a<b$인 자연수이다.)

자료 A:	11	13	a	b	18
자료 B:	16	$b-1$	19	20	a

100 변량 3, 6, a의 중앙값이 6이고 변량 10, 15, a의 중앙값이 10일 때, 자연수 a의 값이 될 수 있는 것을 모두 더한 값을 구하여라.

101 다음 조건을 모두 만족시키는 a의 최솟값과 최댓값의 합을 구하여라.

(가) 다섯 개의 수 22, 15, 28, a, 12의 중앙값은 22이다.
(나) 네 개의 수 40, 25, a, 25의 중앙값은 25이다.

102 변량 5, 3, 8, 6, x의 평균과 중앙값이 같다고 할 때, 가능한 자연수 x의 값을 모두 구하여라.

103 다음은 학생 7명의 하루 동안 휴대전화 문자 메시지 수신 횟수를 조사하여 나타낸 것이다. 평균과 최빈값이 서로 같다고 할 때, x의 값을 구하여라.

[단위 : 회]

10	11	13	10	x	10	9

104 다음 자료의 평균, 중앙값, 최빈값을 각각 a, b, c라고 할 때, $7a-b-c$의 값을 구하여라.

4	6	5	3	7	8	3

105 다음 자료의 평균, 중앙값, 최빈값을 각각 a, b, c라고 할 때, $a+b+c$의 값을 구하여라.

9	6	6	4	5	3	5	6	2	8

14 DAY

106 밑면의 가로의 길이, 세로의 길이와 높이가 각 각 a, b, c인 직육면체가 있다. 이 직육면체의 12개의 모서리의 길이의 평균이 12, 분산이 4일 때, 이 직육면체의 면 6개의 넓이의 평균을 구하여라.

107 밑면의 가로의 길이, 세로의 길이와 높이가 각 각 a, b, c인 직육면체가 있다. 이 직육면체의 12개의 모서리의 길이의 평균이 10, 분산이 2일 때, 이 직육면체의 6개의 면의 넓이의 평균을 구하여라.

108 5개의 변량 3, x, 5, $12-x$, 10의 분산이 11.6일 때, x의 값을 모두 구하여라.

109 5개의 변량 7, 8, $10-x$, 9, x의 분산이 2.96일 때, x의 값을 모두 구하여라.

110 세 자료

A : 1부터 20까지의 자연수

B : 21부터 40까지의 자연수

C : 1부터 40까지의 짝수

의 분산을 순서대로 a, b, c라고 할 때, a, b, c의 대소 관계를 바르게 나타낸 것은?

① $a=b=c$ ② $a=b<c$

③ $a=b>c$ ④ $a<b<c$

⑤ $a>b>c$

111 세 자료

A : 1부터 n까지의 자연수

B : $n+1$부터 $2n$까지의 자연수

C : 1부터 $2n$까지의 홀수

의 표준편차를 순서대로 a, b, c라고 할 때, a, b, c의 대소 관계를 구하여라. (단, n은 자연수이다.)

112 다음 표는 A, B, C, D, E 다섯 학급의 영어 성적의 평균과 표준편차를 나타낸 것이다. 성적이 가장 고르게 분포된 학급은?

학급	A	B	C	D	E
평균(점)	70	70	70	70	70
표준편차(점)	$\sqrt{10}$	$\sqrt{15}$	$5\sqrt{2}$	$2\sqrt{3}$	$3\sqrt{2}$

① A학급   ② B학급   ③ C학급

④ D학급   ⑤ E학급

113 다음 표는 A, B, C, D, E 다섯 학급의 국어 성적의 평균과 표준편차를 나타낸 것이다. 성적이 가장 좋은 학급과 가장 고르게 분포된 학급을 순서대로 나열하여라.

학급	A	B	C	D	E
평균(점)	72	73	74	75	76
표준편차(점)	$3\sqrt{2}$	$2\sqrt{3}$	$\sqrt{15}$	$5\sqrt{3}$	$3\sqrt{5}$

15 DAY

서술형 다지기

단계별로 서술하기

114 다음 10개의 수의 평균, 중앙값, 최빈값을 각각 구하여라.

9	4	9	9	1	7	2	5	7	4

먼저, 주어진 자료를 크기 순으로 나열하자. 20%

그다음, 주어진 자료의 평균을 구하자. 40%

그래서, 중앙값, 최빈값을 구하자. 40%

+1

115 다음 자료의 평균, 중앙값, 최빈값을 각각 구하여라.

23	26	23	12	36	25	24	29	20	21

먼저,

그다음,

그래서,

116 4개의 변량 1, 3, a, b의 평균이 3이고 분산이 5일 때, ab의 값을 구하여라.

먼저, 평균을 이용하여 $a+b$의 값을 구하자. 40%

그다음, 분산을 이용하여 a, b에 대한 식을 세우자. 40%

그래서, ab의 값을 구하자. 20%

+1

117 5개의 수 8, 4, 10, a, b의 평균이 8이고 표준편차가 4일 때, $a-b$의 값을 구하여라. (단, $a>b$)

먼저,

그다음,

그래서,

[🔍 스스로 **서술하기**]

118 다음 두 조건을 모두 만족시키는 자연수 a의 개수를 구하여라.

> (가) 네 개의 수 16, 28, 34, a의 중앙값은 22이다.
> (나) 다섯 개의 수 4, 5, 8, 14, a의 중앙값은 8이다.

119 다음은 우리 반 학생 10명이 한 학기 동안 읽은 책의 권 수를 나타낸 것이다. 물음에 답하여라.

[단위 : 권]

2	3	5	5	5
7	7	7	7	50

(1) 평균, 중앙값, 최빈값을 각각 구하여라.
(2) (1)의 세 가지 대푯값 중에서 자료의 중심경향을 잘 나타내지 못한다고 생각하는 것은 어느 것인지 찾고 그 이유를 말하여라.

120 자료는 십의 자리 수를 줄기로, 일의 자리 수를 잎으로 하여 줄기와 잎 그림으로 나타낸 것이다. 이 자료의 중앙값을 구하여라.

[단, 2|1은 21]

줄기	잎
2	1
3	1 1 2
4	1 2 2 3 4
5	2 3 4 4 4 9
6	2 4 4 6

121 세 수 a, b, c의 최빈값이 10이고 평균이 9일 때 a, b, c의 분산을 구하여라.

122 표는 어느 반의 남학생과 여학생의 시험 성적을 나타낸 것이다. 이 반의 전체 학생의 평균과 분산을 각각 구하여라.

	학생 수 (명)	평균 (점)	분산
남학생	25	80	50
여학생	15	80	90

123 5개의 변량 4, $12-x$, x, 14, 10의 분산이 45.2일 때, 양수 x의 값을 구하여라.

15 DAY

최고난도 만점 문제

124 하늘이네 반 중간고사 성적에서 두 사람의 점수를 빼고 계산했더니 평균은 70점이고 중앙값은 60점이었다. 뺀 두 사람의 점수가 68점과 83점일 때, 이를 반영하여 얻은 결과로 옳은 것은? (단, 각 자료의 도수는 모두 1이고, 하늘이네 반 학생 수는 홀수이다.)

① 평균과 중앙값이 모두 변함이 없다.
② 평균은 변함이 없으나 중앙값은 커졌다.
③ 평균은 커졌으나 중앙값은 변함이 없다.
④ 평균과 중앙값이 모두 작아졌다.
⑤ 평균과 중앙값이 모두 커졌다.

125 서로 다른 6개의 변량이 있다. 가장 작은 것을 제외한 5개의 변량의 평균은 29이고, 가장 큰 것을 제외한 5개의 변량의 평균은 23이다. 가장 작은 변량과 가장 큰 변량의 합이 34일 때, 6개의 변량 모두의 평균을 구하여라.

126 다음 자료의 중앙값이 35일 때, a의 값을 구하여라.

21	a	50	20	48	22	50	30

127 세 자연수 x, y, z의 평균은 6이고, xy, yz, zx의 평균은 33이라 한다. 세 자연수 x, y, z의 제곱의 평균을 구하여라.

128 5개의 자료 x_1, x_2, $\cdots$, x_5의 평균은 2이고, 표준편차는 $\sqrt{2}$이다. $x_6=2$, $x_7=5$, $x_8=3$, $x_9=4$, $x_{10}=6$을 합친 10개의 자료 x_1, x_2, $\cdots$, x_{10}의 표준편차를 구하여라.

129 유정이네 반 10명 중에서 6명의 수학 수행평가 점수의 평균은 6점, 분산은 9이고 나머지 4명의 평균은 11점, 분산은 14이다. 전체 10명의 수학 수행평가 점수의 평균과 분산을 각각 구하여라.

130 4개의 자료의 평균과 분산을 계산한 값이 각각 2, 12이었다. 그런데 그 중 2개의 자료의 값이 5, 3인 것을 각각 2, 6으로 잘못 쓴 것을 발견하였다. 올바른 자료의 분산을 구하여라.

131 네 개의 자료 a, b, c, d에 대하여 a, b의 평균이 2, 표준편차가 2이고, c, d의 평균이 3, 표준편차가 $\sqrt{3}$일 때, a, b, c, d의 평균과 표준편차를 각각 구하여라.

연세대학교의 전인교육, HE수업

송도 국제캠퍼스에 온 1학년이라면 모두가 공통으로 들어야 하는 수업이 있어. 바로 HE(Holistic Education)라고 불리는 수업인데, 공부뿐만이 아니라 음악, 미술, 체육 등 다양한 방면에서 우수한 인재를 길러내기 위해 실시하는 인재 육성 교육이야. HE는 크게 세 가지로 나누어져 있으며, HE1은 봉사, HE2는 음악과 미술, HE3은 체육 수업이고 학점은 1학점이지만 보통 일주일에 한 번, 2시간 연강으로 진행되며 점수는 상관이 없고 패스/논 패스로만 구분돼. 1학년들은 이 3가지의 HE 수업 중 한 학기에 한 개씩 2개를 들어야 졸

〈HE3 농구수업이 진행되는 농구대〉

업할 수 있는데, 이 수업이 송도 국제캠퍼스에서 밖에 진행되지 않기 때문에 혹시라도 HE과목을 논패스하게 되면 2학년 때 다시 송도로 돌아와야 하는 상황이 오기 때문에 HE를 많이 빠지는 것은 결코 바람직하지 않아. 나는 하우스 프로그램과 연계되어 인근 중학생들의 멘토가 되어주는 봉사 HE1을 들었었는데, 개인적으로 송도에서 보낸 1학년 1학기에 들은 수업들 중에서 가장 많이 정성을 쏟고 가장 기억에 남는 수업이었어.

글 · 사진 : **방은비**(연세대 노어노문학과)

〈HE1 하우스 연계 진로멘토링 프로그램〉

◯ 산점도와 상관관계

1 산점도

두 변량 x, y 사이의 관계를 알아보기 위하여 이들을 순서쌍으로 하는 점 (x, y)를 좌표평면 위에 나타낸 그림

• 산점도를 그려보면 두 변량 x, y 사이에 x의 값이 커짐에 따라 y의 값이 커지는지 또는 작아지는지 알아보고, 두 변량 사이의 연관성을 파악할 수 있다.

2 상관관계

(1) **상관관계** : 두 변량 x, y 사이에 한 쪽의 값이 커짐에 따라 다른 쪽의 값이 커지거나 작아지는 관계를 **상관관계**라 한다.

(2) **상관관계의 종류** ⤷ 기준선을 그었을 때 오른쪽 위로 향하는 모양으로 일차함수의 기울기가 양일 때와 같다.

① **양의 상관관계** : 두 변량 x, y에 대한 산점도에서 x의 값이 증가함에 따라 y의 값도 대체로 증가하는 관계

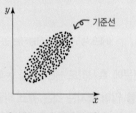

[강한 양의 상관관계] [약한 양의 상관관계]

예 사람의 키와 몸무게, 속력과 제동거리, 여름철 기온과 냉방기 사용량

② **음의 상관관계** : 두 변량 x, y에 대한 산점도에서 x의 값이 증가함에 따라 y의 값은 대체로 감소하는 관계

기준선을 그었을 때 오른쪽 아래로 향하는 모양으로 일차함수의 기울기가 음일 때와 같다.

[강한 음의 상관관계] [약한 음의 상관관계]

예 물건의 가격과 소비량, 낮과 밤의 길이, 산의 높이와 온도, 겨울철 기온과 난방비

③ **상관관계가 없다.** : 두 변량 x, y에 대한 산점도에서 x의 값이 증가함에 따라 y의 값이 증가하는지 감소하는지 분명하지 않은 경우

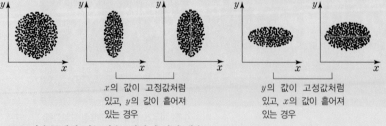

x의 값이 고정값처럼 있고, y의 값이 흩어져 있는 경우

y의 값이 고정값처럼 있고, x의 값이 흩어져 있는 경우

예 가슴둘레와 지능지수, 키와 충치의 개수

• **기준선**
산점도에서 점들이 분포한 모양을 따라 그린 직선을 말한다.
① 양의 상관관계이면 기준선은 오른쪽 위를 향한다.
② 음의 상관관계이면 기준선은 오른쪽 아래를 향한다.

• 점들이 한 직선을 중심으로 주위에 가까이 몰려 있을수록 **상관관계가 강하다**고 하고, 흩어져 있을수록 **상관관계가 약하다**고 한다.

• x가 증가할 때, y가 증가하는지 감소하는지 분명하지 않을 때, **상관관계가 없다**고 말한다.

1 산점도

[001~003] 그림은 민주네 반 5명의 영어 성적과 수학 성적을 조사하여 나타낸 표와 산점도이다.

학생	A	B	C	D	E
영어 (점)	70	50	90	60	
수학 (점)	80	40	100		70

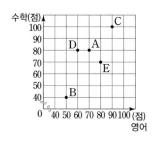

001 표를 완성하여라.

002 학생 D의 수학 성적을 구하여라.

003 학생 E의 영어 성적을 구하여라.

[004~006] 그림은 지원이네 반 10명의 국어와 사회 쪽지 시험 성적을 나타낸 산점도이다. 다음을 각각 구하여라.
(단, 시험은 9점 만점이다.)

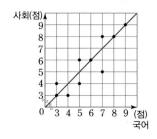

004 국어와 사회 성적이 같은 학생 수

005 국어 성적이 사회 성적보다 높은 학생 수

006 국어 성적과 사회 성적이 모두 7점 이상인 학생 수

2 상관관계

[007~009] 다음 주어진 산점도를 보고 물음에 답하여라.

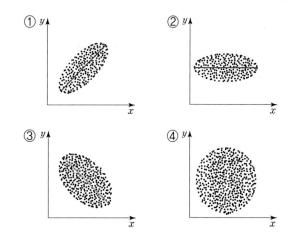

007 양의 상관관계인 것을 골라라.

008 음의 상관관계인 것을 골라라.

009 상관관계가 없는 것을 모두 골라라. (정답 2개)

[010~012] 다음 각각의 상관관계를 판단하여라.

010 노동 시간과 여가 시간

011 학습 시간과 게임 시간

012 키와 몸무게

16 DAY

★중급 문제

O1 산점도 그리기 `기초`

013 표는 학생 10명의 영어와 수학 성적을 나타낸 것이다. 표를 이용하여 산점도를 그려라.

영어(점)	40	65	80	85	60	90	85	95	20	70
수학(점)	45	70	60	95	80	75	85	90	25	65

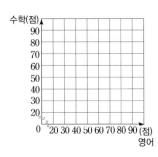

＊ 접근법

주어진 정보를 이용하여 산점도를 나타낼 때 다음 순서에 따라 그린다.

(ⅰ) 산점도는 두 변량 x, y를 순서쌍으로 하는 점 (x, y)를 좌표평면 위에 나타낸 그림이므로 가로축, 세로축을 각각 무엇으로 할 지 정확히 한다. 혹은 산점도 상에 나타난 가로축, 세로축을 정확히 확인한다.

(ⅱ) 순서쌍에 맞는 점을 좌표평면 위에 정확히 찍는다.

014 표는 어느 아파트 단지에 사는 운전자 16명에 대한 자동차의 주행 속도와 제동 거리를 조사하여 나타낸 것이다. 표를 이용하여 산점도를 그려라.

주행 속도(km/시)	100	60	80	70	55	110	75	120
제동 거리(m)	90	30	55	50	25	95	50	120

주행 속도(km/시)	100	45	50	70	80	140	20	100
제동 거리(m)	60	20	20	40	50	135	20	80

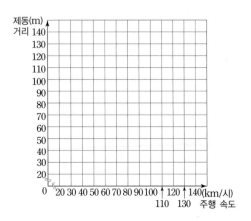

015 표는 지우네 반 10명의 학생의 왼쪽 눈과 오른쪽 눈의 시력을 조사하여 나타낸 것이다. 표를 이용하여 산점도를 그려라.

왼쪽 시력	0.8	0.9	1.0	1.0	1.0	1.2	1.2	1.2	1.5	2.0
오른쪽 시력	0.8	0.8	0.9	1.0	1.2	1.0	1.2	1.5	1.5	1.5

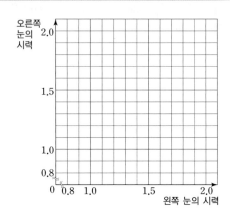

016 표는 어느 도시 시민텃밭농장에 대한 구별 농장 수와 분양 면적(m^2)을 나타낸 것이다. 표를 이용하여 산점도를 그려라.

구	A	B	C	D	E	F
농장수	1	6	1	4	1	2
분양 면적(m^2)	20	90	15	65	40	30

구	G	H	I	J	K	L
농장수	11	9	7	2	6	6
분양 면적(m^2)	145	120	125	40	95	55

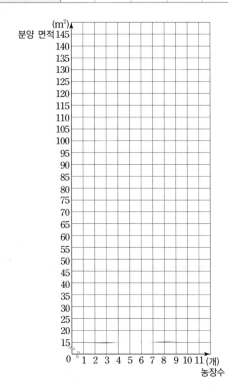

O2 산점도에서 조건에 맞는 점의 개수 구하기 이해

017 그림은 예찬이네 반 학생 16명에 대한 국어 성적과 수학 성적의 산점도이다. 국어 성적과 수학 성적이 같은 학생은 모두 몇 명인가?

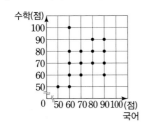

① 3명　　　② 4명　　　③ 5명
④ 6명　　　⑤ 7명

* **Check Key**

산점도에서 x, y의 값이 같은 점들을 이은 기준선에 대하여
㉠ 기준선 위의 점 : $x=y$, 즉 두 변량의 값이 같다.
㉡ 기준선보다 위쪽에 있는 점 : $y>x$
㉢ 기준선보다 아래쪽에 있는 점 : $x>y$

[018~020] 그림은 어느 반 학생 20명의 수학과 과학 쪽지 시험 성적을 나타낸 산점도이다. 다음 물음에 답하여라. (단, 시험은 10점 만점이다.)

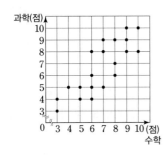

018 수학 성적과 과학 성적이 같은 학생은 몇 명인가?

① 2명　　　② 3명　　　③ 4명
④ 5명　　　⑤ 6명

019 수학 성적이 과학 성석보나 높은 학생은 몇 명인가?

① 5명　　　② 6명　　　③ 7명
④ 8명　　　⑤ 9명

020 과학 성적보다 수학 성적이 더 낮은 학생은 전체의 몇 %인가?

① 40 %　　　② 35 %　　　③ 30 %
④ 25 %　　　⑤ 20 %

[021~023] 그림은 어느 반 20명의 1차, 2차 수학 논술형 평가 성적을 나타낸 산점도이다.

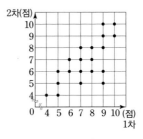

021 1차 성적보다 2차 성적에서 향상된 실력을 보이는 학생은 몇 명인가?

① 2명　　　② 3명　　　③ 4명
④ 5명　　　⑤ 6명

022 1차 성적과 2차 성적이 변함없는 학생은 전체의 몇 %인가?

① 40 %　　　② 35 %　　　③ 30 %
④ 25 %　　　⑤ 20 %

023 1차, 2차 성적이 모두 8점 이상인 학생은 몇 명인가?

① 2명　　　② 3명　　　③ 4명
④ 5명　　　⑤ 6명

[024~026] 그림은 어느 반 15명의 이틀 동안 게임 시간과 학습 시간의 관계를 나타낸 산점도이다.

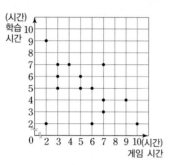

024 학습 시간과 게임 시간이 같은 학생은 전체의 몇 %인가?

① 5 %   ② 10 %   ③ 15 %

④ 20 %   ⑤ 25 %

025 학습 시간보다 게임 시간이 더 적은 학생은 몇 명인가?

① 5명   ② 6명   ③ 7명

④ 8명   ⑤ 9명

026 학습 시간과 게임 시간이 모두 6시간 미만인 학생 수를 a, 학습 시간과 게임 시간이 모두 7시간 이상인 학생 수를 b라 할 때, $a+b$의 값은?

① 2   ② 3   ③ 4

④ 5   ⑤ 6

O3 산점도에서 주어진 자료 해석하기   응용

027 그림은 영어 듣기와 말하기의 상관관계를 그린 것이다. 다음 중 옳지 <u>않은</u> 것은?

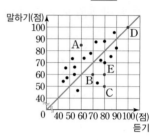

① A는 B보다 말하기 점수가 더 좋다.

② C는 듣기 점수와 비교하여 말하기 점수가 더 낮다.

③ D는 듣기 점수와 말하기 점수가 같다.

④ B와 E의 말하기 점수는 같다.

⑤ A, B, C, D, E 중에서 말하기 점수가 제일 낮은 학생은 B이다.

✻ Check Key

직선을 기준으로 위쪽에 위치하면 y의 값이 더 좋은 편이고, 아래쪽에 위치하면 x의 값이 좋은 편이다.

직선 위에 위치하면 x의 값(또는 y의 값)과 비교하여 y의 값(또는 x의 값)이 적당한 편이다.

028 그림은 몸무게와 키의 산점도이다. A, B, C, D, E 5명의 학생 중 비만도가 가장 높다고 생각되는 학생은?

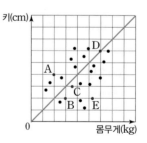

① A   ② B   ③ C

④ D   ⑤ E

029 그림은 어느 학급의 몸무게와 키의 산점도이다. 키와 비교하여 마른 편인 학생은?

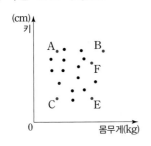

① A   ② B   ③ C
④ D   ⑤ E

[030~031] 그림은 어느 학교 학생들의 수학 점수와 영어 점수에 대한 산점도이다.

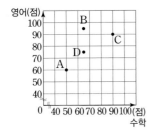

030 네 명의 학생 중 수학 성적과 비교해서 영어 성적이 가장 높은 학생은 누구인지 말하여라.

031 다음 〈보기〉의 설명 중 옳은 것을 모두 고른 것은?

─● 보기 ●─
ㄱ. 수학을 제일 못한 학생은 A이다.
ㄴ. 영어를 제일 잘한 학생은 B이다.
ㄷ. 수학과 영어 점수가 같은 학생은 C, D이다.

① ㄱ   ② ㄷ   ③ ㄱ, ㄴ
④ ㄴ, ㄷ   ⑤ ㄱ, ㄴ, ㄷ

032 그림은 독서량과 국어 성적에 대한 산점도이다. 다음 설명 중 옳은 것을 모두 고르면? (정답 2개)

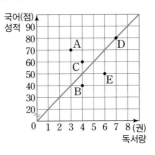

① A는 독서량과 비교하여 국어 성적이 낮은 편이다.
② B는 독서량과 비교하여 국어 성적이 좋은 편이다.
③ C는 D보다 독서량이 적다.
④ C는 국어 성적과 비교하여 독서량이 많은 편이다.
⑤ D는 국어 성적과 비교하여 독서량이 적당한 편이다.

033 그림은 성인을 대상으로 일주일 동안 여가 시간과 노동 시간을 조사하여 산점도로 나타낸 것이다. 다음 설명 중 옳지 <u>않은</u> 것은?

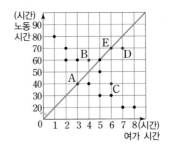

① A는 노동 시간과 비교하여 여가 시간이 적당한 편이다.
② B는 노동 시간과 비교하여 여가 시간이 적은 편이다.
③ C는 노동 시간과 비교하여 여가 시간이 많은 편이다.
④ D는 여가 시간과 비교하여 노동 시간이 적은 편이다.
⑤ E의 노동 시간은 C의 노동 시간과 같다.

O4 산점도에서 평균 구하기 기초

034 그림은 어느 반 학생 16명에 대한 역사와 사회 성적의 산점도이다. 역사 성적이 사회 성적보다 높은 학생의 사회 성적의 평균은?

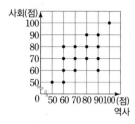

① 50점   ② 55점   ③ 60점
④ 65점   ⑤ 70점

---

* **Check Key**

직선을 그어 직선 아래쪽(또는 위쪽)에 분포하는 학생들을 대상으로 평균을 구한다.

$$(평균)=\frac{(변량의\ 총합)}{(인원수)}$$

[035~037] 그림은 어느 반 학생 20명에 대한 영어 듣기 성적과 독해 성적의 산점도이다.

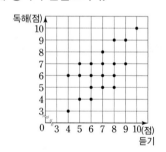

035 듣기 성적이 8점 이상인 학생의 독해 성적의 평균은? (단, 소수 둘째 자리에서 반올림한다.)

① 7.2점   ② 7.4점   ③ 7.6점
④ 7.8점   ⑤ 8점

036 듣기 성적과 독해 성적이 모두 4점 이하인 학생의 두 영역의 평균을 구하여라.

---

037 ★ 성적의 합계로 순위를 정할 때, 상위 석차가 7등인 학생의 두 영역의 평균은?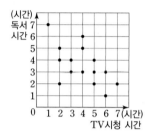

① 6.5점   ② 7점   ③ 7.5점
④ 8점   ⑤ 8.5점

[038~040] 그림은 어느 반 학생 15명에 대한 주말 TV 시청 시간과 독서 시간의 산점도이다.

038 TV 시청 시간이 2시간 이상 3시간 이하인 학생들의 평균 독서 시간은?

① 2.4시간   ② 2.8시간   ③ 3.2시간
④ 3.6시간   ⑤ 4.0시간

039 TV 시청 시간과 독서 시간이 모두 4시간 이상인 학생들의 평균 TV 시청 시간을 소수 둘째 자리에서 반올림하여 구하여라.

040 TV 시청 시간과 독서 시간 중 적어도 하나가 2시간 이하인 학생들의 평균 독서 시간은?
(단, 소수 둘째 자리에서 반올림한다.)

① 2.4시간   ② 2.7시간   ③ 3시간
④ 3.3시간   ⑤ 3.6시간

O5 산점도에서 양의 상관관계와 음의 상관관계 이해

041 다음 중 산의 높이(x)와 온도 사이의 산점도(y)로 적당한 것은?

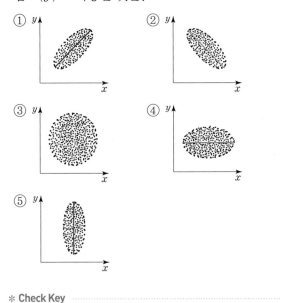

＊ **Check Key**

① 양의 상관관계
  예 사람의 키와 몸무게, 속력과 제동거리, 여름철 기온과 냉방기 사용량

② 음의 상관관계
  예 물건의 가격과 소비량, 낮과 밤의 길이, 산의 높이와 온도, 겨울철 기온과 난방비

042 다음 산점도 중 상관관계가 없는 것을 모두 고르면? (정답 2개)

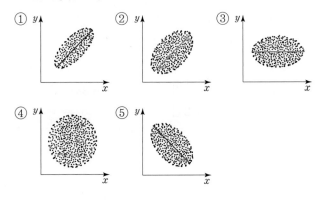

043 그림과 같은 산점도를 나타낼 수 있는 두 변량을 고른 것은?

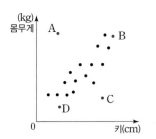

① 키와 몸무게
② 수학 성적과 식사량
③ 대류권에서 높이와 기온
④ 기온과 강수량
⑤ 왼쪽 눈 시력과 오른쪽 눈 시력

044 그림은 어느 학교 선생님들의 키와 몸무게 사이의 산점도이다. 산점도에 대한 설명을 잘못한 사람은 누구인가?

① 상준 : A와 C선생님을 제외한 선생님들의 키와 몸무게는 강한 양의 상관관계를 보이고 있다.
② 승호 : A선생님은 키와 비교하여 몸무게가 적게 나가시는 편이다.
③ 민지 : B선생님은 키도 크시고 몸무게도 많이 나가시는 편이다.
④ 영민 : C선생님은 같은 키의 다른 선생님과 비교하여 몸무게가 적게 나간다.
⑤ 지현 : 키와 몸무게가 대체로 양의 상관관계를 보이고 있다.

045 다음 산점도 중 지능지수와 머리 크기의 산점도를 가장 바르게 표현한 것은?

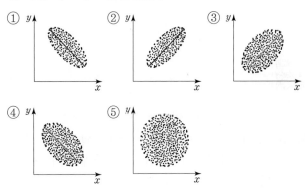

046 그림은 어느 반 15명의 1차, 2차 영어 쓰기 평가 성적을 나타낸 산점도이다.

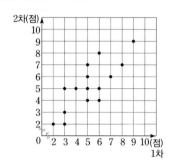

1차보다 2차에 영어 쓰기 실력이 떨어진 학생들의 2차 쓰기 평가 성적의 평균을 구하여라. (단, 소수 둘째 자리에서 반올림한다.)

047 그림은 어느 반 20명의 과학과 수학 성적을 나타낸 산점도이다.

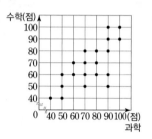

수학 성적이 과학 성적보다 높거나 같으면서 수학 성적이 80점 이상인 학생의 수학 성적의 평균은?

① 80점   ② 85점   ③ 90점
④ 95점   ⑤ 100점

[048~049] 그림은 학생 15명의 국어 말하기와 쓰기 영역 성적을 나타낸 산점도이다.

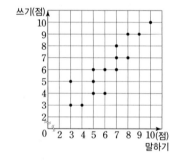

048 두 영역의 성적이 모두 7점 이상인 학생은 전체의 몇 %인가?

① 31 %   ② 34 %   ③ 37 %
④ 40 %   ⑤ 43 %

★★
049 적어도 한 영역이 5점 이하인 학생에게는 추가 과제를 부여한다고 할 때, 추가 과제를 할 학생은 전체의 몇 %인지 계산하여라. (단, 소수 둘째 자리에서 반올림한다.)

[050~051] 그림은 학생 20명의 미술 만들기와 그리기 영역 성적을 나타낸 산점도이다.

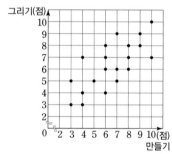

050 만들기 성적이 6점 이상 8점 미만인 학생의 그리기 영역 성적의 평균은? (단, 소수 둘째 자리에서 반올림한다.)

① 6.4점   ② 6.6점   ③ 6.8점
④ 7점   ⑤ 7.2점

051 두 영역이 모두 6점 이상인 학생의 비율과 모두 5점 미만인 학생의 비율의 차를 구하여라.

052 그림은 정현이네 반 20명의 도덕 1차, 2차 지필 평가의 결과를 나타낸 산점도이다.

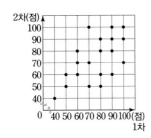

정현이의 도덕 1차 성적은 60점이고, 2차 성적은 70점일 때, 정현이보다 1차 성적도 높고, 2차 성적도 높은 학생 수를 구하여라.

053 그림은 형종이네 반 20명의 수학, 과학 지필 평가의 결과를 나타낸 산점도이다.

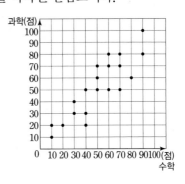

적어도 한 과목이 60점 이상이고, 두 과목 모두 90점 미만인 학생은 전체의 몇 %인가?

① 40 % 　② 45 % 　③ 50 %
④ 55 % 　⑤ 60 %

054 그림은 지능지수와 수학 성적을 조사하여 나타낸 산점도이다. 다음 중 옳은 것은?

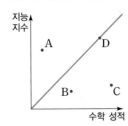

① A는 지능지수는 낮으나 수학 성적은 높다.
② B는 지능지수는 높으나 수학 성적은 낮다.
③ C는 지능지수도 낮고 수학 성적도 낮다.
④ D는 지능지수와 수학 성적이 같다.
⑤ 지능지수와 수학 성적은 강한 양의 상관관계가 있다고 판단할 수는 없다.

055 그림은 어느 회사 직원들의 지난 달 소득과 저축액을 조사하여 나타낸 산점도이다. 소득과 비교하여 비교적 저축을 가장 많이 한 사람은?

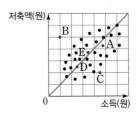

① A 　② B 　③ C
④ D 　⑤ E

056 그림은 어느 반 20명의 역사탐구 대회와 독도 글쓰기 대회 점수를 나타낸 산점도이다. 두 점수의 합이 상위 20 % 안에 드는 학생들의 독도글쓰기 대회 점수의 평균을 구하여라.

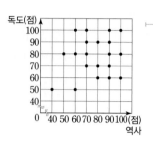

> 먼저, 문제에서 제시한 조건에 속하는 학생 수를 구하자. [50%]

> 그다음, 이 학생들에 대하여 원하는 변량을 확인하고 나열해 보자. [30%]

> 그래서, 이들의 평균을 구하자. [20%]

057 그림은 어느 반 15명의 달리기와 멀리 던지기 점수를 나타낸 산점도이다. 달리기 점수와 멀리 던지기 점수가 모두 7점 이상인 학생들의 멀리 던지기 점수의 평균을 구하여라.

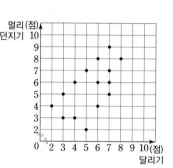

> 먼저,

> 그다음,

> 그래서,

058 그림은 어느 반 20명의 수학과 영어 점수를 나타낸 산점도이다. 수학과 영어 성적의 차가 20점 이상인 학생은 전체의 몇 %인지 구하여라.

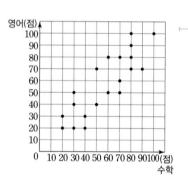

> 먼저, 기준선을 긋자. [10%]

> 그다음, 기준선을 기준으로 성적 차이가 나는 점을 찾자. [60%]

> 그래서, 구하고자 하는 값을 계산하자. [30%]

059 그림은 어느 반 15명의 도덕과 사회 수행평가 점수를 나타낸 산점도이다. 도덕과 사회 점수가 같은 학생 수를 a, 두 성적의 차가 5점 이상 10점 미만인 학생 수를 b라 할 때, $a+b$의 값을 구하여라.

> 먼저,

> 그다음,

> 그래서,

060 그림은 어느 반 학생 15명에 대한 음악과 미술 성적을 나타낸 산점도이다.

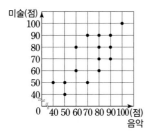

음악보다 미술 성적이 낮은 학생 수를 구하고, 그들의 미술 성적의 평균을 각각 구하여라. (단, 반올림하여 소수 첫째 자리까지 나타내어라.)

....

....

....

061 그림은 어느 반 학생 14명의 키와 몸무게를 나타낸 산점도이다.

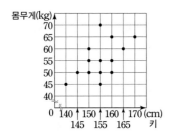

몸무게가 40 kg 이상 60 kg 미만이고, 키가 150 cm 이상 170 cm 미만인 학생들은 전체의 몇 %인지 구하여라.

....

....

....

062 그림은 어느 지역의 차량 수와 대기 오염도를 나타낸 산점도이다.

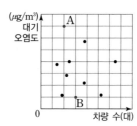

두 지역 A, B의 특징을 각각 서술하여라.

....

....

....

....

063 표는 학생 15명의 1일 평균 수면 시간과 건강 상태를 점수로 나타낸 것이다. 다음 산점도를 완성하고, 상관관계를 말하여라.

수면 시간 (시간)	건강 점수 (점)	수면 시간 (시간)	건강 점수 (점)	수면 시간 (시간)	건강 점수 (점)
4	80	6	60	7	70
4	100	6	70	7	80
5	70	6	80	7	90
5	80	6	90	8	70
5	90	6	100	8	100

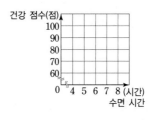

....

....

....

17 DAY

최고난도 만점 문제

064 그림은 학생 20명의 수학과 과학 성적을 나타낸 산점도이다. 다음 중 옳은 것을 있는 대로 골라라.

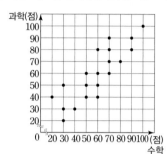

ㄱ. 수학과 과학 성적이 모두 80점 이상인 학생은 6명이다.

ㄴ. 수학 성적이 90점인 학생들의 과학 성적의 평균은 90점이다.

ㄷ. 과학 성적이 40점인 학생들의 수학 성적의 평균은 대략 43.3점이다.

ㄹ. 수학 성적이 80점 이상인 학생은 두 과목 성적의 평균이 상위 20 % 안에 든다.

---

065 그림은 공부 시간과 학업성취도의 관계를 나타낸 산점도이다. 다음 중 옳지 않은 것을 모두 고르면?

(정답 2개)

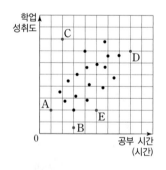

① 공부 시간과 학업성취도 사이에는 대체적으로 양의 상관관계가 있다.

② A는 공부 시간도 적고 학업성취도 낮은 편이다.

③ B는 공부 시간에 비하여 학업성취도가 높은 편이다.

④ B는 C와 비교하여 공부 시간이 많다.

⑤ C는 A와 비교하여 학업성취도가 낮다.

[066~068] 그림은 도형이네 반 학생 20명의 2회에 걸친 과학 실험 점수를 나타낸 산점도이다. 물음에 답하여라.

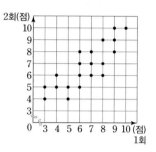

066 2회 실험 점수가 1회 실험 점수보다 낮은 학생은 재실험을 한다고 할 때, 재실험을 해야 하는 학생들의 1회 점수의 평균과 2회 점수의 평균의 차는?

(단, 소수 둘째 자리에서 반올림한다.)

① 0점   ② 0.6점   ③ 1.2점

④ 1.8점   ⑤ 2.4점

067 2회 실험 점수가 1회 실험 점수보다 높고, 1, 2회의 실험 점수의 평균이 5점 이상인 학생은 전체의 몇 %인가?

① 15 %   ② 20 %   ③ 25 %

④ 30 %   ⑤ 35 %

068 1회의 실험 점수로 8등인 학생의 2회 실험에서의 등수가 될 수 있는 것은?

① 4등   ② 6등   ③ 8등

④ 10등   ⑤ 12등

memo

memo

⊙ (주)수경출판사의 모든 교재에는  가 있습니다.

⊙ 교재의 **마인드 트리** 5개를 모아서 보내주시는 모든 분께 선물을 드립니다.

⊙ 각각 다른 교재의 **마인드 트리**를 모아 주셔야 됩니다.

>> 다음 교재 중 1권과 개념정리 노트 1권을 드립니다.
- 형상기억 수학공식집(중1)
- 형상기억 수학공식집(중등 종합)
- 보카 레슨 Level **1**
- 보카 레슨 Level **2**
- 보카 레슨 Level **3**

중 1권 + 개념정리 노트 1권

＊오려서 보내 주세요.

⊙ 보내실 곳 : 서울시 영등포구 양평로 21길 26(양평동 5가) IS비즈타워 807호
　　　　　　(주)수경출판사 (우 07207)

⊙ 언제든지 엽서에 붙이거나, 편지 봉투에 넣어 보내 주세요.

풀이나 스카치 테이프를 이용해 붙여 주세요.

우 편 봉 함 엽 서

보내는 사람

＊주소 _____

＊이름 _____　＊학년 (중 ____ , 고 ____)

□ □ □ □ □

우표

받는 사람
서울시 영등포구 양평로 21길 26(양평동 5가)
IS비즈타워 807호
(주)수경출판사 교재 기획실

0 7 2 0 7

자이스토리 중등 수학3(하)

2024
Mind Tree
자이스토리

Mind Tree

5개를 모아 보내 주세요!

(각각 다른 교재로)

---

1. 이 책을 구입하게 된 동기는 무엇입니까? [교재명 : 　　　　　　　　　　　　　　　]

① 서점에서 다른 책들과 비교해 보고　② 광고를 보고/듣고　③ 학교/학원 보충 교재 [학교명(학원명): 　　　]
④ 선생님의 추천　　　　　　　　　⑤ 친구/선배의 권유　⑥ 기타 [　　　　　　　　　]

2. 교재를 선택할 때 가장 큰 기준이 되는 것은?(복수 응답 가능)

① 유명 출판사　　　② 교재 내용　　　③ 디자인　　　④ 난이도
⑤ 교재 분량　　　　⑥ 해설　　　　　⑦ 동영상 강의　⑧ 기타 [　　　　　]

3. 이 책의 전반적인 부분에 대한 질문입니다.

◆ 표지 디자인: 좋다 □　보통이다 □　좋지 않다 □　　◆ 본문 디자인: 좋다 □　보통이다 □　좋지 않다 □
◆ 문제 난이도: 어렵다 □　알맞다 □　쉽다 □　　　　◆ 교재의 분량: 많다 □　알맞다 □　적다 □

4. 이 책의 구성 요소를 평가한다면?

・개념 다지기 (　　)　　　　　・유형 다지기(학교시험+학력평가) (　　)　　・잘 틀리는 유형 +1up (　　)
・서술형 다지기 (　　)　　　　・최고난도 만점 문제 (　　)　　　　　　・해설/오답 피하기 (　　)

① 매우 만족　　　② 만족　　　③ 보통　　　④ 불만　　　⑤ 매우 불만

5. 이 책에서 추가되어야 할 점이 있다면 무엇입니까?

_____

_____

_____

6. 최근 본인이 크게 도움을 받은 책이 있다면?(또는 가장 인기있는 교재는?)

교재명 : _____ 과목 : _____

_____

_____

_____

7. 내가 원하는 교재가 있다면?

_____

_____

_____

_____

_____

이름 :	연락처 :	이메일 :
	학 교 :	학 년 :

Fighting!

외롭고 고된 자신과 싸움의 시간이 힘드셨죠?
꾹 참고 이겨내고 있는
당신의 모습에 경의를 보냅니다.
합격은 당신의 것입니다.

❄ 마인드 트리를 붙이고 원하는 교재를 체크하세요.

mind tree 1	mind tree 2	mind tree 3

mind tree 4	mind tree 5

※ 원하는 교재를 1권 체크

☐ 형상기억
수학공식집
중1

☐ 형상기억
수학공식집
중등 종합

☐ 보카 레슨
Level 1

☐ 보카 레슨
Level 2

☐ 보카 레슨
Level 3

개념 * 유형 * 서술형으로 중등 수학 완성!

xistory
중등 자이스토리

xistory stands for extra intensive story for
an entrance examination for a university.

개념 유형 서술형

해 설 편

중등
수학3(하)

자이스토리 동영상 강의 – 유튜브 채널
'셀프수학'

자이스토리·수경출판사

수학 공식과 개념을 머릿속에 사진으로 **저장!**

형상기억 수학 공식집

2015 개정 교육 과정

[고등 수학 공식집]

· [고1용] 고1 수학
· [인문계용] 수학 I + 수학 II + 확률과 통계
· [자연계용] 수학 I + 수학 II + 확률과 통계
　　　　　　+ 미적분 + 기하

[중등 수학 공식집]

· [학년편] 중1 수학 / 중2 수학 / 중3 수학
· [종합편] 3개년 수학 종합 (중1+중2+중3)

---

❶ 개념의 압축 정리 + 공식의 형상화

내신 + 수능 대비를 위한 교과서 핵심 개념과 공식을 쉽게 공부할 수 있도록 압축 정리하였습니다. 또, 추상적인 개념이나 공식을 형상화하여 머릿속에 확실히 각인시킵니다.

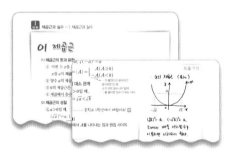

❷ 한 권으로 끝내는 개념 + 공식 총정리

수학은 연계 + 계통 학습이 매우 중요합니다. 초등부터 고등까지 수학 개념의 연계 과정을 알 수 있게 단계별로 관련 내용을 정리하여 개념의 이해를 돕고, 확장 개념에 대한 수학적 사고력을 높여줍니다.

❸ 공식을 문제에 적용하는 훈련으로 수학 실력 완성

수학 공식은 단순히 외우기만 해서는 안 됩니다. 핵심 개념 문제와 종합 연습 문제를 통해 문제에 어떻게 적용하고 풀어야 하는지를 단계별로 학습하면 공식과 개념을 한 층 더 깊게 이해 할 수 있어 수학 실력이 쑥쑥 오릅니다.

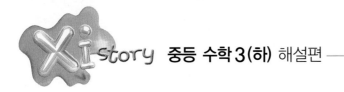

Contents

★ 빠른정답찾기는 p.2~5에서 제공합니다.
★ 개념 체크의 문제는 빠른정답찾기에서 정답만을 제공합니다.

J 삼각비

문제편 p. 11

[개념 체크]

001 $\overline{AD}, \overline{BC}$　　　　**002** $\overline{AD}, \overline{AB}$

003 $\overline{AE}, \overline{BC}$　　**004** $\dfrac{2\sqrt{13}}{13}$　**005** $\dfrac{3\sqrt{13}}{13}$　**006** $\dfrac{2}{3}$

007 $\dfrac{3\sqrt{13}}{13}$　**008** $\dfrac{2\sqrt{13}}{13}$　**009** $\dfrac{3}{2}$　**010** 1　**011** $\sqrt{2}$

012 $\dfrac{1}{2}$　**013** $\dfrac{\sqrt{3}}{2}$　**014** $-\dfrac{\sqrt{3}}{2}$　**015** 1　**016** $\dfrac{1}{2}$

017 $\dfrac{\sqrt{3}}{2}$　**018** $\dfrac{1}{2}$　**019** $\dfrac{3}{2}$　**020** $\dfrac{2\sqrt{3}}{3}$　**021** 30

022 60　　**023** 30　　**024** 50　　**025** 20　　**026** 24

027 30　　**028** $\overline{AB}$　　**029** $\overline{OB}$　　**030** $\overline{CD}$　　**031** 0.7431

032 0.6691　**033** 1.1106　**034** $\sin 40°, \cos 1°, \sin 90°, \tan 47°$

035 0　　**036** 2　　**037** 1　　**038** 1　　**039** 1

040 1　　**041** 0.9703　**042** 0.2250　**043** 0.9659　**044** 0.2867

045 1.2163　**046** 0.5455　**047** 0.6988　**048** 0.7120　**049** $82°$

050 $84°$　　**051** $80°$

[유형 다지기]

052 ②　　**053** ④　　**054** $\dfrac{c^2}{b^2}$　**055** ⑤　　**056** ②

057 ②　　**058** ⑤　　**059** ④　　**060** ②　　**061** ⑤

062 $4+4\sqrt{3}$　**063** $\dfrac{32\sqrt{5}}{5}$　**064** 12 cm　**065** ⑤　　**066** ④

067 $\dfrac{11}{5}$　**068** ④　　**069** ②, ⑤　**070** ⑤　　**071** ②

072 ④　　**073** ②　　**074** $\dfrac{5+\sqrt{11}}{6}$　**075** ①

076 ③　　**077** $\dfrac{1}{2}$　**078** ③　　**079** ①　　**080** ②

081 ①　　**082** $\dfrac{\sqrt{3}}{2}$　**083** ③　　**084** $10\sqrt{3}$ cm

085 18　　**086** ③　　**087** $4\sqrt{3}$　**088** ④　　**089** ③

090 ②　　**091** $3\sqrt{3}-4$　**092** $\dfrac{\sqrt{6}}{3}$　**093** $\dfrac{2\sqrt{2}}{3}$　**094** ①

095 ⑤　　**096** ③　　**097** $\overline{DE}$　　**098** 증가, 감소

099 ㄴ, ㄷ, ㄹ　　**100** ②　　**101** 0.3　**102** ②

103 $\sqrt{3}$　**104** ②　　**105** ③　　**106** ⑤　　**107** $\dfrac{9}{2}$

108 ②　　**109** ①　　**110** ⑤　　**111** ②

112 $-1+\cos x$　**113** ④　　**114** ④　　**115** ③

116 (1) 1.3431 (2) 0.4884　**117** 0.9793　**118** $30°$　**119** $61°$

120 14.064　**121** 19.68　**122** 142.81　**123** 29.7

[잘 틀리는 유형 훈련]

124 ⑤　　**125** ⑤　　**126** $\dfrac{4}{5}$　**127** ④　　**128** ④

129 ③　　**130** ②　　**131** ①　　**132** ②　　**133** ③

134 ①　　**135** ③　　**136** ⑤　　**137** $\dfrac{7}{5}$

138 $1-\sin A$　　**139** $\dfrac{1}{2}$　**140** ②　　**141** ③

142 ③　　**143** ③

[서술형 다지기]

144 $\dfrac{8}{5}$　**145** $\dfrac{\sqrt{3}}{4}$　**146** $\dfrac{27}{20}$　**147** $4(3+\sqrt{3})$

148 $y=\dfrac{\sqrt{3}}{3}x+2\sqrt{3}$　**149** $\dfrac{\sqrt{2}}{2}$　**150** 2.25

151 $(\sqrt{3}-1)$ cm　**152** $\sqrt{3}$　**153** $1+\sqrt{2}$

[최고난도 만점 문제]

154 $\dfrac{1+\sqrt{5}}{4}$　**155** $\dfrac{3\sqrt{5}}{5}$　**156** ③　**157** $\sqrt{2}$　**158** $\dfrac{\sqrt{3}}{3}$

159 $x<y$

K 삼각비의 활용

문제편 p. 33

[개념 체크]

001 $x=3, y=3\sqrt{3}$　　　　**002** $x=6\sqrt{3}, y=3\sqrt{3}$

003 $x=4\sqrt{2}, y=4$　　　　**004** $x=2\sqrt{2}, y=2\sqrt{2}$

005 $x=6\sqrt{2}, y=12$　　**006** $x=\dfrac{2\sqrt{3}}{3}, y=2\sqrt{2}$　**007** $2\sqrt{21}$

008 $\sqrt{5}$　**009** $2\sqrt{6}$　**010** $4\sqrt{6}$　**011** $6(3-\sqrt{3})$

012 $4\sqrt{3}$　**013** $12\sqrt{6}$　**014** $12\sqrt{2}$　**015** $6\sqrt{3}$　**016** $7\sqrt{2}$

017 $10\sqrt{2}$　**018** $18\sqrt{3}$　**019** $135\sqrt{2}$　**020** 42　**021** $\dfrac{15\sqrt{3}}{2}$

022 $5\sqrt{3}$　**023** $20\sqrt{2}$　**024** $72\sqrt{3}$

[유형 다지기]

025 ①　　**026** ④　　**027** ⑤　　**028** 14.5　**029** ⑤

030 ⑤　　**031** ⑤　　**032** $36\sqrt{14}$ cm³　　**033** 96 cm²

034 $108\sqrt{3}$　**035** $\sqrt{2}$　**036** ④　　**037** ①　　**038** ④

039 81.52 m　**040** 46.5 m　**041** ④　　**042** ②　　**043** 40 cm

044 $3+\sqrt{3}$　**045** ②　　**046** ②　　**047** $3\sqrt{6}$　**048** ⑤

049 $9(\sqrt{6}+3\sqrt{2})$　**050** ⑤　　　　**051** 100 m　**052** 100 m

053 $10\sqrt{31}$ m   054 $50(\sqrt{3}-1)$ m

055 $4(\sqrt{3}-1)$ 056 ③   057 $2(\sqrt{3}+1)$

058 ④   059 $50(3-\sqrt{3})$ m   060 $7(\sqrt{3}+1)$ m

061 $\dfrac{100}{\tan 35°-\tan 15°}$ m   062 6 m   063 ③

064 4 cm²   065 $20\sqrt{3}$ cm²   066 ②   067 ③

068 ④   069 $4\sqrt{19}$ cm   070 ②   071 ①

072 ④   073 ②   074 ②   075 ④   076 2.1

077 $3:1:3$ 078 ④   079 $6\sqrt{3}$ cm²

080 8 cm²   081 ③   082 ④   083 ②   084 $3\sqrt{3}$ cm²

085 ①   086 ③   087 ③   088 ②   089 ⑤

090 ④   091 ③   092 ③   093 4   094 ②

095 $14\sqrt{3}$ cm²   096 $96\sqrt{3}$ cm²   097 ④

[잘 틀리는 유형 훈련]

098 ②   099 ①, ③   100 $72\sqrt{2}$ cm²   101 48 cm²

102 ⑤   103 ③   104 $150\sqrt{3}$ m   105 $8\sqrt{3}$ m

106 12.52 m   107 9.5 m   108 ③   109 ④   110 30 cm²

111 $\dfrac{35\sqrt{3}}{8}$ cm²   112 $\dfrac{28\sqrt{3}}{61}$ 113 ④   114 ①

115 4   116 ③   117 ④   118 $9\sqrt{3}$ cm²

119 $(24-10\sqrt{3})$ cm²   120 $(3-\sqrt{3})$ km

121 14.165 km

[서술형 다지기]

122 $9(\sqrt{3}+1)$ m   123 $4(3+\sqrt{3})$ m   124 1.4 m

125 $6(2-\sqrt{3})$ cm   126 1102 m   127 $4(1+\sqrt{3})$ cm

128 $\dfrac{129\pi-153\sqrt{3}}{2}$ 129 30   130 122 m

131 $20\sqrt{2}$ cm²

[최고난도 만점 문제]

132 ③   133 ⑤   134 $2\sqrt{21}$ km   135 $12\sqrt{3}$

136 ⑤   137 $16\sqrt{3}$ cm²

Ⅱ 원과 직선
문제편 p. 55

[개념 체크]

001 2   002 90   003 5   004 4   005 120

006 수선   007 수직이등분선   008 3   009 8

010 14   011 3   012 5   013 $\sqrt{5}$ 014 60

015 50   016 100   017 $\sqrt{11}$ 018 8   019 8

020 x cm   021 $(11-x)$ cm   022 6   023 13 cm

024 2 cm   025 4   026 6

[유형 다지기]

027 ②   028 ③   029 135°   030 ③   031 3 cm

032 ㄴ, ㄷ, ㄹ   033 ③   034 ④   035 ②

036 15 cm   037 10 cm   038 ⑤   039 ①   040 $8\sqrt{3}$ cm

041 ③   042 $\dfrac{17}{3}$ cm   043 ②   044 ④   045 13π cm

046 ⑤   047 ④   048 $8\sqrt{3}$ cm   049 120°   050 8 cm

051 ④   052 ⑤   053 ③   054 ②   055 62°

056 ④   057 $4\sqrt{3}$ cm²   058 130°   059 66°   060 ④

061 $\dfrac{4}{3}\pi$ cm²   062 ③   063 4 cm   064 5   065 ③

066 ④   067 ⑤   068 $\dfrac{27\sqrt{3}}{4}$ cm²   069 2π cm²

070 ⑤   071 18 cm   072 4 cm   073 24 cm   074 $\sqrt{21}$

075 ⑤   076 5   077 4 cm   078 6 cm   079 ⑤

080 15   081 1 cm   082 6 cm   083 13 cm   084 ④

085 13 cm   086 1 cm   087 $(6-\pi)$ cm²   088 ⑤

089 60 cm²   090 6 cm   091 ⑤   092 ②   093 ⑤

094 ③   095 ②   096 6 cm   097 ④   098 3 cm

099 2   100 6 cm²   101 10 cm   102 4 cm

103 $40(2-\sqrt{3})\pi$ 104 $2:1$ 105 $2\sqrt{6}$ cm

[잘 틀리는 유형 훈련]

106 ③   107 5 cm   108 $(12\pi-9\sqrt{3})$ cm²   109 10 cm

110 ⑤   111 $10\sqrt{3}$ 112 ②   113 8 cm   114 ②

115 14 cm   116 ③   117 $4\sqrt{3}$ cm   118 $\dfrac{4\sqrt{3}}{3}$ cm²

119 $4(1+\sqrt{3})$ cm   120 $(2\sqrt{3}-\pi)$ cm²   121 11.56π cm²

122 60 cm²   123 11 cm   124 $(40-8\pi)$ cm²   125 $24-4\pi$

126 ④   127 2   128 $\dfrac{10}{3}$ cm   129 $(16-4\pi)$ cm²

[서술형 다지기]

130 $10\sqrt{3}$ 131 24   132 7   133 9   134 18 cm

135 $4\sqrt{13}$ cm   136 1 cm   137 4π cm   138 $\sqrt{69}$ cm

139 $\dfrac{32}{5}$

[최고난도 만점 문제]

140 26 cm   141 $9\sqrt{2}\pi$ cm³   142 30 cm²   143 3π cm

144 12   145 $\dfrac{27\sqrt{5}}{2}$ cm²

M 원주각

문제편 p. 77

[개념 체크]

001 40°   **002** 55°   **003** 150°   **004** 96°

005 ∠x=42°, ∠y=34°   **006** ∠x=46°, ∠y=85°

007 ∠x=30°, ∠y=55° **008** 90°   **009** 60°   **010** 20

011 4   **012** 40°   **013** 95°

014 ∠x=80°, ∠y=110°

015 ∠x=65°, ∠y=115°   **016** 87°   **017** 35°

018 ○   **019** ×   **020** 107°   **021** 30°   **022** 43°

023 93°   **024** 44°   **025** 75°   **026** 61°

[유형 다지기]

027 65°   **028** ④   **029** ④   **030** ③   **031** 115°

032 (1) 60° (2) 65°   **033** (1) 180° (2) 156°   **034** 100°

035 ③   **036** ③   **037** ②   **038** ①   **039** ③

040 60°   **041** ④   **042** (1) ∠x=35° (2) ∠y=65°

043 ④   **044** 28°   **045** ④   **046** ④   **047** ⑤

048 23°   **049** ③   **050** $8\sqrt{2}$ cm **051** $\dfrac{7}{5}$ **052** ③

053 $\dfrac{\sqrt{35}}{7}$ **054** 9   **055** ③   **056** $(6+2\sqrt{3})$ cm

057 ①   **058** $27\sqrt{3}$ cm²   **059** ②   **060** 64°

061 ①   **062** 28°

063 ∠A=60°, ∠B=80°, ∠C=40°   **064** 80°

065 ④   **066** 25°   **067** $\dfrac{1}{9}$ 배   **068** ④   **069** 14π

070 ④   **071** ③   **072** ③   **073** ②   **074** ⑤

075 ∠x=112°, ∠y=110°   **076** 266°   **077** ④

078 ⑤   **079** ④   **080** ②   **081** 80°   **082** ②

083 ③   **084** ③   **085** 65°   **086** ④   **087** ③

088 ③   **089** ③   **090** ④   **091** ⑤

092 ㄱ, ㄴ, ㄷ   **093** ⑤   **094** (1) 92° (2) 95°

095 ⑤   **096** ㄱ, ㄴ, ㅂ   **097** ③   **098** ③

099 (1) 50° (2) 50°   **100** ②   **101** 80°   **102** 29°

103 ②   **104** ⑤   **105** ①   **106** ②   **107** ④

108 5 : 13   **109** ⑤   **110** ③   **111** 65°   **112** 63°

113 ④   **114** ①   **115** ∠x=65°, ∠y=65°

116 ②   **117** ③   **118** ∠x=62°, ∠y=62° **119** ②

[잘 틀리는 유형 훈련]

120 ④   **121** ⑤   **122** ②   **123** ②   **124** ③

125 ③   **126** ③   **127** ④   **128** ③   **129** ⑤

130 85°   **131** 38°   **132** ④   **133** ③   **134** ④

135 ④   **136** ②   **137** ②   **138** $\dfrac{32}{5}$ **139** $\dfrac{75}{2}$

140 ⑤   **141** ①   **142** ⑤   **143** ②

[서술형 다지기]

144 ∠x=54°, ∠y=38° **145** ∠x=50°, ∠y=25° **146** 34°

147 72°   **148** 25°   **149** 27π cm²   **150** 55°

151 110°   **152** 39°   **153** 7

[최고난도 만점 문제]

154 ①   **155** ②   **156** ④   **157** ②   **158** ⑤

159 40°

N 대푯값과 산포도

문제편 p. 101

[개념 체크]

001 21000원   **002** 7000원 **003** 8   **004** 19.4

005 15   **006** $\dfrac{8}{15}$ **007** 파랑 **008** 26, 27 **009** 없다

010 야구   **011** 평균 24회, 중앙값 23회, 최빈값 18회

012 시속 55 km

013 −3, 4, 6, −7, −8, −3, −1, 5, 4, 3

014 시속 0 km

015 수학 : 분산 30, 표준편차 $\sqrt{30}$점,

        영어 : 분산 200, 표준편차 $10\sqrt{2}$점

016 수학   **017** 9점   **018** 1   **019** 1점

[유형 다지기]

020 (1) 84점 (2) 89점   **021** 5   **022** 83점   **023** 75.8점

024 ③   **025** 51 kg   **026** 2편   **027** ③

028 평균 8.4점, 중앙값 8.5점   **029** 78점   **030** 7시간

031 200만 원   **032** ⑤   **033** ①   **034**

③

035 (1) 11 (2) 10   **036** 46   **037** 16

038 $a=1, b=2$ **039** 평균 86점, 중앙값 88점

040 72

041 평균 10.4개, 중앙값 10개, 최빈값 5개   **042** ②

043 (1) 중앙값 6.5시간, 최빈값 6시간

(2) 중앙값 6시간, 최빈값 6시간

044 25.15   **045** ②   **046** ①   **047** ②, ④

048 평균 6.6시간, 중앙값 2.5시간, 중앙값이 대푯값으로 적절

하다.

049 ②   **050** ④   **051** ①   **052** ④   **053** ④

054 ①   **055** 70점   **056** 63 kg   **057** ③   **058** 87점

059 80점   **060** 87   **061** ⑤   **062** ①   **063** 3.6

064 ④   **065** 216   **066** ②   **067** 2

068 평균 20, 분산 20   **069** ①   **070** 1

071 분산 6, 표준편차 $\sqrt{6}$ **072** $2\sqrt{3}$개   **073** $\sqrt{10}$ **074** $\dfrac{5\sqrt{3}}{3}$개

075 $\sqrt{6.8}$점   **076** $-\dfrac{117}{2}$ **077** ⑤   **078** ④   **079** ④

080 ③   **081** $a=0$, $b=10$ **082** $\sqrt{82}$점

083 평균 75점, 분산 108   **084** 19.8   **085** $\sqrt{26}$ kg   **086** ②

087 ①   **088** ⑤   **089** ①   **090** ㄱ, ㄷ   **091** ④

092 ㄴ, ㄷ   **093** 영훈   **094** A, C   **095** 영어   **096** ②

097 D

[잘 틀리는 유형 훈련]

098 13   **099** $a=15$, $b=17$ **100** 40   **101** 47

102 3, 8   **103** 7   **104** 28   **105** 16.9   **106** 142

107 99   **108** 2, 10   **109** 4, 6   **110** ②

111 $a=b<c$ **112** ①   **113** E, B

[서술형 다지기]

114 평균 5.7, 중앙값 6, 최빈값 9

115 평균 23.9, 중앙값 23.5, 최빈값 23

116 9   **117** $2\sqrt{29}$ **118** 9개

119 (1) 평균 9.8권, 중앙값 6권, 최빈값 7권 (2) 해설 참조

120 52   **121** 2   **122** 평균 80점, 분산 65   **123** 15

[최고난도 만점 문제]

124 ⑤   **125** 24.5   **126** 40   **127** 42   **128** $\sqrt{3}$

129 평균 8점, 분산 17   **130** 10.5

131 평균 2.5, 표준편차 $\dfrac{\sqrt{15}}{2}$

◎ 산점도와 상관관계   문제편 p. 121

[개념 체크]

001 80, 80   **002** 80점   **003** 80점   **004** 4명   **005** 3명

006 3명   **007** ①   **008** ③   **009** ②, ④

010 음의 상관관계   **011** 음의 상관관계

012 양의 상관관계

[유형 다지기]

013 해설 참조   **014** 해설 참조

015 해설 참조   **016** 해설 참조   **017** ③

018 ④   **019** ④   **020** ②   **021** ③   **022** ②

023 ⑤   **024** ④   **025** ②   **026** ③   **027** ⑤

028 ⑤   **029** ①   **030** B   **031** ③   **032** ③, ⑤

033 ⑤   **034** ④   **035** ③   **036** 3.5점   **037** ②

038 ④   **039** 4.3시간   **040** ④   **041** ②   **042** ③, ④

043 ③   **044** ④   **045** ⑤

[잘 틀리는 유형 훈련]

046 4.7점   **047** ③   **048** ④   **049** 46.7 %   **050** ①

051 45 %   **052** 8명   **053** ②   **054** ⑤   **055** ②

[서술형 다지기]

056 92.5점   **057** 8점   **058** 35 %   **059** 14

060 6명, 61.7점   **061** 50 %   **062** 해설 참조

063 해설 참조

[최고난도 만점 문제]

064 ㄷ   **065** ③, ⑤   **066** ③   **067** ④   **068** ③

J 삼각비

개념 체크 001~051 정답은 p. 2에 있습니다.

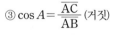

p. 14

052 답 ②

$\sin A = \dfrac{a}{c}$, $\cos A = \dfrac{b}{c}$, $\tan A = \dfrac{a}{b}$

따라서 옳은 것은 ②야.

오답피하기

어떤 각에 대하여 sin, cos, tan의 값을 구할 때 그 각에 따라 밑변과 높이가 바뀜에 주의해야 해.

이 문제에서 $\sin A = \dfrac{b}{c}$, $\cos A = \dfrac{a}{c}$, $\tan A = \dfrac{b}{a}$ 로 구했다면

$\sin A = \dfrac{(높이)}{(빗변의\ 길이)}$, $\cos A = \dfrac{(밑변의\ 길이)}{(빗변의\ 길이)}$,

$\tan A = \dfrac{(높이)}{(밑변의\ 길이)}$ 로 정의되어 있는 것을 제대로 이해하지 못했다는 거야.

어떤 각을 기준으로 하느냐에 따라 밑변과 높이의 의미가 달라지기 때문이지.

예를 들어, 이 문제의 직각삼각형 ABC에서 ∠B를 기준으로 보면 빗변의 길이는 c, 밑변은 a, 높이는 b가 되겠지만, ∠A를 기준으로 보면 빗변의 길이는 c, 밑변은 b, 높이는 a가 된다는 거지.

따라서 어떤 각이 기준이냐에 따라 sin, cos, tan의 값이 달라지니까 주의하자.

053 답 ④

직각삼각형 ABC에서 A를 기준으로 생각하면 빗변은 $\overline{AB}$, 밑변은 $\overline{AC}$, 높이는 $\overline{BC}$지?

① $\sin A = \dfrac{\overline{BC}}{\overline{AB}}$ (거짓)

③ $\cos A = \dfrac{\overline{AC}}{\overline{AB}}$ (거짓)

⑤ $\tan A = \dfrac{\overline{BC}}{\overline{AC}}$ (거짓)

이번엔 직각삼각형 ABC에서 B를 기준으로 생각하면 빗변은 $\overline{AB}$, 밑변은 $\overline{BC}$, 높이는 $\overline{AC}$지?

② $\sin B = \dfrac{\overline{AC}}{\overline{AB}}$ (거짓)

④ $\cos B = \dfrac{\overline{BC}}{\overline{AB}}$ (참)

054 답 $\dfrac{c^2}{b^2}$

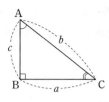

직각삼각형 ABC에서 A를 기준으로 생각하면 빗변은 $\overline{AC}$, 밑변은 $\overline{AB}$, 높이는 $\overline{BC}$

이므로 $\sin A = \dfrac{a}{b}$, $\cos A = \dfrac{c}{b}$

또, 직각삼각형 ABC에서 C를 기준으로 생각하면 빗변은 $\overline{AC}$, 밑변은 $\overline{BC}$, 높이는 $\overline{AB}$이므로 $\tan C = \dfrac{c}{a}$

$\therefore \sin A \times \cos A \times \tan C = \dfrac{a}{b} \times \dfrac{c}{b} \times \dfrac{c}{a} = \dfrac{c^2}{b^2}$

055 답 ⑤

직각삼각형 ABC에 피타고라스 정리를 적용하면

$\overline{AB}^2 = \overline{BC}^2 + \overline{AC}^2$

$2^2 = (\sqrt{3})^2 + \overline{AC}^2$

$\overline{AC}^2 = 1$ $\therefore \overline{AC} = 1$

직각삼각형 ABC에서 A를 기준으로 생각하면 빗변은 $\overline{AB}$, 밑변은 $\overline{AC}$, 높이는 $\overline{BC}$이므로

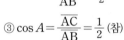

① $\sin A = \dfrac{\overline{BC}}{\overline{AB}} = \dfrac{\sqrt{3}}{2}$ (참)

③ $\cos A = \dfrac{\overline{AC}}{\overline{AB}} = \dfrac{1}{2}$ (참)

⑤ $\tan A = \dfrac{\overline{BC}}{\overline{AC}} = \dfrac{\sqrt{3}}{1} = \sqrt{3}$ (거짓)

또, 직각삼각형 ABC에서 B를 기준으로 생각하면 빗변은 $\overline{AB}$, 밑변은 $\overline{BC}$, 높이는 $\overline{AC}$이므로

② $\sin B = \dfrac{\overline{AC}}{\overline{AB}} = \dfrac{1}{2}$ (참)

④ $\cos B = \dfrac{\overline{BC}}{\overline{AB}} = \dfrac{\sqrt{3}}{2}$ (참)

056 답 ②

직각삼각형 ABC에 피타고라스 정리를 적용하면

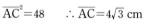

$\overline{BC}^2 = \overline{AB}^2 + \overline{AC}^2$

$8^2 = 4^2 + \overline{AC}^2$

$\overline{AC}^2 = 48$ $\therefore \overline{AC} = 4\sqrt{3}$ cm

직각삼각형 ABC에서 ∠$B = x$를 기준으로 생각하면 빗변은 $\overline{BC}$, 밑변은 $\overline{AB}$, 높이는 $\overline{AC}$이므로

$\tan x = \dfrac{\overline{AC}}{\overline{AB}} = \dfrac{4\sqrt{3}}{4} = \sqrt{3}$

직각삼각형 ABC에서 ∠$C = y$를 기준으로 생각하면 빗변은 $\overline{BC}$, 밑변은 $\overline{AC}$, 높이는 $\overline{AB}$이므로

$\tan y = \dfrac{\overline{AB}}{\overline{AC}} = \dfrac{4}{4\sqrt{3}} = \dfrac{1}{\sqrt{3}} = \dfrac{\sqrt{3}}{3}$

$\therefore \tan x + \tan y = \sqrt{3} + \dfrac{\sqrt{3}}{3} = \dfrac{4\sqrt{3}}{3}$

057 답 ②

직각삼각형 ABC에 피타고라스 정리를 적용하면
$4^2=3^2+\overline{AC}^2$, $\overline{AC}^2=7$ $\therefore \overline{AC}=\sqrt{7}$

직각삼각형 ABC에서 B를 기준으로 생각
하면 빗변은 $\overline{AB}$, 밑변은 $\overline{BC}$, 높이는 $\overline{AC}$
이므로

$\sin B = \dfrac{\overline{AC}}{\overline{AB}}=\dfrac{\sqrt{7}}{4}$, $\cos B=\dfrac{\overline{BC}}{\overline{AB}}=\dfrac{3}{4}$,

$\tan B=\dfrac{\overline{AC}}{\overline{BC}}=\dfrac{\sqrt{7}}{3}$

$\therefore$ (주어진 식)$=\left(\dfrac{\sqrt{7}}{4}+\dfrac{3}{4}\right)\times\left(\dfrac{\sqrt{7}}{3}-1\right)=\dfrac{\sqrt{7}+3}{4}\times\dfrac{\sqrt{7}-3}{3}$

$\qquad\qquad\qquad =\dfrac{(\sqrt{7})^2-3^2}{12}=-\dfrac{2}{12}=-\dfrac{1}{6}$

058 답 ⑤

직각삼각형 ABC에서 C를 기준으로 생각하면 빗변은 $\overline{AC}$, 밑변은
$\overline{BC}$, 높이는 $\overline{AB}$이므로 $\sin C=\dfrac{\overline{AB}}{\overline{AC}}$

이때, $\overline{AC}=18\,\mathrm{cm}$, $\sin C=\dfrac{2}{3}$이므로

$\dfrac{\overline{AB}}{18}=\dfrac{2}{3}$

$\therefore \overline{AB}=\dfrac{2}{3}\times18=12\,(\mathrm{cm})$

직각삼각형 ABC에 피타고라스 정리를 적용하면
$\overline{AC}^2=\overline{AB}^2+\overline{BC}^2$, $18^2=12^2+\overline{BC}^2$
$\overline{BC}^2=324-144=180$ $\therefore \overline{BC}=6\sqrt{5}\,(\mathrm{cm})$

059 답 ④

직각삼각형 ABC에서 A를 기준으로 생각
하면 빗변은 $\overline{AB}$, 밑변은 $\overline{AC}$, 높이는 $\overline{BC}$
이므로 $\tan A=\dfrac{\overline{BC}}{\overline{AC}}$

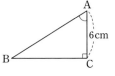

이때, $\tan A=\dfrac{3}{2}$, $\overline{AC}=6\,\mathrm{cm}$이므로

$\dfrac{\overline{BC}}{6}=\dfrac{3}{2}$

$\therefore \overline{BC}=\dfrac{3}{2}\times6=9\,(\mathrm{cm})$

060 답 ②

직각삼각형 ABC에서 A를 기준으로 생각
하면 빗변은 $\overline{AB}$, 밑변은 $\overline{AC}$, 높이는 $\overline{BC}$
이므로 $\cos A=\dfrac{\overline{AC}}{\overline{AB}}$

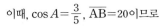

이때, $\cos A=\dfrac{3}{5}$, $\overline{AB}=20$이므로

$\dfrac{\overline{AC}}{20}=\dfrac{3}{5}$ $\therefore \overline{AC}=\dfrac{3}{5}\times20=12$

직각삼각형 ABC에 피타고라스 정리를 적용하면
$\overline{AB}^2=\overline{BC}^2+\overline{AC}^2$, $20^2=\overline{BC}^2+12^2$
$\overline{BC}^2=400-144=256$ $\therefore \overline{BC}=16$

061 답 ⑤

직각삼각형 ABC에서 B를 기준으로 생각하면 빗변은 $\overline{AB}$, 밑변은
$\overline{BC}$, 높이는 $\overline{AC}$이므로 $\tan B=\dfrac{\overline{AC}}{\overline{BC}}$

이때, $\tan B=\dfrac{2}{3}$, $\overline{AC}=4$이므로

$\dfrac{4}{\overline{BC}}=\dfrac{2}{3}$, $2\overline{BC}=12$

$\therefore \overline{BC}=6$

직각삼각형 ABC에 피타고라스 정리
를 적용하면
$\overline{AB}^2=\overline{AC}^2+\overline{BC}^2=4^2+6^2=52$
$\therefore \overline{AB}=\sqrt{52}=2\sqrt{13}$

따라서 삼각형 ABC의 둘레의 길이는
$\overline{AB}+\overline{BC}+\overline{CA}=2\sqrt{13}+6+4=10+2\sqrt{13}$

062 답 $4+4\sqrt{3}$

직각삼각형 ABC에서 A를 기준으로 생각하면 빗변은 $\overline{AB}$, 밑변은
$\overline{AC}$, 높이는 $\overline{BC}$이므로 $\sin A=\dfrac{\overline{BC}}{\overline{AB}}=\dfrac{\overline{BC}}{8}$

또, 직각삼각형 ABC에서 B를 기준으로 생각하면 빗변은 $\overline{AB}$, 밑
변은 $\overline{BC}$, 높이는 $\overline{AC}$이므로

$\sin B=\dfrac{\overline{AC}}{\overline{AB}}=\dfrac{\overline{AC}}{8}$

$\therefore \sin A+\sin B=\dfrac{\overline{BC}+\overline{AC}}{8}$

그런데 $\sin A+\sin B=\dfrac{1+\sqrt{3}}{2}$이므로

$\dfrac{\overline{BC}+\overline{AC}}{8}=\dfrac{1+\sqrt{3}}{2}$

$\therefore \overline{BC}+\overline{AC}=\dfrac{1+\sqrt{3}}{2}\times8=4+4\sqrt{3}$

063 답 $\dfrac{32\sqrt{5}}{5}$

직각삼각형 ABC에서 C를 기준으로
생각하면 빗변은 $\overline{BC}$, 밑변은 $\overline{AC}$, 높
이는 $\overline{AB}$이므로

$\cos C=\dfrac{\overline{AC}}{\overline{BC}}$

그런데 $\overline{AC}=8$, $\cos C=\dfrac{\sqrt{5}}{5}$이므로 $\dfrac{8}{\overline{BC}}=\dfrac{\sqrt{5}}{5}$

즉, $\sqrt{5}\,\overline{BC}=40$ $\therefore \overline{BC}=\dfrac{40}{\sqrt{5}}=\dfrac{40\sqrt{5}}{5}=8\sqrt{5}$

또, 직각삼각형 ADC에서 C를 기준으로 생각하면 빗변은 $\overline{AC}$, 밑
변은 $\overline{CD}$, 높이는 $\overline{AD}$이므로

$\cos C=\dfrac{\overline{CD}}{\overline{AC}}=\dfrac{\sqrt{5}}{5}$

$\therefore \overline{CD}=\dfrac{\sqrt{5}}{5}\times\overline{AC}=\dfrac{\sqrt{5}}{5}\times8=\dfrac{8\sqrt{5}}{5}$

$\therefore \overline{BD}=\overline{BC}-\overline{CD}=8\sqrt{5}-\dfrac{8\sqrt{5}}{5}=\dfrac{32\sqrt{5}}{5}$

064 답 12 cm

∠B＝∠C이므로 △ABC는 이등변삼각
형이야.
그림과 같이 꼭짓점 A에서 변 BC에 내린
수선의 발을 H라 하자.
직각삼각형 ABH에서 B를 기준으로 생
각하면 빗변은 $\overline{AB}$, 밑변은 $\overline{BH}$, 높이는
$\overline{AH}$이므로 $\cos B = \dfrac{\overline{BH}}{\overline{AB}}$지?

그런데 $\overline{AB}$＝9 cm, $\cos B = \dfrac{2}{3}$이므로 $\dfrac{\overline{BH}}{9} = \dfrac{2}{3}$

$\therefore \overline{BH} = \dfrac{2}{3} \times 9 = 6 \text{(cm)}$

이때, 이등변삼각형 ABC의 꼭짓점 A에서 $\overline{BC}$에 내린 수선 AH는
$\overline{BC}$를 이등분하지?
$\therefore \overline{BC} = 2\overline{BH} = 2 \times 6 = 12 \text{(cm)}$

오답피해기

△ABC가 직각삼각형이 아니므로 삼각비를 구할 수 없어.
이때, ∠B에 대한 삼각비의 값을 이용해야 하니까 이 각의 크기
는 그대로 두어야겠지? 따라서 꼭짓점 A에서 $\overline{BC}$에 수선의 발을
내려 직각삼각형을 만들자. 삼각비는 '직각삼각형'의 두 변의 길
이의 비임을 꼭 기억하자.

065 답 ⑤

주어진 조건 $\sin A = \dfrac{4}{5}$를 만족시키는 직각
삼각형 ABC를 그리면 그림과 같지?
직각삼각형 ABC에 피타고라스 정리를 적
용하면 $\overline{AC}^2 = \overline{AB}^2 + \overline{BC}^2$에서
$5^2 = \overline{AB}^2 + 4^2$, $\overline{AB}^2 = 9$
$\therefore \overline{AB} = 3$
$\therefore \cos A = \dfrac{\overline{AB}}{\overline{AC}} = \dfrac{3}{5}$

066 답 ④

주어진 조건 $\tan A = \dfrac{1}{3}$을 만
족시키는 직각삼각형 ABC를
그리면 그림과 같지?
직각삼각형 ABC에 피타고라
스 정리를 적용하면
$\overline{AB}^2 = \overline{AC}^2 + \overline{BC}^2 = 3^2 + 1^2 = 10$
$\therefore \overline{AB} = \sqrt{10}$
$\cos A = \dfrac{\overline{AC}}{\overline{AB}} = \dfrac{3}{\sqrt{10}}$, $\sin A = \dfrac{\overline{BC}}{\overline{AB}} = \dfrac{1}{\sqrt{10}}$
$\therefore \cos A + \sin A = \dfrac{4}{\sqrt{10}} = \dfrac{4\sqrt{10}}{10} = \dfrac{2\sqrt{10}}{5}$

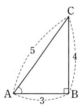

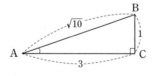

오답피해기

$\tan A = \dfrac{1}{3}$을 그림과 같이 $\overline{AC} = 3$, $\overline{BC} = 1$로 놓는 것이 조건을
만족시키는 특수한 삼각형 하나를 잡아서 푸는 거라면
$\overline{AC} = 3k$, $\overline{BC} = k$($k > 0$인 상수)로 놓고 푸는 것은 가능한 모든
삼각형에 대하여 정확하게 푸는 거야. 하지만 어차피 삼각비가 비
에 대한 것이기 때문에 k를 빼고 풀어도 상관은 없어. 만약 서술
형이라면 $k > 0$인 상수로 놓고 풀어야 만점짜리 답안이 되겠지?

067 답 $\dfrac{11}{5}$

주어진 조건 $\tan A = 3 = \dfrac{3}{1}$을 만족시키는 직각삼
각형 ABC를 그리면 그림과 같지?
직각삼각형 ABC에 피타고라스 정리를 적용하면
$\overline{AC}^2 = \overline{AB}^2 + \overline{BC}^2 = 1^2 + 3^2 = 10$
$\therefore \overline{AC} = \sqrt{10}$
따라서 $\sin A = \dfrac{\overline{BC}}{\overline{AC}} = \dfrac{3}{\sqrt{10}} = \dfrac{3\sqrt{10}}{10}$,
$\cos A = \dfrac{\overline{AB}}{\overline{AC}} = \dfrac{1}{\sqrt{10}} = \dfrac{\sqrt{10}}{10}$이 되지?

$\therefore \dfrac{3\sin A + 2\cos A}{2\sin A - \cos A} = \dfrac{3 \times \frac{3\sqrt{10}}{10} + 2 \times \frac{\sqrt{10}}{10}}{2 \times \frac{3\sqrt{10}}{10} - \frac{\sqrt{10}}{10}}$

$= \dfrac{\frac{11\sqrt{10}}{10}}{\frac{5\sqrt{10}}{10}} = \dfrac{11}{5}$

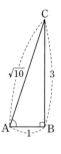

068 답 ④

∠C＝90°이고, 주어진 조건 $\cos A = \dfrac{3}{4}$을
만족시키는 직각삼각형 ABC를 그리면 그
림과 같아. 직각삼각형 ABC에 피타고라
스 정리를 적용하면
$\overline{AB}^2 = \overline{BC}^2 + \overline{AC}^2$
$4^2 = \overline{BC}^2 + 3^2$
$\overline{BC}^2 = 7$ $\quad \therefore \overline{BC} = \sqrt{7}$
직각삼각형 ABC에서 B를 기준으로 생각하면 빗변은 $\overline{AB}$, 밑변은
$\overline{BC}$, 높이는 $\overline{AC}$이므로
$\sin B = \dfrac{\overline{AC}}{\overline{AB}} = \dfrac{3}{4}$
$\cos B = \dfrac{\overline{BC}}{\overline{AB}} = \dfrac{\sqrt{7}}{4}$
$\tan B = \dfrac{\overline{AC}}{\overline{BC}} = \dfrac{3}{\sqrt{7}}$
$\therefore \sin B \times \cos B \times \tan B = \dfrac{3}{4} \times \dfrac{\sqrt{7}}{4} \times \dfrac{3}{\sqrt{7}} = \dfrac{9}{16}$

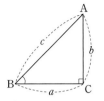

069 답 ②, ⑤

그림과 같이 직각삼각형 ABC에서
$\angle C = 90°$이고 $\overline{AB} \perp \overline{CD}$이므로
$\angle A = \angle BCD$, $\angle ACD = \angle B$
$\therefore \triangle ABC \backsim \triangle CBD \backsim \triangle ACD$
(AA 닮음)

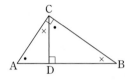

직각삼각형 ABC에서

$\cos A = \dfrac{\overline{AC}}{\overline{AB}}$

또, 직각삼각형 CDB에서

$\cos(\angle BCD) = \cos A = \dfrac{\overline{CD}}{\overline{BC}} \leftarrow$ ⑤

그리고 직각삼각형 ADC에서

$\cos A = \dfrac{\overline{AD}}{\overline{AC}} \leftarrow$ ②

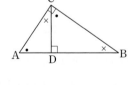
070 답 ⑤

$\triangle ABC$와 $\triangle DBE$에서 $\angle B$는 공통, $\angle A = \angle EDB = 90°$이므로
$\triangle ABC \backsim \triangle DBE$ (AA 닮음)

$\overline{CA} : \overline{BC} = \overline{ED} : \overline{BE}$이므로

$\dfrac{\overline{CA}}{\overline{BC}} = \dfrac{\overline{ED}}{\overline{BE}} \cdots$ ㉠

$\therefore \cos x = \dfrac{\overline{CA}}{\overline{BC}} = \dfrac{\overline{ED}}{\overline{BE}} (\because ㉠)$

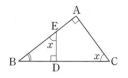

[다른 풀이]

$\triangle ABC \backsim \triangle DBE$(AA 닮음)이므로 $\angle BED = \angle BCA = x$

$\therefore \cos x = \cos(\angle BCA) = \cos(\angle BED) = \dfrac{\overline{ED}}{\overline{BE}}$

071 답 ②

$\triangle ABE$에서 $\angle ABE = x$, $\angle AEB = \bullet$
로 놓으면
$\angle ABE + \angle AEB = x + \bullet = 90°$
$\therefore x = 90° - \bullet$ 또는 $\bullet = 90° - x$
각의 크기가 x와 $\bullet$인 것을 찾으면 그림과 같아.
$\therefore \angle ABE = \angle BCE = \angle CED = x$

ㄱ. $\triangle BCE$에서 $\sin x = \dfrac{\overline{BE}}{\overline{BC}}$ (참)

ㄴ. $\triangle DEC$에서 $\sin x = \dfrac{\overline{CD}}{\overline{CE}}$ (참)

ㄷ. $\triangle ABE$에서 $\sin x = \dfrac{\overline{AE}}{\overline{BE}}$ (거짓)

따라서 〈보기〉에서 $\sin x$를 나타내는 것은 ㄱ, ㄴ이야.

072 답 ④

직각삼각형 ABC에 피타고라스 정리를 적용하면
$\overline{BC}^2 = \overline{AB}^2 + \overline{AC}^2 = 6^2 + 8^2 = 100 \quad \therefore \overline{BC} = 10$
$\angle BAC = \angle BAH + \angle CAH = x + y = 90°$이므로
$\angle ABC = y$, $\angle ACB = x$

직각삼각형 ABC에서

$\sin x = \sin(\angle ACB) = \dfrac{\overline{AB}}{\overline{BC}}$

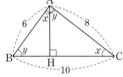

$\qquad = \dfrac{6}{10} = \dfrac{3}{5}$

$\sin y = \sin(\angle ABC) = \dfrac{\overline{AC}}{\overline{BC}} = \dfrac{8}{10} = \dfrac{4}{5}$

$\therefore \sin x + \sin y = \dfrac{3}{5} + \dfrac{4}{5} = \dfrac{7}{5}$

073 답 ②

직각삼각형 ABC에 피타고라스 정리를 적용하면
$\overline{BC}^2 = \overline{AB}^2 + \overline{AC}^2$
$5^2 = 4^2 + \overline{AC}^2$
$\overline{AC}^2 = 9 \quad \therefore \overline{AC} = 3$
$\angle CAH = x$로 놓았지?
이때, $\angle BAH = \times$ 라 하면
$\angle BAC = \angle BAH + \angle CAH = \times + x = 90°$
각의 크기가 x와 $\times$인 것을 찾으면 그림과 같아.
$\therefore \angle B = x$
따라서 직각삼각형 ABC에서

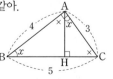

$\tan x = \tan B = \dfrac{\overline{AC}}{\overline{AB}} = \dfrac{3}{4}$

직각삼각형에서의 닮음을 상기시킬 필요가 있어. 직각삼각형의 닮음으로 유도한 여러 가지 공식들 다 기억하고 있니? 위의 그림에서 $\overline{AC}^2 = \overline{CH} \times \overline{BC}$, $\overline{AB}^2 = \overline{BH} \times \overline{BC}$, $\overline{AH}^2 = \overline{BH} \times \overline{CH}$ 임을 확실하게 알고 있어야 해. 그리고 문제에서 주어진 각 x는 직각삼각형의 성질을 이용하여 $\angle ABH$의 크기와 같다는 것을 알 수 있지?

따라서 $\overline{AC} = \sqrt{\overline{BC}^2 - \overline{AB}^2} = \sqrt{5^2 - 4^2} = 3$이고, $\tan x = \dfrac{\overline{AC}}{\overline{AB}}$임을 알 수 있어.

074 답 $\dfrac{5+\sqrt{11}}{6}$

직각삼각형 ABC에 피타고라스 정리를 적용하면
$\overline{AC}^2 = \overline{AB}^2 + \overline{BC}^2 = (\sqrt{11})^2 + 5^2 = 36$ ∴ $\overline{AC} = 6$ (cm)

이때, $\angle CBH = \times$ 라 하면

$\angle ABC = \angle ABH + \angle CBH$
$= x + \times = 90°$

각의 크기가 x와 $\times$인 것을 찾으면 그림과 같지?
즉, $\angle ACB = x$야.
직각삼각형 ABC에서
$\cos x = \cos(\angle ACB) = \dfrac{\overline{BC}}{\overline{AC}} = \dfrac{5}{6}$
$\sin x = \sin(\angle ACB) = \dfrac{\overline{AB}}{\overline{AC}} = \dfrac{\sqrt{11}}{6}$
∴ $\cos x + \sin x = \dfrac{5}{6} + \dfrac{\sqrt{11}}{6} = \dfrac{5+\sqrt{11}}{6}$

075 답 ①

직각삼각형 ABC에 피타고라스 정리를 적용하면
$\overline{BC}^2 = \overline{AB}^2 + \overline{AC}^2 = 12^2 + 5^2 = 169$
∴ $\overline{BC} = 13$

△ABC, △DBE에서
$\angle BAC = \angle BDE = 90°$,
$\angle B$는 공통이므로 두 삼각형은 AA 닮음이야.
∴ $\angle C = x$
직각삼각형 ABC에서
$\sin x - \cos x = \sin C - \cos C = \dfrac{\overline{AB}}{\overline{BC}} - \dfrac{\overline{AC}}{\overline{BC}}$
$= \dfrac{12}{13} - \dfrac{5}{13} = \dfrac{7}{13}$

076 답 ③

직각삼각형 ABC에 피타고라스 정리를 적용하면
$\overline{BC}^2 = \overline{AB}^2 + \overline{AC}^2 = 6^2 + 8^2 = 100$
∴ $\overline{BC} = 10$

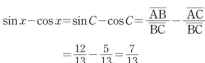

△ABC, △DEC에서
$\angle BAC = \angle EDC = 90°$,

$\angle C$는 공통이므로 두 삼각형은 AA 닮음이야.
∴ $\angle B = x$
직각삼각형 ABC에서
$\sin x = \sin B = \dfrac{\overline{AC}}{\overline{BC}} = \dfrac{8}{10} = \dfrac{4}{5}$

077 답 $\dfrac{1}{2}$

$\overline{AB} \parallel \overline{CD}$, $\overline{AB} \perp \overline{BC}$이므로 $\angle B = \angle C = 90°$
이고, $\angle AEB = \angle DEC$ (∵ 맞꼭지각)이므로
△ABE ∽ △DCE (AA 닮음)
∴ $\angle EAB = \angle EDC = x$
직각삼각형 CDE에 피타고라스 정리를 적용하면 $\overline{ED}^2 = \overline{CD}^2 + \overline{CE}^2$이므로

$4^2 = \overline{CD}^2 + (2\sqrt{3})^2$
$\overline{CD}^2 = 4$ ∴ $\overline{CD} = 2$
∴ $\cos x = \dfrac{\overline{CD}}{\overline{DE}} = \dfrac{2}{4} = \dfrac{1}{2}$

078 답 ③

$\sin 45° \div \cos 45° + \tan 30° \times \cos 30°$
$= \dfrac{\sqrt{2}}{2} \div \dfrac{\sqrt{2}}{2} + \dfrac{1}{\sqrt{3}} \times \dfrac{\sqrt{3}}{2} = 1 + \dfrac{1}{2} = \dfrac{3}{2}$

★ **특수각에 대한 삼각비 중 $\sin$과 $\cos$을 쉽게 외워보자.**

$\sin$ 하나만 기억하면 $\cos$은 저절로 외워질 수 있어. 특수한 각의 삼각비를 다음과 같이 생각해보자.

삼각비 $\backslash$ A	$0°$	$30°$	$45°$	$60°$	$90°$
$\sin A$	$\dfrac{\sqrt{0}}{2}$ $(=0)$	$\dfrac{\sqrt{1}}{2}$ $\left(=\dfrac{1}{2}\right)$	$\dfrac{\sqrt{2}}{2}$	$\dfrac{\sqrt{3}}{2}$	$\dfrac{\sqrt{4}}{2}$ $(=1)$
$\cos A$	$\dfrac{\sqrt{4}}{2}$	$\dfrac{\sqrt{3}}{2}$	$\dfrac{\sqrt{2}}{2}$	$\dfrac{\sqrt{1}}{2}$	$\dfrac{\sqrt{0}}{2}$
$\tan A$	0	$\dfrac{1}{\sqrt{3}}$	1	$\sqrt{3}$	정할 수 없다.

위의 표에서 특수각을 $0°, 30°, 45°, 60°, 90°$라 하자.
$\sin A$의 값은 $\dfrac{\sqrt{\square}}{2}$의 $\square$에 0, 1, 2, 3, 4를 대입한 값이 되고 있지? $\cos A$의 값은 $\dfrac{\sqrt{\square}}{2}$의 $\square$에 거꾸로 4, 3, 2, 1, 0을 대입한 값이 되고, $\tan A$는 $30°$부터 $60°$까지 $\dfrac{1}{\sqrt{3}}$에 $\sqrt{3}$을 차례로 곱한 값이 되는 거야. 이렇게 기억하면 쉽게 기억할 수 있어.

079 답 ①

① $\sin 30° + \cos 60° = \dfrac{1}{2} + \dfrac{1}{2} = 1$ (참)

② $\cos 30° \times \tan 60° = \dfrac{\sqrt{3}}{2} \times \sqrt{3} = \dfrac{3}{2}$ (거짓)

③ $\sin 60° \times \cos 30° = \dfrac{\sqrt{3}}{2} \times \dfrac{\sqrt{3}}{2} = \dfrac{3}{4}$ (거짓)

④ $\tan 45° \div \sin 45° = 1 \div \dfrac{\sqrt{2}}{2} = 1 \times \dfrac{2}{\sqrt{2}} = \sqrt{2}$ (거짓)

⑤ $\tan 60° - \cos 45° = \sqrt{3} - \dfrac{\sqrt{2}}{2} = \dfrac{2\sqrt{3} - \sqrt{2}}{2}$ (거짓)

080 답 ②

$\cos 30° + \sin 30° + \tan 45° = \dfrac{\sqrt{3}}{2} + \dfrac{1}{2} + 1 = \dfrac{3 + \sqrt{3}}{2}$

081 답 ①

$\dfrac{\sin 60° + \cos 60°}{\tan 60° + \tan 45°} = \dfrac{\frac{\sqrt{3}}{2} + \frac{1}{2}}{\sqrt{3} + 1} = \dfrac{\frac{\sqrt{3} + 1}{2}}{\frac{\sqrt{3} + 1}{1}}$

$\qquad\qquad\qquad = \dfrac{\sqrt{3} + 1}{2(\sqrt{3} + 1)} = \dfrac{1}{2}$

082 답 $\dfrac{\sqrt{3}}{2}$

$\cos^2 30° - \sin 60° \times \tan x + \sin^2 45° = \dfrac{3}{4}$

$\left(\dfrac{\sqrt{3}}{2}\right)^2 - \dfrac{\sqrt{3}}{2} \times \tan x + \left(\dfrac{\sqrt{2}}{2}\right)^2 = \dfrac{3}{4}$

$\dfrac{3}{4} - \dfrac{\sqrt{3}}{2} \times \tan x + \dfrac{2}{4} = \dfrac{3}{4}$

$-\dfrac{\sqrt{3}}{2} \times \tan x = \dfrac{3}{4} - \dfrac{3}{4} - \dfrac{2}{4}$

$-\dfrac{\sqrt{3}}{2} \times \tan x = -\dfrac{1}{2}$

양변에 -2를 곱해 주면

$\sqrt{3} \tan x = 1$

$\therefore \tan x = \dfrac{1}{\sqrt{3}}$

이를 만족시키는 직각삼각형 ABC를 그리면
B를 기준으로 밑변의 길이가 $\sqrt{3}$, 높이가 1
이므로 피타고라스 정리에 의해
$\overline{AB} = \sqrt{(\sqrt{3})^2 + 1^2} = \sqrt{4} = 2$

$\therefore \cos x = \dfrac{(밑변)}{(빗변의 길이)} = \dfrac{\sqrt{3}}{2}$

오답|피|하기

삼각비의 제곱의 값을 표현하는 데 혼동하기 쉬워. 즉, ∠A에 대하여
$\sin^2 A = (\sin A)^2 = \sin A \times \sin A$
$\sin A^2 = \sin (A^2) = \sin (A \times A)$
$\sin^2 A$와 $\sin A^2$을 헷갈려서 계산하면 전혀 다른 값이 나오므로 주의하자.

★ 특수각에 대한 삼각비의 값

삼각비＼A	30°	45°	60°
$\sin A$	$\dfrac{1}{2}$	$\dfrac{\sqrt{2}}{2}$	$\dfrac{\sqrt{3}}{2}$
$\cos A$	$\dfrac{\sqrt{3}}{2}$	$\dfrac{\sqrt{2}}{2}$	$\dfrac{1}{2}$
$\tan A$	$\dfrac{1}{\sqrt{3}}$	1	$\sqrt{3}$

083 답 ③

삼각형의 세 내각의 크기의 합은 180°지?
삼각형의 세 내각의 크기의 비가
$\angle A : \angle B : \angle C = 1 : 2 : 3$이므로

$\angle A = 180° \times \dfrac{1}{1+2+3} = 30°$

$\angle B = 180° \times \dfrac{2}{1+2+3} = 60°$

$\angle C = 180° \times \dfrac{3}{1+2+3} = 90°$

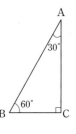

따라서 직각삼각형 ABC에서

$\sin B = \sin 60° = \dfrac{\sqrt{3}}{2}$, $\tan A = \tan 30° = \dfrac{1}{\sqrt{3}}$

$\therefore \sin B \times \tan A = \dfrac{\sqrt{3}}{2} \times \dfrac{1}{\sqrt{3}} = \dfrac{1}{2}$

084 답 $10\sqrt{3}$ cm

그림의 30°를 기준으로 높이인
$\overline{AC} = 10$ cm와 밑변인
$\overline{BC} = x$ cm의 관계는 tan로 표현할 수 있지?

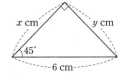

$\tan 30° = \dfrac{10}{x}$

$\tan 30° = \dfrac{1}{\sqrt{3}}$이므로

$\dfrac{1}{\sqrt{3}} = \dfrac{10}{x}$

$\therefore x = 10\sqrt{3}$, $\overline{BC} = 10\sqrt{3}$ cm

[다른 풀이]
특수한 각을 갖는 직각삼각형의 변의 길이의 비를 이용해볼까?
직각이 아닌 한 각의 크기가 30° 또는 60°일 때, 길이가 짧은 변부터 순서대로 $1 : \sqrt{3} : 2$의 길이 비를 갖지?
$\overline{AC} : \overline{BC} = 1 : \sqrt{3}$, $10 : \overline{BC} = 1 : \sqrt{3}$

$\therefore \overline{BC} = 10\sqrt{3}$ cm

085 답 18

주어진 조건은 한 내각의 크기가 45°인
직각이등변삼각형의 빗변의 길이가
6 cm라는 거야.
먼저, 그림의 45°를 기준으로 x는 밑변, 6은 빗변의 길이가 되므로 cos을
표현할 수 있지? $\cos 45° = \dfrac{x}{6}$

$\cos 45° = \dfrac{\sqrt{2}}{2}$이므로 $\dfrac{x}{6} = \dfrac{\sqrt{2}}{2}$ $\therefore x = 3\sqrt{2}$

또, 그림의 45°를 기준으로 y는 높이, 6은 빗변의 길이가 되므로 sin을 표현할 수 있지? $\sin 45° = \dfrac{y}{6}$

$\sin 45° = \dfrac{\sqrt{2}}{2}$이므로 $\dfrac{y}{6} = \dfrac{\sqrt{2}}{2}$ $\therefore y = 3\sqrt{2}$

$\therefore xy = 3\sqrt{2} \times 3\sqrt{2} = 18$

[다른 풀이]

특수한 각을 갖는 직각삼각형의 변의 길이의 비를 이용해볼까?

직각이 아닌 한 각의 크기가 45°일 때, 길이가 짧은 변부터 순서대로 $1:1:\sqrt{2}$의 길이 비를 갖지?

$y:6=1:\sqrt{2}$, $\sqrt{2}y=6$

$\therefore y=\dfrac{6}{\sqrt{2}}=\dfrac{6\sqrt{2}}{2}=3\sqrt{2}$, $x=y=3\sqrt{2}$

$\therefore xy=3\sqrt{2}\times 3\sqrt{2}=18$

086 답 ③

직각삼각형 BCD에서 30°를 기준으로 공통인 변 BC는 밑변, $\overline{\text{CD}}$는 높이이므로 tan를 표현할 수 있지?

$\tan 30°=\dfrac{\overline{\text{CD}}}{\overline{\text{BC}}}=\dfrac{5}{\overline{\text{BC}}}$

$\tan 30°=\dfrac{1}{\sqrt{3}}$이므로 $\dfrac{5}{\overline{\text{BC}}}=\dfrac{1}{\sqrt{3}}$ $\quad\therefore \overline{\text{BC}}=5\sqrt{3}$

또, 직각삼각형 ABC에서 45°를 기준으로 $\overline{\text{BC}}$는 빗변, $\overline{\text{AB}}$는 높이이므로 sin으로 표현할 수 있지? $\sin 45°=\dfrac{\overline{\text{AB}}}{\overline{\text{BC}}}=\dfrac{\overline{\text{AB}}}{5\sqrt{3}}$

$\sin 45°=\dfrac{\sqrt{2}}{2}$이므로 $\dfrac{\overline{\text{AB}}}{5\sqrt{3}}=\dfrac{\sqrt{2}}{2}$ $\quad\therefore \overline{\text{AB}}=\dfrac{5\sqrt{6}}{2}$

[다른 풀이]

특수한 각을 갖는 직각삼각형의 변의 길이의 비를 이용해볼까?

직각이 아닌 한 각의 크기가 45°일 때, 길이가 짧은 변부터 순서대로 $1:1:\sqrt{2}$의 길이 비를 갖고, 직각이 아닌 한 각의 크기가 30° 또는 60°일 때 길이가 짧은 변부터 순서대로 $1:\sqrt{3}:2$의 길이 비를 갖지?

△BCD에서 $\overline{\text{BC}}:\overline{\text{CD}}=\sqrt{3}:1$

$\overline{\text{BC}}:5=\sqrt{3}:1$ $\quad\therefore \overline{\text{BC}}=5\sqrt{3}$

△ABC에서 $\overline{\text{AB}}:\overline{\text{BC}}=1:\sqrt{2}$

$\overline{\text{AB}}:5\sqrt{3}=1:\sqrt{2}$

$\therefore \overline{\text{AB}}=\dfrac{5\sqrt{3}}{\sqrt{2}}=\dfrac{5\sqrt{6}}{2}$

087 답 $4\sqrt{3}$

먼저 공통인 변 AC의 길이를 구하자. 직각삼각형 ABC에서 45°를 기준으로 $\overline{\text{BC}}$는 높이, $\overline{\text{AC}}$는 빗변이므로 sin으로 표현할 수 있지?

$\sin 45°=\dfrac{\overline{\text{BC}}}{\overline{\text{AC}}}=\dfrac{3\sqrt{2}}{\overline{\text{AC}}}$

$\sin 45°=\dfrac{\sqrt{2}}{2}$이므로 $\dfrac{3\sqrt{2}}{\overline{\text{AC}}}=\dfrac{\sqrt{2}}{2}$

$\therefore \overline{\text{AC}}=6$

또, 직각삼각형 ACD에서 60°를 기준으로 $\overline{\text{AD}}$는 빗변, $\overline{\text{AC}}$는 높이이므로 sin으로 표현할 수 있지?

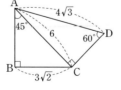

$\sin 60°=\dfrac{\overline{\text{AC}}}{\overline{\text{AD}}}=\dfrac{6}{\overline{\text{AD}}}$

$\sin 60°=\dfrac{\sqrt{3}}{2}$이므로 $\dfrac{6}{\overline{\text{AD}}}=\dfrac{\sqrt{3}}{2}$

$\therefore \overline{\text{AD}}=4\sqrt{3}$

[다른 풀이]

△ABC에서 $\overline{\text{AC}}:\overline{\text{BC}}=\sqrt{2}:1$

$\overline{\text{AC}}:3\sqrt{2}=\sqrt{2}:1$ $\quad\therefore \overline{\text{AC}}=3\sqrt{2}\times\sqrt{2}=6$

△ACD에서 $\overline{\text{AD}}:\overline{\text{AC}}=2:\sqrt{3}$

$\overline{\text{AD}}:6=2:\sqrt{3}$, $\sqrt{3}\overline{\text{AD}}=12$

$\therefore \overline{\text{AD}}=\dfrac{12}{\sqrt{3}}=\dfrac{12\sqrt{3}}{3}=4\sqrt{3}$

088 답 ④

먼저 △ABD에서 y의 값을 구하자.

직각삼각형 ABD에서 30°를 기준으로 $\overline{\text{AD}}$는 밑변, $\overline{\text{BD}}$는 높이이므로 tan로 표현할 수 있지?

$\tan 30°=\dfrac{\overline{\text{BD}}}{\overline{\text{AD}}}=\dfrac{y}{6}$

$\tan 30°=\dfrac{\sqrt{3}}{3}$이므로 $\dfrac{y}{6}=\dfrac{\sqrt{3}}{3}$

$\therefore y=2\sqrt{3}$

직각삼각형 ABC에서

$\angle\text{C}=180°-(\angle\text{A}+\angle\text{B})=180°-(30°+90°)=60°$

직각삼각형 BCD에서 60°를 기준으로 $\overline{\text{CD}}$는 밑변, $\overline{\text{BD}}$는 높이이므로 tan로 표현할 수 있지? $\tan 60°=\dfrac{\overline{\text{BD}}}{\overline{\text{CD}}}=\dfrac{y}{x}=\dfrac{2\sqrt{3}}{x}$

$\tan 60°=\sqrt{3}$이므로 $\dfrac{2\sqrt{3}}{x}=\sqrt{3}$

$\therefore x=2$

$\therefore xy=2\times 2\sqrt{3}=4\sqrt{3}$

[다른 풀이]

△ABD에서 $\overline{\text{AD}}:\overline{\text{BD}}=\sqrt{3}:1$

$6:y=\sqrt{3}:1$

$\therefore y=\dfrac{6}{\sqrt{3}}=\dfrac{6\sqrt{3}}{3}=2\sqrt{3}$

△BCD에서 $\angle\text{C}=90°-30°=60°$인 직각삼각형이므로

$\overline{\text{CD}}:\overline{\text{BD}}=1:\sqrt{3}$

$x:2\sqrt{3}=1:\sqrt{3}$ $\quad\therefore x=2$

$\therefore xy=2\times 2\sqrt{3}=4\sqrt{3}$

089 답 ③

직선 $x-\sqrt{3}y+6\sqrt{3}=0$의 기울기가 $\tan a$의 값과 같지?

$x-\sqrt{3}y+6\sqrt{3}=0$, $-\sqrt{3}y=-x-6\sqrt{3}$

$\therefore y=\dfrac{1}{\sqrt{3}}x+6$

따라서 주어진 직선의 기울기는 $\dfrac{1}{\sqrt{3}}$이므로 $\tan a=\dfrac{1}{\sqrt{3}}=\dfrac{\sqrt{3}}{3}$

[다른 풀이]

$\tan a=\dfrac{(y\text{절편의 절댓값})}{(x\text{절편의 절댓값})}$

$x-\sqrt{3}y+6\sqrt{3}=0$의 x절편은 $y=0$을 대입하여 구하자.

$x+6\sqrt{3}=0$ $\quad\therefore x=-6\sqrt{3}$, $(x\text{절편의 절댓값})=6\sqrt{3}$

또, $x-\sqrt{3}y+6\sqrt{3}=0$의 y절편은 $x=0$을 대입하여 구하자.

$-\sqrt{3}y+6\sqrt{3}=0$ $\quad\therefore y=6$, $(y\text{절편의 절댓값})=6$

$\therefore \tan a=\dfrac{6}{6\sqrt{3}}=\dfrac{\sqrt{3}}{3}$

직선 $y=ax+b(a\neq0)$가 x축의 양의 방향과 이루는 각의 크기가 θ일 때, $\tan\theta=$(직선의 기울기)가 됨을 살펴 볼까?

직선 $y=ax+b$와 x축, y축과의 교점을 각각 A, B라 하자.

직각삼각형 AOB에서

$\tan\theta=\dfrac{\overline{BO}}{\overline{AO}}$ ··· ㉠

직선 $y=ax+b$에서 기울기는 a이므로

$a=\dfrac{(y\text{의 값의 증가량})}{(x\text{의 값의 증가량})}=\dfrac{(y\text{절편의 절댓값})}{(x\text{절편의 절댓값})}$이고

x, y의 값의 증가량이나 절편의 절댓값은 각각 $\overline{AO}$, $\overline{BO}$이지?

즉, $a=\dfrac{\overline{BO}}{\overline{AO}}$ ··· ㉡

그러므로 ㉠=㉡이 성립해.

090 답 ②

일차함수 $3x-4y=12$의 그래프와 x축, y축과의 교점이 각각 A, B이지?

두 점 A, B의 좌표를 각각 구하자.

직선 $3x-4y=12$의 x절편, y절편을 구하기 위해 $y=0$, $x=0$을 각각 대입하면 $x=4$, $y=-3$이야.

따라서 $A(4,0)$, $B(0,-3)$이지?

즉, $\triangle AOB$에서 $\overline{OA}=4$, $\overline{OB}=3$이고 피타고라스 정리에 의해 $\overline{AB}=5$야.

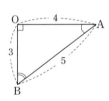

$\sin A=\dfrac{\overline{OB}}{\overline{AB}}=\dfrac{3}{5}$,

$\sin B=\dfrac{\overline{OA}}{\overline{AB}}=\dfrac{4}{5}$

$\therefore \sin A-\sin B=\dfrac{3}{5}-\dfrac{4}{5}=-\dfrac{1}{5}$

$\sin A$와 $\sin B$를 구할 때, 주의할 점이 있어.

똑같은 $\sin$이지만 결정적으로 A, B가 다르다는 거야.

$\sin A$는 A라는 각을 기준으로 생각해야 하기 때문에 빗변은 $\overline{AB}$이고, 높이는 $\overline{OB}$가 되는데, $\sin B$는 B라는 각을 기준으로 생각해야 하기 때문에 빗변은 $\overline{AB}$로 같지만, 높이는 $\overline{OA}$가 되는 거야.

091 답 $3\sqrt{3}-4$

직선이 x축의 양의 방향과 이루는 각의 크기가 $60°$이므로 기울기는 $\tan60°$야.

직선 $y+a=bx+\sqrt{3}$, 즉

$y=bx+\sqrt{3}-a$에서 기울기는 x의

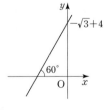

계수인 b이므로

$b=\tan60°=\sqrt{3}$

또, 주어진 직선의 y절편이 $\sqrt{3}-a$가 되겠지?

그런데 y절편이 $-\sqrt{3}+4$이므로

$-a+\sqrt{3}=-\sqrt{3}+4$ $\therefore a=2\sqrt{3}-4$

$\therefore a+b=(2\sqrt{3}-4)+\sqrt{3}=3\sqrt{3}-4$

092 답 $\dfrac{\sqrt{6}}{3}$

주어진 정육면체의 한 모서리의 길이를 a라 하자.

두 점 E, G를 연결하면 $\triangle EGH$는 한 변의 길이가 $a(a>0)$인 직각이등변삼각형이므로 $\overline{EG}=\sqrt{2}a$가 되겠지?

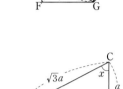

$\triangle CEG$는 $\angle EGC=90°$인 직각삼각형이므로 피타고라스 정리를 적용하면

$\overline{EC}^2=\overline{EG}^2+\overline{CG}^2=(\sqrt{2}a)^2+a^2=3a^2$

$\therefore \overline{EC}=\sqrt{3}a$

따라서 직각삼각형 CEG에서

$\sin x=\dfrac{\overline{EG}}{\overline{CE}}=\dfrac{\sqrt{2}a}{\sqrt{3}a}$

$=\dfrac{\sqrt{2}}{\sqrt{3}}=\dfrac{\sqrt{6}}{3}$

093 답 $\dfrac{2\sqrt{2}}{3}$

정사면체의 각 면은 한 변의 길이가 6인 정삼각형이지?

정삼각형 ABC에서 $\overline{BC}$의 중점이 M이므로 $\overline{AM}$은 $\overline{BC}$를 수직이등분해.

따라서 $\angle ABM=60°$이므로 직각삼각형 ABM에서

$\sin60°=\dfrac{\overline{AM}}{\overline{AB}}=\dfrac{\overline{AM}}{6}=\dfrac{\sqrt{3}}{2}$

$\therefore \overline{AM}=3\sqrt{3}$

이때, 점 A에서 밑면에 내린 수선의 발을 H라 하자.

점 H는 정삼각형 BCD의 무게중심이고

$\overline{DM}=\overline{AM}=3\sqrt{3}$이므로

$\overline{MH}=\dfrac{1}{3}\overline{DM}=\dfrac{1}{3}\times3\sqrt{3}=\sqrt{3}$

또, 직각삼각형 AMH에 피타고라스 정리를 적용하면

$\overline{AM}^2=\overline{MH}^2+\overline{AH}^2$

$(3\sqrt{3})^2=(\sqrt{3})^2+\overline{AH}^2$

$\overline{AH}^2=24$

$\therefore \overline{AH}=2\sqrt{6}$

$\therefore \sin x=\dfrac{\overline{AH}}{\overline{AM}}=\dfrac{2\sqrt{6}}{3\sqrt{3}}=\dfrac{2\sqrt{2}}{3}$

[다른 풀이]

정사면체의 한 변의 길이를 a라 하면

높이는 $\dfrac{\sqrt{6}}{3}a$이지? $a=6$이므로

정사면체의 높이 $\overline{AH}=\dfrac{\sqrt{6}}{3}a=\dfrac{\sqrt{6}}{3}\times6=2\sqrt{6}$

$\therefore \sin x=\dfrac{\overline{AH}}{\overline{AM}}=\dfrac{2\sqrt{6}}{3\sqrt{3}}=\dfrac{2\sqrt{6}\times\sqrt{3}}{3\sqrt{3}\times\sqrt{3}}$

$=\dfrac{6\sqrt{2}}{9}=\dfrac{2\sqrt{2}}{3}$

정사면체의 변의 길이를 파헤쳐
보자.

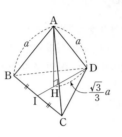

한 모서리의 길이가 a인 정사면체
에 대하여 모든 면이 정삼각형으
로 이루어져 있으므로

① 한 변의 길이가 a인 정삼각형

의 높이는 $\overline{\mathrm{DI}}=\dfrac{\sqrt{3}}{2}a$

② 정사면체의 꼭짓점에서 밑면에 내린 수선의 발은 밑면의 무게
중심이므로

$$\overline{\mathrm{DH}}=\frac{2}{3}\overline{\mathrm{DI}}=\frac{2}{3}\times\frac{\sqrt{3}}{2}a=\frac{\sqrt{3}}{3}a$$

③ 정사면체의 높이

$$\overline{\mathrm{AH}}=\sqrt{a^2-\left(\frac{\sqrt{3}}{3}a\right)^2}=\frac{\sqrt{2}}{\sqrt{3}}a=\frac{\sqrt{6}}{3}a$$

094 답 ①

$\overline{\mathrm{BH}}$를 연장하여 $\overline{\mathrm{DC}}$와 만나는 점을 E라
하면 $\overline{\mathrm{BE}}\perp\overline{\mathrm{DC}}$

그림과 같이 정사면체의 한 모서리의 길이
를 a라 하면 △BCD는 한 변의 길이가 a인
정삼각형이므로 $\angle\mathrm{BCE}=60°$가 되지?

$\sin 60°=\dfrac{\overline{\mathrm{BE}}}{\overline{\mathrm{BC}}}$에서 $\dfrac{\sqrt{3}}{2}=\dfrac{\overline{\mathrm{BE}}}{a}$ $\quad\therefore\overline{\mathrm{BE}}=\dfrac{\sqrt{3}}{2}a$

이때, 점 H는 정삼각형 BCD의 무게중심이므로

$\overline{\mathrm{BH}}=\dfrac{2}{3}\overline{\mathrm{BE}}$ $\quad\therefore\overline{\mathrm{BH}}=\dfrac{2}{3}\times\dfrac{\sqrt{3}}{2}a=\dfrac{\sqrt{3}}{3}a$

한편, 직각삼각형 ABH에서 피타고라스 정리를 적용하면
$\overline{\mathrm{AB}}^2=\overline{\mathrm{BH}}^2+\overline{\mathrm{AH}}^2$에서

$a^2=\left(\dfrac{\sqrt{3}}{3}a\right)^2+\overline{\mathrm{AH}}^2,\ \overline{\mathrm{AH}}^2=\dfrac{2}{3}a^2$ $\quad\therefore\overline{\mathrm{AH}}=\dfrac{\sqrt{6}}{3}a$

$\therefore\tan x=\dfrac{\overline{\mathrm{AH}}}{\overline{\mathrm{BH}}}=\dfrac{\dfrac{\sqrt{6}}{3}a}{\dfrac{\sqrt{3}}{3}a}=\dfrac{\sqrt{6}}{\sqrt{3}}=\sqrt{2}$

[다른 풀이]

정사면체의 한 변의 길이를 a라 하면 높이는 $\dfrac{\sqrt{6}}{3}a$지?

$\overline{\mathrm{BH}}=\dfrac{\sqrt{3}}{3}a$이고, $\overline{\mathrm{AH}}=\dfrac{\sqrt{6}}{3}a$이므로 삼각형 ABH에서

$\tan x=\dfrac{\overline{\mathrm{AH}}}{\overline{\mathrm{BH}}}=\dfrac{\dfrac{\sqrt{6}}{3}a}{\dfrac{\sqrt{3}}{3}a}=\dfrac{\sqrt{6}}{\sqrt{3}}=\sqrt{2}$

095 답 ⑤

주어진 정육면체의 한 모서리의 길이가 10
이라고 했지?
△ABD는 직각이등변삼각형이고,
$\overline{\mathrm{AB}}=10$이므로
$\overline{\mathrm{BD}}=10\sqrt{2}$
그리고 △BHD는 $\angle\mathrm{D}=90°$인 직각삼각

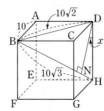

형이므로 피타고라스 정리를 적용하면
$\overline{\mathrm{BH}}^2=\overline{\mathrm{BD}}^2+\overline{\mathrm{DH}}^2$
$\qquad=(10\sqrt{2})^2+10^2$
$\qquad=200+100=300$
$\therefore\overline{\mathrm{BH}}=\sqrt{300}=10\sqrt{3}$

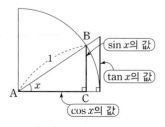

이때, $\angle\mathrm{D}=90°$인 직각삼각형 BHD의
꼭짓점 D에서 $\overline{\mathrm{BH}}$에 내린 수선의 발이 N이므로
△DBN과 △HDN에서
$\angle\mathrm{BDN}+\angle\mathrm{HDN}=\times+x=90°$
$\therefore\angle\mathrm{DBH}=x$
직각삼각형 BHD에서

$\sin x=\dfrac{\overline{\mathrm{DH}}}{\overline{\mathrm{BH}}}=\dfrac{10}{10\sqrt{3}}=\dfrac{\sqrt{3}}{3}$

$\cos x=\dfrac{\overline{\mathrm{BD}}}{\overline{\mathrm{BH}}}=\dfrac{10\sqrt{2}}{10\sqrt{3}}=\dfrac{\sqrt{6}}{3}$

$\tan x=\dfrac{\overline{\mathrm{DH}}}{\overline{\mathrm{BD}}}=\dfrac{10}{10\sqrt{2}}=\dfrac{\sqrt{2}}{2}$

$\therefore\sin x\times\cos x\times\tan x=\dfrac{\sqrt{3}}{3}\times\dfrac{\sqrt{6}}{3}\times\dfrac{\sqrt{2}}{2}$

$\qquad\qquad=\dfrac{\sqrt{36}}{18}=\dfrac{1}{3}$

[다른 풀이]

정육면체의 한 변의 길이를 a라 하면 대각선의 길이는 $\sqrt{3}a$, 정사각
형의 대각선의 길이는 $\sqrt{2}a$이지?
삼각형 BDH에서 넓이를 구하는 2가지 식을 비교하면

$\triangle\mathrm{BDH}=\dfrac{1}{2}\times\overline{\mathrm{BD}}\times\overline{\mathrm{DH}}=\dfrac{1}{2}\times\overline{\mathrm{BH}}\times\overline{\mathrm{DN}}$이므로

$\dfrac{1}{2}\times\sqrt{2}a\times a=\dfrac{1}{2}\times\sqrt{3}a\times\overline{\mathrm{DN}}$

$\therefore\overline{\mathrm{DN}}=\dfrac{\sqrt{2}}{\sqrt{3}}a,\ \overline{\mathrm{NH}}=\dfrac{1}{\sqrt{3}}a$

따라서 삼각형 DNH에서

$\sin x=\dfrac{\dfrac{1}{\sqrt{3}}a}{a}=\dfrac{1}{\sqrt{3}},\ \cos x=\dfrac{\dfrac{\sqrt{2}}{\sqrt{3}}a}{a}=\dfrac{\sqrt{2}}{\sqrt{3}},$

$\tan x=\dfrac{\dfrac{1}{\sqrt{3}}a}{\dfrac{\sqrt{2}}{\sqrt{3}}a}=\dfrac{1}{\sqrt{2}}$

(이하 동일)

096 답 ③

반지름의 길이가 1인 사분원에서 $\angle\mathrm{BAC}=x$일 때, 다음이 성립하
지?

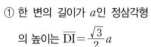

sin x의 값
tan x의 값
cos x의 값

$\therefore\sin x=\overline{\mathrm{BC}},\ \cos x=\overline{\mathrm{AC}}$

[다른 풀이]

빗변이 $\overline{AB}=1$인 직각삼각형 ABC에서

$\sin x=\dfrac{\overline{BC}}{\overline{AB}}=\overline{BC},\ \cos x=\dfrac{\overline{AC}}{\overline{AB}}=\overline{AC}$

097 답 $\overline{DE}$

사분원의 반지름의 길이가 1이므로
$\overline{AC}=\overline{AD}=1$이지?

$\tan 40°=\dfrac{\overline{BC}}{\overline{AB}}=\dfrac{\overline{DE}}{\overline{AD}}=\dfrac{\overline{DE}}{1}=\overline{DE}$

098 답 증가, 감소

반지름의 길이가 1인 사분원에서 x의 크기
가 증가함에 따라 $\sin x$의 값은 $\overline{BC}$에서
$\overline{B'C'}$으로 커지지?

그런데 x의 크기가 증가함에 따라 $\cos x$의
값은 $\overline{AC}$에서 $\overline{AC'}$으로 감소하고 있어.

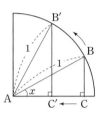

099 답 ㄴ, ㄷ, ㄹ

ㄱ. 직각삼각형 AOB에서 x를 기준으로 할 때,

$\sin x=\dfrac{\overline{AB}}{\overline{OA}}=\dfrac{\overline{AB}}{1}=\overline{AB}$

또, 직각삼각형 AOB에서 y를 기준으로
할 때, $\sin y=\dfrac{\overline{OB}}{\overline{OA}}=\dfrac{\overline{OB}}{1}=\overline{OB}$ (거짓)

ㄴ. 직각삼각형 COD에서

$\tan x=\dfrac{\overline{CD}}{\overline{OD}}=\dfrac{\overline{CD}}{1}=\overline{CD}$ (참)

ㄷ. $\overline{BD}=\overline{OD}-\overline{OB}=1-\overline{OB}$지?

직각삼각형 AOB에서 $\cos x=\dfrac{\overline{OB}}{\overline{OA}}=\dfrac{\overline{OB}}{1}=\overline{OB}$

$\therefore \overline{BD}=1-\overline{OB}=1-\cos x$ (참)

ㄹ. $\overline{EF}=\overline{OF}-\overline{OE}=1-\overline{OE}$지?

그런데 $\overline{OE}=\overline{AB}$이므로 $\overline{AB}$를 구해도 돼.

ㄱ에서 $\sin x=\overline{AB}$

또, 직각삼각형 AOB에서 y를 기준으로 할 때,

$\cos y=\dfrac{\overline{AB}}{\overline{OA}}=\dfrac{\overline{AB}}{1}=\overline{AB}$

$\therefore \overline{EF}=1-\overline{AB}=1-\sin x=1-\cos y$ (참)

ㅁ. $\overline{AC}=\overline{OC}-\overline{OA}=\overline{OC}-1$이지?

직각삼각형 COD에서 $\angle OCD=\angle OAB=y\ (\because$ 동위각)이므로

y를 기준으로 할 때, $\sin y=\dfrac{\overline{OD}}{\overline{OC}}=\dfrac{1}{\overline{OC}}\qquad \therefore \overline{OC}=\dfrac{1}{\sin y}$

또, 직각삼각형 COD에서 x를 기준으로 할 때,

$\cos x=\dfrac{\overline{OD}}{\overline{OC}}=\dfrac{1}{\overline{OC}}\qquad \therefore \overline{OC}=\dfrac{1}{\cos x}$

$\therefore \overline{AC}=\overline{OC}-1=\dfrac{1}{\sin y}-1=\dfrac{1}{\cos x}-1$ (거짓)

따라서 옳은 것은 ㄴ, ㄷ, ㄹ이야.

100 답 ②

그림과 같이 두 점을 각각 A, B라
할 때, 사분원의 반지름의 길이가 2
이므로 $\overline{OA}=2$야.

직각삼각형 OAB에 대하여

$\cos 40°=\dfrac{\overline{OB}}{\overline{OA}}=\dfrac{1.54}{2}=0.77$

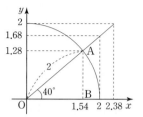

오답피하기

이 문제를 $\cos 40°=\dfrac{1.54}{1}=1.54$로 풀었다면 문제를 제대로 읽
지 못했거나 조건을 제대로 파악하지 못해서 틀리게 된 거야. 항
상 사분원의 반지름의 길이가 1인 것만 풀어서 습관적으로 그렇
게 풀 수 있는데 매우 바람직하지 않은 생각이야. 좋은 습관을 들
이려면 조건이 공식을 쓰기에 알맞은지 살펴야 해.

이 문제처럼 사분원의 반지름의 길이가 1이 아닌 2라는 조건을
머릿속에 넣고 주의해서 풀어야 한다는 거야. 또, 삼각비의 특징
을 알고 있다면 sin과 cos의 값은 1보다 작거나 같게 되기 때문
에 1.54라는 값이 나올 수 없다는 걸 알 수 있었을 거야. 이런 특
성을 모르고 있었다면 그냥 틀린 답을 쓸 수밖에 없겠지.

수학에서는 공식을 쓰기 위해 반드시 조건-예를 들면 사용된 문
자가 양수인지, 범위가 어디인지 등을 먼저 살펴야 한다는 것을
기억하자.

101 답 0.3

그림과 같이 네 점을 각각 A, B, C,
D라 할 때, 두 점 A, D는 사분원 위
의 점이므로 $\overline{OA}=\overline{OD}=1$이야.

$\sin 32°=\dfrac{\overline{AB}}{\overline{OA}}=\overline{AB}=0.53$

$\cos 32°=\dfrac{\overline{OB}}{\overline{OA}}=\overline{OB}=0.85$

$\tan 32°=\dfrac{\overline{CD}}{\overline{OD}}=\overline{CD}=0.62$

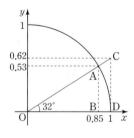

$\therefore \sin 32°-\cos 32°+\tan 32°=0.53-0.85+0.62=0.3$

102 답 ②

그림과 같이 세 점을 각각 A, B, C라
할 때, 구하고자 하는 것은 $\sin 36°$이
니까 $54°$를 이용하여 $36°$인 각을 찾아
보자.

$\angle BOC=90°$이므로

$\angle BOA=\angle BOC-\angle AOC$
$\qquad\qquad =90°-54°=36°$

$\therefore \sin 36°=\dfrac{\overline{AB}}{\overline{OA}}=\dfrac{\overline{OC}}{\overline{OA}}$

$\qquad\qquad =\dfrac{1.1756}{2}=0.5878$

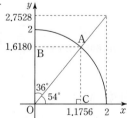

이 문제처럼 각이 직접적으로 주어져 있지 않은 경우에 앞의 풀이처럼 풀어야 제대로 푼 거야. 주로 이런 문제는 $x+y=90°$가 성립하는 x 또는 y의 각의 크기를 알 때, y 또는 x에 대한 삼각비를 구할 수 있게 출제가 돼.
이 문제처럼 주어진 그림에서는 $54°$에 대한 값만 나온 것 같지만 사실 $36°$에 대한 값도 나왔다는데 주목해야 해. 사분원에서 $\overline{OB}$, $\overline{OC}$가 그것을 알려 주고 있어.
따라서 이런 문제를 풀 때는 당황하지 말고, 주어진 조건이 더 있는지 살피면 십중팔구 조건을 발견할 수 있을 거야.

103 답 $\sqrt{3}$

점 C의 좌표가 $\left(0, \dfrac{\sqrt{3}}{2}\right)$이므로

$\overline{OC}=\dfrac{\sqrt{3}}{2}$

$\overline{AC}/\!/\overline{OB}$이므로

$\overline{OC}=\overline{AB}=\dfrac{\sqrt{3}}{2}$

직각삼각형 OAB에서

$\overline{OB}^2=\overline{OA}^2-\overline{AB}^2=1-\left(\dfrac{\sqrt{3}}{2}\right)^2=1-\dfrac{3}{4}=\dfrac{1}{4}$ $\therefore \overline{OB}=\dfrac{1}{2}$

$\therefore \tan\theta=\dfrac{\overline{AB}}{\overline{OB}}=\dfrac{\frac{\sqrt{3}}{2}}{\frac{1}{2}}=\sqrt{3}$

[다른 풀이]

직각삼각형 OAB에서 $\sin\theta=\dfrac{\overline{AB}}{\overline{OA}}=\dfrac{\sqrt{3}}{2}$ $\therefore \theta=60°$

$\therefore \tan\theta=\tan 60°=\sqrt{3}$

104 답 ②

$\cos 0° \times \sin 90° + \sin 60° \times \tan 30° = 1\times 1 + \dfrac{\sqrt{3}}{2}\times\dfrac{1}{\sqrt{3}}$

$=1+\dfrac{1}{2}=\dfrac{3}{2}$

105 답 ③

① $\sin 0° + \cos 0° = 0+1 = 1$ (참)

② $\sin 30° + \tan 45° = \dfrac{1}{2}+1 = \dfrac{3}{2}$ (참)

③ $\cos 90° - \tan 45° + \sin 0° = 0-1+0 = -1$ (거짓)

④ $\sin 60° \times \cos 90° = \dfrac{\sqrt{3}}{2}\times 0 = 0$ (참)

⑤ $\sin 60° \times \tan 30° = \dfrac{\sqrt{3}}{2}\times\dfrac{1}{\sqrt{3}} = \dfrac{1}{2}$ (참)

106 답 ⑤

① $\sin 0° = 0 = \tan 0°$ (참)

② $\sin 45° = \dfrac{\sqrt{2}}{2} = \cos 45°$ (참)

③ $\sin 60° = \dfrac{\sqrt{3}}{2} = \cos 30°$ (참)

---

④ $\cos 0° = 1 = \sin 90°$ (참)

⑤ $\sin 90° = 1$이지만 $\tan 90°$는 정할 수 없어. (거짓)

107 답 $\dfrac{9}{2}$

$\cos 0° \times (1+\tan 45° + \cos 0°) + \sin 60° \times \tan 45° \times \cos 30°$
$\qquad\qquad\qquad\qquad + (1+\sin 30°) \times (1-\cos 60°)$

$=1\times(1+1+1)+\dfrac{\sqrt{3}}{2}\times 1\times\dfrac{\sqrt{3}}{2}+\left(1+\dfrac{1}{2}\right)\times\left(1-\dfrac{1}{2}\right)$

$=3+\dfrac{3}{4}+\left(1-\dfrac{1}{4}\right)\ (\because (a+b)(a-b)=a^2-b^2)$

$=4+\dfrac{1}{2}=\dfrac{9}{2}$

108 답 ②

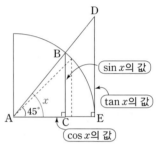

반지름의 길이가 1인 사분원에서 $\angle BAC=45°$일 때, $\overline{AC}=\overline{BC}<\overline{DE}$가 성립하지?

$\angle BAC$의 크기가 $45°$보다 클수록 $\overline{DE}$, $\overline{BC}$의 길이는 각각 길어지고 $\overline{AC}$의 길이는 짧아져.

이때, $\cos x = \overline{AC}$, $\sin x = \overline{BC}$, $\tan x = \overline{DE}$이므로

$45° < A < 90°$이면 $\cos A < \sin A < \tan A$

109 답 ①

① $\cos 0° = 1$ 　② $\sin 30° = \dfrac{1}{2}$ 　③ $\cos 30° = \dfrac{\sqrt{3}}{2}$

④ $\tan 30° = \dfrac{\sqrt{3}}{3}$ 　⑤ $\sin 60° = \dfrac{\sqrt{3}}{2}$

$\therefore$ ②<④<③=⑤<①

따라서 가장 큰 값은 ①이야.

110 답 ⑤

$0° \le A \le 90°$일 때,

① A가 커지면 $\tan A$의 값은 0부터 무한히 증가하지? (참)

② A가 커지면 $\cos A$의 값은 1에서 0까지 감소하지? (참)

③ A가 커지면 $\sin A$의 값은 0에서 1까지 증가하므로 최솟값은 0, 최댓값은 1이야. (참)

④ A가 커지면 $\cos A$의 값은 1에서 0까지 감소하므로 최솟값은 0, 최댓값은 1이야. (참)

⑤ A가 커지면 $\tan A$의 값은 0부터 무한히 증가하므로 $\tan A$의 최솟값은 0이고 최댓값은 정할 수 없어. (거짓)

111 답 ②

$0°\leq x\leq 90°$에서 x의 값이 증가하면 $\sin x$의 값은 0에서 1까지 증가하므로

$\sin 45° < \sin 60° < \sin 75° < \sin 90° = 1 \cdots$ ㉠

또, $0°\leq x\leq 90°$에서 x의 값이 증가하면 $\cos x$의 값은 1에서 0까지 감소하지? 거꾸로 말하면 x의 값이 감소하면 $\cos x$의 값은 0에서 1까지 증가해.

$\cos 45° < \cos 35° < \cos 30° < \cos 0° = 1 \cdots$ ㉡

그런데 $\sin 45° = \cos 45° = \dfrac{\sqrt 2}{2}$, $\sin 60° = \cos 30° = \dfrac{\sqrt 3}{2}$이므로

㉠과 ㉡에 의해

sin 값끼리 비교: $\sin 45° \qquad < \sin 60° < \sin 75° < \sin 90°$

$\qquad\qquad\qquad\qquad \| \qquad\qquad \| \qquad\qquad \|$

cos 값끼리 비교: $\cos 45° < \cos 35° < \cos 30° \qquad\quad < \cos 0°$

결국 $\sin 45° < \cos 35° < \sin 75° < \cos 0° = 1 \cdots$ ㉢

그리고 $0°\leq x\leq 90°$에서 x의 값이 증가하면 $\tan x$의 값은 0부터 무한히 증가하므로

$1 = \tan 45° < \tan 50° < \tan 65° \cdots$ ㉣

㉢과 ㉣에 의해

$\sin 45° < \cos 35° < \sin 75° < \cos 0° < \tan 50° < \tan 65°$

따라서 삼각비를 작은 값부터 차례로 나열하면

Ⅰ－Ⅲ－Ⅳ－Ⅱ－Ⅴ－Ⅵ이야.

112 답 $-1+\cos x$

A에 대하여 $\sqrt{A^2} = \begin{cases} A & (A\geq 0) \\ -A & (A<0) \end{cases}$ 을 이용하자.

$0° < x < 45°$일 때,

(ⅰ) $\cos x > \sin x$이므로

$\sin x - \cos x < 0$

(ⅱ) $0 < \sin x < \dfrac{\sqrt 2}{2}$이므로

$1 - \sin x > 0$

$\therefore \sqrt{(\sin x - \cos x)^2} - \sqrt{(1-\sin x)^2}$

$= -(\sin x - \cos x) - (1-\sin x)$

$= -1 + \cos x$

113 답 ④

A에 대하여 $\sqrt{A^2} = \begin{cases} A & (A\geq 0) \\ -A & (A<0) \end{cases}$ 을 이용하자.

$0°\leq x\leq 90°$에서 $0\leq \cos x\leq 1$이므로

$\cos x + 1 > 0$, $\cos x - 1 \leq 0$

$\therefore \sqrt{(\cos x+1)^2} - \sqrt{(\cos x-1)^2} = (\cos x+1) + (\cos x-1)$

$\qquad\qquad\qquad\qquad\qquad\qquad = 2\cos x$

114 답 ②

$45° < x < 90°$일 때, $1 < \tan x$이므로

$1 - \tan x < 0$, $1 + \tan x > 0$

$\therefore \sqrt{(1-\tan x)^2} - \sqrt{(1+\tan x)^2} = -(1-\tan x) - (1+\tan x)$

$\qquad\qquad\qquad\qquad\qquad\qquad = -1 + \tan x - 1 - \tan x$

$\qquad\qquad\qquad\qquad\qquad\qquad = -2$

115 답 ③

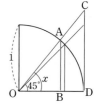

ㄱ. 그림과 같은 반지름의 길이가 1인 사분원에서 $45° < x < 90°$일 때,

$\sin x = \overline{AB}$, $\tan x = \overline{CD}$이고

$\overline{AB} < \overline{CD}$이므로 $\sin x < \tan x$

$\therefore \sin x - \tan x < 0$ (참)

ㄴ. $45° < x < 90°$일 때, $\tan x > 1$이므로

$\tan x - 1 > 0$ (참)

ㄷ. $0° < x < 45°$이면 $\sin x < \cos x$이고

$45° < x < 90°$이면 $\sin x > \cos x$이므로

$\sin x - \cos x$의 부호는 알 수 없어. (거짓)

따라서 옳은 것은 ㄱ, ㄴ이야.

[다른 풀이]

ㄷ. 【반례】 $x = 45°$일 때, $\sin x = \cos x = \dfrac{\sqrt 2}{2}$이므로

$\sin x - \cos x = 0$ (거짓)

116 답 (1) 1.3431 (2) 0.4884

(1) $\sin 25° + \cos 23° = 0.4226 + 0.9205 = 1.3431$

각도	사인(sin)	코사인(cos)	탄젠트(tan)
21°	0.3584	0.9336	0.3839
22°	0.3746	0.9272	0.4040
23°	0.3907	0.9205	0.4245
24°	0.4067	0.9135	0.4452
25°	0.4226	0.9063	0.4663

(2) $\cos 21° - \tan 24° = 0.9336 - 0.4452 = 0.4884$

각도	사인(sin)	코사인(cos)	탄젠트(tan)
21°	0.3584	0.9336	0.3839
22°	0.3746	0.9272	0.4040
23°	0.3907	0.9205	0.4245
24°	0.4067	0.9135	0.4452
25°	0.4226	0.9063	0.4663

117 답 0.9793

각도	사인(sin)	코사인(cos)	탄젠트(tan)
32°	0.5299	0.8480	0.6249
⋮	⋮		
35°	0.5736	0.8192	0.7002
36°	0.5878	0.8090	0.7265

$\cos 36° - \sin 32° + \tan 35° = 0.8090 - 0.5299 + 0.7002$

$\qquad\qquad\qquad\qquad\qquad\qquad = 0.9793$

118 답 30°

각도	사인(sin)	코사인(cos)	탄젠트(tan)
14° ←	(0.2419)	0.9703	0.2493
15°	0.2588	0.9659	0.2679
16° ←	~~0.2756~~	~~0.9613~~	(0.2867)

$\sin x = 0.2419$

$\therefore x = 14°$

$\tan y = 0.2867$

$\therefore y = 16°$

$\therefore x + y = 14° + 16° = 30°$

119 답 61°

각도	사인(sin)	코사인(cos)	탄젠트(tan)
61° ←	(0.8746)	0.4848	1.8040
62°	0.8829	0.4695	1.8807
63°	~~0.8910~~	~~0.4540~~	→ (1.9626)

표에서 $\tan 63° = 1.9626$을 대입하면

$\sin x = \tan 63° - 1.088$

$\qquad = 1.9626 - 1.088$

$\qquad = 0.8746$

따라서 표의 sin값에서 0.8746에 맞는 각을 찾으면 $x = 61°$이야.

120 답 14.064

각도	사인(sin)	코사인(cos)	탄젠트(tan)
51° →	(0.7771)	(0.6293)	1.2349
52°	0.7880	0.6157	1.2799
53°	0.7986	0.6018	1.3270
54°	0.8090	0.5878	1.3764
55°	0.8192	0.5736	1.4281

직각삼각형 ABC에 대하여

$\sin 51° = \dfrac{\overline{AC}}{\overline{AB}} = \dfrac{x}{10} = 0.7771$

$\therefore x = 7.771$

$\cos 51° = \dfrac{\overline{BC}}{\overline{AB}} = \dfrac{y}{10} = 0.6293$

$\therefore y = 6.293$

$\therefore x + y = 7.771 + 6.293 = 14.064$

121 답 19.68

주어진 표에서 37°에 대한 삼각비의 값을 구할 수 없지?

그럼, $90° - 37° = 53°$가 되니까 53°에 대한 삼각비의 값을 이용하면 되겠지?

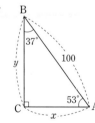

각도	사인(sin)	코사인(cos)	탄젠트(tan)
51°	0.7771	0.6293	1.2349
52°	0.7880	0.6157	1.2799
53°	→ (0.7986)	(0.6018)	1.3270
54°	0.8090	0.5878	1.3764
55°	0.8192	0.5736	1.4281

$\sin 53° = 0.7986$이므로

$\sin 53° = \dfrac{\overline{BC}}{\overline{AB}} = \dfrac{y}{100} = 0.7986$

$\therefore y = 79.86$

또, $\cos 53° = 0.6018$이므로

$\cos 53° = \dfrac{\overline{AC}}{\overline{AB}} = \dfrac{x}{100} = 0.6018$

$\therefore x = 60.18$

$\therefore y - x = 79.86 - 60.18 = 19.68$

122 답 142.81

표에서 ∠B=35°에 대한 삼각비의 값을 알 수 없으니까

∠A=$90° - 35° = 55°$에 대한 삼각비를 이용하자.

구하려는 것은 $\overline{BC}$이고, $\overline{AC}=100$으로 주어졌으니까 △ABC에서 ∠BAC를 기준으로 높이인 $\overline{BC}$와 밑변인 $\overline{AC}$의 관계는 $\tan 55°$로 나타낼 수 있지?

각도	사인(sin)	코사인(cos)	탄젠트(tan)
51°	0.7771	0.6293	1.2349
52°	0.7880	0.6157	1.2799
53°	0.7986	0.6018	1.3270
54°	0.8090	0.5878	1.3764
55°	~~0.8192~~	~~0.5736~~	→ (1.4281)

$\tan 55° = \dfrac{\overline{BC}}{\overline{AC}} = \dfrac{\overline{BC}}{100} = 1.4281$

$\therefore \overline{BC} = 142.81$

123 답 29.7

∠A=42°에 대한 삼각비의 값을 알 수 없으니까 ∠B=$90° - 42° = 48°$에 대한 삼각비를 이용하자.

구하려는 것은 $\overline{CD}$이고, $\overline{BC}=40$으로 주어졌으니까 △BCD에서 ∠B를 기준으로 높이인 $\overline{CD}$와 빗변인 $\overline{BC}$의 관계는 $\sin 48°$로 나타낼 수 있지?

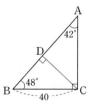

각도	사인(sin)	코사인(cos)	탄젠트(tan)
48°	→ (0.7431)	0.6691	1.1106
49°	0.7547	0.6561	1.1504

$\sin 48° = \dfrac{\overline{CD}}{\overline{BC}} = \dfrac{\overline{CD}}{40} = 0.7431$

$\therefore \overline{CD} = 0.7431 \times 40 = 29.724$

따라서 선분 CD의 길이는 약 29.7이야.

124 답 ⑤

1st 직각삼각형 속에 공통인 각을 포함한 직각삼각형이 또 있네.
그럼, 이 두 직각삼각형은 닮은 삼각형이지?
직각삼각형 ABC에 대하여 ∠B=x지?
직각삼각형 ABC의 세 내각의 크기의 합은 180°이므로

$\angle A + \angle B + \angle C = 180°$

$\angle A + x + 90° = 180°$

$\therefore \angle A = 90° - x \cdots \bigcirc$

또, 직각삼각형 ADE의 세 내각의 합은
180°이므로

$\angle A + \angle AED + \angle ADE = 180°$

$(90° - x) + y + 90° = 180° (\because \bigcirc)$

$\therefore x = y$

2nd $x = y$임을 이용해 삼각비의 값을 구하자.
직각삼각형 ABC에 피타고라스 정리를 적용하면

$\overline{AB}^2 = \overline{BC}^2 + \overline{AC}^2 = 3^2 + 4^2 = 25$

$\therefore \overline{AB} = 5$

직각삼각형 ABC의 x에 대하여

$\cos x = \dfrac{\overline{BC}}{\overline{AB}} = \dfrac{3}{5}$,

$\tan y = \tan x = \dfrac{\overline{AC}}{\overline{BC}} = \dfrac{4}{3}$

$\therefore \cos x + \tan y = \dfrac{3}{5} + \dfrac{4}{3} = \dfrac{29}{15}$

오답피하기

> 이런 유형의 문제는 직각삼각형의 닮음을 충분히 알고 있지 않으
> 면 풀기 힘들어. $x = y$가 된다는 것을 유도해야 $\tan y$의 값을 풀
> 수 있지? 이런 유형의 문제를 풀었어도 원리를 모르고 풀면 약간
> 만 다르게 나와도 풀지 못하게 될 가능성이 있어. 왜 큰 직각삼각
> 형과 그 속에 있는 조그만 직각삼각형이 서로 닮았는지 유도하면
> 서 풀면 원리도 알게 되고 나중에는 유도하지 않아도 변형된 문제
> 가 나와도 잘 풀 수 있게 될 거야. 유형을 알고 문제를 푸는 것도
> 중요하지만 원리를 확실히 알고 푸는 것이 더욱 중요해.

125 답 ⑤

1st 먼저 피타고라스 정리를 이용해서 $\overline{AB}$의 길이를 구하자.
직각삼각형 ABC에 피타고라스 정리를 적용하면

$\overline{BC}^2 = \overline{AB}^2 + \overline{AC}^2$

$10^2 = \overline{AB}^2 + 6^2$, $\overline{AB}^2 = 64$

$\therefore \overline{AB} = 8$

2nd 두 직각삼각형 ABC와 DBE가 닮음인 것을 이용하자.
두 직각삼각형 ABC와 DBE에
서 ∠B는 공통,
$\angle BAC = \angle BDE = 90°$이므로
AA 닮음이지?

$\therefore x = \angle BCA = \angle BED$

3rd 이제 직각삼각형 ABC의 x에 대하여 $\sin x$, $\cos x$, $\tan x$의 값
을 각각 구하자.
직각삼각형 ABC의 x에 대하여

$\sin x = \dfrac{\overline{AB}}{\overline{BC}} = \dfrac{8}{10} = \dfrac{4}{5}$

$\cos x = \dfrac{\overline{AC}}{\overline{BC}} = \dfrac{6}{10} = \dfrac{3}{5}$

$\tan x = \dfrac{\overline{AB}}{\overline{AC}} = \dfrac{8}{6} = \dfrac{4}{3}$

$\therefore \sin x + \cos x + \tan x = \dfrac{4}{5} + \dfrac{3}{5} + \dfrac{4}{3} = \dfrac{12}{15} + \dfrac{9}{15} + \dfrac{20}{15} = \dfrac{41}{15}$

126 답 $\dfrac{4}{5}$

1st 주어진 선분의 길이의 비와 피타고라스 정리를 이용하여 $\overline{AD}$의
길이를 구하자.

$\overline{BD} : \overline{DC} = 16 : 9$이므로

$\overline{BD} = 16k$, $\overline{DC} = 9k$ (k는 양수)로 놓
을 수 있지?

이때, $\angle BDA = \angle ADC = 90°$,

$\angle BAD = \angle ACD = \times$이므로

두 직각삼각형 DBA와 DAC는 AA 닮음이 돼.

즉, $\overline{AD}^2 = \overline{BD} \times \overline{CD} = 16k \times 9k = 144k^2$에서 $\overline{AD} = 12k$

2nd 직각삼각형 ADC에 대하여 $\cos x$의 값을 구하자.
직각삼각형 ADC에 피타고라스 정리를 적용하면

$\overline{AC}^2 = \overline{AD}^2 + \overline{CD}^2 = (12k)^2 + (9k)^2 = 225k^2$

$\therefore \overline{AC} = 15k$

$\therefore \cos x = \dfrac{\overline{AD}}{\overline{AC}} = \dfrac{12k}{15k} = \dfrac{4}{5}$

> ★ **직각삼각형의 닮음의 성질**
> (1) △ABC∽△HBA ⇒ $\overline{AB}^2 = \overline{BH} \times \overline{BC}$
> (2) △ABC∽△HAC ⇒ $\overline{AC}^2 = \overline{CH} \times \overline{CB}$
> (3) △HBA∽△HAC ⇒ $\overline{AH}^2 = \overline{BH} \times \overline{CH}$
>

127 답 ④

1st 두 직각삼각형 AED와 DEC가 닮음임을 이용하여 $\overline{CD}$의 길이
를 구하자.
$\angle BAD = x$, $\angle CAD = y$이고, 이것과 크기가 같은 각을 각각 나타
내면 그림과 같지?

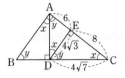

두 직각삼각형 AED와 DEC는 AA 닮음이므로

$\overline{DE}^2 = \overline{CE} \times \overline{EA} = 8 \times 6 = 48$

$\therefore \overline{DE} = 4\sqrt{3}$

또, 두 직각삼각형 ADC와 DEC는 AA 닮음이므로

$\overline{CD}^2 = \overline{CE} \times \overline{CA} = 8 \times 14 = 112$

$\therefore \overline{CD} = 4\sqrt{7}$

2nd 직각삼각형 CDE에 대하여 $\sin^2 x$, $\cos^2 x$의 값을 각각 구하자.

△CDE에서 ∠C=x이므로

$$\sin x=\frac{\overline{DE}}{\overline{CD}}=\frac{4\sqrt{3}}{4\sqrt{7}}=\frac{\sqrt{3}}{\sqrt{7}} \qquad \therefore \sin^2 x=\left(\frac{\sqrt{3}}{\sqrt{7}}\right)^2=\frac{3}{7}$$

또, △CDE에서 ∠CDE=y이므로

$$\cos y=\frac{\overline{DE}}{\overline{CD}}=\frac{\sqrt{3}}{\sqrt{7}} \qquad \therefore \cos^2 y=\left(\frac{\sqrt{3}}{\sqrt{7}}\right)^2=\frac{3}{7}$$

$$\therefore \sin^2 x+\cos^2 y=\frac{6}{7}$$

★ **직각삼각형의 닮음의 성질**

(1) △ABC∽△HBA ⇒ $\overline{AB}^2=\overline{BH}\times\overline{BC}$

(2) △ABC∽△HAC ⇒ $\overline{AC}^2=\overline{CH}\times\overline{CB}$

(3) △HBA∽△HAC ⇒ $\overline{AH}^2=\overline{BH}\times\overline{CH}$

---

128 답 ④

1st 주어진 조건은 $\tan A=2$ 하나뿐이지? 이것을 만족시키는 직각삼각형을 그려 보자.

$\tan A=\dfrac{\overline{BC}}{\overline{AB}}=2$를 만족시키는 직각삼각형 ABC는 k를 양수라 하면 그림과 같이 $\overline{AB}=k$, $\overline{BC}=2k$로 놓을 수 있지.

직각삼각형 ABC에 피타고라스 정리를 적용하면

$$\overline{AC}^2=\overline{AB}^2+\overline{BC}^2=k^2+(2k)^2=5k^2$$

$$\therefore \overline{AC}=\sqrt{5}k$$

$$\therefore \sin A=\frac{\overline{BC}}{\overline{AC}}=\frac{2k}{\sqrt{5}k}=\frac{2}{\sqrt{5}}, \cos A=\frac{\overline{AB}}{\overline{AC}}=\frac{k}{\sqrt{5}k}=\frac{1}{\sqrt{5}}$$

2nd 구한 삼각비의 값을 대입해 보자.

$$\therefore \frac{1+2\sin A\times\cos A}{\sin^2 A-\cos^2 A}=\frac{1+2\times\dfrac{2}{\sqrt{5}}\times\dfrac{1}{\sqrt{5}}}{\left(\dfrac{2}{\sqrt{5}}\right)^2-\left(\dfrac{1}{\sqrt{5}}\right)^2}$$

$$=\frac{\dfrac{9}{5}}{\dfrac{3}{5}}=\frac{9}{3}=3$$

외답|피하기

$\tan A=2$에서 $\overline{AB}=1$, $\overline{BC}=2$로 놓고 바로 풀어도 돼. 하지만 위의 풀이처럼 풀어야 제대로 푼 거야. k로 놓고 풀지 않은 것은 $\tan A=2$를 만족시키는 특수한 경우 중 하나를 이용해서 푼 것이기 때문에 서술형 문제였다면 별로 좋은 점수를 얻을 수 없을 거야. 하지만 객관식이라면 기꺼이 추천하고 싶어. 왜냐하면 시험에서는 시간이 많이 주어지지 않기 때문에 빠르고 효과적으로 답을 내는 방법이 훨씬 낫거든. 수학적으로 푸는 훈련을 게을리하면 안 되니까 위의 풀이와 같은 방법은 반드시 알아 두어야 해.

---

129 답 ③

1st 주어진 조건은 $\tan A=\dfrac{1}{2}$ 하나뿐이지? 이것을 만족시키는 직각삼각형을 그려 보자.

∠B=90°인 직각삼각형 ABC에서

$\tan A=\dfrac{\overline{BC}}{\overline{AB}}=\dfrac{1}{2}$을 만족시킬 때, k를

양수라 하면 그림과 같이 $\overline{AB}=2k$, $\overline{BC}=k$로 놓을 수 있지.

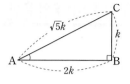

직각삼각형 ABC에 피타고라스 정리를 적용하면

$$\overline{AC}^2=\overline{AB}^2+\overline{BC}^2=(2k)^2+k^2=5k^2$$

$$\therefore \overline{AC}=\sqrt{5}k$$

$$\therefore \sin A=\frac{\overline{BC}}{\overline{AC}}=\frac{k}{\sqrt{5}k}=\frac{1}{\sqrt{5}}, \cos A=\frac{\overline{AB}}{\overline{AC}}=\frac{2k}{\sqrt{5}k}=\frac{2}{\sqrt{5}}$$

2nd 구한 삼각비의 값을 대입해 보자.

$$\therefore \frac{\sin A\times\cos A+\sin^2 A}{(\cos A+\sin A)\times(\cos A-\sin A)}$$

$$=\frac{\sin A\times\cos A+\sin^2 A}{\cos^2 A-\sin^2 A}=\frac{\dfrac{1}{\sqrt{5}}\times\dfrac{2}{\sqrt{5}}+\left(\dfrac{1}{\sqrt{5}}\right)^2}{\left(\dfrac{2}{\sqrt{5}}\right)^2-\left(\dfrac{1}{\sqrt{5}}\right)^2}$$

$$=\frac{\dfrac{2}{5}+\dfrac{1}{5}}{\dfrac{4}{5}-\dfrac{1}{5}}=\frac{\dfrac{3}{5}}{\dfrac{3}{5}}=1$$

---

130 답 ②

1st 특수각에 대한 삼각비의 값을 알고 있어야 해.

주어진 $\sin(2x+10°)=\dfrac{1}{2}$에 대해 사인값이 $\dfrac{1}{2}$이 나온 것은 특수한 각이 나온다는 것을 의미해.

즉, $0°\leq A\leq 90°$에서 $\sin A=\dfrac{1}{2}$이 성립하는 것은 $\sin 30°=\dfrac{1}{2}$을 기억하고 있으면 $A=30°$라는 것을 알 수 있을 거야. 즉,

$$2x+10°=30° \qquad \therefore x=10°$$

2nd 주어진 x의 값을 대입하자.

$$\therefore \cos 6x=\cos 60°=\frac{1}{2}$$

외답|피하기

우리가 알고 있는 특수각(0°, 30°, 45°, 60°, 90°)에 대한 삼각비의 값을 알고 있지?

삼각비 $\diagdown$ A	0°	30°	45°	60°	90°
$\sin A$	0	$\dfrac{1}{2}$	$\dfrac{\sqrt{2}}{2}$	$\dfrac{\sqrt{3}}{2}$	1
$\cos A$	1	$\dfrac{\sqrt{3}}{2}$	$\dfrac{\sqrt{2}}{2}$	$\dfrac{1}{2}$	0
$\tan A$	0	$\dfrac{1}{\sqrt{3}}$	1	$\sqrt{3}$	정할 수 없다.

이 특수각에 대한 삼각비의 값을 정확히 기억하고 있어야 해.

$\sin 60°$는 위의 표에서 $\dfrac{\sqrt{3}}{2}$으로 값을 구할 수 있지?

그런데 $\sin x=\dfrac{\sqrt{3}}{2}$이 되는 x의 값을 구하는 것은 표를 보면 쉽게 구할 수 있지만 표를 완전히 암기하지 않았다면 구하기가 곤란하지? 이렇게 값을 만족시키는 각을 구하는 것이 처음에는 능숙하게 되지 않아도 자주 문제를 풀나보면 익혀지게 돼. 특수각에 대한 삼각비의 값을 완전히 익히자.

131 답 ①

1st 특수각에 대한 삼각비의 값을 알고 있어야 해.

$\tan 45° = 1$이므로 $\cos(5x+10°) = \frac{1}{2}$이야. 이때, 코사인값이 $\frac{1}{2}$ 이 나온 것은 특수각이 나온다는 것을 의미해.

즉, $0° < A < 90°$에서 $\cos A = \frac{1}{2}$이 성립하는 것은 $\cos 60° = \frac{1}{2}$에서 $A = 60°$라는 것을 알 수 있을 거야.

$5x + 10° = 60°$

$\therefore x = 10°$

2nd 주어진 x의 값을 대입하자.

$\therefore \sin 3x = \sin 30° = \frac{1}{2}$

132 답 ②

1st 특수각에 대한 삼각비의 값을 대입하자.

삼각비 \ A	0°	30°	45°	60°	90°
$\sin A$	0	$\frac{1}{2}$	$\frac{\sqrt{2}}{2}$	$\frac{\sqrt{3}}{2}$	1
$\cos A$	1	$\frac{\sqrt{3}}{2}$	$\frac{\sqrt{2}}{2}$	$\frac{1}{2}$	0
$\tan A$	0	$\frac{1}{\sqrt{3}}$	1	$\sqrt{3}$	정할 수 없다.

① $\sin 90° - \tan 30° \times \tan 60° = 1 - \frac{1}{\sqrt{3}} \times \sqrt{3} = 1 - 1 = 0$ (참)

② $\tan 45° \times \sin 0° + \tan 30° \div \tan 60° = 1 \times 0 + \frac{1}{\sqrt{3}} \div \sqrt{3}$
$= \frac{1}{3}$ (거짓)

③ $\cos 90° - \tan 45° = 0 - 1 = -1$ (참)

④ $\sin 90° \times \cos 30° + \cos 0° \times \sin 60° = 1 \times \frac{\sqrt{3}}{2} + 1 \times \frac{\sqrt{3}}{2}$
$= \frac{2\sqrt{3}}{2} = \sqrt{3}$ (참)

⑤ $2\sin 30° \times \cos 60° - \sin 45° \times \cos 45°$
$= 2 \times \frac{1}{2} \times \frac{1}{2} - \frac{\sqrt{2}}{2} \times \frac{\sqrt{2}}{2}$
$= \frac{1}{2} - \frac{2}{4} = 0$ (참)

오답피하기

특수각의 삼각비의 값을 정확하게 알고 있어야 풀 수 있어. 그런데 가끔 헷갈리는 삼각비가 있어. 예를 들면 $\sin 30°$, $\sin 60°$, $\cos 30°$, $\cos 60°$의 값이 그럴 거야. $\frac{1}{2}$, $\frac{\sqrt{3}}{2}$ 값 중 하나라는 것은 기억하는데 정확히는 기억을 못하는 경우가 있어. 이럴 때에는 $\sin$은 각도가 클수록 값도 크다는 걸 알고 있으면 $\sin 30° = \frac{1}{2}$, $\sin 60° = \frac{\sqrt{3}}{2}$ 으로 나오겠지? $\cos$은 반대로 각이 클수록 값은 작아. 그래서 $\cos 30° = \frac{\sqrt{3}}{2}$, $\cos 60° = \frac{1}{2}$이 되는 거야. 삼각비의 값을 잘못 대입하면 계산 결과가 틀려지니까 정확히 알고 있어야 해.

133 답 ③

1st 특수각에 대한 삼각비의 값을 대입하자.

삼각비 \ A	0°	30°	45°	60°	90°
$\sin A$	0	$\frac{1}{2}$	$\frac{\sqrt{2}}{2}$	$\frac{\sqrt{3}}{2}$	1
$\cos A$	1	$\frac{\sqrt{3}}{2}$	$\frac{\sqrt{2}}{2}$	$\frac{1}{2}$	0
$\tan A$	0	$\frac{1}{\sqrt{3}}$	1	$\sqrt{3}$	정할 수 없다.

ㄱ. $\sin^2 30° + \cos^2 60° = \left(\frac{1}{2}\right)^2 + \left(\frac{1}{2}\right)^2 = \frac{1}{2}$ (거짓)

ㄴ. $\cos 30° \times \tan 30° = \frac{\sqrt{3}}{2} \times \frac{1}{\sqrt{3}} = \frac{1}{2} = \sin 30°$ (참)

ㄷ. $\sin 30° + \sin 60° = \frac{1}{2} + \frac{\sqrt{3}}{2} = \frac{1+\sqrt{3}}{2}$이고
$\sin 90° = 1$이므로
$\sin 30° + \sin 60° \neq \sin 90°$ (거짓)

ㄹ. $\tan 30° = \frac{1}{\sqrt{3}} = \frac{1}{\tan 60°}$ (참)

따라서 옳은 것은 ㄴ, ㄹ이야.

134 답 ①

1st 반복되는 것을 간단한 문자로 바꾸자.

$\cos^2 A + 4\cos A - 5 = 0$

$(\cos A)^2 + 4\cos A - 5 = 0$

여기서 $\cos A = X$로 놓으면 $X^2 + 4X - 5 = 0$

이것은 X에 대한 이차방정식이지?

X에 대해 인수분해를 하면

$X^2 + 4X - 5 = 0$, $(X+5)(X-1) = 0$

$\therefore X = -5$ 또는 $X = 1$

$\therefore \cos A = -5$ 또는 $\cos A = 1$

$$\begin{array}{ccc} X & \diagdown & -1 \rightarrow -X \\ X & \diagup & 5 \rightarrow 5X \ (+ \\ \hline & & 4X \end{array}$$

2nd $\cos A$의 범위에 주의하고 A의 크기를 구하자.

그런데 $0° \leq A \leq 90°$에서 $0 \leq \cos A \leq 1$이므로 $\cos A = 1$

따라서 $\cos 0° = 1$이므로 $A = 0°$

135 답 ③

1st 반복되는 것을 간단한 문자로 바꾸자.

$2\sin^2 x + \sin x - 1 = 0$

$2(\sin x)^2 + \sin x - 1 = 0$

여기서 $\sin x = X$로 놓으면 $2X^2 + X - 1 = 0$

이것은 X에 대한 이차방정식이지?

X에 대해 인수분해를 하면

$2X^2 + X - 1 = 0$
$(2X-1)(X+1) = 0$

$$\begin{array}{ccc} 2X & \diagdown & -1 \rightarrow -X \\ X & \diagup & 1 \rightarrow 2X \ (+ \\ \hline & & X \end{array}$$

$\therefore X = \frac{1}{2}$ 또는 $X = -1$

$\therefore \sin x = \frac{1}{2}$ 또는 $\sin x = -1$ … ㉠

2nd $\sin x$의 범위에 주의하여 x의 크기를 구하여 $\tan x$의 값을 구하자.

그런데 $0°\leq x\leq90°$에서 $0\leq\sin x\leq1$이므로

㉠에서 $\sin x=\dfrac{1}{2}$

이때, $\sin30°=\dfrac{1}{2}$임을 이용하면 $x=30°$

$\therefore \tan x=\tan30°=\dfrac{\sqrt{3}}{3}$

오답피해기

삼각비에 관련된 방정식은 그것을 우리가 알고 있는 식으로 어떻게 바꿔서 생각할 수 있느냐가 매우 중요해.

이 문제는 잘 관찰하지 않으면 어떻게 풀어야 할지 모를 수 있어. 그리고 $\sin^2x=(\sin x)^2$이라는 약속을 잘 알고 있어야겠지? $2\sin^2x+\sin x-1=0$은 $2(\sin x)^2+\sin x-1=0$이므로 $\sin x$가 반복되는 식이라는 것을 알 수 있어.

수학에서는 반복되는 복잡한 식이나 문자를 어느 하나의 문자로 바꾸어 생각하는 경향이 있어. 이걸 수학에서 쓰이는 용어로 치환이라고 하지. 이 문제를 $\sin x=X$로 치환하면 $2X^2+X-1=0$이 되어 X에 대한 이차방정식이 나오는 거야. 그럼, 이 이차방정식을 풀면 되겠지?

참! 치환에서 중요한 것은 다시 원래 상태로 돌리는 거야. 즉, X로 나온 식을 $\sin x$로 반드시 바꿔야 해. 이 문제에서 $X=\dfrac{1}{2}$이 나오니까 문제에서 묻는 $\tan x$를 구하지 않고 답을 ②번으로 택하는 실수를 할 수 있으니까 주의해야 해.

그리고 삼각비의 치환에서 빼먹기 쉬운 중요한 것이 한 가지 더 있어. 바로 범위가 반드시 있다는 거야. 이 문제처럼 $0°\leq x\leq90°$이면 $0\leq\sin x\leq1$이 되어 $0\leq X\leq1$이 되기 때문에 $X=-1$은 답이 될 수 없으니까 제외시켜 주는 거야. 즉, 치환할 때는 범위를 꼭 추가해야 한다는 것을 잊지 말자.

136 답 ⑤

1st 먼저 일차함수의 그래프를 그려보고 예각 A가 직각삼각형의 어느 각인지 살펴보자.

그림과 같이 일차함수 $y=-\dfrac{4}{3}x+4$의 그래프에서 y절편은 $x=0$을 대입하여 구하면 4, x절편은 $y=0$을 대입하여 구하면 3이 돼.

따라서 일차함수의 그래프와 x축의 양의 방향이 이루는 예각이 A이므로 $\triangle OAB$에서

$\tan A=\dfrac{\overline{OB}}{\overline{OA}}=\dfrac{4}{3}$

2nd 삼각비의 뜻을 이용하여 $\sin A$, $\cos A$의 값을 구해 봐.

직각삼각형 OAB에 피타고라스 정리를 적용하면
$\overline{AB}^2=\overline{OA}^2+\overline{OB}^2=3^2+4^2=25$ $\therefore \overline{AB}=5$

직각삼각형 OAB에서
$\sin A=\dfrac{\overline{OB}}{\overline{AB}}=\dfrac{4}{5}$, $\cos A=\dfrac{\overline{OA}}{\overline{AB}}=\dfrac{3}{5}$

$\therefore \dfrac{1}{\sin A-\cos A}=\dfrac{1}{\dfrac{4}{5}-\dfrac{3}{5}}=\dfrac{1}{\dfrac{1}{5}}=5$

오답피해기

이 문제는 일차함수의 기울기와 $\tan$의 관계를 정확히 모르면 틀릴 수 있는 문제야. 일차함수의 그래프와 x축의 양의 방향과 이루는 각의 크기를 θ라 할 때, (직선의 기울기)$=\tan\theta$라는 것은 알고 있지?

그런데 이 문제처럼 일차함수 $y=-\dfrac{4}{3}x+4$의 기울기가 $-\dfrac{4}{3}$로 음수이면 위의 풀이의 그림과 같이 x축의 양의 방향과 이루는 각이 90°가 넘는 둔각이 돼. 그래서 예각 A를 찾기 위해 직각삼각형을 찾으려면 x절편, y절편을 각각 구하여 풀 수밖에 없어. 문제에서 예각 A가 무엇을 의미하는지 잘 파악하는 게 중요해.

137 답 $\dfrac{7}{5}$

1st 먼저 일차함수의 그래프를 그려 θ가 직각삼각형의 어느 각인지 살펴보자.

일차함수를 y에 대해 나타내자.

$3x-4y+12=0$에서 $y=\dfrac{3}{4}x+3$ … ㉠

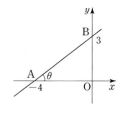

그림과 같이 일차함수 $y=\dfrac{3}{4}x+3$의 그래프에서 y절편은 $x=0$을 대입하여 구하면 3, x절편은 $y=0$을 대입하여 구하면 -4

따라서 ㉠의 그래프와 x축의 양의 방향과 이루는 예각의 크기가 θ이므로

$\tan\theta=\dfrac{\overline{OB}}{\overline{OA}}=\dfrac{3}{4}$

2nd 삼각비의 뜻을 이용하여 $\sin A$, $\cos A$의 값을 구해봐.

직각삼각형 AOB에 피타고라스 정리를 적용하면
$\overline{AB}^2=\overline{OA}^2+\overline{OB}^2=4^2+3^2=25$
$\therefore \overline{AB}=5$

직각삼각형 AOB에서
$\sin\theta=\dfrac{\overline{OB}}{\overline{AB}}=\dfrac{3}{5}$, $\cos\theta=\dfrac{\overline{OA}}{\overline{AB}}=\dfrac{4}{5}$

$\therefore \sin\theta+\cos\theta=\dfrac{3}{5}+\dfrac{4}{5}=\dfrac{7}{5}$

138 답 $1-\sin A$

1st 제곱근의 성질 중 $\sqrt{A^2}=\begin{cases}A\,(A\geq0)\\-A\,(A<0)\end{cases}$ 임을 이용하여 제곱근을 풀자.

$0°<A<45°$일 때, $\sin0°=0<\sin A<\sin45°=\dfrac{\sqrt{2}}{2}$

$\cos45°=\dfrac{\sqrt{2}}{2}<\cos A<\cos0°=1$이므로

$\sin A<\cos A<1$ $\therefore \sin A-\cos A<0$
$\therefore \sqrt{(\sin A-\cos A)^2}=-(\sin A-\cos A)$
$\qquad\qquad\qquad\quad =-\sin A+\cos A$ … ㉠

2nd 절댓값의 정의 $|A|=\begin{cases}A\,(A\geq0)\\A\,(A<0)\end{cases}$ 을 이용해서 절댓값을 풀자.

$0°<A<45°$에서 $\cos45°=\dfrac{\sqrt{2}}{2}<\cos A<\cos0°=1$이므로

$1-\cos A>0$ $\quad\therefore |1-\cos A|=1-\cos A$ ··· ㉡

㉠, ㉡에 의해

$\sqrt{(\sin A-\cos A)^2}+|1-\cos A|$

$=-\sin A+\cos A+1-\cos A$

$=1-\sin A$

오답피해기 ─────

이런 유형의 문제는 주어진 범위에서 제곱근 속의 식과 절댓값 속의 식이 양수인지 음수인지 따져 줘야 풀 수 있어.

제곱근의 성질과 절댓값의 정의를 이용하면 풀 수 있는 문제이지만 구체적인 값이 주어진 것이 아니기 때문에 쉽지는 않겠지? 사실 제곱근의 성질과 절댓값의 정의는 비슷한 점이 많아.

만약 객관식으로 나왔다면 범위에 해당하는 특수한 값을 대입하여 따져 주기도 해. 이것은 객관식에만 해당되는 경우니까 서술형 문제의 경우는 앞의 풀이와 같이 풀어야 하는 게 정석이야.

139 답 $\dfrac{1}{2}$

1st 제곱근의 성질 중 $\sqrt{A^2}=\begin{cases} A & (A\ge 0) \\ -A & (A<0)\end{cases}$ 임을 이용하여 제곱근을 풀자.

$45°\le A<90°$일 때 $\sin 45°=\dfrac{\sqrt{2}}{2}\le \sin A<\sin 90°=1$이고,

$\cos 90°=0<\cos A\le \cos 45°=\dfrac{\sqrt{2}}{2}$이므로

$0<\cos A\le \sin A<1$

$\therefore \sin A+\cos A>0,\ \cos A-\sin A\le 0$

$\therefore \sqrt{(\sin A+\cos A)^2}=\sin A+\cos A,$

$\quad \sqrt{(\cos A-\sin A)^2}=-\cos A+\sin A$

2nd 주어진 식을 만족시키는 A의 크기를 구해 보자.

$\sqrt{(\sin A+\cos A)^2}+\sqrt{(\cos A-\sin A)^2}$

$=(\sin A+\cos A)+(-\cos A+\sin A)$

$=2\sin A=\sqrt{2}$

$\therefore \sin A=\dfrac{\sqrt{2}}{2}$

한편, $\sin 45°=\dfrac{\sqrt{2}}{2}$이고 $\sin A=\dfrac{\sqrt{2}}{2}$이므로 $A=45°$야.

3rd $A=45°$를 $\cos(105°-A)$에 대입해서 계산하자.

$\therefore \cos(105°-A)=\cos 60°=\dfrac{1}{2}$

140 답 ②

1st x의 값이 증가할수록 $\sin x$, $\cos x$, $\tan x$의 값이 어떻게 되는지 생각해보자.

$0°\le x\le 90°$에서 x의 값이 증가하면 $\sin x$와 $\tan x$의 값도 증가하지? 반면에 $\cos x$의 값은 감소하고.

$\therefore \cos 15°<\cos 0°=1$ ··· ㉠

2nd 특수각에 대한 삼각비의 값을 이용하여 대소 관계를 따지자.

$\tan 45°=1$이므로

$\cos 0°=1=\tan 45°<\tan 46°$ ··· ㉡

그런데 $\cos x=\sin(90°-x)$임을 이용하면

$\cos 15°=\sin(90°-15°)=\sin 75°<\sin 89°<\sin 90°=1$ ··· ㉢

㉠, ㉡, ㉢에서

$\cos 15°<\sin 89°<\cos 0°<\tan 46°$

오답피해기 ─────

대소 관계를 쉽게 풀 수 없지? 왜냐하면 주어진 각도들이 모두 특수각이 아니기 때문이야. 이 문제는 x의 값이 증가함에 따라 $\sin x$, $\cos x$, $\tan x$의 값이 어떻게 변하는지 알고 있어야 풀 수 있어. 물론 대소 관계를 비교할 때, 특수각에 대한 삼각비의 값을 미리 알고 있어야 대소 관계를 쉽게 알 수 있기 때문에 특수각에 대한 삼각비도 잘 알아야겠지.

각의 변화에 따른 삼각비의 값의 변화를 잘 확인하면 풀 수 있는 것이 대소 관계니까 이것을 관찰하는 훈련을 많이 해야겠지?

141 답 ③

1st x의 값이 증가할수록 $\sin x$, $\cos x$, $\tan x$의 값이 어떻게 되는지 생각해 보자.

$0°\le x\le 90°$에서 x의 값이 증가하면 $\sin x$와 $\tan x$의 값도 증가하지? 반면에 $\cos x$의 값은 감소하고

$\sin 25°<\sin 45°$ ··· ㉠

$\cos 45°<\cos 25°<\cos 0°$ ··· ㉡

$\tan 45°<\tan 50°<\tan 65°$ ··· ㉢

2nd 같은 삼각비의 값을 이용하여 대소 관계를 따지자.

$\sin 45°=\cos 45°=\dfrac{\sqrt{2}}{2}$이므로 ㉠, ㉡에서

$\sin 25°<\sin 45°=\cos 45°<\cos 25°<\cos 0°$ ··· ㉣

또, $\cos 0°=\tan 45°=1$이므로 ㉡, ㉢에서

$\cos 25°<\cos 0°=\tan 45°<\tan 50°<\tan 65°$ ··· ㉤

㉣, ㉤에서

$\sin 25°<\sin 45°<\cos 25°<\cos 0°<\tan 50°<\tan 65°$

따라서 삼각비의 값을 작은 것부터 차례로 나열하면

Ⅰ-Ⅳ-Ⅲ-Ⅱ-Ⅴ-Ⅵ이야.

142 답 ③

1st 주어진 사분원의 반지름의 길이가 1임을 이용하여 $\tan 48°$의 값을 구하자.

$\tan 48°=\dfrac{\overline{CD}}{\overline{OC}}=\dfrac{1.111}{1}=1.111$

2nd $\cos A=\sin(90°-A)$를 이용하여 $\cos 42°$의 값을 구하자.

$42°=90°-48°$이므로

$\cos 42°=\sin 48°$

$=\dfrac{\overline{AB}}{\overline{OA}}=\dfrac{0.743}{1}$

$=0.743$

$\therefore \tan 48°-\cos 42°=1.111-0.743$

$=0.368$

반지름의 길이가 1인 사분원을 이용하여 삼각비의 값을 구하는 문제는 삼각비의 뜻을 정확히 알고 있으면 풀 수 있어. 그런데 $\tan 48° = \dfrac{\overline{AB}}{\overline{OB}}$ 로 구하지 않아야 제대로 풀 수 있을 거야. 그림에서 $\overline{CD}$가 왜 나와 있는지 생각해 봐.

반지름의 길이가 1인 경우 사분원 안의 삼각형의 빗변의 길이가 1이므로 x좌표는 $\cos$값, y좌표는 $\sin$값을 나타내고, 사분원 밖의 삼각형의 밑변의 길이가 1이므로 점 D의 y좌표가 $\tan$값을 나타낸다는 걸 알고 있어야 해. 그런데 반지름의 길이가 1이 아닐 경우에는 주어진 좌표가 삼각비를 바로 나타내는 게 아님을 주의해야 해.

143 답 ③

1st 주어진 사분원의 반지름의 길이가 1임을 이용하여 $\sin 50°$, $\tan 50°$의 값을 구해 보자.

③ $\sin 50° = \dfrac{\overline{AD}}{\overline{OD}} = \dfrac{0.7771}{1}$
　$= 0.7771$ (거짓)

④ $\tan 50° = \dfrac{\overline{CB}}{\overline{OB}} = \dfrac{1.1918}{1}$
　$= 1.1918$ (참)

2nd $40° = 90° - 50°$임을 이용하자.

① $\cos 40° = \dfrac{\overline{DA}}{\overline{OD}} = \dfrac{0.7771}{1} = 0.7771$ (참)

② $\sin 40° = \dfrac{\overline{OA}}{\overline{OD}} = \dfrac{0.6428}{1} = 0.6428$ (참)

⑤ $\overline{AB} = \overline{OB} - \overline{OA}$
　$= 1 - \dfrac{\overline{OA}}{\overline{OD}}$ ($\because \overline{OD}=1$) $= 1 - \sin 40°$ (참)

서술형 다지기

문제편 **p. 28**

[144-145 채점기준표]

Ⅰ	x와 관련된 삼각비를 구한다.	40%
Ⅱ	y와 관련된 삼각비를 구한다.	40%
Ⅲ	구하고자 하는 값을 구한다.	20%

144 답 $\dfrac{8}{5}$

먼저, $\cos x$의 값을 구하자.

$\angle ABC = y$, $\angle ACB = x$이므로

$\cos x = \dfrac{\overline{AC}}{\overline{BC}} = \dfrac{8}{10} = \dfrac{4}{5}$ ··· **Ⅰ**

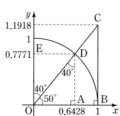

그다음, $\sin y$의 값을 구하자.

$\sin y = \dfrac{\overline{AC}}{\overline{BC}} = \dfrac{8}{10} = \dfrac{4}{5}$ ··· **Ⅱ**

그래서, $\cos x + \sin y$의 값을 구하자.

$\therefore \cos x + \sin y = \dfrac{4}{5} + \dfrac{4}{5} = \dfrac{8}{5}$ ··· **Ⅲ**

145 답 $\dfrac{\sqrt{3}}{4}$

먼저, $\sin x$, $\tan x$의 값을 각각 구하자.

$\angle ABC = y$, $\angle ACB = x$이므로
$\overline{BC} = \sqrt{2^2 + (2\sqrt{3})^2} = 4\,(\text{cm})$

$\sin x = \dfrac{\overline{AB}}{\overline{BC}} = \dfrac{2\sqrt{3}}{4} = \dfrac{\sqrt{3}}{2}$

$\tan x = \dfrac{\overline{AB}}{\overline{AC}} = \dfrac{2\sqrt{3}}{2} = \sqrt{3}$ ··· **Ⅰ**

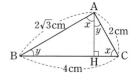

그다음, $\cos y$의 값을 구하자.

$\cos y = \dfrac{\overline{AB}}{\overline{BC}} = \dfrac{2\sqrt{3}}{4} = \dfrac{\sqrt{3}}{2}$ ··· **Ⅱ**

그래서, $\sin x \times \cos y \div \tan x$의 값을 구하자.

$\therefore \sin x \times \cos y \div \tan x = \dfrac{\sqrt{3}}{2} \times \dfrac{\sqrt{3}}{2} \div \sqrt{3} = \dfrac{\sqrt{3}}{4}$ ··· **Ⅲ**

[다른 풀이]

직각삼각형 ABC에서 $\tan x = \dfrac{\overline{AB}}{\overline{AC}} = \dfrac{2\sqrt{3}}{2} = \sqrt{3}$

$\tan 60° = \sqrt{3}$이므로 $x = 60°$

이때, $x + y = 90°$이므로 $y = 30°$

$\therefore \sin x \times \cos y \div \tan x = \sin 60° \times \cos 30° \div \tan 60°$
$= \dfrac{\sqrt{3}}{2} \times \dfrac{\sqrt{3}}{2} \div \sqrt{3} = \dfrac{\sqrt{3}}{4}$

[146-147 채점기준표]

Ⅰ	$\cos A$의 값 또는 $\overline{AC}$의 길이를 구한다.	50%
Ⅱ	$\tan B$의 값 또는 $\overline{BC}$의 길이를 구한다.	30%
Ⅲ	구하고자 하는 식의 값 또는 삼각형 ABC의 둘레의 길이를 구한다.	20%

146 답 $\dfrac{27}{20}$

먼저, $\cos A$의 값을 구하자.

$\overline{AB}$가 원 O의 지름이고, 점 O가 $\triangle ABC$의 외심이므로 $\triangle ABC$는 $\angle C$가 직각인 직각삼각형이다.

즉, $\angle C = 90°$, $\overline{AB} = 2 \times 7.5 = 15$이므로 피타고라스 정리에 의해

$\overline{AC} = \sqrt{15^2 - 12^2} = \sqrt{81} = 9$　$\therefore \cos A = \dfrac{\overline{AC}}{\overline{AB}} = \dfrac{9}{15} = \dfrac{3}{5}$ ··· **Ⅰ**

그다음, $\tan B$의 값을 구하자.

$\tan B = \dfrac{\overline{AC}}{\overline{BC}} = \dfrac{9}{12} = \dfrac{3}{4}$ ··· **Ⅱ**

그래서, $\cos A + \tan B$의 값을 구하자.

$\therefore \cos A + \tan B = \dfrac{3}{5} + \dfrac{3}{4} = \dfrac{12+15}{20} = \dfrac{27}{20}$ ··· **Ⅲ**

147 답 $4(3 + \sqrt{3})$

먼저, $\overline{AC}$의 길이를 구하자.

$\overline{AB}$가 원 O의 지름이고, 점 O가 $\triangle ABC$의 외심이므로 $\angle C = 90°$이고, $\overline{AB} = 2\overline{OB} = 8$이다.

즉, 직각삼각형 ABC에서 $\cos 60° = \dfrac{\overline{AC}}{\overline{AB}} = \dfrac{\overline{AC}}{8}$

$$\therefore \overline{AC}=8\cos 60°=8\times\frac{1}{2}=4 \qquad \cdots \text{I}$$

그다음, $\overline{BC}$의 길이를 구하자.

$$\sin 60°=\frac{\overline{BC}}{\overline{AB}}=\frac{\overline{BC}}{8}$$

$$\therefore \overline{BC}=8\sin 60°=8\times\frac{\sqrt{3}}{2}=4\sqrt{3} \qquad \cdots \text{II}$$

그래서, $\triangle ABC$의 둘레의 길이를 구하자.

$$\therefore (\triangle ABC의 둘레의 길이)=\overline{AB}+\overline{BC}+\overline{AC}$$
$$=8+4\sqrt{3}+4=4(3+\sqrt{3}) \qquad \cdots \text{III}$$

148 답 $y=\frac{\sqrt{3}}{3}x+2\sqrt{3}$

먼저, 직선의 기울기를 구하자.

$\tan 30°=\frac{\sqrt{3}}{3}$ 이므로 직선의 기울기는 $\frac{\sqrt{3}}{3}$이다. $\quad\cdots \text{I}$

그다음, y절편을 구하자.

직선의 y절편을 $b(b>0)$라 하면

$$\tan 30°=\frac{(y절편의 절댓값)}{(x절편의 절댓값)}=\frac{b}{6}=\frac{\sqrt{3}}{3} \quad \therefore b=2\sqrt{3} \quad \cdots \text{II}$$

그래서, 일차함수의 식을 구하자.

따라서 이 그래프의 일차함수의 식은

$$y=\frac{\sqrt{3}}{3}x+2\sqrt{3} \qquad \cdots \text{III}$$

[다른 풀이]

주어진 직선의 기울기는 $\tan 30°=\frac{\sqrt{3}}{3}$이므로

$$y=\frac{\sqrt{3}}{3}x+b \cdots \text{㉠}$$

x절편이 -6이므로 이 직선은 점 $(-6,\,0)$을 지난다.
점 $(-6,\,0)$의 좌푯값을 ㉠에 대입하면

$$0=\frac{\sqrt{3}}{3}\times(-6)+b \quad \therefore b=2\sqrt{3}$$

$$\therefore y=\frac{\sqrt{3}}{3}x+2\sqrt{3}$$

[채점기준표]

I	직선의 기울기를 구한다.	40%
II	y절편을 구한다.	40%
III	일차함수의 식을 구한다.	20%

149 답 $\frac{\sqrt{2}}{2}$

직각삼각형 ABC에서

$\sin x=\frac{\overline{BC}}{\overline{AB}}=\frac{1}{3}$이고 $\overline{BC}=3$이므로 $\overline{AB}=9$ $\quad\cdots \text{I}$

직각삼각형 ABC에 피타고라스 정리를 적용하면

$$\overline{AC}=\sqrt{9^2-3^2}=6\sqrt{2} \qquad \cdots \text{II}$$

따라서 직각삼각형 ADC에서

$$\tan(x+y)=\frac{\overline{DC}}{\overline{AC}}=\frac{6}{6\sqrt{2}}=\frac{\sqrt{2}}{2} \qquad \cdots \text{III}$$

[채점기준표]

I	$\sin x$를 활용하여 $\overline{AB}$의 길이를 구한다.	50%
II	$\overline{AC}$의 길이를 구한다.	20%
III	$\tan(x+y)$의 값을 구한다.	30%

150 답 2.25

먼저, x의 값을 구하자.

직각삼각형 OCD에서 $\angle DOC=a$라 하면

$$\cos a=\frac{\overline{OC}}{\overline{OD}}=\overline{OC}=0.57$$

삼각비의 표에서 $\cos 55°=0.57$이므로 $a=55°$

$$\overline{CD}=\overline{OD}\sin a=\sin 55°=0.82 \quad \therefore x=0.82 \quad \cdots \text{I}$$

그다음, y의 값을 구하자.

$$\overline{AB}=\overline{OA}\tan a=\tan 55°=1.43 \quad \therefore y=1.43 \quad \cdots \text{II}$$

그래서, $x+y$의 값을 구하자.

$$\therefore x+y=0.82+1.43=2.25 \qquad \cdots \text{III}$$

[채점기준표]

I	삼각비의 표를 이용하여 x의 값을 구한다.	40%
II	삼각비의 표를 이용하여 y의 값을 구한다.	40%
III	$x+y$의 값을 구한다.	20%

151 답 $(\sqrt{3}-1)$ cm

$\tan 30°=\frac{\overline{AC}}{\overline{BC}}$ 이므로

$$\overline{AC}=\overline{BC}\tan 30°=2\sqrt{3}\times\frac{1}{\sqrt{3}}=2(\text{cm}) \qquad \cdots \text{I}$$

또, $\cos 30°=\frac{\overline{BC}}{\overline{AB}}$ 이므로

$$\overline{AB}=\overline{BC}\times\frac{1}{\cos 30°}=2\sqrt{3}\times\frac{2}{\sqrt{3}}=4(\text{cm}) \qquad \cdots \text{II}$$

이때, 내접원 I의 반지름의 길이를 r cm라 하면

$\triangle ABC=\triangle IBC+\triangle ICA+\triangle IAB$에서

$$\frac{1}{2}\times 2\sqrt{3}\times 2=\frac{1}{2}\times 2\sqrt{3}\times r+\frac{1}{2}\times 2\times r+\frac{1}{2}\times 4\times r$$

$$2\sqrt{3}=\sqrt{3}r+r+2r$$

$$(3+\sqrt{3})r=2\sqrt{3}$$

$$\therefore r=\frac{2\sqrt{3}}{3+\sqrt{3}}=\frac{2\sqrt{3}(3-\sqrt{3})}{(3+\sqrt{3})(3-\sqrt{3})}=\frac{-6+6\sqrt{3}}{6}$$

$$=\sqrt{3}-1 \qquad \cdots \text{III}$$

[채점기준표]

I	특수한 각의 삼각비를 활용하여 $\overline{AB}$의 길이를 구한다.	20%
II	특수한 각의 삼각비를 활용하여 $\overline{AC}$의 길이를 구한다.	20%
III	삼각형 ABC의 넓이를 활용하여 내접원 I의 반지름의 길이를 구한다.	60%

152 답 $\sqrt{3}$

$\overline{AP}=\overline{AQ}=6$이므로 △APQ는 이등변삼각형이야.

∴ ∠APQ=∠AQP=x

∠RAP=90°, ∠AQB=90°이고

∠BQR=90°−x=∠PRA이므로 $\overline{BQ}=\overline{BR}$ ⋯ Ⅰ

한편, 직각삼각형 AQB에서

$\overline{BQ}=\sqrt{(4\sqrt{3})^2-6^2}=2\sqrt{3}=\overline{BR}$이므로

$\overline{AR}=\overline{AB}+\overline{BR}=4\sqrt{3}+2\sqrt{3}=6\sqrt{3}$ ⋯ Ⅱ

따라서 직각삼각형 APR에서 ∠RPA=∠AQP=x이므로

$\tan x=\dfrac{\overline{AR}}{\overline{AP}}=\dfrac{6\sqrt{3}}{6}=\sqrt{3}$ ⋯ Ⅲ

[채점기준표]

Ⅰ	∠P=x이고, 삼각형 BQR가 $\overline{BQ}=\overline{BR}$인 이등변삼각형임을 구한다.	40%
Ⅱ	삼각형 ABQ에서 $\overline{AR}$의 길이를 구한다.	40%
Ⅲ	$\tan x$의 값을 구한다.	20%

153 답 $1+\sqrt{2}$

$\overline{C'D}=a$라 하면 $\overline{C'E}=a\;(∵\;∠C'ED=∠C'DE=45°)$ ⋯ ㉠

즉, 직각삼각형 C'ED에서 피타고라스 정리에 의해 $\overline{DE}=\sqrt{2}a$

이때, ∠C'ED=∠AEB=45°(∵ 맞꼭지각)이므로

∠C'ED=∠C'DE=∠AEB=∠ABE=45°이고

$\overline{AB}=\overline{CD}=\overline{C'D}$이므로 △C'DE≡△AEB(ASA 합동)

$\overline{BE}=\overline{DE}=\sqrt{2}a$ ⋯ ㉡ ⋯ Ⅰ

△EBD는 이등변삼각형이고 ∠BED=135°이므로

∠EBD=∠EDB=22.5°이다.

∴ ∠BDC'=22.5°+45°=67.5° ⋯ Ⅱ

따라서 직각삼각형 BDC'에서

$\tan 67.5°=\tan(∠BDC')$

$\qquad=\dfrac{\overline{BC'}}{\overline{C'D}}=\dfrac{\overline{C'E}+\overline{BE}}{\overline{C'D}}$

$\qquad=\dfrac{(1+\sqrt{2})a}{a}=1+\sqrt{2}\;(∵\;㉠,\;㉡)$ ⋯ Ⅲ

[채점기준표]

Ⅰ	$\overline{C'D}$의 길이를 기준으로 $\overline{BE}$, $\overline{C'E}$의 길이가 몇 배인지 각각 구한다.	50%
Ⅱ	∠BDC'=67.5°임을 구한다.	30%
Ⅲ	$\overline{C'D}$, $\overline{BE}$, $\overline{C'E}$의 길이를 이용하여 $\tan 67.5°$의 값을 구한다.	20%

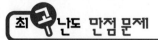
154 답 $\dfrac{1+\sqrt{5}}{4}$

1st ∠B, ∠C, ∠ABD의 크기를 구하자.

△ABC는 ∠A=36°인 이등변삼각형이므로

∠B=∠C=$\dfrac{180°-36°}{2}=\dfrac{144°}{2}=72°$

그런데 ∠B의 이등분선이 $\overline{AC}$와 만나는 점이 D이므로

∠ABD=∠CBD=$\dfrac{72°}{2}=36°$

2nd $\overline{CD}$의 길이를 구하자.

△ABC, △BCD, △DAB는 이등변삼각형이므로 $\overline{BC}=\overline{BD}=\overline{AD}=1$이야.

△ABC와 △BCD는 ∠A=∠CBD=36°, ∠C는 공통이므로 AA 닮음이야.

이때, $\overline{CD}=x$라 하면 $\overline{AC}:\overline{BD}=\overline{BC}:\overline{CD}$

$(1+x):1=1:x,\;x^2+x-1=0$

인수분해가 안 되니까 근의 공식을 이용하자.

$x=\dfrac{-1\pm\sqrt{1^2-4\times1\times(-1)}}{2\times1}=\dfrac{-1\pm\sqrt{5}}{2}$

$∴\;x=\dfrac{-1+\sqrt{5}}{2}\;(∵\;x>0)$

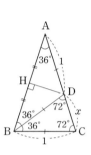

3rd 이제 $\cos 36°$의 값을 구하자.

이등변삼각형 ABD의 꼭짓점 D에서 $\overline{AB}$에 수선의 발 H를 내리면 $\overline{DH}$는 $\overline{AB}$를 수직이등분하게 되지.

$\overline{AH}=\dfrac{1}{2}\overline{AB}=\dfrac{1}{2}(\overline{AD}+\overline{CD})$

$\qquad=\dfrac{1}{2}\times\left(1+\dfrac{-1+\sqrt{5}}{2}\right)=\dfrac{1+\sqrt{5}}{4}$

따라서 직각삼각형 AHD에서

$\cos 36°=\dfrac{\overline{AH}}{\overline{AD}}=\dfrac{\frac{1+\sqrt{5}}{4}}{1}=\dfrac{1+\sqrt{5}}{4}$

155 답 $\dfrac{3\sqrt{5}}{5}$

1st 직각삼각형 ABC의 $\overline{AC}$ 위의 두 점 D, E에서 $\overline{AB}$, $\overline{BC}$에 수선의 발을 각각 내리자.

그림과 같이 점 D와 E에서 $\overline{AB}$에 각각의 수선의 발 F, G를 내리자.

$\overline{FD}\;/\!/\;\overline{GE}\;/\!/\;\overline{BC}$이므로 선분의 길이의 비를 이용하면

$\overline{AD}:\overline{DE}:\overline{EC}=\overline{AF}:\overline{FG}:\overline{GB}$

그런데 $\overline{AD}=\overline{DE}=\overline{EC}$이므로

$\overline{AF}=\overline{FG}=\overline{GB}$

또, 점 D와 E에서 $\overline{BC}$에 각각의 수선의 발 H, I를 내리자.

$\overline{EI}\;/\!/\;\overline{DH}\;/\!/\;\overline{AB}$이므로 선분의 길이의 비를 이용하면

$\overline{AD}:\overline{DE}:\overline{EC}=\overline{BH}:\overline{HI}:\overline{IC}$

그런데 $\overline{AD}=\overline{DE}=\overline{EC}$이므로

$\overline{BH}=\overline{HI}=\overline{IC}$

J

2nd $\sin^2 x$, $\cos^2 x$를 변에 대한 식으로 나타내자.
$\overline{AF}=\overline{FG}=\overline{GB}=a$, $\overline{BH}=\overline{HI}=\overline{IC}=b$로 놓자.
직각삼각형 DBH에 피타고라스 정리를 적용하면
$\overline{DB}^2=\overline{BH}^2+\overline{DH}^2$, $\sin^2 x=b^2+4a^2$ ··· ㉠
마찬가지 방법으로 직각삼각형 EBI에 피타고라스 정리를 적용하면
$\overline{BE}^2=\overline{EI}^2+\overline{BI}^2$, $\cos^2 x=a^2+4b^2$ ··· ㉡
3rd 이제 $\overline{BD}^2+\overline{BE}^2=1$을 이용하자.
$\overline{BD}^2+\overline{BE}^2=1$이므로
㉠+㉡을 하면
$\sin^2 x+\cos^2 x=5(a^2+b^2)=1$
$\therefore a^2+b^2=\dfrac{1}{5}$ ··· ㉢
직각삼각형 ABC에 피타고라스 정리를 적용하면
$\overline{AC}^2=\overline{AB}^2+\overline{BC}^2=(3a)^2+(3b)^2=9a^2+9b^2=9(a^2+b^2)$
$\therefore \overline{AC}=\sqrt{9(a^2+b^2)}=\sqrt{\dfrac{9}{5}}\ (\because ㉢)=\dfrac{3}{\sqrt5}=\dfrac{3\sqrt5}{5}$

156 답 ③

1st 주어진 조건을 적절히 이용하여 구하려는 식을 변형해 보자.
조건 (가)에서
$\cos A+\cos^2 A=1$, $\cos A=1-\cos^2 A$ ··· ㉠
조건 (나)에서
$\sin^2 A+\cos^2 A=1$ ··· ㉡, $\sin^2 A=1-\cos^2 A$
이것을 ㉠에 대입하면 $\cos A=\sin^2 A$
이것의 양변을 제곱하면 $\cos^2 A=\sin^4 A$ ··· ㉢
2nd 이제 식을 구해 보자.
$\therefore \sin^2 A+\sin^4 A=\sin^2 A+\cos^2 A=1\ (\because ㉡, ㉢)$

[다른 풀이]
$\sin^2 A+\sin^4 A=\sin^2 A+(\sin^2 A)^2$
$=(1-\cos^2 A)+(1-\cos^2 A)^2\ (\because 조건 (나))$
$=2-3\cos^2 A+\cos^4 A$
$=2-3\cos^2 A+(\cos^2 A)^2$
$=2-3\cos^2 A+(1-\cos A)^2\ (\because 조건 (가))$
$=3-2\cos^2 A-2\cos A$
$=3-2(\cos^2 A+\cos A)$
$=3-2\times1\ (\because 조건 (가))$
$=1$

157 답 $\sqrt2$

1st 직각삼각형 ABH의 변의 길이를 구하자.
정사각뿔의 꼭짓점 A에서 밑면에 내린 수선의 발 H는 정사각형인 밑면 BCDE의 서로 다른 두 대각선의 교점과 일치해.
△BCD에서
$\overline{BD}=\sqrt{\overline{BC}^2+\overline{CD}^2}=\sqrt{4^2+4^2}=4\sqrt2$
$\therefore \overline{BH}=\dfrac{1}{2}\overline{BD}=\dfrac{1}{2}\times4\sqrt2=2\sqrt2$
이때, △ABH는 ∠H=90°인 직각삼각형이므로
$\overline{AB}^2=\overline{BH}^2+\overline{AH}^2$, $4^2=(2\sqrt2)^2+\overline{AH}^2$
$\overline{AH}^2=8$ $\therefore \overline{AH}=2\sqrt2$

2nd 삼각비를 각각 구하여 계산하자.
∠BAH=x에서

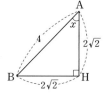

$\cos x=\dfrac{\overline{AH}}{\overline{AB}}=\dfrac{2\sqrt2}{4}=\dfrac{\sqrt2}{2}$
$\sin x=\dfrac{\overline{BH}}{\overline{AB}}=\dfrac{2\sqrt2}{4}=\dfrac{\sqrt2}{2}$
$\tan x=\dfrac{\overline{BH}}{\overline{AH}}=\dfrac{2\sqrt2}{2\sqrt2}=1$
$\therefore \dfrac{\cos x+\sin x}{\tan x}=\dfrac{\frac{\sqrt2}{2}+\frac{\sqrt2}{2}}{1}=\sqrt2$

[다른 풀이]
△ABH의 길이의 비를 이용하여 x의 크기를 알아보자.
즉, $\cos x=\dfrac{\sqrt2}{2}$이므로 $x=45°$야.
따라서 $\sin x=\sin45°=\dfrac{\sqrt2}{2}$, $\tan x=\tan45°=1$임을 알 수 있어.

오답피해기
정사각뿔의 꼭짓점 A에서 밑면에 내린 수선의 발은 밑면의 두 대각선의 교점이 될까? 정사각뿔은 옆면이 이등변삼각형인 도형이므로 $\overline{AB}=\overline{AC}=\overline{AD}=\overline{AE}$이지? 그런데 △ABD와 △AEC는 각각 이등변삼각형이고 이등변삼각형의 성질에 의해 점 H는 밑면의 $\overline{BD}$와 $\overline{EC}$를 각각 이등분해. 한편, □BCDE는 정사각형이므로 두 대각선이 서로 다른 대각선을 이등분하므로 $\overline{BD}$와 $\overline{EC}$의 교점이 H가 되는 거야. 도형의 성질을 잘 이해하고 적용해야 고득점을 얻을 수 있어.

158 답 $\dfrac{\sqrt3}{3}$

1st 이차방정식의 두 근이 주어졌으니까 방정식을 세워서 계수를 비교하자.
x에 대한 이차방정식 $4x^2-2(1+\sqrt3)x+\sqrt3=0$의 두 근이 $\sin A$, $\sin B$이므로 $4(x-\sin A)(x-\sin B)=0$
$4x^2-4(\sin A+\sin B)x+4\sin A\times\sin B=0$
계수를 비교하면
$\sin A+\sin B=\dfrac{2(1+\sqrt3)}{4}=\dfrac{1+\sqrt3}{2}=\dfrac{1}{2}+\dfrac{\sqrt3}{2}$
$\sin A\times\sin B=\dfrac{\sqrt3}{4}=\dfrac{1}{2}\times\dfrac{\sqrt3}{2}$
$\therefore \sin A=\dfrac{1}{2}$, $\sin B=\dfrac{\sqrt3}{2}$ 또는 $\sin A=\dfrac{\sqrt3}{2}$, $\sin B=\dfrac{1}{2}$

2nd x값이 증가하면 $\sin x$값도 증가하지? 즉, 각이 크면 클수록 그에 대한 $\sin$값도 더 커진다구.
$A>B$니까 $\sin A>\sin B$겠지?
$\therefore \sin A=\dfrac{\sqrt3}{2}$, $\sin B=\dfrac{1}{2}$
$\sin60°=\dfrac{\sqrt3}{2}$에서 $\sin A=\sin60°$ $\therefore A=60°$
또, $\sin30°=\dfrac{1}{2}$에서 $\sin B=\sin30°$ $\therefore B=30°$
$\therefore \tan(A-B)=\tan30°=\dfrac{\sqrt3}{3}$

정답 및 해설 **27**

x에 대한 이차방정식 $4x^2-2(1+\sqrt{3})x+\sqrt{3}=0$을 직접 인수분해해보자.

$$4x^2-2(1+\sqrt{3})x+\sqrt{3}=0$$

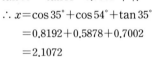

$$(2x-1)(2x-\sqrt{3})=0$$

$$\therefore x=\frac{1}{2}, \ x=\frac{\sqrt{3}}{2}$$

즉, $\sin A=\frac{1}{2}$, $\sin B=\frac{\sqrt{3}}{2}$ 또는 $\sin A=\frac{\sqrt{3}}{2}$, $\sin B=\frac{1}{2}$

159 답 $x<y$

1st 반지름의 길이가 1임을 이용해서 x의 값을 구해 보자.

$\cos 35°=\cos A=0.8192$,

$\cos 54°=\cos B=0.5878$,

$\tan 35°=\tan A=0.7002$이지?

$\therefore x=\cos 35°+\cos 54°+\tan 35°$

$\quad =0.8192+0.5878+0.7002$

$\quad =2.1072$

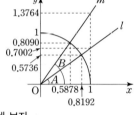

2nd 마찬가지 방법으로 y의 값을 구해 보자.

$\sin 54°=\sin B=0.8090$이고

$\tan 54°=\tan B=1.3764$이므로

$y=\sin 54°+\tan 54°=0.8090+1.3764=2.1854$

$\therefore x<y$

K 삼각비의 활용

개념 체크 001~024 정답은 p. 2에 있습니다.

유형 다지기 [학교시험+학력평가]　　　　p. 36

025 답 ①

직각삼각형에서 40°를 기준으로 빗변과 높이의 관계는 $\sin$을 이용하면 돼.

$\dfrac{x}{8}=\sin 40°$　$\therefore x=8\sin 40°$

026 답 ④

직각삼각형 ABC에서 B를 기준으로

$\tan B=\dfrac{12}{x}$

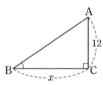

그런데 $\tan B=\dfrac{2}{3}$이므로

$\dfrac{12}{x}=\dfrac{2}{3}$, $2x=36$　$\therefore x=18$

027 답 ⑤

$\triangle$ABD에서 B를 기준으로 $\sin B=\sin 45°=\dfrac{\overline{AD}}{6}$에서

$\overline{AD}=6\sin 45°=6\times\dfrac{\sqrt{2}}{2}=3\sqrt{2}\cdots\bigcirc$

$\triangle$ADC에서 $\angle$CAD를 기준으로

$\tan(\angle\text{CAD})=\tan 60°=\dfrac{\overline{DC}}{3\sqrt{2}}$ $(\because \bigcirc)$

$\therefore \overline{DC}=3\sqrt{2}\tan 60°=3\sqrt{2}\times\sqrt{3}=3\sqrt{6}$

[다른 풀이]

$\triangle$ABD와 $\triangle$ADC는 모두 특수한 각을 갖는 직각삼각형이지?

$\triangle$ABD에서 $\overline{AB}:\overline{AD}=\sqrt{2}:1$이므로

$6:\overline{AD}=\sqrt{2}:1$　$\therefore \overline{AD}=3\sqrt{2}$

또, $\triangle$ADC에서 $\overline{AD}:\overline{DC}=1:\sqrt{3}$이므로

$3\sqrt{2}:\overline{DC}=1:\sqrt{3}$　$\therefore \overline{DC}=3\sqrt{6}$

028 답 14.5

직각삼각형 ABC에서 42°를 기준으로 빗변과 높이, 즉 $\overline{AB}$와 $\overline{BC}$의 관계는 $\sin$으로 나타낼 수 있지?

$\sin 42°=\dfrac{\overline{BC}}{6}$

$\therefore \overline{BC}=6\times 0.6691(\because \sin 42°=0.6691)=4.0146$

또, 직각삼각형 ABC에서 42°를 기준으로 빗변과 밑변, 즉 $\overline{AB}$와 $\overline{AC}$의 관계는 $\cos$으로 나타낼 수 있지?

$\cos 42°=\dfrac{\overline{AC}}{6}$

$\therefore \overline{AC}=6\times0.7431(\because \cos42°=0.7431)=4.4586$
따라서 $\triangle ABC$의 둘레의 길이는
$\overline{AB}+\overline{BC}+\overline{AC}=6+4.0146+4.4586=14.4732$이므로 약 14.5야.

029 답 ⑤

직각삼각형 ABC에서 B를 기준으로

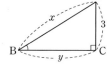

$\sin B=\dfrac{3}{x}$ $\therefore x=\dfrac{3}{\sin B}$

$\tan B=\dfrac{3}{y}$ $\therefore y=\dfrac{3}{\tan B}$

따라서 x, y의 길이를 각각 바르게 나타낸 것은 ⑤야.

오답피하기
직각삼각형 ABC에서 A를 기준으로 x, y를 표현하면

$\cos A=\dfrac{3}{x}\Rightarrow x=\dfrac{3}{\cos A}$

$\tan A=\dfrac{y}{3}\Rightarrow y=3\tan A$

030 답 ⑤

ㄱ. 직각삼각형에서 A를 기준으로 빗변과
밑변, 즉 c와 a의 관계는 $\sin A=\dfrac{a}{c}$

   $\therefore a=c\sin A$ (참)
ㄴ. 직각삼각형 ABC에서 B를 기준으로
빗변과 높이, 즉 c, b의 관계는

   $\sin B=\dfrac{b}{c}$

   $\therefore b=c\sin B$ (참)
ㄷ. 직각삼각형 ABC에서 A를 기준으로 밑변과 높이, 즉 a와 b의

   관계는 $\tan A=\dfrac{a}{b}$

   $\therefore a=b\tan A$ (참)
따라서 ㄱ, ㄴ, ㄷ 모두 옳아.

031 답 ⑤

직각삼각형 ABH에서 $60°$를 기준으로 $\overline{AB}$
와 $\overline{AH}$의 관계는 $\sin$으로 나타낼 수 있지?

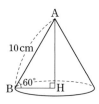

$\sin60°=\dfrac{\overline{AH}}{10}$

$\therefore \overline{AH}=10\sin60°=10\times\dfrac{\sqrt3}{2}=5\sqrt3$ (cm)

032 답 $36\sqrt{14}\,\text{cm}^3$

직각삼각형 OAH에서 a를 기준으로 빗변
과 높이, 즉 $\overline{OA}$와 $\overline{OH}$의 관계는 $\sin$으로
나타낼 수 있지?

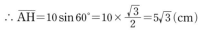

$\sin a=\dfrac{\overline{OH}}{12}$

$\therefore \overline{OH}=12\sin a$

$=12\times\dfrac{\sqrt{14}}{4}$

$=3\sqrt{14}$ (cm)$\left(\because \sin a=\dfrac{\sqrt{14}}{4}\right)$

$\therefore$ (정사각뿔의 부피)$=\dfrac{1}{3}\times\square ABCD\times\overline{OH}$

$=\dfrac{1}{3}\times(6\times6)\times3\sqrt{14}=36\sqrt{14}\,(\text{cm}^3)$

033 답 $96\,\text{cm}^2$

직각삼각형 BFH에서 $\angle x$를 기준으로
빗변과 밑변, 즉 $\overline{BH}$와 $\overline{FH}$의 관계는
$\cos$으로 나타낼 수 있지?

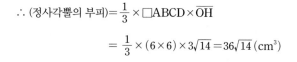

$\cos x=\dfrac{\overline{FH}}{4\sqrt3}$

$\therefore \overline{FH}=4\sqrt3\cos x$

$=4\sqrt3\times\dfrac{\sqrt6}{3}\left(\because \cos x=\dfrac{\sqrt6}{3}\right)$

$=4\sqrt2$ (cm)

$\triangle HFG$는 직각이등변삼각형이므로 $\angle HFG=45°$
직각삼각형 HFG에서 $45°$를 기준으로 빗변과 밑변, 즉 $\overline{FH}$와 $\overline{FG}$
의 관계는 $\cos$으로 나타낼 수 있지?

$\cos45°=\dfrac{\overline{FG}}{4\sqrt2}$

$\therefore \overline{FG}=4\sqrt2\cos45°=4\sqrt2\times\dfrac{\sqrt2}{2}=4$ (cm)

따라서 한 변의 길이가 $4\,\text{cm}$인 정육면체의 겉넓이는
$6\times4^2=96\,(\text{cm}^2)$이야.

[다른 풀이]
정육면체의 한 변의 길이를 $a\,\text{cm}$라 하면 정육면체의 대각선의 길이
는 $\sqrt3 a\,\text{cm}$이지?
이때, $\overline{BH}=4\sqrt3\,\text{cm}$가 정육면체의 대각선의 길이이므로
$\sqrt3 a=4\sqrt3$ $\therefore a=4$
따라서 한 변의 길이가 $4\,\text{cm}$인 정육면체의 겉넓이는
$6\times4^2=96(\text{cm}^2)$이야.

034 답 $108\sqrt3$

주어진 직육면체의 부피를 구하면
$\overline{FG}\times\overline{HG}\times\overline{DH}=\overline{FG}\times\overline{HG}\times3\cdots\ominus$
그럼, $\overline{FG}$와 $\overline{HG}$의 길이를 구하기만 하면 되겠지?
직각삼각형 FGH에서 $30°$를 기준으로 빗변과 밑변, 즉 $\overline{FH}$와 $\overline{FG}$
의 관계는 $\cos$으로 나타낼 수 있으므로

$\cos30°=\dfrac{\overline{FG}}{12}$

$\therefore \overline{FG}=12\cos30°=12\times\dfrac{\sqrt3}{2}=6\sqrt3$

또, 직각삼각형 FGH에서 $30°$를 기준으로
빗변과 높이, 즉 $\overline{FH}$와 $\overline{HG}$의 관계는 $\sin$
으로 나타낼 수 있으므로

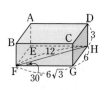

$\sin30°=\dfrac{\overline{GH}}{12}$

$\therefore \overline{GH}=12\sin30°=12\times\dfrac{1}{2}=6$

$\ominus$에 의해 (직육면체의 부피)$=6\sqrt3\times6\times3=108\sqrt3$

035 답 $\sqrt{2}$

직각삼각형 ABH에서 30°를 기준으로 $\overline{AB}$와 $\overline{AH}$의 관계는 빗변과 높이 sin으로 나타낼 수 있지?

$$\sin 30° = \frac{4}{\overline{AB}}$$

여기서 $\sin 30° = \frac{1}{2}$이므로 $\frac{4}{\overline{AB}} = \frac{1}{2}$

$\therefore \overline{AB} = 8 \cdots \text{㉠}$

또, 직각삼각형 ACH에서 45°를 기준으로 빗변과 높이 $\overline{AC}$와 $\overline{AH}$의 관계는 sin으로 나타낼 수 있지?

$$\sin 45° = \frac{4}{\overline{AC}}$$

여기서 $\sin 45° = \frac{1}{\sqrt{2}}$이므로

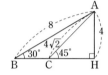

$$\frac{4}{\overline{AC}} = \frac{1}{\sqrt{2}}$$

$\therefore \overline{AC} = 4\sqrt{2} \cdots \text{㉡}$

따라서 ㉠과 ㉡에 의해

$$\frac{\overline{AB}}{\overline{AC}} = \frac{8}{4\sqrt{2}} = \frac{2}{\sqrt{2}} = \sqrt{2}$$

036 답 ④

직각삼각형 ABC에서

$\angle BAC = 180° - \angle ABC - \angle BCA = 180° - 30° - 90° = 60°$

$\angle BAD = \angle CAD = \frac{1}{2}\angle BAC = 30°$

즉, △ABD는 $\overline{BD} = \overline{AD}$인 이등변삼각형이야.

직각삼각형 ABC에서 ∠B를 기준으로 $\overline{AB}$와 $\overline{AC}$의 관계는 빗변과 높이, 즉 sin으로 나타낼 수 있지?

$$\sin 30° = \frac{\overline{AC}}{6}$$

그런데 $\sin 30° = \frac{1}{2}$이지?

$\therefore \overline{AC} = 6\sin 30° = 6 \times \frac{1}{2} = 3$

또, 직각삼각형 ADC에서 ∠DAC를 기준으로 빗변과 밑변, 즉 $\overline{AD}$와 $\overline{AC}$의 관계는 cos으로 나타낼 수 있지?

$$\cos 30° = \frac{3}{\overline{AD}}$$

그런데 $\cos 30° = \frac{\sqrt{3}}{2}$이지?

$$\frac{\sqrt{3}}{2} = \frac{3}{\overline{AD}} \quad \therefore \overline{AD} = 2\sqrt{3}$$

$\therefore \overline{BD} = \overline{AD} = 2\sqrt{3}$

037 답 ①

△ABC에서 ∠ACD = 30°는 ∠ACB의 외각이므로

$\angle CBA + \angle CAB = 30° \cdots \text{㉠}$

그런데 △ABC는 $\overline{AC} = \overline{BC} = 8$인 이등변삼각형이므로

∠CBA = ∠CAB이지?

$\therefore \angle CBA = \angle CAB = \frac{30°}{2} \ (\because \text{㉠}) = 15°$

직각삼각형 ACD에서 30°를 기준으로

$$\cos 30° = \frac{\overline{CD}}{8}, \quad \sin 30° = \frac{\overline{AD}}{8}$$

그런데 $\cos 30° = \frac{\sqrt{3}}{2}$, $\sin 30° = \frac{1}{2}$이므로

$\overline{CD} = 8\cos 30° = 8 \times \frac{\sqrt{3}}{2} = 4\sqrt{3}$

$\overline{AD} = 8\sin 30° = 8 \times \frac{1}{2} = 4$

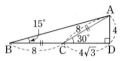

$\therefore \overline{BD} = \overline{BC} + \overline{CD} = 8 + 4\sqrt{3} = 4(2+\sqrt{3})$

$\therefore \tan 15° = \frac{\overline{AD}}{\overline{BD}} = \frac{4}{4(2+\sqrt{3})} = \frac{1}{2+\sqrt{3}}$

$\qquad = \frac{2-\sqrt{3}}{(2+\sqrt{3})(2-\sqrt{3})} = 2 - \sqrt{3}$

038 답 ④

직각삼각형 ABC에서 30°를 기준으로 $\overline{AB}$와 $\overline{BC}$의 관계는 sin으로 나타낼 수 있지? $\sin 30° = \frac{10}{\overline{AB}}$

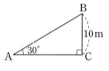

$\therefore \overline{AB} = \frac{10}{\sin 30°} = \frac{10}{\frac{1}{2}} = 20 (\text{m})$

[다른 풀이]

직각삼각형 ABC는 세 내각의 크기가 30°, 60°, 90°인 특수한 삼각형이지? 따라서 $\overline{AB} : \overline{BC} = 2 : 1$이므로

$\overline{AB} : 10 = 2 : 1 \quad \therefore \overline{AB} = 20\text{ m}$

039 답 81.52 m

A와 C 사이의 거리를 x m라 하자.

직각삼각형 ABC에서 27°를 기준으로 밑변과 높이, 즉 $\overline{AB}$와 $\overline{AC}$의 관계는 tan로 나타낼 수 있지?

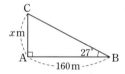

$$\tan 27° = \frac{x}{160}$$

그런데 $\tan 27° = 0.5095$이므로

$\frac{x}{160} = 0.5095 \quad \therefore x = 0.5095 \times 160 = 81.52 (\text{m})$

따라서 A와 C 사이의 거리는 81.52 m야.

040 답 46.5 m

사람과 나무가 지면 위에 서 있는 지점을 각각 E, D라 하고, 사람이 나무를 바라본 지점을 C라 하고 주어진 그림을 간단히 나타내자.

그림에서 구하는 것은 나무의 높이는

$\overline{BD} = \overline{BC} + \overline{CD}$

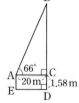

$\overline{CD} = 1.58$ m이니까 $\overline{BC}$만 구하면 되지?

직각삼각형 ABC에서 밑변과 높이, 즉 $\overline{AC}$와 $\overline{BC}$의 관계는 tan로 나타낼 수 있지? $\tan 66° = \frac{\overline{BC}}{20}$

$\therefore \overline{BC} = 20\tan 66° = 20 \times 2.2460 = 44.92$

$\therefore \overline{BD} = \overline{BC} + \overline{CD} = 44.92 + 1.58 = 46.5 (\text{m})$

041 답 ④

나무가 서 있는 지점을 B, 부러진
지점을 A, 나무의 꼭대기 지점을
C라 하고 주어진 그림을 간단히
나타내자.

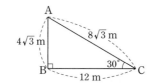

실제 나무의 높이는 직각삼각형
ABC에서 $\overline{AB}$와 $\overline{AC}$의 합이므로 $\overline{AB}$와 $\overline{AC}$의 길이를 구하면 돼.
직각삼각형 ABC에서 30°를 기준으로 밑변과 높이, 즉 $\overline{BC}$와 $\overline{AB}$
의 관계는 tan로 나타낼 수 있지?

$$\tan 30° = \frac{\overline{AB}}{12}$$

$$\therefore \overline{AB} = 12\tan 30° = \frac{12}{\sqrt{3}} = \frac{12\sqrt{3}}{3} = 4\sqrt{3}\,(m) \cdots \text{㉠}$$

또, 직각삼각형 ABC에서 30°를 기준으로 빗변과 높이, 즉 $\overline{AC}$와
$\overline{AB}$의 관계는 sin으로 나타낼 수 있지?

$$\sin 30° = \frac{4\sqrt{3}}{\overline{AC}}\ (\because \text{㉠})$$

$$\therefore \overline{AC} = \frac{4\sqrt{3}}{\sin 30°} = \frac{4\sqrt{3}}{\frac{1}{2}} = 8\sqrt{3}\,m \cdots \text{㉡}$$

따라서 처음 나무의 높이는
$\overline{AB} + \overline{AC} = 4\sqrt{3} + 8\sqrt{3} = 12\sqrt{3}\,(m)\,(\because \text{㉠, ㉡})$

042 답 ②

그림에서 건물 B의 높이는 $\overline{BC} = \overline{BH} + \overline{HC}$지?
결국 $\overline{BH}$와 $\overline{HC}$의 길이를 구하면 돼.
△BCD의 꼭짓점 D에서 $\overline{BC}$에 내린 수선의 발을 H라 하자.
직각삼각형 BHD는 한 내각의 크기가 45°인 직각
이등변삼각형이므로
$\overline{DH} = \overline{BH} = \overline{AB} = 40\,m$
그리고 직각삼각형 CDH에서 30°를 기준으로 밑
변과 높이, 즉 $\overline{DH}$와 $\overline{HC}$의 관계는 tan로 나타낼
수 있지?

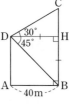

$$\tan 30° = \frac{\overline{HC}}{40}$$

$$\overline{HC} = 40\tan 30°$$
$$= 40 \times \frac{\sqrt{3}}{3} = \frac{40\sqrt{3}}{3}\,(m)$$

$$\therefore \overline{BC} = \overline{BH} + \overline{HC} = 40 + \frac{40\sqrt{3}}{3} = \frac{40(3+\sqrt{3})}{3}\,(m)$$

043 답 40 cm

진자의 중심이 가장 높을 때는 진자가 B 또는 C 지점의 위치에 있을
때이고, 진자의 중심이 가장 낮을 때는 진자가 A 지점의 위치에 있을
때야.

A, B, C 지점에서 진자의 중심을 각각 점 A′, B′, C′이라 하고 주
어진 그림을 간단히 나타내자.
점 B′에서 $\overline{OA'}$에 수선의 발 H를 내리면
$\overline{A'H} = \overline{OA'} - \overline{OH} = l - \overline{OH}\ (\because \overline{OA'} = \overline{OB'} = \overline{OC'} = l) \cdots \text{㉠}$
여기서 $\overline{OH}$의 길이를 구하자.
직각삼각형 OB′H에서 45°를 기준으로 빗변과 높이, 즉 $\overline{OB'}$과 $\overline{OH}$
의 관계는 cos으로 나타낼 수 있지?

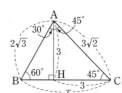

$$\cos 45° = \frac{\overline{OH}}{l}$$

$$\therefore \overline{OH} = l\cos 45° = \frac{\sqrt{2}}{2}l\,(cm)$$

㉠에서

$$\overline{A'H} = l - \frac{\sqrt{2}}{2}l = \frac{1}{2}(2-\sqrt{2})l\,(cm)$$

주어진 조건에서 $\overline{A'H} = (40 - 20\sqrt{2}) = 20(2-\sqrt{2})\,cm$이므로

$$\frac{1}{2}(2-\sqrt{2})l = 20(2-\sqrt{2})$$

$$\therefore l = 2 \times \frac{20(2-\sqrt{2})}{2-\sqrt{2}} = 40\,(cm)$$

044 답 $3+\sqrt{3}$

△ABC의 한 각 C의 크기를 구하자.
삼각형의 세 내각의 합은 180°이므로
$75° + 60° + C = 180°\quad \therefore C = 45°$
△ABC의 꼭짓점 A에서 $\overline{BC}$에 내린 수선의 발을 H라 하자.
∠BAH = 30°, ∠CAH = 45°
△ACH는 한 각의 크기가 45°이므로 직각이등변삼각형이지?
$$\therefore \overline{CH} = \overline{AC} \times \cos 45°$$
$$= 3\sqrt{2} \times \frac{1}{\sqrt{2}} = 3$$

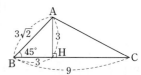

또, 직각삼각형 ABH에서 피타고라스
정리를 적용하면
$$\overline{BH}^2 = \overline{AB}^2 - \overline{AH}^2 = (2\sqrt{3})^2 - 3^2 = 3$$
$$\therefore \overline{BH} = \sqrt{3}$$
$$\therefore x = \overline{CH} + \overline{BH} = 3 + \sqrt{3}$$

045 답 ②

삼각형 ABC의 꼭짓점 A에서 $\overline{BC}$
에 내린 수선의 발을 H라 하면
△ABH는 한 각의 크기가 45°이므
로 직각이등변삼각형이지?
$$\therefore \overline{AH} = 3\sqrt{2} \times \sin 45°$$
$$= 3\sqrt{2} \times \frac{\sqrt{2}}{2} = 3$$

이번엔 $\overline{CH}$의 길이를 구하고 직각삼각형 AHC에 피타고라스 정리
를 적용하여 $\overline{AC}$의 길이를 구하자.
$\overline{CH} = \overline{BC} - \overline{BH} = 9 - 3 = 6\,(\because \overline{BH} = \overline{AH} = 3)$
$\overline{AC}^2 = \overline{AH}^2 + \overline{CH}^2 = 3^2 + 6^2 = 45$
$\therefore \overline{AC} = 3\sqrt{5}$

공식을 직접 써서 구해도 돼.
두 변의 길이 a, c와 그 끼인각 $\angle B$의
크기를 알 때,
$$\overline{AC}=\sqrt{(c\sin B)^2+(a-c\cos B)^2}$$
임을 이용하자.

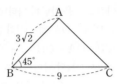

$$\begin{aligned}\overline{AC}&=\sqrt{(\overline{AB}\times\sin B)^2+(\overline{BC}-\overline{AB}\times\cos B)^2}\\&=\sqrt{(3\sqrt2\times\sin 45°)^2+(9-3\sqrt2\times\cos 45°)^2}\\&=\sqrt{\left(3\sqrt2\times\frac{1}{\sqrt2}\right)^2+\left(9-3\sqrt2\times\frac{1}{\sqrt2}\right)^2}\\&=\sqrt{3^2+6^2}=\sqrt{45}=3\sqrt5\end{aligned}$$

046 [답] ②

△ABC의 꼭짓점 A에서 $\overline{BC}$에 내린
수선의 발을 H라 하고 $\overline{AH}$와 $\overline{CH}$의
길이를 구하자.
직각삼각형 AHC에서
$$\begin{aligned}\overline{AH}&=\overline{AC}\times\sin 60°\\&=8\times\frac{\sqrt3}{2}=4\sqrt3\,(\text{cm})\end{aligned}$$

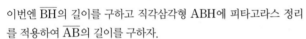

$$\begin{aligned}\overline{CH}&=\overline{AC}\times\cos 60°\\&=8\times\frac{1}{2}=4(\text{cm})\end{aligned}$$

이번엔 $\overline{BH}$의 길이를 구하고 직각삼각형 ABH에 피타고라스 정리
를 적용하여 $\overline{AB}$의 길이를 구하자.
$$\overline{BH}=\overline{BC}-\overline{CH}=10-4=6(\text{cm})$$
$$\overline{AB}^2=\overline{AH}^2+\overline{BH}^2=(4\sqrt3)^2+6^2=84$$
$$\therefore \overline{AB}=2\sqrt{21}\,\text{cm}$$

[다른 풀이]
공식을 직접 써서 구하자.
$$\overline{AB}=\sqrt{\left(8\times\frac{\sqrt3}{2}\right)^2+\left(10-8\times\frac{1}{2}\right)^2}=\sqrt{84}=2\sqrt{21}\,(\text{cm})$$

047 [답] $3\sqrt6$

△ABC의 세 내각의 크기의 합은 180°이므로
$$A+75°+60°=180°$$
$$\therefore A=45°$$
그림과 같이 △ABC의 꼭짓점 B에서 $\overline{AC}$에
내린 수선의 발을 H라 하면 직각삼각형 BCH
에서
$$\overline{BH}=6\sin 60°=6\times\frac{\sqrt3}{2}=3\sqrt3$$
직각삼각형 ABH에서
$$\cos 45°=\frac{\overline{BH}}{\overline{AB}}$$
$$\therefore \overline{AB}=\frac{\overline{BH}}{\cos 45°}$$
$$=\frac{3\sqrt3}{\frac{1}{\sqrt2}}=3\sqrt6$$

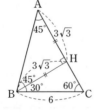

[다른 풀이]
공식을 이용하여 풀면
$$\overline{AB}=\frac{a\sin C}{\sin A}=\frac{6\sin 60°}{\sin 45°}=\frac{6\times\frac{\sqrt3}{2}}{\frac{1}{\sqrt2}}=3\sqrt6$$

048 [답] ⑤

△ABC의 세 내각의 크기의 합은 180°이므로
$$A+62°+70°=180°$$
$$\therefore A=48°$$
△ABC의 꼭짓점 B에서 $\overline{AC}$에 내린
수선의 발을 D라 하자.
△BCD에서 $\overline{BD}=\overline{BC}\sin 70°=4\sin 70°\cdots$ ㉠
△ABD에서 $\overline{BD}=\overline{AB}\sin 48°=x\sin 48°\cdots$ ㉡
㉠=㉡이므로 $x\sin 48°=4\sin 70°$
$$\therefore x=\frac{4\sin 70°}{\sin 48°}$$

049 [답] $9(\sqrt6+3\sqrt2)$

△ABC의 꼭짓점 A에서 $\overline{BC}$에 수선의
발 H를 내리자.
△ABH에서
$$\begin{aligned}\overline{BH}&=\overline{AB}\cos 60°\\&=6\times\frac{1}{2}=3\end{aligned}$$
$$\begin{aligned}\overline{AH}&=\overline{AB}\sin 60°\\&=6\times\frac{\sqrt3}{2}=3\sqrt3\end{aligned}$$

△AHC는 직각이등변삼각형이므로 $\overline{AH}=\overline{CH}=3\sqrt3$
$$\therefore x=\overline{BC}=\overline{BH}+\overline{CH}=3+3\sqrt3=3(1+\sqrt3)$$
또, 직각삼각형 AHC에서
$$\overline{AH}=\overline{AC}\sin 45°=y\sin 45°$$
$$\therefore y=\frac{\overline{AH}}{\sin 45°}=\frac{3\sqrt3}{\frac{1}{\sqrt2}}=3\sqrt6$$
$$\therefore xy=3(1+\sqrt3)\times 3\sqrt6=9(\sqrt6+3\sqrt2)$$

[다른 풀이]
△ABH는 세 내각의 크기가 30°, 60°, 90°인 특수한 직각삼각형이야.
$$\overline{AB}:\overline{BH}=2:1, 6:\overline{BH}=2:1 \quad \therefore \overline{BH}=3$$
$$\overline{AB}:\overline{AH}=2:\sqrt3, 6:\overline{AH}=2:\sqrt3 \quad \therefore \overline{AH}=3\sqrt3$$
이때, △AHC는 직각이등변삼각형이므로
$$\overline{AH}=\overline{CH}=3\sqrt3$$
$$\therefore x=\overline{BC}=\overline{BH}+\overline{CH}=3+3\sqrt3=3(1+\sqrt3)$$
또, 직각삼각형 AHC에서
$$\overline{AC}^2=\overline{AH}^2+\overline{CH}^2=2\overline{AH}^2=2\times(3\sqrt3)^2=54$$
$$\therefore y=\overline{AC}=\sqrt{54}=3\sqrt6$$
$$\therefore xy=3(1+\sqrt3)\times 3\sqrt6=9(\sqrt6+3\sqrt2)$$

050 [답] ⑤

△ABC의 세 내각의 크기의 합은 180°이므로
$$75°+60°+C=180° \quad \therefore C=45°$$

△ABC에서 두 점 D, E는 각각 $\overline{AC}$, $\overline{BC}$의 중점이므로

$\overline{DE}=\dfrac{1}{2}\overline{AB}=6(cm)$

점 D에서 $\overline{CE}$에 내린 수선의 발을 H라 하자.

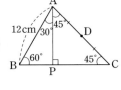

△DEH에서

$\overline{DH}=\overline{DE}\sin 60°=6\times\dfrac{\sqrt{3}}{2}$

$\qquad =3\sqrt{3}\ (cm)\ \cdots\ \ominus$

직각이등변삼각형 CDH에서

$\overline{DH}=\overline{CD}\sin 45°=3\sqrt{3}(\because\ \ominus)$

$\therefore\ \overline{CD}=\dfrac{3\sqrt{3}}{\sin 45°}=\dfrac{3\sqrt{3}}{\dfrac{1}{\sqrt{2}}}=3\sqrt{6}\ (cm)$

[다른 풀이]

점 A에서 $\overline{BC}$에 수선의 발 P를 내리면

△ABP에서

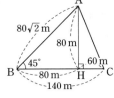

$\overline{AP}=12\sin 60°=12\times\dfrac{\sqrt{3}}{2}=6\sqrt{3}\ (cm)$

직각이등변삼각형 APC에서

$\overline{AP}=\overline{AC}\times\sin 45°=6\sqrt{3}\ (cm)$

$\therefore\ \overline{AC}=\dfrac{6\sqrt{3}}{\sin 45°}=\dfrac{6\sqrt{3}}{\dfrac{1}{\sqrt{2}}}=6\sqrt{6}\ (cm)$

따라서 점 D는 $\overline{AC}$의 중점이므로

$\overline{CD}=\dfrac{1}{2}\overline{AC}=3\sqrt{6}\ (cm)$

051 답 100 m

점 A에서 $\overline{BC}$에 내린 수선의 발을 H라 하자.

△ABH에서

$\overline{AH}=\overline{AB}\sin 45°$

$\qquad =80\sqrt{2}\times\dfrac{\sqrt{2}}{2}=80(m)$

$\overline{BH}=\overline{AB}\cos 45°=80\sqrt{2}\times\dfrac{\sqrt{2}}{2}=80(m)$

$\therefore\ \overline{CH}=\overline{BC}-\overline{BH}=140-80=60(m)$

직각삼각형 AHC에 피타고라스 정리를 적용하면

$\overline{AC}^2=\overline{AH}^2+\overline{CH}^2=80^2+60^2=10000$

$\therefore\ \overline{AC}=100\ m$

052 답 100 m

△ABC의 세 내각의 크기의 합은 180°이므로

$85°+30°+C=180°$ $\therefore\ C=65°$

△ABC의 꼭짓점 A에서 $\overline{BC}$에 내린 수선의 발을 H라 하자.

직각삼각형 ABH에서

$\overline{AH}=\overline{AB}\sin 30°=180\times\dfrac{1}{2}=90(m)$

직각삼각형 AHC에서 $\overline{AH}=\overline{AC}\sin 65°$

$\therefore\ \overline{AC}=\dfrac{\overline{AH}}{\sin 65°}$

$\qquad =\dfrac{90}{\sin 65°}=\dfrac{90}{0.9}$

$\qquad =100(m)$

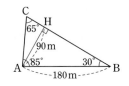

053 답 $10\sqrt{31}$ m

△ABC의 꼭짓점 A에서 $\overline{BC}$에 내린 수선의 발을 H라 하자.

$\overline{AH}=\overline{AB}\sin 60°=50\sin 60°$

$\qquad =50\times\dfrac{\sqrt{3}}{2}=25\sqrt{3}\ (m)$

$\overline{BH}=\overline{AB}\cos 60°=50\cos 60°$

$\qquad =50\times\dfrac{1}{2}=25(m)$

$\therefore\ \overline{CH}=\overline{BC}-\overline{BH}=60-25=35(m)$

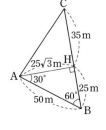

직각삼각형 AHC에 피타고라스 정리를 적용하면

$\overline{AC}^2=\overline{AH}^2+\overline{CH}^2=(25\sqrt{3})^2+35^2$

$\qquad =3100$

$\therefore\ \overline{AC}=10\sqrt{31}\ (m)$

054 답 $50(\sqrt{3}-1)$ m

점 C에서 $\overline{AB}$에 내린 수선의 발을 H라 하자.

$\overline{BC}=x$라 하면

$\overline{CH}=\overline{BC}\sin 60°=\dfrac{\sqrt{3}}{2}x,$

$\overline{BH}=\overline{BC}\cos 60°=\dfrac{1}{2}x$

△AHC는 직각이등변삼각형이므로

$\overline{AH}=\overline{CH}=\dfrac{\sqrt{3}}{2}x$

$\overline{AB}=\overline{AH}+\overline{BH}=50$이므로 $\dfrac{\sqrt{3}}{2}x+\dfrac{1}{2}x=50$

$\sqrt{3}x+x=100,\ (\sqrt{3}+1)x=100$

$\therefore\ x=\dfrac{100}{\sqrt{3}+1}=\dfrac{100(\sqrt{3}-1)}{(\sqrt{3}+1)(\sqrt{3}-1)}=\dfrac{100(\sqrt{3}-1)}{3-1}$

$\qquad =50(\sqrt{3}-1)(m)$

055 답 $4(\sqrt{3}-1)$

직각삼각형 ABH에서

$\overline{BH}=\overline{AH}\tan 45°$

$\qquad =\overline{AH}$

또, 직각삼각형 AHC에서

$\overline{CH}=\overline{AH}\tan 60°=\sqrt{3}\ \overline{AH}$

$\overline{BC}=\overline{BH}+\overline{CH}=\overline{AH}+\sqrt{3}\ \overline{AH}=8$이므로

$\overline{AH}(1+\sqrt{3})=8$

$\therefore\ \overline{AH}=\dfrac{8}{1+\sqrt{3}}=\dfrac{8(1-\sqrt{3})}{(1+\sqrt{3})(1-\sqrt{3})}$

$\qquad =\dfrac{8(1-\sqrt{3})}{1-3}=\dfrac{8(1-\sqrt{3})}{-2}=4(\sqrt{3}-1)$

[다른 풀이]

공식을 이용하여 풀 수 있어.

$\overline{AH}=\dfrac{8}{\tan 45°+\tan 60°}=\dfrac{8}{1+\sqrt{3}}=4(\sqrt{3}-1)$

056 답 ③

$\triangle$ABC의 꼭짓점 A에서 $\overline{BC}$에 내린
수선의 발을 H, $\overline{AH}=x$라 하자.

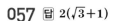

$$\triangle ABC = \frac{1}{2} \times \overline{BC} \times \overline{AH}$$
$$= \frac{1}{2} \times 40 \times x = 20x \cdots \text{㉠}$$

이므로 x만 구하면 되지?
직각삼각형 ABH에서
$$\overline{BH} = \overline{AH} \tan 60^\circ = \sqrt{3}x$$
또, 직각삼각형 AHC에서
$$\overline{CH} = \overline{AH} \tan 45^\circ = x$$
$\overline{BC} = \overline{BH} + \overline{CH} = (\sqrt{3}+1)x = 40$이므로
$$x = \frac{40}{\sqrt{3}+1} = \frac{40(\sqrt{3}-1)}{(\sqrt{3}+1)(\sqrt{3}-1)} = 20(\sqrt{3}-1)(\text{cm})$$
㉠에 의해
$$\triangle ABC = 20 \times 20(\sqrt{3}-1) = 400(\sqrt{3}-1)(\text{cm}^2)$$

057 답 $2(\sqrt{3}+1)$

직각삼각형 BHC는 직각이등변삼각형이
므로
$$\overline{BH} = \overline{CH} = h$$
또, 직각삼각형 AHC에서
$$\tan 30^\circ = \frac{\overline{CH}}{\overline{AH}} = \frac{h}{4+h}$$

$$\frac{1}{\sqrt{3}} = \frac{h}{4+h}$$
$4+h = \sqrt{3}h, (\sqrt{3}-1)h = 4$
$$\therefore h = \frac{4}{\sqrt{3}-1} = \frac{4(\sqrt{3}+1)}{(\sqrt{3}-1)(\sqrt{3}+1)} = 2(\sqrt{3}+1)$$

[다른 풀이]
공식을 이용하여 보자.
$\angle CAH = 30^\circ$이므로 $\angle ACH = 60^\circ$
$\angle CBH = 45^\circ$이므로 $\angle BCH = 45^\circ$

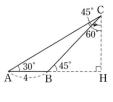

$$\therefore h = \frac{4}{\tan 60^\circ - \tan 45^\circ} = \frac{4}{\sqrt{3}-1}$$
$$= 2(1+\sqrt{3})$$

058 답 ④

$\triangle$ABC의 세 내각의 크기의 합은 180°이므로
$30^\circ + \angle BAC + 120^\circ = 180^\circ$
$$\therefore \angle BAC = 30^\circ$$
즉, $\triangle$ABC는 $\overline{AC} = \overline{BC} = 6\,\text{cm}$인 이등변
삼각형이지?
그런데 직각삼각형 ACH에서
$\angle ACH = 180^\circ - \angle ACB = 180^\circ - 120^\circ = 60^\circ$이므로
$$\overline{AH} = \overline{AC} \sin 60^\circ = 6 \times \frac{\sqrt{3}}{2} = 3\sqrt{3}\,(\text{cm})$$

059 답 $50(3-\sqrt{3})\,\text{m}$

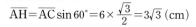
강 선너에 있는 나무의 지점을 C, 각도를 잰 지점을 각각 B, C라 하
고 주어진 그림을 간단히 나타내자.

$\triangle$ABC의 꼭짓점 C에서 $\overline{AB}$에 내린 수선의 발을 H, $\overline{CH}=x\,\text{m}$라
하면

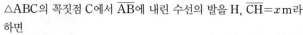

$\triangle$AHC에서
$$\angle ACH = 180^\circ - (\angle CAH + \angle CHA)$$
$$= 180^\circ - (60^\circ + 90^\circ) = 30^\circ$$
$$\therefore \overline{AH} = \overline{CH} \tan 30^\circ = x \tan 30^\circ$$
$\triangle$BCH에서
$$\angle BCH = 180^\circ - (\angle CBH + \angle CHB)$$
$$= 180^\circ - (45^\circ + 90^\circ) = 45^\circ$$
$$\therefore \overline{BH} = \overline{CH} \tan 45^\circ = x \tan 45^\circ$$
$\overline{AB} = \overline{AH} + \overline{BH} = 100$이므로
$x \tan 30^\circ + x \tan 45^\circ = 100$
$x(\tan 30^\circ + \tan 45^\circ) = 100$
$$\therefore x = \frac{100}{\tan 30^\circ + \tan 45^\circ} = \frac{100}{\frac{1}{\sqrt{3}}+1} = \frac{100\sqrt{3}}{1+\sqrt{3}}$$
$$= 50(3-\sqrt{3})\,(\text{m})$$

060 답 $7(\sqrt{3}+1)\,\text{m}$

기준점을 A, 두 전신주가 지면과 만나는
점을 각각 C, E, 가장 높은 지점을 각각
B, D라 하여 주어진 그림을 간단히 나
타내자.

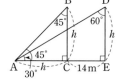

두 전신주의 높이를 h라 하면
$$\overline{BC} = \overline{DE} = h$$
직각삼각형 ACB에서
$$\overline{AC} = \overline{BC} \tan(\angle ABC)$$
$$= h \tan 45^\circ = h$$
또, 직각삼각형 ADE에서
$$\overline{AE} = \overline{DE} \tan(\angle ADE) = h \tan 60^\circ = \sqrt{3}h$$
그런데 $\overline{CE} = \overline{AE} - \overline{AC} = 14$이므로
$\sqrt{3}h - h = 14, h(\sqrt{3}-1) = 14$
$$\therefore h = \frac{14}{\sqrt{3}-1} = \frac{14(\sqrt{3}+1)}{(\sqrt{3}-1)(\sqrt{3}+1)}$$
$$= \frac{14(\sqrt{3}+1)}{2} = 7(\sqrt{3}+1)\,(\text{m})$$

061 답 $\dfrac{100}{\tan 35^\circ - \tan 15^\circ}\,\text{m}$

열기구가 떠있는 지점을 A, 지면에서 열기구
를 바라봤을 때 50°인 지점을 B, 75°인 지점
을 C, 열기구에서 지면에 내린 수선의 발을
H라 하여 주어진 그림을 간단히 나타내라.

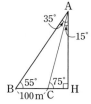

$\triangle$ABH에서
$$\angle BAH = 180^\circ - (\angle ABH + \angle AHB)$$
$$= 180^\circ - (55^\circ + 90^\circ) = 35^\circ$$
$$\therefore \overline{BH} = \overline{AH} \tan 35^\circ$$
$\triangle$ACH에서
$$\angle CAH = 180^\circ - (\angle ACH + \angle AHC)$$
$$= 180^\circ - (75^\circ + 90^\circ) = 15^\circ$$
$$\therefore \overline{CH} = \overline{AH} \tan 15^\circ$$
그런데 $\overline{BC} = \overline{BH} - \overline{CH} = 100$이므로

$$\overline{\text{AH}}\tan 35° - \overline{\text{AH}}\tan 15° = 100$$
$$\overline{\text{AH}}(\tan 35° - \tan 15°) = 100$$
$$\therefore \overline{\text{AH}} = \frac{100}{\tan 35° - \tan 15°}\,(\text{m})$$

062 답 6 m

국기계양대에서 가장 높은 지점을 A, 지면과 만나는 지점을 H, 정희와 은정이의 눈높이 위치를 각각 C, D, 그 눈높이와 수직거리가 같은 국기계양대의 지점을 B라 하고 주어진 그림을 간단히 나타내자.

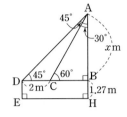

먼저 $\overline{\text{AB}} = x$라 하자.

직각삼각형 ADB에서
$$\overline{\text{BD}} = \overline{\text{AB}}\tan(\angle \text{BAD}) = x\tan 45°$$
또, 직각삼각형 ABC에서
$$\overline{\text{BC}} = \overline{\text{AB}}\tan(\angle \text{BAC}) = x\tan 30°$$
그런데 $\overline{\text{CD}} = \overline{\text{BD}} - \overline{\text{BC}} = 2$이므로
$$x\tan 45° - x\tan 30° = 2$$
$$x(\tan 45° - \tan 30°) = 2$$
$$\therefore x = \frac{2}{\tan 45° - \tan 30°} = \frac{2}{1 - \frac{1}{\sqrt{3}}} = \frac{2\sqrt{3}}{\sqrt{3}-1} = \sqrt{3}(\sqrt{3}+1)$$
$$= 3 + \sqrt{3} = 3 + 1.73 = 4.73\,(\because \sqrt{3} = 1.73)$$
$\therefore$ (국기계양대의 높이) $= \overline{\text{AH}} = \overline{\text{AB}} + \overline{\text{BH}}$
$$= x + (\text{눈높이}) = 4.73 + 1.27$$
$$= 6\,(\text{m})$$

063 답 ③

$$\triangle \text{ABC} = \frac{1}{2} \times \overline{\text{AB}} \times \overline{\text{BC}} \times \sin B$$
$$= \frac{1}{2} \times 6\sqrt{2} \times 6 \times \sin 60°$$
$$= \frac{1}{2} \times 6\sqrt{2} \times 6 \times \frac{\sqrt{3}}{2} = 9\sqrt{6}$$

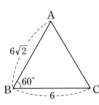

오답피하기

두 변의 길이와 그 끼인각의 크기의 sin값을 알면 삼각형의 넓이를 쉽게 구할 수 있다는 점이 신기하지?
그게 왜 그렇게 되는지 궁금하지?
삼각형의 넓이는 밑변과 높이만 알면 구할 수 있어.
그림에서 밑변의 길이가 a로 주어졌으니까 높이만 구하면 되겠지?
직각삼각형 ABH에서 c와 h의 관계는 B에 대하여 sin으로 나타낼 수 있지?

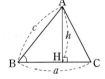

$$\sin B = \frac{h}{c} \qquad \therefore h = c\sin B$$
$$\therefore \triangle \text{ABC} = \frac{1}{2}ah = \frac{1}{2}ac\sin B$$

이해가 되지? 공식을 외우기보다는 원리를 알고 있는 게 훨씬 도움이 돼.

064 답 4 cm²

이등변삼각형 ABC의 두 변의 길이는 각각 4 cm, 그 끼인각의 크기가 30°이므로

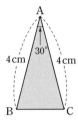

$$\triangle \text{ABC} = \frac{1}{2} \times \overline{\text{AB}} \times \overline{\text{AC}} \times \sin A$$
$$= \frac{1}{2} \times 4 \times 4 \times \sin 30°$$
$$= \frac{1}{2} \times 4 \times 4 \times \frac{1}{2} = 4\,(\text{cm}^2)$$

065 답 20√3 cm²

주어진 삼각형은 두 변의 길이가 각각 8 cm, 10 cm이고 끼인각의 크기가 120°인 둔각삼각형이므로

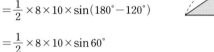

(삼각형의 넓이)
$$= \frac{1}{2} \times 8 \times 10 \times \sin(180° - 120°)$$
$$= \frac{1}{2} \times 8 \times 10 \times \sin 60°$$
$$= \frac{1}{2} \times 8 \times 10 \times \frac{\sqrt{3}}{2} = 20\sqrt{3}\,(\text{cm}^2)$$

066 답 ②

$\triangle \text{ABC}$는 $\overline{\text{AB}} = \overline{\text{AC}}$인 이등변삼각형이므로
$$\angle B = \angle C = 22.5°$$
$$\therefore \angle A = 180° - (\angle B + \angle C) = 135°$$
즉, $\triangle \text{ABC}$는 $\angle A$가 둔각인 둔각삼각형이므로
$\triangle \text{ABC}$

$$= \frac{1}{2} \times \overline{\text{AB}} \times \overline{\text{AC}} \times \sin(180° - A)$$
$$= \frac{1}{2} \times 4 \times 4 \times \sin(180° - 135°)$$
$$= \frac{1}{2} \times 4 \times 4 \times \sin 45°$$
$$= \frac{1}{2} \times 4 \times 4 \times \frac{\sqrt{2}}{2} = 4\sqrt{2}\,(\text{cm}^2)$$

067 답 ③

두 변의 길이가 각각 $4\sqrt{5}$ cm, x cm이고 끼인각의 크기가 30°이므로

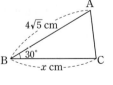

$$\triangle \text{ABC} = \frac{1}{2} \times \overline{\text{AB}} \times \overline{\text{BC}} \times \sin B$$
$$= \frac{1}{2} \times 4\sqrt{5} \times x \times \sin 30°$$
$$= \frac{1}{2} \times 4\sqrt{5} \times x \times \frac{1}{2} = \sqrt{5}x$$

그런데 $\triangle \text{ABC}$의 넓이가 40 cm²이므로 $\sqrt{5}x = 40$
$$\therefore x = \frac{40}{\sqrt{5}} = 8\sqrt{5}\,(\text{cm})$$

068 답 ④

$\triangle ABC = \dfrac{1}{2} \times \overline{AB} \times \overline{AC} \times \sin A$ 에서

$\triangle ABC = \dfrac{1}{2} \times 6 \times 4 \times \sin A = 12 \sin A$

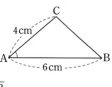

그런데 $\triangle ABC$의 넓이가 $6\sqrt{3}\ cm^2$이므로

$12 \sin A = 6\sqrt{3}$ ∴ $\sin A = \dfrac{6\sqrt{3}}{12} = \dfrac{\sqrt{3}}{2}$

이때, $\sin 60° = \dfrac{\sqrt{3}}{2}$이므로 $A = 60°$

069 답 $4\sqrt{19}\ cm$

먼저 $\triangle ABC$의 넓이를 구하자.

$\triangle ABC = \dfrac{1}{2} \times \overline{AB} \times \overline{BC} \times \sin B$

$= \dfrac{1}{2} \times \overline{AB} \times 20 \times \sin 60°$

$= \dfrac{1}{2} \times \overline{AB} \times 20 \times \dfrac{\sqrt{3}}{2} = 5\sqrt{3}\,\overline{AB}$

그런데 $\triangle ABC$의 넓이가 $60\sqrt{3}\ cm^2$이므로

$5\sqrt{3}\,\overline{AB} = 60\sqrt{3}$

∴ $\overline{AB} = \dfrac{60\sqrt{3}}{5\sqrt{3}} = 12\ cm$

이때, $\triangle ABC$의 꼭짓점 A에서 $\overline{BC}$에 내린 수선의 발을 H라 하면 직각삼각형 ABH에서

$\overline{BH} = \overline{AB} \times \cos 60° = 12 \times \dfrac{1}{2} = 6(cm)$

$\overline{AH} = \overline{AB} \times \sin 60°$

$= 12 \times \dfrac{\sqrt{3}}{2}$

$= 6\sqrt{3}\ (cm)$

또, $\overline{CH} = \overline{BC} - \overline{BH} = 20 - 6 = 14(cm)$

직각삼각형 AHC에 피타고라스 정리를 적용하면

$\overline{AC}^2 = \overline{AH}^2 + \overline{CH}^2 = (6\sqrt{3})^2 + 14^2 = 304$

∴ $\overline{AC} = 4\sqrt{19}\ (cm)$

070 답 ②

$\overline{AB} = \overline{AC} = x$라 하면

$\triangle ABC = \dfrac{1}{2} \times x \times x \times \sin A$

$= \dfrac{1}{2} x^2 \sin A \cdots$ ㉠

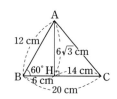

$\triangle ABC$의 넓이를 구하기 위해서는 $\sin A$의 값을 구해야겠지?

$0° < A < 90°$이고 $\cos A = \dfrac{\sqrt{5}}{3}$를 만족시키는 직각삼각형을 그려 보자.

그럼, 빗변의 길이가 3, 밑변의 길이는 $\sqrt{5}$인 직각삼각형에 피타고라스 정리를 적용하여 높이를 구하자.

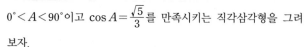

$\sqrt{3^2 - (\sqrt{5})^2} = \sqrt{4} = 2$

∴ $\sin A = \dfrac{2}{3} \cdots$ ㉡

㉡을 ㉠에 대입하고, $\triangle ABC$의 넓이가 27이므로

$\triangle ABC = \dfrac{1}{2} x^2 \sin A$

$= \dfrac{1}{2} x^2 \times \dfrac{2}{3} = 27$

$x^2 = 81$ ∴ $x = 9$

∴ $\overline{AB} + \overline{AC} = 2x = 18$

071 답 ①

주어진 그림을 간단히 나타내면

$\angle DAC = \angle BAC (∵ 접은 부분)$,

$\angle DAC = \angle BCA (∵ 엇각)$이므로

$\angle BAC = \angle ACB$

따라서 $\triangle ABC$는 $\overline{AB} = \overline{BC} \cdots$ ㉠인 이등변삼각형이야.

$\triangle ABC = \dfrac{1}{2} \times \overline{AB} \times \overline{BC} \times \sin(\angle ABC)$

$= \dfrac{1}{2} \times \overline{AB} \times \overline{AB} \times \sin 45° (∵ ㉠)$

$= \dfrac{1}{2} \times \overline{AB}^2 \times \dfrac{\sqrt{2}}{2} = \dfrac{\sqrt{2}}{4} \times \overline{AB}^2 \cdots$ ㉡

그럼, $\overline{AB}$의 길이만 구하면 되겠지?

직각삼각형 ABH에서

$\sin 45° = \dfrac{\overline{AH}}{\overline{AB}} = \dfrac{2}{\overline{AB}}$

∴ $\overline{AB} = \dfrac{2}{\sin 45°} = \dfrac{2}{\dfrac{1}{\sqrt{2}}} = 2\sqrt{2}\ (cm)$

㉡에 의해

$\triangle ABC = \dfrac{\sqrt{2}}{4} \times (2\sqrt{2})^2 = 2\sqrt{2}\ (cm^2)$

072 답 ④

$\angle ACB = 150°$이므로 $\triangle ABC$는 둔각삼각형이지?

$\triangle ABC = \dfrac{1}{2} \times \overline{BC} \times \overline{AC} \times \sin(180° - \angle ACB)$

$= \dfrac{1}{2} \times 8 \times \overline{AC} \times \sin(180° - 150°)$

$= \dfrac{1}{2} \times 8 \times \overline{AC} \times \sin 30°$

$= \dfrac{1}{2} \times 8 \times \overline{AC} \times \dfrac{1}{2} = 2\overline{AC}$

그런데 $\triangle ABC$의 넓이가 $8\sqrt{3}\ cm^2$이므로

$\triangle ABC = 2\overline{AC} = 8\sqrt{3}$

∴ $\overline{AC} = 4\sqrt{3}\ cm$

073 답 ②

$\overline{BC} : \overline{AC} = 3 : 2$이므로 $\overline{BC} = 3k$, $\overline{AC} = 2k(k$는 양수)로 놓을 수 있지?

$$\triangle ABC = \frac{1}{2} \times \overline{BC} \times \overline{AC} \times \sin(180° - \angle ACB)$$

$$= \frac{1}{2} \times 3k \times 2k \times \sin(180° - 120°)$$

$$= \frac{1}{2} \times 3k \times 2k \times \sin 60°$$

$$= 3k^2 \times \frac{\sqrt{3}}{2} = \frac{3\sqrt{3}}{2}k^2$$

그런데 △ABC의 넓이가 $24\sqrt{3}$이므로

$$\frac{3\sqrt{3}}{2}k^2 = 24\sqrt{3}, \ k^2 = 16 \qquad \therefore k = 4 \ (\because k > 0)$$

$$\therefore \overline{BC} - \overline{AC} = 3k - 2k = k = 4$$

074 답 ②

△ABC의 꼭짓점 B에서 $\overline{AC}$에 내린
수선의 발을 H라 하자.

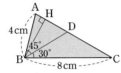

$$\triangle ABD = \frac{1}{2} \times \overline{AD} \times \overline{BH},$$

$\triangle BCD = \frac{1}{2} \times \overline{CD} \times \overline{BH}$에서 두 삼각

형의 넓이의 비는

$$\triangle ABD : \triangle BCD = \frac{1}{2} \times \overline{AD} \times \overline{BH} : \frac{1}{2} \times \overline{CD} \times \overline{BH}$$

$$= \overline{AD} : \overline{CD} \ \cdots \ \bigcirc$$

△ABD와 △BCD의 넓이의 비를 두 변의 길이와 그 끼인각의 크기
를 이용하여 각각 구해볼까?

$$\triangle ABD : \triangle BCD$$

$$= \left(\frac{1}{2} \times \overline{AB} \times \overline{BD} \times \sin(\angle ABD) \right) : \left(\frac{1}{2} \times \overline{BC} \times \overline{BD} \times \sin(\angle CBD) \right)$$

$$= \left(\frac{1}{2} \times 4 \times \overline{BD} \times \sin 45° \right) : \left(\frac{1}{2} \times 8 \times \overline{BD} \times \sin 30° \right)$$

$$= (2 \times \sin 45°) : (4 \times \sin 30°)$$

$$= \left(2 \times \frac{\sqrt{2}}{2} \right) : \left(4 \times \frac{1}{2} \right)$$

$$= \sqrt{2} : 2$$

$$= 1 : \sqrt{2}$$

$$\therefore \overline{AD} : \overline{CD} = 1 : \sqrt{2} (\because \ \bigcirc)$$

075 답 ④

△ABC = △ABD + △ACD이므로
각각의 넓이를 구하자.

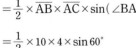

$$\triangle ABC$$

$$= \frac{1}{2} \times \overline{AB} \times \overline{AC} \times \sin(\angle BAC)$$

$$= \frac{1}{2} \times 10 \times 4 \times \sin 60°$$

$$= \frac{1}{2} \times 10 \times 4 \times \frac{\sqrt{3}}{2} = 10\sqrt{3} \ \cdots \ \bigcirc$$

$$\triangle ABD + \triangle ACD$$

$$= \frac{1}{2} \times \overline{AB} \times \overline{AD} \times \sin(\angle BAD) + \frac{1}{2} \times \overline{AC} \times \overline{AD} \times \sin(\angle CAD)$$

$$= \frac{1}{2} \times 10 \times \overline{AD} \times \sin 30° + \frac{1}{2} \times 4 \times \overline{AD} \times \sin 30°$$

$$= \frac{1}{2} \times 10 \times \overline{AD} \times \frac{1}{2} + \frac{1}{2} \times 4 \times \overline{AD} \times \frac{1}{2} = \frac{7}{2}\overline{AD} \ \cdots \ \bigcirc$$

$\bigcirc = \bigcirc$이므로 $\frac{7}{2}\overline{AD} = 10\sqrt{3}$

$$\therefore \overline{AD} = \frac{20\sqrt{3}}{7} \ (cm)$$

076 답 2.1

△ABC = △ABD + △ACD이므로 각각의 넓이를 구하자.

$$\triangle ABC = \frac{1}{2} \times \overline{AB} \times \overline{AC} \times \sin(180° - \angle BAC)$$

$$= \frac{1}{2} \times 7 \times 3 \times \sin(180° - 120°)$$

$$= \frac{1}{2} \times 7 \times 3 \times \sin 60°$$

$$= \frac{1}{2} \times 7 \times 3 \times \frac{\sqrt{3}}{2} = \frac{21\sqrt{3}}{4} \ \cdots \ \bigcirc$$

$$\triangle ABD + \triangle ACD$$

$$= \frac{1}{2} \times \overline{AB} \times \overline{AD} \times \sin(\angle BAD) + \frac{1}{2} \times \overline{AC} \times \overline{AD} \times \sin(\angle CAD)$$

$$= \frac{1}{2} \times 7 \times \overline{AD} \times \sin 60° + \frac{1}{2} \times 3 \times \overline{AD} \times \sin 60°$$

$$= \frac{1}{2} \times 7 \times \overline{AD} \times \frac{\sqrt{3}}{2} + \frac{1}{2} \times 3 \times \overline{AD} \times \frac{\sqrt{3}}{2}$$

$$= \frac{10\sqrt{3}}{4}\overline{AD} = \frac{5\sqrt{3}}{2}\overline{AD} \ \cdots \ \bigcirc$$

$\bigcirc = \bigcirc$이므로

$$\frac{5\sqrt{3}}{2}\overline{AD} = \frac{21\sqrt{3}}{4}$$

$$\therefore \overline{AD} = \frac{21}{10} = 2.1$$

077 답 3 : 1 : 3

△ABC의 넓이를 S라 하면

$$S = \frac{1}{2}ab\sin C = \frac{1}{2}bc\sin A$$

$$= \frac{1}{2}ca\sin B$$

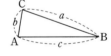

$$\sin A : \sin B : \sin C = \frac{2S}{bc} : \frac{2S}{ca} : \frac{2S}{ab}$$

$$= \frac{1}{bc} : \frac{1}{ca} : \frac{1}{ab}$$

$$= \frac{a}{abc} : \frac{b}{abc} : \frac{c}{abc} = a : b : c \ \cdots \ \bigcirc$$

주어진 식을 정리해 보자.

$$a - 6b + c = 0 \ \cdots \ \bigcirc$$

$$a + 3b - 2c = 0 \ \cdots \ \bigcirc$$

$\bigcirc - \bigcirc$에서

$$\begin{array}{r} a - 6b + c = 0 \\ -) \ a + 3b - 2c = 0 \\ \hline -9b + 3c = 0 \end{array}$$

$$\therefore c = 3b$$

이것을 $\bigcirc$에 대입하면

$$a - 3b = 0 \qquad \therefore a = 3b$$

$$\therefore a : b : c = 3b : b : 3b = 3 : 1 : 3$$

$$\therefore \sin A : \sin B : \sin C = a : b : c = 3 : 1 : 3 \ (\because \ \bigcirc)$$

078 답 ④

사각형 ABCD는 평행사변형이므로 평행사변형의 성질에 의해 이웃하는 두 내각이 합이 180°가 되지?

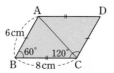

∴ ∠B=180°−∠C=60°

보조선 $\overline{AC}$를 그어 만들어진 두 삼각형 △ABC, △CDA는 $\overline{AB}=\overline{CD}$, $\overline{CB}=\overline{AD}$, ∠B=∠D이므로 SAS 합동이지?

그럼, 평행사변형의 넓이는 △ABC의 넓이의 2배가 되겠지?

$$△ABC=\frac{1}{2}×\overline{AB}×\overline{BC}×\sin B=\frac{1}{2}×6×8×\sin 60°$$

$$=\frac{1}{2}×6×8×\frac{\sqrt{3}}{2}=12\sqrt{3}\,(cm^2)$$

∴ (평행사변형 ABCD의 넓이)=2△ABC
$$=24\sqrt{3}\,(cm^2)$$

079 답 $6\sqrt{3}\,cm^2$

마름모는 평행사변형이지? 이때, 보조선 $\overline{AC}$를 그어 만들어진 두 삼각형 ABC, ADC는 SSS 합동이므로 △ABC=△ADC

즉, 마름모의 넓이는 △ABC의 넓이의 2배야.

또, 마름모는 네 변의 길이가 모두 같으므로 $\overline{AB}=\overline{BC}=\overline{CD}=\overline{DA}=2\sqrt{3}\,cm$에서

$$△ABC=\frac{1}{2}×\overline{AB}×\overline{BC}×\sin B=\frac{1}{2}×2\sqrt{3}×2\sqrt{3}×\sin 60°$$

$$=\frac{1}{2}×2\sqrt{3}×2\sqrt{3}×\frac{\sqrt{3}}{2}=3\sqrt{3}\,(cm^2)$$

∴ (마름모 ABCD의 넓이)=2△ABC
$$=6\sqrt{3}\,(cm^2)$$

080 답 $8\,cm^2$

평행사변형 ABCD에서 △ABC, △CDA는 합동인 삼각형이니까
△ABC=△CDA

즉, 평행사변형 ABCD의 넓이는 △ABC의 넓이의 2배야.

이때, $\overline{AC}⊥\overline{CD}$이므로 ∠ACD=90°이고
∠BAC=∠DCA=90°(∵ 엇각)

직각삼각형 ABC에서
$$\cos B=\frac{\overline{BA}}{\overline{BC}}=\frac{2\sqrt{2}}{4}=\frac{\sqrt{2}}{2}=\cos 45°$$

∴ B=45°

$$∴ △ABC=\frac{1}{2}×\overline{AB}×\overline{BC}×\sin 45°$$

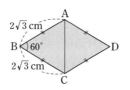

$$=\frac{1}{2}×2\sqrt{2}×4×\frac{\sqrt{2}}{2}$$

$$=4(cm^2)$$

∴ □ABCD=2△ABC=8 (cm^2)

081 답 ③

평행사변형 ABCD의 두 대각선은 각각을 이등분하지?

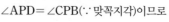

△APD와 △CPB는
$\overline{AP}=\overline{CP}$, $\overline{DP}=\overline{BP}$,
∠APD=∠CPB(∵ 맞꼭지각)이므로
SAS 합동이지?

그럼, △APD+△CPB=2△APD ··· ㉠이지?

△APD의 넓이만 구하면 되겠지?

그런데 평행사변형 ABCD에서 △ABP와 △APD는 $\overline{BP}=\overline{DP}$이고, 높이는 같으니까
△ABP=△APD

$$∴ △APD=\frac{1}{2}△ABD ··· ㉡$$

△ABD의 넓이는 □ABCD의 넓이의 $\frac{1}{2}$이므로

$$△ABD=\frac{1}{2}×□ABCD$$

$$=\frac{1}{2}×\overline{AB}×\overline{AD}×\sin(∠BAD)$$

$$=\frac{1}{2}×2×5×\sin 60°$$

$$=\frac{1}{2}×2×5×\frac{\sqrt{3}}{2}=\frac{5\sqrt{3}}{2}\,(cm^2)$$

㉡에 의해

$$△APD=\frac{1}{2}△ABD=\frac{1}{2}×\frac{5\sqrt{3}}{2}=\frac{5\sqrt{3}}{4}\,(cm^2)$$

또, ㉠에서

$$△APD+△BCP=2×\frac{5\sqrt{3}}{4}=\frac{5\sqrt{3}}{2}\,(cm^2)$$

> **오답피하기**
>
> ㉡이 성립하는 이유?
> 두 삼각형의 모양은 달라도 밑변의 길이와 높이가 같으면 두 삼각형의 넓이가 같잖아. 즉, △ABP와 △ADP에서 $\overline{BP}=\overline{PD}$이고 높이 h로 같으므로 두 삼각형 ABP와 ADP의 넓이는 같아.
>
>

082 답 ④

평행사변형 ABCD에서 $\overline{AB}=k$(k는 양수)라 하면
$\overline{BC}=2\overline{AB}=2k$

그리고 ∠B=180°−∠A=180°−120°=60°

$$□ABCD=\overline{AB}×\overline{BC}×\sin B=k×2k×\sin 60°$$

$$=k×2k×\frac{\sqrt{3}}{2}=\sqrt{3}k^2$$

그런데 평행사변형 ABCD의 넓이는 $64\sqrt{3}$이므로

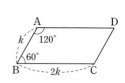

$$\sqrt{3}k^2=64\sqrt{3}$$

$$k^2=64 \quad ∴ k=8 (∵ k>0)$$

∴ (□ABCD의 둘레의 길이)=2(k+2k)=6k=6×8=48

083 답 ②

먼저 평행사변형 ABCD의 넓이를 구하지.

$$□ABCD=\overline{AB}×\overline{BC}×\sin B=5×8×\sin x=40\sin x$$

그런데 평행사변형 ABCD의 넓이가 $20\,cm^2$이므로

$40\sin x=20$ $\therefore \sin x=\dfrac{1}{2}$

이때, $\sin 30°=\dfrac{1}{2}$이므로

$x=30°\cdots\text{㉠}$

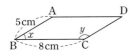

평행사변형 ABCD의 이웃하는 두 내각의 크기의 합은 $180°$이므로

$x+y=180°$ $\therefore y=150°(\because\text{㉠})$

084 답 $3\sqrt{3}\,cm^2$

사각형 ABCD는 평행사변형이므로
$\overline{BC}=\overline{AD}=6\,cm$, $\angle B=\angle D=60°$
그리고 $\triangle ABC=\triangle ACD$이고,
$\triangle AMC=\dfrac{1}{2}\triangle ABC$이므로

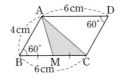

$\triangle AMC=\dfrac{1}{2}\triangle ABC=\dfrac{1}{2}\times\left(\dfrac{1}{2}\square ABCD\right)=\dfrac{1}{4}\square ABCD$

$\qquad=\dfrac{1}{4}\times(\overline{AB}\times\overline{BC}\times\sin B)=\dfrac{1}{4}\times(4\times6\times\sin 60°)$

$\qquad=\dfrac{1}{4}\times\left(4\times6\times\dfrac{\sqrt{3}}{2}\right)=3\sqrt{3}\,(cm^2)$

085 답 ①

점 D에서 $\overline{BC}$의 연장선에 내린 수선의 발을 H라 하면
$\triangle BED:\triangle DEC=\dfrac{1}{2}\times\overline{BE}\times\overline{DH}:\dfrac{1}{2}\times\overline{EC}\times\overline{DH}=\overline{BE}:\overline{EC}=1:2$

이므로 $2\triangle BED=\triangle DEC\cdots\text{㉠}$
$\triangle BCD=\triangle BED+\triangle DEC$

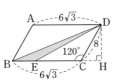

$\qquad=\triangle BED+2\triangle BED(\because\text{㉠})$
$\qquad=3\triangle BED$

$\therefore \triangle BED=\dfrac{1}{3}\triangle BCD\cdots\text{㉡}$

그런데 사각형 ABCD는 평행사변형이므로

$\triangle BCD=\dfrac{1}{2}\square ABCD\cdots\text{㉢}$

그럼, 평행사변형 ABCD의 넓이만 구하면 되겠지?
$\square ABCD=\overline{BC}\times\overline{DC}\times\sin(180°-\angle BCD)$

$\qquad\qquad=6\sqrt{3}\times8\times\sin(180°-120°)$

$\qquad\qquad=6\sqrt{3}\times8\times\sin 60°=6\sqrt{3}\times8\times\dfrac{\sqrt{3}}{2}=72$

㉢에서 $\triangle BCD=\dfrac{1}{2}\times72=36$

이것을 ㉡에 대입하면 $\triangle BED=\dfrac{1}{3}\times36=12$

086 답 ③

사각형 ABCD의 두 대각선이 이루는 각의 크기가 $60°$이고, 두 대
각선의 길이가 각각 6, 8이므로

$\square ABCD=\dfrac{1}{2}\times\overline{BD}\times\overline{AC}\times\sin 60°=\dfrac{1}{2}\times6\times8\times\sin 60°$

$\qquad\qquad=\dfrac{1}{2}\times6\times8\times\dfrac{\sqrt{3}}{2}=12\sqrt{3}$

087 답 ③

사각형 ABCD의 두 대각선이 이루는 각의 크기가 $90°$이고, 두 대
각선 $\overline{BD}$, $\overline{AC}$의 길이가 각각 $5\,cm$, $6\,cm$이므로

$\square ABCD=\dfrac{1}{2}\times\overline{BD}\times\overline{AC}\times\sin 90°=\dfrac{1}{2}\times5\times6\times\sin 90°$

$\qquad\qquad=\dfrac{1}{2}\times5\times6\times1=15\,(cm^2)$

088 답 ②

주어진 사각형 ABCD의 두 대각선이 이루는 각의 크기가 $135°$이
므로 두 대각선이 이루는 예각의 크기는 $180°-135°=45°$지?
$\overline{BD}=x$라 하면 사각형 ABCD에서 $\overline{AC}=6$이므로

$\square ABCD=\dfrac{1}{2}\times\overline{AC}\times\overline{BD}\times\sin 45°=\dfrac{1}{2}\times6\times x\times\dfrac{\sqrt{2}}{2}=\dfrac{3\sqrt{2}}{2}x$

그런데 사각형 ABCD의 넓이가 $12\sqrt{2}$이므로

$\dfrac{3\sqrt{2}}{2}x=12\sqrt{2}$ $\therefore x=8$ $\therefore \overline{BD}=x=8$

089 답 ⑤

$\angle x$는 둔각이므로 예각은 $180°-\angle x$지?
사각형 ABCD의 두 대각선 $\overline{BD}$, $\overline{AC}$의
길이가 각각 $10\,cm$, $6\,cm$이므로
$\square ABCD$

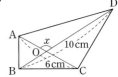

$=\dfrac{1}{2}\times\overline{BD}\times\overline{AC}\times\sin(180°-\angle x)$

$=\dfrac{1}{2}\times10\times6\times\sin(180°-\angle x)$

$=30\sin(180°-\angle x)$

그런데 사각형 ABCD의 넓이가 $15\sqrt{3}\,cm^2$이므로
$30\sin(180°-\angle x)=15\sqrt{3}$

$\sin(180°-\angle x)=\dfrac{\sqrt{3}}{2}$

이때, $\sin 60°=\dfrac{\sqrt{3}}{2}$이므로 $180°-\angle x=60°$

$\therefore \angle x=120°$

090 답 ④

등변사다리꼴 ABCD의 두 꼭짓점
A, D에서 $\overline{BC}$에 내린 수선의 발을 각
각 E, F라 하면

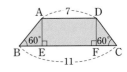

$\square ABCD=\dfrac{1}{2}\times(\overline{AD}+\overline{BC})\times\overline{AE}$

$\qquad\qquad=\dfrac{1}{2}\times(7+11)\times\overline{AE}=9\overline{AE}\cdots\text{㉠}$

그럼, $\overline{AE}$의 길이만 구하면 되겠지?
여기서 $\overline{EF}=7$이므로

$\overline{BE}=\overline{FC}=\dfrac{1}{2}(\overline{BC}-\overline{EF})=\dfrac{1}{2}\times(11-7)=2$

직각삼각형 ABE에서
$\overline{AE}=\overline{BE}\tan 60°=2\tan 60°=2\sqrt{3}$

이것을 ㉠에 대입하면 $\square ABCD=9\times2\sqrt{3}=18\sqrt{3}$

091 답 ③

사다리꼴 ABCD의 꼭짓점 A에서 $\overline{BC}$에 내린 수선의 발을 H라 하면

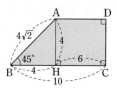

$$\square ABCD = \frac{1}{2} \times (\overline{AD} + \overline{BC}) \times \overline{AH}$$
$$= \frac{1}{2} \times (\overline{AD} + 10) \times \overline{AH} \cdots \bigcirc$$

그럼, $\overline{AD}$, $\overline{AH}$의 길이만 구하면 되겠지?
직각삼각형 ABH에서

$$\overline{AH} = \overline{AB} \sin 45° = 4\sqrt{2} \times \frac{\sqrt{2}}{2} = 4 \cdots \bigcirc$$

$$\overline{BH} = \overline{AB} \cos 45° = 4\sqrt{2} \times \frac{\sqrt{2}}{2} = 4$$

$$\therefore \overline{AD} = \overline{CH} = \overline{BC} - \overline{BH} = 10 - 4 = 6 \cdots \boxdot$$

$\bigcirc$, $\boxdot$을 $\bigcirc$에 대입하면

$$\square ABCD = \frac{1}{2} \times (6 + 10) \times 4 = 32$$

092 답 ③

사다리꼴 ABCD의 꼭짓점 D에서 $\overline{BC}$에 내린 수선의 발을 H라 하면

$$\square ABCD = \frac{1}{2} \times (\overline{AD} + \overline{BC}) \times \overline{DH} = \frac{1}{2} \times (4 + 8) \times \overline{DH}$$
$$= 6\overline{DH} \cdots \bigcirc$$

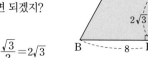

그럼, $\overline{DH}$의 길이만 구하면 되겠지?
직각삼각형 DCH에서

$$\overline{DH} = \overline{DC} \times \sin 60° = 4 \times \frac{\sqrt{3}}{2} = 2\sqrt{3}$$

이것을 $\bigcirc$에 대입하면
$$\square ABCD = 6 \times 2\sqrt{3} = 12\sqrt{3}$$

093 답 4

등변사다리꼴의 두 대각선의 길이는 서로 같아.
이때, 사각형 ABCD가 등변사다리꼴이므로 $\overline{AC} = \overline{BD} = x \, (x > 0)$라 하자.
사각형의 두 대각선이 이루는 각의 크기가 120°이므로 예각의 크기는
$180° - 120° = 60°$

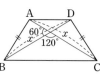

$$\square ABCD = \frac{1}{2} \times \overline{AC} \times \overline{BD} \times \sin 60° = \frac{1}{2} \times x \times x \times \frac{\sqrt{3}}{2} = \frac{\sqrt{3}}{4} x^2$$

이때, 사각형 ABCD의 넓이가 $4\sqrt{3}$이므로

$$\frac{\sqrt{3}}{4} x^2 = 4\sqrt{3}, \ x^2 = 16 \quad \therefore \overline{AC} = x = 4 \, (\because x > 0)$$

094 답 ②

$\square ABCD = \triangle ABC + \triangle DAC \cdots \bigcirc$이므로
$\triangle ABC$와 $\triangle DAC$의 넓이를 구하면 되겠지?

$$\triangle ABC = \frac{1}{2} \times \overline{AB} \times \overline{BC} \times \sin(\angle ABC)$$
$$= \frac{1}{2} \times 8 \times 16 \times \sin 60°$$
$$= \frac{1}{2} \times 8 \times 16 \times \frac{\sqrt{3}}{2} = 32\sqrt{3} \ (\text{cm}^2) \cdots \bigcirc$$

한편, 직각삼각형 ABC에 피타고라스 정리를 적용하면 $\overline{BC}^2 = \overline{AB}^2 + \overline{AC}^2$
$16^2 = 8^2 + \overline{AC}^2$, $\overline{AC}^2 = 192$
$$\therefore \overline{AC} = 8\sqrt{3} \ \text{cm}$$

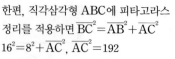

$$\triangle DAC = \frac{1}{2} \times \overline{AC} \times \overline{CD} \times \sin(\angle ACD)$$
$$= \frac{1}{2} \times 8\sqrt{3} \times 14 \times \sin 30°$$
$$= \frac{1}{2} \times 8\sqrt{3} \times 14 \times \frac{1}{2} = 28\sqrt{3} \ (\text{cm}^2) \cdots \boxdot$$

$\bigcirc$, $\boxdot$을 $\bigcirc$에 대입하면
$$\square ABCD = 32\sqrt{3} + 28\sqrt{3} = 60\sqrt{3} \ (\text{cm}^2)$$

095 답 $14\sqrt{3} \ \text{cm}^2$

사각형 ABCD에서 보조선 AC를 그으면 $\triangle ABC$와 $\triangle ACD$가 생기지?
$\square ABCD = \triangle ABC + \triangle ACD \cdots \bigcirc$
이므로 $\triangle ABC$와 $\triangle ACD$의 넓이를 구해서 더하면 되겠지?

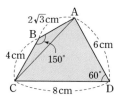

$$\triangle ABC = \frac{1}{2} \times \overline{AB} \times \overline{BC} \times \sin(180° - 150°)$$
$$= \frac{1}{2} \times 2\sqrt{3} \times 4 \times \sin 30° = \frac{1}{2} \times 2\sqrt{3} \times 4 \times \frac{1}{2} = 2\sqrt{3} \ (\text{cm}^2)$$

$$\triangle ACD = \frac{1}{2} \times \overline{AD} \times \overline{CD} \times \sin 60° = \frac{1}{2} \times 6 \times 8 \times \sin 60°$$
$$= \frac{1}{2} \times 6 \times 8 \times \frac{\sqrt{3}}{2} = 12\sqrt{3} \ (\text{cm}^2)$$

이것들을 $\bigcirc$에 대입하면
$$\square ABCD = \triangle ABC + \triangle ACD = 2\sqrt{3} + 12\sqrt{3} = 14\sqrt{3} \ (\text{cm}^2)$$

096 답 $96\sqrt{3} \ \text{cm}^2$

원에 내접하는 정육각형을 그림과 같이 나누면 정육각형의 넓이는 $\triangle OEF$의 넓이의 6배이므로 $\triangle OEF$의 넓이만 구하면 되겠지?

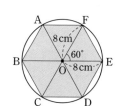

$\overline{OE} = \overline{OF} = 8 \ \text{cm} \ (\because \text{원의 반지름})$

또, $\angle EOF = \dfrac{360°}{6} = 60°$

$$\therefore \triangle OEF = \frac{1}{2} \times \overline{OE} \times \overline{OF} \times \sin(\angle EOF)$$
$$= \frac{1}{2} \times 8 \times 8 \times \sin 60° = \frac{1}{2} \times 8 \times 8 \times \frac{\sqrt{3}}{2} = 16\sqrt{3}$$

$\therefore (\text{정육각형의 넓이}) = 6\triangle OEF = 6 \times 16\sqrt{3} = 96\sqrt{3} \ (\text{cm}^2)$

[다른 풀이]

한 변의 길이가 a인 정삼각형의 넓이는 $\dfrac{\sqrt{3}}{4} a^2$이므로

$$\triangle OEF = \frac{\sqrt{3}}{4} \times 8^2$$

따라서 구하는 정육각형의 넓이는
$$6 \times \triangle OEF = 6 \times \frac{\sqrt{3}}{4} \times 8^2 = 96\sqrt{3} \ (\text{cm}^2)$$

097 답 ④

사각형 ABCD에서 보조선 AC를 긋자.

□ABCD=△ABC+△ACD가 성립하고

□ABCD의 넓이가 $12\sqrt{3}$이므로

$\triangle\text{ABC}+\triangle\text{ACD}=12\sqrt{3}$ … ㉠이지?

$\triangle\text{ABC}=\dfrac{1}{2}\times\overline{\text{AB}}\times\overline{\text{BC}}\times\sin(180^\circ-\angle\text{ABC})$

$=\dfrac{1}{2}\times a\times a\times\sin(180^\circ-120^\circ)$

$=\dfrac{1}{2}\times a\times a\times\sin60^\circ=\dfrac{\sqrt{3}}{4}a^2$ … ㉡

$\triangle\text{ACD}=\dfrac{1}{2}\times\overline{\text{CD}}\times\overline{\text{AD}}\times\sin(\angle\text{ADC})$

$=\dfrac{1}{2}\times 8\times 4\times\sin60^\circ$

$=\dfrac{1}{2}\times 8\times 4\times\dfrac{\sqrt{3}}{2}=8\sqrt{3}$ … ㉢

㉡, ㉢을 ㉠에 대입하면

$\dfrac{\sqrt{3}}{4}a^2+8\sqrt{3}=12\sqrt{3}$

$\dfrac{\sqrt{3}}{4}a^2=4\sqrt{3},\ a^2=16$　　∴ $a=4\ (\because a>0)$

 잘 틀리는 유형 훈련 +1up 　　p. 46

098 답 ②

1st 먼저 직각삼각형 ABC의 C를 기준으로 $\overline{\text{AB}}$와 $\overline{\text{AC}}$의 관계를 나타낼 수 있는 삼각비를 생각해 봐.

구하려는 것은 두 지점 A, B 사이의 거리이므로 그림과 같은 직각삼각형 ABC에서 $\overline{\text{AB}}$의 길이를 구하자.

직각삼각형 ABC에서 C를 기준으로 $\overline{\text{AB}}$와 $\overline{\text{AC}}$의 관계는 tan로 나타낼 수 있지?

$\dfrac{\overline{\text{AB}}}{\overline{\text{AC}}}=\tan C$

$\overline{\text{AB}}=\overline{\text{AC}}\tan C=100\tan C$ … ㉠

2nd $\sin C=\dfrac{3}{5}$을 이용하여 $\tan C$의 값을 구하자.

$\sin C=\dfrac{3}{5}$을 만족시키는 직각삼각형을 구하면 그림과 같겠지?

즉, $\tan C=\dfrac{3}{4}$이지?

이것을 ㉠에 대입하면 $\overline{\text{AB}}=100\times\dfrac{3}{4}=75(\text{m})$

오답피하기

이런 유형의 문제에서 틀리기 쉬운 부분이 직각삼각형의 어떤 각을 기준으로 변과 변 사이의 관계를 찾지 못하는 경우와 삼각비를 하나 주었을 때 나머지 삼각비를 구하지 못하는 경우야.

삼각비에서 어떤 각을 기준으로 하느냐에 따라 높이가 밑변이 될 수 있고, 밑변이 높이가 될 수 있어. 그래서 기준이 되는 각에 주의하면서 두 변 사이의 관계를 잘 따져야 해.

삼각비는 직각삼각형에서 다루어지는 거니까 삼각비가 하나 주어지면 나머지 삼각비를 구할 수 있어. 물론 주어진 삼각비를 만족하는 직각삼각형을 그리고 피타고라스 정리를 이용하여 나머지 변을 구하는 과정이 있어야겠지? 이런 과정만 잘 이해하고 있다면 실수하지 않을 거야.

099 답 ①, ③

1st 먼저 직각삼각형 ABC의 $\angle C=53^\circ$를 기준으로 $\overline{\text{AC}}$와 $\overline{\text{AB}}$의 관계를 나타낼 수 있는 삼각비를 생각해 봐.

구하려는 것은 두 지점 A, B 사이의 거리이므로 그림과 같은 직각삼각형 ABC에서 $\overline{\text{AB}}$의 길이를 구하자.

직각삼각형 ABC에서 C를 기준으로 $\overline{\text{AC}}$와 $\overline{\text{AB}}$의 관계는 $\sin$으로 나타낼 수 있지?

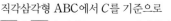

$\dfrac{\overline{\text{AB}}}{\overline{\text{AC}}}=\sin C$에서

$\overline{\text{AB}}=\overline{\text{AC}}\sin C$

$=100\sin53^\circ(\text{m})\leftarrow$ ①

2nd 이번엔 직각삼각형 ABC의 $\angle A=90^\circ-53^\circ=37^\circ$를 기준으로 $\overline{\text{AC}}$, $\overline{\text{AB}}$의 관계를 나타낼 수 있는 삼각비를 생각해 봐.

직각삼각형 ABC에서 A를 기준으로 $\overline{\text{AC}}$와 $\overline{\text{AB}}$의 관계는 $\cos$으로 나타낼 수 있지?

$\dfrac{\overline{\text{AB}}}{\overline{\text{AC}}}=\cos A$에서

$\overline{\text{AB}}=\overline{\text{AC}}\cos A$

$=100\cos37^\circ(\text{m})\leftarrow$ ③

따라서 두 지점 A, B 사이의 거리는 $100\sin53^\circ$ m 또는 $100\cos37^\circ$ m야.

100 답 $72\sqrt{2}\ \text{cm}^2$

1st $\angle AOB$의 크기를 구하자.

$\angle AOB=360^\circ\div 8=45^\circ$

2nd $\triangle OAB$의 넓이를 구하자.

$\triangle OAB$에서 $\overline{\text{OA}}=\overline{\text{OB}}=6(\text{cm})$

∴ $\triangle\text{OAB}=\dfrac{1}{2}\times 6\times 6\times\sin45^\circ$

$=9\sqrt{2}\ (\text{cm}^2)$

3rd 정팔각형의 넓이를 구하자.

∴ (정팔각형의 넓이)$=8\triangle\text{OAB}$

$=8\times 9\sqrt{2}$

$=72\sqrt{2}\ (\text{cm}^2)$

101 답 48 cm²

1st 하나의 삼각형의 내각의 크기를 구하자.

그림과 같이 지름을 그리면 12개의 합동인 삼각형이 만들어진다.

$$\angle AOB = 360° \times \frac{1}{12} = 30°$$

2nd 하나의 삼각형의 넓이를 구하자.

$$\triangle OAB = \frac{1}{2} \times 4 \times 4 \times \sin 30° = 4(cm^2)$$

3rd 정십이각형의 넓이를 구하자.

$$\therefore (정십이각형의 넓이) = 12\triangle OAB = 12 \times 4$$
$$= 48(cm^2)$$

102 답 ⑤

1st 주어진 그림을 간단히 나타내자.

그림에서 구하는 것은 $\overline{CD}$지?

사람의 눈높이가 1.5 m이므로

$$\overline{BD} = 1.5 \, m$$

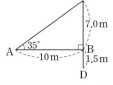

$$\therefore \overline{CD} = \overline{BC} + \overline{BD}$$
$$= \overline{BC} + 1.5 \cdots \text{㉠}$$

그럼, $\overline{BC}$의 길이만 구하면 되지? 직각삼각형 ABC에서 A를 기준으로 $\overline{AB}$와 $\overline{BC}$의 관계는 tan로 나타낼 수 있지?

$$\tan 35° = \frac{\overline{BC}}{\overline{AB}} = \frac{\overline{BC}}{10}$$

$$\therefore \overline{BC} = 10 \tan 35°$$
$$= 10 \times 0.70$$
$$= 7.0(m)$$

2nd 나무의 높이는 $\overline{BC}$의 길이와 사람의 눈높이의 합이야.

㉠에 의해 $\overline{CD} = 7.0 + 1.5 = 8.5(m)$

오답피하기

혹시 답을 ③번으로 선택한 사람있지? 이런 유형에서 실수하기 쉬운 부분이 눈높이를 빼먹는 경우야. 이 점은 항상 주의해야 해. 그리고 이런 응용 문제는 그림을 단순하게 바꾸어 풀도록 해야 해. 식으로 놓고 풀 때는 잘 풀던 사람이 응용 문제를 어려워하는 이유는 식을 스스로 세워야 한다는 점 때문일 거야. 미지수를 도입해야 하고, 문제 사이에 숨어 있는 식들의 관계를 잘 알아야 한다는 거야. 응용 문제를 잘 풀기 위해서는 미지수를 적절히 도입해야 하고, 식의 관계를 잘 따져 주면 되기 때문에 여기에 초점을 두어야 해.

103 답 ③

1st 주어진 그림을 간단히 나타내자.

그림에서 구하는 것은 지면에서 연까지의 높이므로 $\overline{AD}$지?

이때, 사람의 눈의 높이가 1.5 m라 하므로 $\overline{CD} = 1.5 \, m$

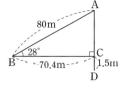

$$\therefore \overline{AD} = \overline{AC} + \overline{CD} = \overline{AC} + 1.5 \cdots \text{㉠}$$

그럼, $\overline{AC}$의 길이만 구하면 되지?

$\overline{BC} = 70.4 \, m$이고 28°를 기준으로 $\overline{AB}$와 $\overline{BC}$의 관계는 cos으로 나타낼 수 있지?

$$\cos 28° = \frac{\overline{BC}}{\overline{AB}} = \frac{70.4}{\overline{AB}} \text{에서}$$

$$\overline{AB} = \frac{70.4}{\cos 28°} = \frac{70.4}{0.88} = 80(m)$$

또, 직각삼각형 ABC에서 $\overline{AB}$와 $\overline{AC}$의 관계는 28°를 기준으로 sin으로 나타낼 수 있지?

$$\sin 28° = \frac{\overline{AC}}{\overline{AB}} = \frac{\overline{AC}}{80} \text{에서}$$

$$\overline{AC} = 80 \sin 28° = 80 \times 0.47 = 37.6(m)$$

2nd 지면에서 연까지의 높이는 $\overline{AC}$의 길이와 사람의 눈높이를 합해야 해.

㉠에 의해

$$\overline{AD} = 37.6 + 1.5 = 39.1(m)$$

104 답 $150\sqrt{3}$ m

1st 그림을 간단히 나타내자

주어진 문제의 그림을 단순화하면 그림과 같지? 산의 정상 지점을 C라 하고, 점 C에서 지면에 수선의 발 H를 내리자. 그럼, 산의 높이는 $\overline{CH}$의 길이지?

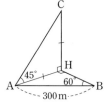

2nd 직각삼각형의 길이에 주목하여 구하려는 것을 유도하자.

직각삼각형 AHC는 한 각의 크기가 45°이므로 직각이등변삼각형이야.

$$\therefore \overline{CH} = \overline{AH}$$

$\overline{AH}$의 길이를 구하면 산의 높이를 알 수 있지?

직각삼각형 ABH에서 60°를 기준으로 $\overline{AB}$와 $\overline{AH}$의 관계는 sin으로 나타낼 수 있지?

$$\sin 60° = \frac{\overline{AH}}{300} = \frac{\sqrt{3}}{2}(m)$$

$$\therefore \overline{AH} = \overline{CH} = 300 \times \frac{\sqrt{3}}{2} = 150\sqrt{3}(m)$$

따라서 산의 높이는 $150\sqrt{3}$ m야.

오답피하기

이런 유형의 문제를 어려워하는 이유는 직각삼각형 사이의 관계를 파악하기 힘들기 때문이야. 물론 특수각에 대한 직각삼각형이므로 특수각에 대한 삼각비를 알고 있어야 제대로 풀 수 있어.
특히 이 문제는 두 직각삼각형의 공통인 변을 기준으로 삼각비를 적용하면 돼. 그리고 특수한 각의 삼각비의 값은 필수로 알고 있어야 해.

105 답 $8\sqrt{3}$ m

1st 그림을 간단히 나타내자.

주어진 문제의 그림을 단순화하면 그림과 같지? 나무의 꼭대기 지점을 C, 나무의 밑을 H라 하자.

그럼, 나무의 높이는 $\overline{CH}$의 길이지?

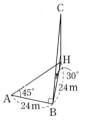

2nd 직각삼각형의 길이에 주목하여 구하려는 것을 유도하자.

직각삼각형 AHB는 한 각의 크기가 $45°$이므로 직각이등변삼각형이야.

$$\therefore \overline{AB}=\overline{HB}=24\,\text{m}$$

직각삼각형 BCH에서 $30°$를 기준으로 $\overline{BH}$와 $\overline{CH}$의 관계는 tan로 나타낼 수 있지?

$\overline{HB}=24\,\text{m}$이고, $\tan 30°=\dfrac{\sqrt{3}}{3}$이므로

$$\tan 30°=\frac{\overline{CH}}{24}=\frac{\sqrt{3}}{3}$$

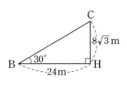

$$\therefore \overline{CH}=24\times\frac{\sqrt{3}}{3}=8\sqrt{3}\,(\text{m})$$

따라서 나무의 높이는 $8\sqrt{3}$ m야.

106 답 12.52 m

1st 그림을 간단히 나타내자.

주어진 문제의 그림을 단순화하면 그림과 같지?

$\overline{CD}=x\,\text{m}$라 하면 직각삼각형 BCD는 한 내각의 크기가 $45°$이므로 직각이등변삼각형이지?

$$\therefore \overline{BD}=\overline{CD}=x\,\text{m}$$

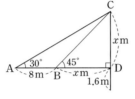

2nd 직각삼각형 ACD에서 x를 구하자.

직각삼각형 ACD의 $30°$에 대하여 $\overline{AD}$와 $\overline{CD}$의 관계는 tan로 나타낼 수 있으므로

$$\tan 30°=\frac{\overline{CD}}{\overline{AD}}=\frac{\overline{CD}}{\overline{AB}+\overline{BD}}=\frac{x}{8+x}$$

그런데 $\tan 30°=\dfrac{1}{\sqrt{3}}$이니까

$$\frac{1}{\sqrt{3}}=\frac{x}{8+x}$$

$$8+x=\sqrt{3}x,\ (\sqrt{3}-1)x=8$$

$$\therefore x=\frac{8}{\sqrt{3}-1}=\frac{8(\sqrt{3}+1)}{(\sqrt{3}-1)(\sqrt{3}+1)}$$

$$=\frac{8(\sqrt{3}+1)}{2}=4(\sqrt{3}+1)\,(\text{m})$$

3rd 풍력 발전기의 높이는 $\overline{CD}$에 사람의 눈높이를 더해야 함을 잊지 말자.

따라서 풍력 발전기의 높이는

$$x+1.6=4(\sqrt{3}+1)+1.6=4(1.73+1)+1.6$$

$$=10.92+1.6=12.52\,(\text{m})$$

오답|피하기

이 유형의 문제에서 틀리기 쉬운 부분은 올려다 본 각도가 두 개인 것을 이용하여 식을 세우는 것과 눈높이를 빼고 답을 하게 되는 실수를 자주 할 수 있어.

이런 유형의 문제를 푸는 방법을 잘 기억하자.

(i) 꼭대기에서 눈높이를 뺀 부분을 x로 놓자.

(ii) 각의 크기가 큰 것에 대한 tan를 이용하여 밑변의 길이를 x에 대한 식으로 나타내보자.

(iii) 각의 크기가 작은 것에 대한 tan를 이용하여 x의 값을 구하자.

(iv) 눈높이와 x를 합한 값이 구하는 값이야.

이렇게 구하는 순서를 알고 있으면 비슷한 유형이 나와도 풀 수 있겠지?

107 답 9.5 m

1st 그림을 간단히 나타낸 뒤, 높이를 문자로 나타내자.

주어진 문제의 그림을 단순화하면 그림과 같지?

그럼, $\overline{AB}=\overline{AH}-\overline{BH}=2\,(\text{m})\ \cdots\ \bigcirc$

$\overline{CH}=x\,\text{m}$라 하면 직각삼각형 BCH의 한 각이 $71°$이고, $\tan 71°=2.9$이므로

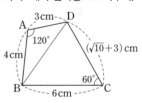

$$\tan 71°=\frac{x}{\overline{BH}}=2.9$$

$$\therefore \overline{BH}=\frac{x}{2.9}\ \cdots\ \bigcirc$$

2nd 이제 $\overline{AH}$의 길이를 문자로 나타내자.

직각삼각형 $\triangle$AHC의 $61°$에 대하여 $\overline{AH}$와 $\overline{CH}$의 관계는 tan로 나타낼 수 있고, $\tan 61°=1.8$이므로

$$\tan 61°=\frac{x}{\overline{AH}}=1.8$$

$$\therefore \overline{AH}=\frac{x}{1.8}\ \cdots\ \bigcirc$$

3rd $\bigcirc$을 이용하여 $\overline{CH}$의 길이를 구하자.

$\bigcirc$과 $\bigcirc$을 $\bigcirc$에 대입하면

$$\frac{x}{1.8}-\frac{x}{2.9}=2$$

$$x\left(\frac{1}{1.8}-\frac{1}{2.9}\right)=2,\ x\times\frac{55}{261}=2$$

$$\therefore x=2\times\frac{261}{55}=\frac{522}{55}=9.49\cdots$$

따라서 지면에서부터 세종대왕상까지의 높이는 약 9.5 m야.

108 답 ③

1st □ABCD에서 보조선 BD를 그어 두 개의 삼각형으로 나누자.

□ABCD의 보조선 BD를 그으면 두 삼각형 ABD, BCD가 생기지?

□ABCD$=\triangle$ABD$+\triangle$BCD

$\cdots\ \bigcirc$

2nd 두 변의 길이가 각각 a, b이고, 그 끼인각의 크기가 둔각 θ이면 그 삼각형의 넓이는 $\dfrac{1}{2}ab\sin(180°-\theta)$로 구할 수 있지?

$\triangle$ABD는 두 변의 길이가 4 cm, 3 cm이고, 그 끼인각의 크기가 $\angle BAD=120°$인 둔각삼각형이지?

$$\therefore \triangle ABD=\frac{1}{2}\times\overline{AB}\times\overline{AD}\times\sin(180°-\angle BAD)$$

$$=\frac{1}{2}\times 4\times 3\times\sin(180°-120°)$$

$$=\frac{1}{2}\times 4\times 3\times\sin 60°=\frac{1}{2}\times 4\times 3\times\frac{\sqrt{3}}{2}$$

$$=3\sqrt{3}\,(\text{cm}^2)\ \cdots\ \bigcirc$$

3rd 두 변의 길이가 각각 a, b이고, 그 끼인각의 크기가 예각 θ이면 그 삼각형의 넓이는 $\dfrac{1}{2}ab\sin\theta$로 구할 수 있지?

또, $\triangle$BCD는 두 변의 길이가 6 cm, $(\sqrt{10}+3)$ cm이고, 그 끼인각의 크기가 $\angle BCD=60°$인 삼각형이지?

$$\therefore \triangle BCD = \frac{1}{2} \times \overline{BC} \times \overline{CD} \times \sin(\angle BCD)$$

$$= \frac{1}{2} \times 6 \times (\sqrt{10}+3) \times \sin 60°$$

$$= \frac{1}{2} \times 6 \times (\sqrt{10}+3) \times \frac{\sqrt{3}}{2}$$

$$= \frac{3\sqrt{3}(\sqrt{10}+3)}{2} = \frac{3\sqrt{30}+9\sqrt{3}}{2} (cm^2) \cdots ©$$

4th 두 삼각형의 넓이의 합이 사각형의 넓이임을 이용하자.

©, ©을 ㉠에 대입하면

$$\square ABCD = 3\sqrt{3} + \frac{3\sqrt{30}+9\sqrt{3}}{2} = \frac{15\sqrt{3}+3\sqrt{30}}{2}$$

$$= \frac{15}{2}\sqrt{3} + \frac{3}{2}\sqrt{30} (cm^2)$$

이것이 $(a\sqrt{3}+b\sqrt{30}) cm^2$이므로

$$a = \frac{15}{2},\ b = \frac{3}{2}$$

$$\therefore a+b = \frac{18}{2} = 9$$

오|답|피|하|기

이런 유형의 문제는 적절히 보조선을 긋고 두 변과 그 끼인각의 크기를 알 때의 삼각형의 넓이를 구하는 공식을 이용하여 풀어야 해.

이 문제의 경우 한 변의 길이가 제곱근으로 표현되어서 풀기에 쉽지 않게 보이지만 식이 약간 복잡해도 원리대로 정확히 풀면 돼.

두 변의 길이와 그 끼인각의 크기를 알 때, 삼각형의 넓이를 구하는 공식은 반드시 알아 두어야 해.

109 답 ④

1st □ABCD는 $\overline{AC}$를 경계로 두 개의 삼각형으로 나뉘지?

$$\square ABCD = \triangle ABC + \triangle ACD \cdots ㉠$$

2nd 두 변의 길이가 각각 a, b이고, 그 끼인각의 크기가 예각 θ이면

그 삼각형의 넓이는 $\frac{1}{2}ab\sin\theta$로 구할 수 있지?

△ABC는 두 변의 길이가 6, 6이고, 그 끼인각이 $\angle ABC = 60°$인 삼각형이지?

$$\therefore \triangle ABC$$

$$= \frac{1}{2} \times \overline{AB} \times \overline{BC} \times \sin(\angle ABC)$$

$$= \frac{1}{2} \times 6 \times 6 \times \sin 60°$$

$$= \frac{1}{2} \times 6 \times 6 \times \frac{\sqrt{3}}{2} = 9\sqrt{3} \cdots ©$$

3rd 두 변의 길이가 같은 삼각형은 이등변삼각형이지?

△ABC는 $\overline{AB} = \overline{BC} = 6$이므로 이등변삼각형이야. 이때,

$$\angle BAC = \angle BCA = \frac{1}{2}(180°-60°) = 60°$$이므로 △ABC는 정삼각형이야.

$$\therefore \overline{AC} = 6$$

또, △ACD는 두 변의 길이가 $\overline{AC} = 6$, $\overline{CD} = 4$이고, 그 끼인각의 크기가 $\angle ACD = 30°$인 삼각형이지?

$$\therefore \triangle ACD = \frac{1}{2} \times \overline{AC} \times \overline{CD} \times \sin(\angle ACD)$$

$$= \frac{1}{2} \times 6 \times 4 \times \sin 30° = \frac{1}{2} \times 6 \times 4 \times \frac{1}{2} = 6 \cdots ©$$

4th 두 삼각형의 넓이의 합이 사각형의 넓이임을 이용하자.

©, ©을 ㉠에 대입하면

$$\square ABCD = 6 + 9\sqrt{3}$$

110 답 $30\ cm^2$

1st 사각형의 넓이를 구하자.

사각형의 두 대각선이 이루는 각의 크기를 x라 하면

사각형의 넓이는 $S = \frac{1}{2} \times 10 \times 6 \times \sin x$

2nd 넓이가 최대가 되는 조건을 찾자.

넓이 S가 최대가 되려면 $\sin x$가 최대가 되어야 하므로 $\sin x = 1$이어야 한다.

3rd 사각형의 넓이의 최댓값을 구하자.

따라서 두 대각선이 90°를 이룰 때 S가 최댓값을 갖고

$$S = \frac{1}{2} \times 10 \times 6 \times 1 = 30(cm^2)$$

111 답 $\frac{35\sqrt{3}}{8}\ cm^2$

1st 평행사변형 ABCD의 넓이를 구하자.

$$\square ABCD = 5 \times 7 \times \sin(180°-120°) = 35 \times \sin 60° = \frac{35\sqrt{3}}{2} (cm^2)$$

2nd △BCD의 넓이를 구하자.

$\overline{BD}$는 평행사변형 ABCD의 대각선이므로

$$\triangle BCD = \frac{1}{2}\square ABCD = \frac{35\sqrt{3}}{4} (cm^2)$$

3rd 색칠한 부분의 넓이를 구하자.

이때, $\overline{CM} = \overline{DM}$이므로 색칠한 부분의 넓이는

$$\triangle BMD = \frac{1}{2}\triangle BCD = \frac{1}{2} \times \frac{35\sqrt{3}}{4} = \frac{35\sqrt{3}}{8} (cm^2)$$

112 답 $\frac{28\sqrt{3}}{61}$

1st 등변사다리꼴의 성질을 이용하여 같은 것이 무엇인지 찾아내자.

□ABCD가 등변사다리꼴이므로

$\overline{AB} = \overline{CD} = 4$, $\angle ABH = \angle DCI = 60°$

즉, △ABH와 △DCI는 RHA 합동이야.

$$\therefore \overline{BH} = \overline{IC} \cdots ㉠$$

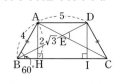

2nd $\overline{AH}$와 $\overline{BC}$의 길이를 구하여 등변사다리꼴 ABCD의 넓이를 구하자.

$\sin 60° = \frac{\sqrt{3}}{2}$, $\cos 60° = \frac{1}{2}$이므로 직각삼각형 ABH에서

$$\overline{AH} = 4\sin 60° = 4 \times \frac{\sqrt{3}}{2} = 2\sqrt{3}$$

$$\overline{BH} = 4\cos 60° = 4 \times \frac{1}{2} = 2 = \overline{IC}\ (\because ㉠)$$

그린데 $\overline{AD} = \overline{HI} = 5$이므로

$$\overline{BC} = \overline{BH} + \overline{HI} + \overline{IC} = 2+5+2 = 9$$

$$\therefore \square ABCD = \frac{1}{2} \times (\overline{AD} + \overline{BC}) \times \overline{AH}$$

$$= \frac{1}{2} \times (5+9) \times 2\sqrt{3} = 14\sqrt{3} \cdots \text{ⓛ}$$

3rd 사각형의 두 대각선의 길이가 각각 a, b이고, 두 대각선이 이루는 각의 크기가 θ일 때, 그 넓이는 $\frac{1}{2}ab\sin\theta$지?

직각삼각형 DBI에서
$\overline{BI} = \overline{BH} + \overline{HI} = 2+5 = 7$, $\overline{DI} = \overline{AH} = 2\sqrt{3}$이므로 피타고라스 정리를 적용하면
$$\overline{BD}^2 = \overline{BI}^2 + \overline{DI}^2 = 7^2 + (2\sqrt{3})^2 = 61$$
$$\therefore \overline{BD} = \sqrt{61}$$
즉, 등변사다리꼴 ABCD의 대각선의 길이는 $\sqrt{61}$이야.
등변사다리꼴의 두 대각선의 길이는 서로 같으므로
$$\overline{BD} = \overline{AC} = \sqrt{61}$$
$$\therefore \square ABCD = \frac{1}{2} \times \overline{BD} \times \overline{AC} \times \sin(\angle CED)$$

$$= \frac{1}{2} \times \sqrt{61} \times \sqrt{61} \times \sin(\angle CED)$$

$$= \frac{61}{2}\sin(\angle CED) \cdots \text{ⓒ}$$

ⓒ=ⓛ이므로 $\frac{61}{2}\sin(\angle CED) = 14\sqrt{3}$
$$\therefore \sin(\angle CED) = \frac{28\sqrt{3}}{61}$$

오답피해기

이 문제는 상당히 복잡한 과정을 통해서 답을 구하기 때문에 틀리기 쉽지. 하지만 과정을 알게 되면 어렵지 않아.
먼저 삼각비를 이용하여 변의 길이를 구하여 등변사다리꼴의 넓이를 구하고, 대각선의 길이를 피타고라스 정리를 이용하여 구하자. 그리고 두 대각선의 길이와 그 두 대각선이 만나서 이루는 각의 크기를 이용하여 구할 넓이와 먼저 구한 등변사다리꼴의 넓이를 같게 놓아서 $\sin(\angle CED)$의 값을 구하면 되지? 이런 문제 해결 과정들을 생각하면서 푸는 게 실수도 적고 정확하게 답을 구할 수 있는 거야.

113 답 ④

1st $\overline{BD} = 2\overline{AC}$이니까 두 변의 길이를 한 문자로 표현할 수 있지?
양수 x에 대하여 $\overline{AC} = x$라 하면
$$\overline{BD} = 2x \cdots \text{⊙}$$

2nd 사각형의 두 대각선의 길이가 각각 a, b이고, 두 대각선이 이루는 각의 크기가 예각 θ이면 그 사각형의 넓이는 $\frac{1}{2}ab\sin\theta$로 구할 수 있지?

$\square ABCD = \frac{1}{2} \times \overline{AC} \times \overline{BD} \times \sin 60°$이고 $\square ABCD = 8\sqrt{3}$이므로
$$\frac{1}{2} \times x \times 2x \times \frac{\sqrt{3}}{2} = 8\sqrt{3}$$
$$x^2 = 16 \quad \therefore x = 4 (\because x>0)$$
$$\therefore \overline{BD} = 8 (\because \text{⊙})$$

114 답 ①

1st △BOD가 어떤 삼각형인지 알아보자.
반지름의 길이가 6 cm인 사분원을 그림과 같이 $\overline{BC}$를 접는 선으로 하여 접었으므로
$$\overline{BD} = \overline{BO} = 6 \text{ cm} \cdots \text{⊙}$$
$$\angle DBC = \angle OBC \cdots \text{ⓛ}$$
$$\angle DCB = \angle OCB \cdots \text{ⓒ}$$
$$\overline{CD} = \overline{CO} \cdots \text{ⓔ}$$
그런데 $\overline{DO}$는 원의 반지름이므로 $\overline{BO} = \overline{DO} \cdots \text{ⓜ}$
⊙과 ⓜ에 의해 $\overline{BD} = \overline{BO} = \overline{DO} = 6(\text{cm})$이므로 △BOD는 정삼각형이야.

또, $\angle DBC = \angle OBC = \frac{1}{2} \times \angle DBO = \frac{1}{2} \times 60° = 30°$ ($\because$ ⓛ)

그리고 $\angle CDB = 90°$이므로 △BCD에서
$$\angle DCB = 180° - (\angle CBD + \angle CDB) = 180° - (30° + 90°) = 60°$$
$$\therefore \angle DCO = 2 \times \angle DCB = 2 \times 60° = 120° (\because \text{ⓒ})$$

2nd 색칠한 부분의 넓이를 직접 구할 수 없지? 알고 있는 도형의 넓이를 이용하여 색칠한 부분의 넓이를 구하자.
$$(\text{도형 ADC의 넓이}) = (\text{부채꼴 AOD}) - \triangle COD \cdots \text{ⓗ}$$
즉, 부채꼴 AOD의 넓이와 △COD의 넓이만 구하면 되지?
부채꼴 AOD의 반지름의 길이는 6 cm이고, 중심각의 크기는
$$\angle AOD = \angle AOB - \angle BOD = 90° - 60° = 30°$$
$$\therefore (\text{부채꼴 AOD의 넓이}) = \pi \times \overline{AO}^2 \times \frac{(\angle AOD\text{의 중심각})}{360}$$

$$= \pi \times 6^2 \times \frac{30}{360}$$

$$= \pi \times 36 \times \frac{1}{12} = 3\pi (\text{cm}^2) \cdots \text{Ⓐ}$$

직각삼각형 BCD에서
$$\overline{CD} = \overline{DB}\tan(\angle CBD) = 6 \times \tan 30°$$
$$= 6 \times \frac{\sqrt{3}}{3} = 2\sqrt{3} = \overline{CO} (\because \text{ⓔ})$$
$$\therefore \triangle COD = \frac{1}{2} \times \overline{CD} \times \overline{CO} \times \sin(180° - \angle DCO)$$

$$= \frac{1}{2} \times 2\sqrt{3} \times 2\sqrt{3} \times \sin(180° - 120°)$$

$$= \frac{1}{2} \times 2\sqrt{3} \times 2\sqrt{3} \times \sin 60°$$

$$= \frac{1}{2} \times 2\sqrt{3} \times 2\sqrt{3} \times \frac{\sqrt{3}}{2} = 3\sqrt{3} (\text{cm}^2) \cdots \text{Ⓞ}$$

Ⓐ, Ⓞ을 ⓗ에 대입하면
$$(\text{도형 ADC의 넓이}) = 3\pi - 3\sqrt{3} (\text{cm}^2)$$

오답피해기

이 문제와 같은 유형은 상당히 복잡하게 풀리기 때문에 어려워할 수 있어. 이 문제를 푸는 핵심 키는 △BOD가 정삼각형임을 밝히는 거야. 그리고 색칠한 부분의 넓이를 구하기 위해 $\angle DOC$의 크기를 구해야 해. △DCO가 이등변삼각형임을 이용해서 삼각형의 넓이를 구하면 색칠한 부분의 넓이를 구할 수 있어.
구하는 과정이 상당히 복잡하지만 구하려는 것이 무엇인지를 명확히 알고 접근하면 답을 구할 수 있어. 특히 이런 유형에서 힌트가 될 수 있는 것이 원이라는 것과 접는 선이 있다는 것이고, 접게 되면 같은 변이나 각이 나오게 돼.

115 답 ④

1st $\triangle ABC = \triangle ABD + \triangle ACD$이므로 무엇을 구해야 할지 찾자.

그림에서

$\triangle ABC = \triangle ABD + \triangle ACD$ $\cdots$ ㉠

이므로 $\triangle ABC$, $\triangle ABD$, $\triangle ACD$의

넓이를 각각 구하자.

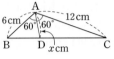

2nd 두 변의 길이가 각각 a, b이고, 그 끼인각의 크기가 예각 θ이면

그 삼각형의 넓이는 $\frac{1}{2}ab\sin\theta$로 구할 수 있지?

먼저, $\triangle ABC$의 넓이를 구하자.

$$\triangle ABC = \frac{1}{2} \times \overline{AB} \times \overline{AC} \times \sin(180° - 120°)$$

$$= \frac{1}{2} \times 6 \times 12 \times \sin 60°$$

$$= \frac{1}{2} \times 6 \times 12 \times \frac{\sqrt{3}}{2}$$

$$= 18\sqrt{3}\,(\text{cm}^2) \cdots ㉡$$

$$\triangle ABD = \frac{1}{2} \times \overline{AB} \times \overline{AD} \times \sin 60°$$

$$= \frac{1}{2} \times 6 \times x \times \frac{\sqrt{3}}{2} = \frac{3\sqrt{3}}{2}x\,(\text{cm}^2) \cdots ㉢$$

$$\triangle ACD = \frac{1}{2} \times \overline{AC} \times \overline{AD} \times \sin 60°$$

$$= \frac{1}{2} \times 12 \times x \times \frac{\sqrt{3}}{2} = 3\sqrt{3}x\,(\text{cm}^2) \cdots ㉣$$

3rd ㉠을 이용하여 x의 값을 구하자.

㉡, ㉢, ㉣을 ㉠에 대입하면

$$18\sqrt{3} = \frac{3\sqrt{3}}{2}x + 3\sqrt{3}x, \quad \frac{9\sqrt{3}}{2}x = 18\sqrt{3} \quad \therefore x = 4$$

116 답 ③

1st 먼저 $\overline{AD}$가 중선임을 이용하여 알 수 있는 것을 구하자.

$\overline{AD}$가 중선이므로 $\overline{BD} = \overline{CD}$

$$\therefore \triangle ABD = \triangle ACD = \frac{1}{2}\triangle ABC \cdots ㉠$$

2nd 점 G가 무게중심이므로 무게중심의 성질을 이용하자.

점 G는 $\triangle ABC$의 무게중심이므로 $\overline{AG} : \overline{GD} = 2 : 1$이지?

즉, $\overline{AG} : \overline{GD} = \triangle ABG : \triangle GBD = 2 : 1$

$$\therefore \triangle GBD = \frac{1}{3}\triangle ABD \cdots ㉡$$

㉠을 ㉡에 대입하면

$$\triangle GBD = \frac{1}{3} \times \frac{1}{2}\triangle ABC = \frac{1}{6}\triangle ABC \cdots ㉢$$

3rd 두 변의 길이가 각각 a, b이고, 그 끼인각의 크기가 예각 θ이면

그 삼각형의 넓이는 $\frac{1}{2}ab\sin\theta$로 구할 수 있지?

$\triangle ABC$에서 두 변의 길이는 $10\,\text{cm}$, $8\sqrt{3}\,\text{cm}$이고, 그 끼인각의 크기는 $60°$이므로

$$\triangle ABC = \frac{1}{2} \times \overline{AB} \times \overline{AC} \times \sin(\angle BAC)$$

$$= \frac{1}{2} \times 10 \times 8\sqrt{3} \times \sin 60°$$

$$= \frac{1}{2} \times 10 \times 8\sqrt{3} \times \frac{\sqrt{3}}{2} = 60\,(\text{cm}^2)$$

이것을 ㉢에 대입하면

$$\triangle GBD = \frac{1}{6} \times 60 = 10\,(\text{cm}^2)$$

오답피하기

이런 유형의 문제는 삼각형의 무게중심의 성질을 충분히 알고 있다면 풀 수 있어. 삼각형의 무게중심의 성질은 닮은 도형의 성질 단원에서 배웠지? 앞의 개념 정리 부분을 참고해서 보고 관련된 문제는 찾아서 공부하면 잊었던 부분이 생각날 거야.

삼각형의 무게중심의 성질은 고등학교에서도 자주 이용되는 개념이야. 그러니 정확히 알고 있어야겠지?

117 답 ④

1st 먼저 중선을 그어 알 수 있는 것을 구하자.

그림과 같이 두 점 B와 G를 연결한 선분을 연장하여 $\overline{AC}$와 만나는 점을 D라 하면 $\overline{BD}$는 중선이시?

$\overline{AD} = \overline{CD}$이므로

$\triangle ABD = \triangle BCD$

$$\therefore \triangle ABD = \triangle BCD = \frac{1}{2}\triangle ABC \cdots ㉠$$

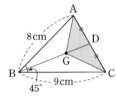

2nd 무게중심의 성질을 이용하자.

점 G는 $\triangle ABC$의 무게중심이므로 $\overline{BG} : \overline{GD} = 2 : 1$이지?

즉, $\overline{BG} : \overline{GD} = \triangle ABG : \triangle AGD = 2 : 1$

$$\therefore \triangle AGD = \frac{1}{3}\triangle ABD \cdots ㉡$$

마찬가지 방법으로 $\triangle CDG = \frac{1}{3}\triangle BCD$

㉠에 의해 $\triangle AGD = \triangle CDG \cdots ㉢$

㉠을 ㉡에 대입하면

$$\triangle AGD = \frac{1}{3} \times \frac{1}{2}\triangle ABC = \frac{1}{6}\triangle ABC \cdots ㉣$$

$$\therefore \triangle AGC = \triangle AGD + \triangle CDG = 2\triangle AGD \ (\because ㉢)$$

$$= 2 \times \frac{1}{6}\triangle ABC \ (\because ㉣) = \frac{1}{3}\triangle ABC \cdots ㉤$$

3rd 두 변의 길이가 각각 a, b이고, 그 끼인각의 크기가 예각 θ이면

그 삼각형의 넓이는 $\frac{1}{2}ab\sin\theta$로 구할 수 있지?

$\triangle ABC$에서 두 변의 길이는 $8\,\text{cm}$, $9\,\text{cm}$이고, 그 끼인각의 크기는 $45°$이므로

$$\triangle ABC = \frac{1}{2} \times \overline{AB} \times \overline{BC} \times \sin(\angle ABC)$$

$$= \frac{1}{2} \times 8 \times 9 \times \sin 45°$$

$$= \frac{1}{2} \times 8 \times 9 \times \frac{\sqrt{2}}{2} = 18\sqrt{2}\,(\text{cm}^2)$$

이것을 ㉤에 대입하면

$$\triangle AGC = \frac{1}{3} \times 18\sqrt{2} = 6\sqrt{2}\,(\text{cm}^2)$$

118 답 $9\sqrt{3}$ cm²

1st 보조선 $\overline{AE}$를 긋자.

$\triangle AB'E$와 $\triangle ADE$에서

$\angle AB'E = \angle ADE = 90°$,

$\overline{AB'} = \overline{AD} = 3\sqrt{3}$ (∵ 정사각형의 한 변의 길이)

$\overline{AE}$는 공통이므로 $\triangle AB'E \equiv \triangle ADE$(RHS 합동)이야.

$\angle DAB' = \angle DAB - \angle B'AB = 90° - 30° = 60°$

그런데 $\triangle AB'E$와 $\triangle ADE$는 합동이므로

$\angle EAD = \angle EAB' = \dfrac{1}{2}\angle DAB' = 30°$ ··· ㉠

구하려는 것은 색칠한 부분의 넓이인 $\triangle EAD + \triangle EAB'$인데

$\triangle AB'E$와 $\triangle ADE$는 합동이므로 $\triangle ADE = \triangle AB'E$

(색칠한 부분의 넓이)$= 2 \times \triangle AB'E$ ··· ㉡

2nd 그럼, $\triangle AB'E$의 넓이만 구하면 되겠지?

직각삼각형 $AB'E$에서 ㉠에 의해 $\angle EAB' = 30°$이므로 직각삼각형 $AB'E$에서 $30°$를 기준으로

$\tan 30° = \dfrac{\overline{EB'}}{3\sqrt{3}}$

$\overline{EB'} = 3\sqrt{3}\tan 30°$

그런데 $\tan 30° = \dfrac{1}{\sqrt{3}}$이므로

$\overline{EB'} = 3\sqrt{3} \times \dfrac{1}{\sqrt{3}} = 3 \text{(cm)}$

$\therefore \triangle AB'E = \dfrac{1}{2} \times \overline{AB'} \times \overline{EB'}$

$= \dfrac{1}{2} \times 3\sqrt{3} \times 3 = \dfrac{9\sqrt{3}}{2} \text{(cm}^2)$

따라서 ㉡에 의해

(색칠한 부분의 넓이)$= 2 \times \triangle AB'E$

$= 2 \times \dfrac{9\sqrt{3}}{2} = 9\sqrt{3} \text{(cm}^2)$

119 답 $(24 - 10\sqrt{3})$ cm²

1st 보조선 $\overline{AG}$를 그어 보자.

그림과 같이 $\overline{AG}$를 그으면 겹치는 부분은 합동인 두 사각형 $AB'C'G$와 $AGEF$로 나눌 수 있어. 그리고

$\square AB'C'G = \triangle AB'C' + \triangle AC'G$ ··· ㉠

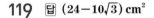

한편, $\triangle AB'C'$은 $\overline{AB'} = \overline{B'C'}$인 이등변삼각형이지?

점 B'에서 변 AC' 위에 내린 수선의 발을 H라 하자.

직각삼각형 $AB'H$에서

$\overline{AH} = \overline{AB'}\cos 30° = 2 \times \dfrac{\sqrt{3}}{2} = \sqrt{3} \text{(cm)}$

$\therefore \overline{AC'} = 2\overline{AH} = 2\sqrt{3} \text{(cm)}$

그리고 $\overline{B'H} = \overline{AB'}\sin 30° = 2 \times \dfrac{1}{2} = 1 \text{(cm)}$

또, 직각삼각형 $AC'G$에서

$\overline{C'G} = \overline{AC'}\tan 15°$

$= 2\sqrt{3}(2 - \sqrt{3}) = 4\sqrt{3} - 6 \text{(cm)}$

2nd $\triangle AC'G$와 $\triangle AB'C'$의 넓이를 구해 보자.

$\triangle AC'G = \dfrac{1}{2} \times \overline{AC'} \times \overline{C'G} = \dfrac{1}{2} \times 2\sqrt{3} \times (4\sqrt{3} - 6)$

$= 12 - 6\sqrt{3} \text{(cm}^2)$

$\triangle AB'C' = \dfrac{1}{2} \times \overline{AC'} \times \overline{B'H}$

$= \dfrac{1}{2} \times 2\sqrt{3} \times 1 = \sqrt{3} \text{(cm}^2)$

$\square AB'C'G = \triangle AC'G + \triangle AB'C'$(∵ ㉠)

$= (12 - 6\sqrt{3}) + \sqrt{3}$

$= 12 - 5\sqrt{3} \text{(cm}^2)$

따라서 두 정육각형이 겹쳐지는 부분의 넓이는

$2\square AB'C'G = 2 \times (12 - 5\sqrt{3}) = 24 - 10\sqrt{3} \text{(cm}^2)$

120 답 $(3 - \sqrt{3})$ km

1st $\tan 60°$를 이용하자.

직각삼각형 ABH에서 $\tan 60° = \dfrac{\overline{AH}}{\overline{BH}}$

$\overline{BH} = \dfrac{\overline{AH}}{\tan 60°} = \dfrac{\overline{AH}}{\sqrt{3}}$

2nd $\tan 45°$를 이용하자.

$\tan 45° = 1$이므로 $\overline{HC} = \overline{AH}$

이때, $\overline{BC} = 2$km이므로

$\overline{BH} + \overline{HC} = \dfrac{\overline{AH}}{\sqrt{3}} + \overline{AH} = 2$에서

$(\sqrt{3} + 1)\overline{AH} = 2\sqrt{3}$

3rd $\overline{AH}$의 길이를 구하자.

$\therefore \overline{AH} = \dfrac{2\sqrt{3}}{\sqrt{3} + 1} = \sqrt{3}(\sqrt{3} - 1) = 3 - \sqrt{3} \text{(km)}$

121 답 14.165 km

1st 비행기에서 $\overline{AB}$에 내린 수선의 발을 H라 하자.

비행기의 높이를 C라 하고 점 C에서 $\overline{AB}$에 내린 수선의 발을 H라 하자.

$\triangle AHC$에서 $\angle C = 90° - 50° = 40°$

$\triangle BCH$에서 $\angle C = 90° - 60° = 30°$

2nd $\overline{AH}$, $\overline{BH}$의 길이를 각각 구하자.

$\overline{AH} = 10\tan 40° = 10 \times 0.8391 = 8.391 \text{(km)}$

$\overline{BH} = 10\tan 30° = 10 \times 0.5774 = 5.774 \text{(km)}$

3rd $\overline{AB}$의 길이를 구하자.

$\therefore \overline{AB} = \overline{AH} + \overline{BH} = 14.165 \text{(km)}$

따라서 A, B 두 지점 사이의 거리는 14.165 km

122 답 $9(\sqrt{3}+1)\,\text{m}$

먼저, $\overline{BC}$의 길이를 구하자.

그림의 직각삼각형 BDC에서

$\angle DCE = \angle BDC = 30°(\because 엇각)$

$\overline{BC} = 18\sin 30° = 9\,(\text{m})$ ··· **I**

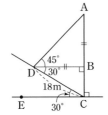

그다음, $\overline{BD}$의 길이를 구하자.

또, 직각삼각형 BDC에서

$\overline{BD} = 18\cos 30° = 9\sqrt{3}\,(\text{m})$ ··· **II**

그래서, 나무의 높이를 구하자.

$\triangle ADB$가 $\angle ADB = 45°$인 직각이등변삼각형이므로

$\overline{AB} = \overline{BD} = 9\sqrt{3}\,(\text{m})$

$\therefore (나무의 높이) = \overline{AC} = \overline{AB} + \overline{BC}$

$\qquad\qquad\qquad = 9\sqrt{3} + 9$

$\qquad\qquad\qquad = 9(\sqrt{3}+1)\,(\text{m})$ ··· **III**

123 답 $4(3+\sqrt{3})\,\text{m}$

먼저, 지면에서부터 사람의 눈까지의 높이를 구하자.

직각삼각형 BCD에서

$\tan 30° = \dfrac{\overline{DC}}{\overline{BD}} = \dfrac{\overline{DC}}{12}$

$\therefore \overline{DC} = 12\tan 30° = 12 \times \dfrac{\sqrt{3}}{3} = 4\sqrt{3}\,(\text{m})$ ··· **I**

그다음, 사람의 눈높이부터 송신탑 꼭대기까지의 높이를 구하자.

$\overline{BD} = \overline{EC} = 12\,(\text{m})$

직각삼각형 ABD에서

$\tan 45° = \dfrac{\overline{AD}}{\overline{BD}} = \dfrac{\overline{AD}}{12}$

$\therefore \overline{AD} = 12\tan 45° = 12\,(\text{m})$ ··· **II**

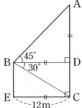

그래서, 탑의 높이를 구하자.

따라서 구하는 탑의 높이는

$\overline{AC} = \overline{AD} + \overline{DC} = 12 + 4\sqrt{3} = 4(3+\sqrt{3})\,(\text{m})$ ··· **III**

124 답 $1.4\,\text{m}$

먼저, 그림으로 간단히 나타내자.

사람의 발 끝을 점 D, 점 D에서 $\overline{AC}$에 내린 수선의 발을 G, $\overline{GD}$와 평행하면서 점 B, C 를 각각 지나는, 길이가 같은 선분을 각각 $\overline{BE}$, $\overline{CF}$라 하자. ··· **I**

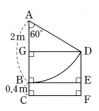

그다음, 그네 꼭대기에서 그네까지의 높이를 구하자.

그림과 같이 세 점 E, F, G를 정하면 그네를 타고 있는 사람의 지면 으로부터의 높이는

$\overline{DF} = \overline{GC} = \overline{AC} - \overline{AG}$ ··· ㉠

그런데 직각삼각형 AGD에서

$\overline{AG} = \overline{AD}\cos 60° = \overline{AB}\cos 60° = 2 \times \dfrac{1}{2} = 1\,(\text{m})$ ··· **II**

그래서, 지면으로부터 그네까지의 높이를 구하자.

㉠에 의해

$\overline{DF} = (2+0.4) - 1 = 1.4\,(\text{m})$ ··· **III**

125 답 $6(2-\sqrt{3})\,\text{cm}$

먼저, 그림으로 간단히 나타내자.

B 지점에서 $\overline{AO}$에 내린 수선의 발을 H라 하자. ··· **I**

그다음, $\overline{OH}$의 길이를 구하자.

직각삼각형 OHB에서

$\overline{OH} = 12\cos 30° = 12 \times \dfrac{\sqrt{3}}{2} = 6\sqrt{3}\,(\text{cm})$ ··· **II**

그래서, A 지점과 B 지점에서의 추의 중심의 높이의 차를 구하자.

$\therefore \overline{AH} = \overline{AO} - \overline{OH} = 12 - 6\sqrt{3} = 6(2-\sqrt{3})\,(\text{cm})$

따라서 A 지점과 B 지점에서의 추의 중심의 높이의 차는

$6(2-\sqrt{3})\,\text{cm}$이다. ··· **III**

126 답 $1102\,\text{m}$

기울어진 경사각 A에 대하여 경사도가 20 %이므로

$\tan A \times 100 = 20$

$\therefore \tan A = \dfrac{20}{100} = \dfrac{1}{5}$ ··· **I**

직각삼각형 ABC에서 $\overline{BC} = a\,\text{m}$라 하면

$\overline{AB} = \dfrac{\overline{BC}}{\tan A} = \dfrac{a}{\frac{1}{5}} = 5a\,\text{m}$이다.

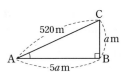

피타고라스 정리에 의하여

$(5a)^2 + a^2 = 520^2$

$26a^2 = 520^2$

$a^2 = 10400$

$a = \pm\sqrt{10400} = \pm 20\sqrt{26}$

그런데 $a > 0$이므로

$a = 20\sqrt{26} = 20 \times 5.1 = 102$ ··· **II**

따라서 멈춘 위치는 해발 $1000 + 102 = 1102\,(\text{m})$인 지점이다.

··· **III**

I	주어진 상황을 그림으로 간단하게 나타내고, 경사도를 이용하여 $\tan A$의 값을 구한다.	30%
II	피타고라스 정리를 이용하여 필요한 변의 길이를 구한다.	50%
III	멈춘 위치가 해발 몇 m인지 구한다.	20%

I	(부채꼴 AOB의 넓이)$-$($\triangle$AOB의 넓이)를 구한다.	40%
II	(부채꼴 AO′B의 넓이$-\triangle$AO′B의 넓이)를 구한다.	40%
III	두 원이 겹치는 넓이를 구한다.	20%

K

127 답 $4(1+\sqrt{3})$ cm

보조선 $\overline{CO}$를 그으면 $\triangle AOC$와 $\triangle COB$는 이등변삼각형이므로
$\angle OAC = \angle OCA$, $\angle OCB = \angle OBC$이다.
또한, $\triangle AOB$도 $\overline{OA} = \overline{OB}$인 이등변삼각형이므로

$\angle OAB = \angle OBA = \dfrac{1}{2}(180° - 150°) = 15°$이다.

$\therefore \angle OBC = \angle OCB = \angle COB = 60°$

$\angle AOC = \angle AOB - \angle COB = 150° - 60° = 90°$이므로

$\angle OAC = \angle OCA = 45°$이다.

$\therefore \angle CAB = 45° - 15° = 30°$ ⋯ **I**

그림과 같이 점 C에서 $\overline{AB}$에 내린 수선
의 발을 H라 하면

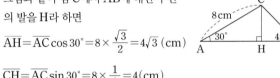

$\overline{AH} = \overline{AC}\cos 30° = 8 \times \dfrac{\sqrt{3}}{2} = 4\sqrt{3}$ (cm)

$\overline{CH} = \overline{AC}\sin 30° = 8 \times \dfrac{1}{2} = 4$ (cm)

또한, $\triangle CHB$는 직각이등변삼각형이므로

$\overline{HB} = \overline{CH} = 4$ cm ⋯ **II**

$\therefore \overline{AB} = \overline{AH} + \overline{HB} = 4\sqrt{3} + 4 = 4(1+\sqrt{3})$ (cm) ⋯ **III**

[다른 풀이]
호 AB의 중심각 $\angle AOB = 150°$이므로 호 AB의 반대편 중심각은
$360° - 150° = 210°$
원주각의 성질에 의해 $\angle ACB = 105°$
$\angle CAB = 180° - 105° - 45° = 30°$
(이하 동일)

[채점기준표]

I	$\angle CAB$의 크기를 구한다.	40%
II	$\overline{AH}$, $\overline{BH}$의 길이를 각각 구한다.	40%
III	$\overline{AB} = \overline{AH} + \overline{BH}$임을 이용하여 $\overline{AB}$의 길이를 구한다.	20%

128 답 $\dfrac{129\pi - 153\sqrt{3}}{2}$

(부채꼴 AOB의 넓이)$-$($\triangle$AOB의 넓이)를 S_1이라 하면

$S_1 = \pi \times 15^2 \times \dfrac{60}{360} - \dfrac{1}{2} \times 15^2 \times \sin 60°$

$= \dfrac{75}{2}\pi - \dfrac{225\sqrt{3}}{4}$ ⋯ **I**

(부채꼴 AO′B의 넓이)$-$($\triangle$AO′B의 넓이)를 S_2라 하면

$S_2 = \pi \times 9^2 \times \dfrac{120}{360} - \dfrac{1}{2} \times 9^2 \times \sin(180° - 120°)$

$= 27\pi - \dfrac{81\sqrt{3}}{4}$ ⋯ **II**

두 원이 겹쳐진 부분의 넓이는 $S_1 + S_2$이므로

$S_1 + S_2 = \dfrac{129}{2}\pi - \dfrac{153\sqrt{3}}{2} = \dfrac{129\pi - 153\sqrt{3}}{2}$ ⋯ **III**

129 답 30

구하는 높이는
$h = 10 + \overline{AC}$ (cm) ⋯ ㉠ ⋯ **I**
$\triangle ABC$는 직각삼각형이고
$\overline{AB} = 4 \times 10 = 40$ (cm),
$\angle B = 60°$이므로

$\overline{AC} = \overline{AB}\sin 60° = 40 \times \dfrac{\sqrt{3}}{2} = 20\sqrt{3}$ (cm)

㉠에 의해

$h = 10 + \overline{AC} = 10 + 20\sqrt{3} = a + b\sqrt{3}$ (cm) ⋯ **II**

$\therefore a = 10,\ b = 20$

$\therefore a + b = 30$ ⋯ **III**

[다른 풀이]
$\triangle ABC$는 정삼각형이므로 $\overline{AM} \perp \overline{BC}$일 때, $\overline{BM} = \overline{CM}$이다.
직각삼각형 AMC에서 $\overline{AC} = 40$ cm,
$\overline{MC} = 20$ cm이므로 피타고라스 정리를 적용
하면
$\overline{AM} = \sqrt{40^2 - 20^2} = \sqrt{1200} = 20\sqrt{3}$
$\therefore h = 10 + \overline{AM} = 10 + 20\sqrt{3}$ (cm)
따라서 $a = 10$, $b = 20$이므로 $a + b = 30$

[채점기준표]

I	구하고자 하는 높이를 직각삼각형 ABC의 높이를 사용하여 식을 세운다.	40%
II	직각삼각형 ABC의 높이를 구한다.	40%
III	$a + b$의 값을 구한다.	20%

130 답 122 m

$\overline{CH} = h$ m라 하면
$\angle ACH = 90° - 42° = 48°$이므로

$\overline{AH} = h\tan 48°$ (m) ⋯ **I**

$\angle BCH = 90° - 55° = 35°$이므로

$\overline{BH} = h\tan 35°$ (m) ⋯ **II**

$\overline{AB} = \overline{AH} - \overline{BH} = 50$ (m)에서 $50 = h\tan 48° - h\tan 35°$

$50 = h(1.1106 - 0.7002)$, $50 = h \times 0.4104$

$h = \dfrac{50}{0.4104} = 121.83\cdots$ $\therefore \overline{CH} = 122$ m ⋯ **III**

[채점기준표]

I	$\angle BCH$의 크기를 구하여 $\overline{AH}$의 길이를 삼각비를 이용하여 나타낸다.	40%
II	$\angle ACH$의 크기를 구하여 $\overline{BH}$의 길이를 삼각비를 이용하여 각각 나타낸다.	40%
III	$\overline{CH}$의 길이를 구한다.	20%

131 답 $20\sqrt{2}$ cm²

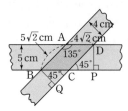

그림과 같이 겹친 부분을 □ABCD라 하면 직각삼각형 DCP에서

$\sin 45° = \dfrac{\overline{DP}}{\overline{CD}}$ 이므로

$\overline{CD} = \dfrac{5}{\sin 45°} = 5 \div \dfrac{\sqrt{2}}{2} = 5\sqrt{2}$ (cm) ··· Ⅰ

직각삼각형 BQC에서 $\sin 45° = \dfrac{\overline{BQ}}{\overline{BC}}$ 이므로

$\overline{BC} = \dfrac{4}{\sin 45°} = 4 \div \dfrac{\sqrt{2}}{2} = 4\sqrt{2}$ (cm) ··· Ⅱ

$\begin{aligned} □ABCD &= 5\sqrt{2} \times 4\sqrt{2} \times \sin(180° - 135°) \\ &= 5\sqrt{2} \times 4\sqrt{2} \times \dfrac{\sqrt{2}}{2} \\ &= 20\sqrt{2} \text{ (cm}^2) \end{aligned}$ ··· Ⅲ

[채점기준표]

Ⅰ	겹친 부분이 평행사변형이므로 한 변의 길이를 구한다.	35%
Ⅱ	이웃하는 다른 한 변의 길이를 구한다.	35%
Ⅲ	겹친 부분의 넓이를 구한다.	30%

p. 52

132 답 ③

1st 구하려는 것이 무엇인지 알아보자.

구하려는 것은 직각삼각형 OCH에서 ∠OCH=x에 대한 코사인, 즉 $\cos x$지?

직각삼각형 OHC에서 x를 기준으로

$\cos x = \dfrac{\overline{CH}}{6}$ ··· ㉠

따라서 $\overline{CH}$의 길이만 구하면 되겠지?

2nd 점 H가 △ABC의 무게중심임을 이용하여 $\overline{CH}$의 길이를 구하자.

점 H가 정삼각형 ABC의 무게중심이므로

$\overline{CH} : \overline{HM} = 2 : 1$ ∴ $\overline{CH} = \dfrac{2}{3}\overline{CM}$ ··· ㉡

한 변의 길이가 a인 정삼각형의 높이는 $\dfrac{\sqrt{3}}{2}a$이므로

$\overline{CM} = \dfrac{\sqrt{3}}{2}\overline{BC} = \dfrac{\sqrt{3}}{2} \times 6 = 3\sqrt{3}$ (cm)

이것을 ㉡에 대입하면

$\overline{CH} = \dfrac{2}{3} \times 3\sqrt{3} = 2\sqrt{3}$ (cm) ··· ㉢

3rd $\cos x$의 값을 구하자.

㉠에 ㉢을 대입하면

$\cos x = \dfrac{2\sqrt{3}}{6} = \dfrac{\sqrt{3}}{3}$

133 답 ⑤

1st 접은 도형에서 길이가 같은 변, 크기가 같은 각을 찾아보자.

그림과 같이 점 P에서 $\overline{BC}$에 내린 수선의 발을 T라 하고, 점 Q에서 $\overline{AD}$에 내린 수선의 발을 H라 하자.

직사각형 ABCD에서 $\overline{PQ}$를 접는 선으로 할 때,

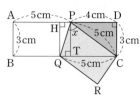

$\overline{AP} = \overline{PC} = 5$ cm, ∠APQ = ∠CPQ = x ··· ㉠

구하는 것은 $\tan x$이므로 직각삼각형 PQH에서

$\tan(∠QPH) = \tan x = \dfrac{\overline{HQ}}{\overline{PH}} = \dfrac{3}{\overline{PH}}$

$\overline{PH}$의 길이만 구하면 되겠지?

2nd 직각삼각형에서 $\overline{PH}$의 길이를 구하자.

직각삼각형 CDP에서 $\overline{PC} = 5$ cm, $\overline{CD} = 3$ cm이므로

$\overline{PC}^2 = \overline{PD}^2 + \overline{DC}^2$, $5^2 = \overline{PD}^2 + 3^2$

$\overline{PD}^2 = 16$ ∴ $\overline{PD} = 4$ cm, $\overline{TC} = \overline{PD} = 4$ cm

그런데 ∠APQ = ∠PQC = x (∵ 엇각)이고 ㉠에 의해 ∠CPQ = ∠PQC = x이므로 △PQC는 이등변삼각형이지?

즉, $\overline{PC} = \overline{QC} = 5$ cm

∴ $\overline{PH} = \overline{QT} = \overline{QC} - \overline{TC} = 5 - 4 = 1$ (cm)

3rd $\tan x$의 값을 구하자.

∴ $\tan(∠QPH) = \tan x = \dfrac{3}{1} = 3$

134 답 $2\sqrt{21}$ km

1st (거리)=(속력)×(시간)이라는 공식 알고 있지?

O 지점에서 P 지점 방향으로 시속 24 km의 속력으로 움직이니까 20분 후, 즉 $\dfrac{20}{60}$ 시간 후에 도달한 P 지점까지의 거리는

$\overline{OP} = 24 \times \dfrac{20}{60} = 8$ (km)

또, O 지점에서 Q 지점 방향으로 시속 30 km의 속력으로 움직이니까 20분 후, 즉 $\dfrac{20}{60}$ 시간 후에 도달한 Q 지점까지의 거리는

$\overline{OQ} = 30 \times \dfrac{20}{60} = 10$ (km)

2nd ∠PON = 20°, ∠NOQ = 40°니까 ∠POQ = 60°로 특수한 각이 나오지? 이걸 이용해 보자.

점 P에서 $\overline{OQ}$에 내린 수선의 발을 H라 하면 그림과 같은 직각삼각형 POH에서

$\overline{PH} = 8\sin 60° = 4\sqrt{3}$ (km)

$\overline{OH} = 8\cos 60° = 4$ (km)

이므로 $\overline{QH} = 10 - 4 = 6$ (km)

직각삼각형 PQH에 피타고라스 정리를 적용하자.

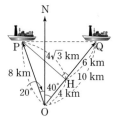

$\overline{PQ}^2 = \overline{PH}^2 + \overline{QH}^2 = (4\sqrt{3})^2 + 6^2 = 84$ ∴ $\overline{PQ} = 2\sqrt{21}$ km

135 답 $12\sqrt{3}$

1st 그림을 간단히 해서 $\overline{DC}$의 길이를 구해.

그림과 같이 각 지점에 A, B, C, D, E를 지정해 주면 전봇대의 높이는 $\overline{AB}$의 길이가 돼. 직각삼각형 EDC에서

$$\cos 30° = \frac{\overline{DE}}{\overline{CD}} = \frac{\sqrt{3}}{\overline{CD}} = \frac{\sqrt{3}}{2} \qquad \therefore \overline{CD} = 2 \text{ m}$$

2nd $\tan 30°$의 값을 이용하여 전봇대의 높이를 구하자.

직각삼각형 ACB에서

$$\tan 30° = \frac{\overline{AC}}{\overline{AB}} = \frac{\overline{AC} + \overline{CD}}{\overline{AB}} = \frac{10 + 2}{x}$$

$$= \frac{12}{x} = \frac{1}{\sqrt{3}}$$

$$\therefore x = 12\sqrt{3}$$

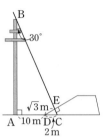

136 답 ⑤

1st 두 변의 길이가 각각 a, b이고, 그 끼인각의 크기가 예각 θ이면 그 삼각형의 넓이는 $\frac{1}{2}ab\sin\theta$로 구할 수 있지?

처음 삼각형 ABC의 넓이를 먼저 구해야겠지?

$$\triangle ABC = \frac{1}{2} \times \overline{AB} \times \overline{BC} \times \sin B \cdots \text{㉠}$$

2nd a를 $r \%$ 줄인 것은 $\left(1 - \frac{r}{100}\right)a$가 되고,

$r \%$ 늘인 것은 $\left(1 + \frac{r}{100}\right)a$가 됨을 이용하자.

그런데 삼각형 ABC에서 $\overline{AB}$의 길이를 20 % 줄인 것이 $\overline{A'B}$이므로

$$\overline{A'B} = \left(1 - \frac{20}{100}\right) \times \overline{AB} = \frac{80}{100} \times \overline{AB} = 0.8\overline{AB} \cdots \text{㉡}$$

그리고 $\overline{BC}$의 길이를 30 % 늘인 것이 $\overline{BC'}$이므로

$$\overline{BC'} = \left(1 + \frac{30}{100}\right) \times \overline{BC} = \frac{130}{100} \times \overline{BC} = 1.3\overline{BC} \cdots \text{㉢}$$

새롭게 만들어진 삼각형 A'BC'의 넓이를 구하자.

$$\triangle A'BC' = \frac{1}{2} \times \overline{A'B} \times \overline{BC'} \times \sin B$$

$$= \frac{1}{2} \times (0.8\overline{AB}) \times (1.3\overline{BC}) \times \sin B \ (\because \text{㉡}, \text{㉢})$$

$$= 0.8 \times 1.3 \times \frac{1}{2} \times \overline{AB} \times \overline{BC} \times \sin B$$

$$= 1.04 \triangle ABC (\because \text{㉠})$$

$$\therefore \triangle ABC : \triangle A'BC' = \triangle ABC : 104\triangle ABC = 100 : 104$$

따라서 삼각형 A'BC'의 넓이는 삼각형 ABC의 넓이보다 4 % 늘어나게 돼.

137 답 $16\sqrt{3}$ cm²

1st 사다리꼴 ABCD의 넓이를 구하기 위해서 무엇을 구해야 하는지 알아보자.

$$(\text{사다리꼴 ABCD의 넓이}) = \frac{1}{2} \times (\overline{CD} + \overline{AB}) \times \overline{BC} \cdots \text{㉠}$$

이므로 $\overline{CD}$, $\overline{AB}$, $\overline{BC}$의 길이를 구하면 되겠지?

2nd 주어진 각의 크기와 변의 길이를 이용해서 $\overline{AB}$, $\overline{CD}$, $\overline{BC}$의 길이를 구하자.

직각삼각형 AED에서

$$\overline{AE} = 8\cos 60° = 4 (\text{cm})$$

$$\overline{BC} = \overline{DE} = 8\sin 60° = 4\sqrt{3} (\text{cm}) \cdots \text{㉡}$$

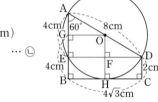

또, 직각삼각형 AOG에서

$$\overline{AG} = \overline{AO} \times \cos 60°$$

$$= 4 \times \frac{1}{2} = 2 (\text{cm})$$

그런데 $\overline{AO} = \overline{OH} = 4$ cm($\because$ 반지름)이므로

$$\overline{AB} = \overline{AG} + \overline{GB} = \overline{AG} + \overline{OH} = 2 + 4 = 6 (\text{cm}) \cdots \text{㉢}$$

또, $\overline{CD} = \overline{BE} = \overline{AB} - \overline{AE} = 6 - 4 = 2 (\text{cm}) \cdots \text{㉣}$

3rd 이제 사다리꼴 ABCD의 넓이를 구하자.

㉡, ㉢, ㉣을 ㉠에 대입하면

$$(\text{사다리꼴의 넓이}) = \frac{1}{2} \times (2 + 6) \times 4\sqrt{3} = 16\sqrt{3} (\text{cm}^2)$$

Ⅰ. 원과 직선

개념 체크 001~026 정답은 p. 3에 있습니다.

유형 다지기 학교시험+학력평가　　　　p. 58

027 답 ②
한 원에서 중심각의 크기와 호의 길이는 정비례해.
$25° : 50° = x : 8$, $1 : 2 = x : 8$　∴ $x = 4$
$50° : y° = 8 : 16$, $50° : y° = 1 : 2$　∴ $y = 100$

028 답 ③
한 원에서 중심각의 크기와 호의 길이는 정비례하므로
$\widehat{AB} : 4 = 120° : 30°$
∴ $\widehat{AB} = 16$ cm

029 답 135°
$\widehat{AB} = 3\pi$, $\widehat{CD} = 9\pi$이므로 두 호의 길이의 비는 $1 : 3$이야.
이때, 한 원에서 중심각의 크기와 호의 길이는 정비례하므로
$1 : 3 = 45° : \angle x$
∴ $\angle x = 135°$

030 답 ③
$\overline{OC}$, $\overline{OD}$는 원 O의 반지름이므로
$\triangle ODC$는 이등변삼각형이지?
따라서 $\angle OCE = \angle ODE$이고
$\angle OEC = \angle OED = 90°$이므로
$\angle COE = \angle DOE$가 돼.
∴ $\widehat{BD} = \widehat{BC} = 9$ cm
이때, $\angle COE = 3\angle OCE$이므로
$\angle OCE = \angle ODE = x$라 하면
$\angle DOE = 3x$이고 $\angle ODE + \angle DOE = 90°$이므로
$x + 3x = 90°$　∴ $x = \dfrac{45°}{2}$
∴ $\angle DOE = 3x = \dfrac{135°}{2}$
또한, $\angle AOD = 180° - \dfrac{135°}{2} = \dfrac{225°}{2}$이고 $\widehat{BD} = 9$ cm이므로
$\dfrac{135°}{2} : \dfrac{225°}{2} = 9 : \widehat{AD}$
∴ $\widehat{AD} = 15$ cm

031 답 3 cm
한 원 또는 합동인 두 원에서 중심각의 크기가 같으면 현의 길이가 같지?
따라서 $\angle AOB = \angle COD$이고 $\overline{AB} = 3$ cm이므로 $\overline{CD} = 3$ cm야.

오답피하기

왜 한 원 또는 합동인 두 원에서 중심각의 크기가 같으면 현의 길이가 같을까?
그림과 같은 $\triangle AOB$와 $\triangle COD$에서
$\overline{OA} = \overline{OB} = \overline{OC} = \overline{OD}$이고
$\angle AOB = \angle COD$이므로
$\triangle AOB \equiv \triangle COD$ (SAS 합동)
∴ $\overline{AB} = \overline{CD}$
따라서 두 현의 중심각의 크기가 같다면, 즉
$\angle AOB = \angle COD$이면 두 현의 길이는 $\overline{AB} = \overline{CD}$가 되지.

032 답 ㄴ, ㄷ, ㄹ
ㄱ. $\widehat{AB}$의 중심각의 크기 $60°$, $\widehat{CD}$의 중심각의 크기는 $20°$로 $\widehat{AB}$의 중심각의 크기는 $\widehat{CD}$의 중심각의 크기의 3배이지만 현의 길이는 중심각의 크기에 정비례하지 않지?
　　∴ $\overline{AB} \neq 3\overline{CD}$ (거짓)
ㄴ. 한 원에서 중심각의 크기와 호의 길이는 정비례하지?
　　$\widehat{AB}$의 중심각의 크기는 $\widehat{CD}$의 중심각의 크기의 3배이므로
　　$\widehat{AB} = 3\widehat{CD}$ (참)
ㄷ. 원 O의 반지름의 길이를 r라 하면
　　부채꼴 OAB의 넓이는 $\pi r^2 \times \dfrac{60}{360} = \dfrac{1}{6}\pi r^2$이고,
　　부채꼴 OCD의 넓이는 $\pi r^2 \times \dfrac{20}{360} = \dfrac{1}{18}\pi r^2$이므로
　　(부채꼴 OCD의 넓이)$=\dfrac{1}{3}$(부채꼴 OAB의 넓이) (참)
ㄹ. 원 O의 반지름의 길이를 r라 하면 $\overline{OA} = \overline{OB} = r$이므로
　　$\triangle OAB$는 이등변삼각형이야. 따라서 $\angle OAB = \angle OBA$이지.
　　그런데 $\angle AOB = 60°$이므로 $\angle OAB = \angle OBA = 60°$가 돼.
　　따라서 $\triangle OAB$는 정삼각형이야. (참)
따라서 옳은 것은 ㄴ, ㄷ, ㄹ이야.

033 답 ③
① 한 원에서 중심각의 크기가 같으면 현의 길이도 같지?
　　∴ $\overline{AB} = \overline{CD} = \overline{DE}$ (참)
② $\angle AOB = \angle COD = \angle DOE$이고
　　$\angle COE = \angle COD + \angle DOE$이므로
　　$\angle AOB = \dfrac{1}{2}\angle COE$ (참)
③ 현의 길이는 중심각의 크기에 정비례하지 않지?
　　따라서 $\overline{AB} = 3$ cm일 때, $\overline{CE} \neq 6$ cm야. (거짓)
④ $\widehat{CE}$의 중심각의 크기는 $\widehat{AB}$의 중심각의 크기의 2배이므로
　　$\widehat{CE} = 8$ cm이면 $\widehat{AB} = 4$ cm야. (참)
⑤ 부채꼴의 넓이도 중심각의 크기에 정비례하므로 부채꼴 OCE의 넓이는 부채꼴 OAB의 넓이의 2배야. (참)

034 답 ④
$\overline{AD} \parallel \overline{OC}$이므로
$\angle OAD = \angle BOC$ (∵ 동위각)
또, $\triangle OAD$는 $\overline{OA} = \overline{OD}$인 이등변삼각형이므로
$\angle ODA = \angle OAD$

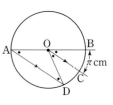

한편, ∠COD=∠ODA(∵ 엇각)

∴ ∠BOC=∠COD

따라서 부채꼴의 호의 길이는 중심각의 크기에 정비례하므로 $\overparen{CD}$의 길이는 $\overparen{BC}$의 길이와 같지?

∴ $\overparen{CD}=\pi$ cm

035 답 ②

∠BOD=∠OBA=30°(∵ 엇각)

이고 △OAB는 이등변삼각형이
므로

∠OAB=∠OBA=30°

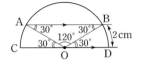

∴ ∠AOB=180°−(30°+30°)=120°

따라서 부채꼴의 호의 길이는 중심각의 크기에 정비례하므로 $\overparen{AB}$의 길이는 $\overparen{BD}$의 길이의 4배가 돼.

∴ $\overparen{AB}=4\times2=8$(cm)

036 답 15 cm

$\overline{OC} /\!/ \overline{AD}$이므로

∠OAD=∠BOC=40°(∵ 동위각)

$\overline{OA}=\overline{OD}$(∵ 원의 반지름)이므로 △OAD는 이등변삼각형이다.

∴ ∠ODA=∠OAD=40°

∴ ∠AOD=180°−(40°+40°)=100°

40° : 100°=6 : $\overparen{AD}$ ∴ $\overparen{AD}=15$ cm

037 답 10 cm

$\overline{AO} /\!/ \overline{BC}$에 의해 ∠AOB=∠OBC (∵ 엇각)

두 점 O, C를 연결하여 만들어지는 삼각형
OBC는 $\overline{OB}=\overline{OC}$인 이등변삼각형이므로

∠OCB=∠OBC

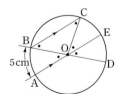

또한, ∠COD는 삼각형 OBC의 한 외각이
므로 ∠COD=∠OBC+∠OCB=2∠OBC ∴ ∠COD=2∠AOB

따라서 부채꼴의 호의 길이는 중심각의 크기에 정비례하므로 $\overparen{CD}$의 길이는 $\overparen{AB}$의 길이의 2배가 돼. 즉, $\overparen{CD}=2\overparen{AB}=2\times5=10$(cm)

[다른 풀이]

$\overline{AO}$를 연장하여 원 O와의 교점을 E라 하자.

∠AOB=∠OBC (∵ 엇각)

∠OCB=∠OBC (∵ $\overline{OB}=\overline{OC}$)

∠COE=∠OCB (∵ 엇각)

∠DOE=∠AOB (∵ 맞꼭지각)

∴ ∠COD=2∠AOB

∴ $\overparen{CD}=2\overparen{AB}=2\times5=10$(cm)

038 답 ⑤

$\overline{OH}$는 $\overline{AB}$의 수선이므로 $\overline{AH}=\overline{BH}$

$\overline{AH}=\dfrac{1}{2}\overline{AB}=\dfrac{1}{2}\times8=4$(cm)

직각삼각형 OAH에서

$\overline{OA}=\sqrt{3^2+4^2}=\sqrt{25}=5$(cm)

따라서 원 O의 반지름의 길이는 5 cm야.

039 답 ①

원의 중심에서 현에 내린 수선은 그 현을
이등분하므로 $\overline{DM}=3$ cm야.

이때, $\overline{OB}$, $\overline{OD}$는 원 O의 반지름이므로
$\overline{OB}=\overline{OD}=5$ cm이고 △ODM은

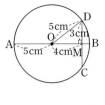

∠OMD=90°인 직각삼각형이므로

$\overline{OM}=\sqrt{\overline{OD}^2-\overline{DM}^2}=\sqrt{5^2-3^2}=4$(cm)

∴ $\overline{BM}=\overline{OB}-\overline{OM}=5-4=1$(cm)

040 답 $8\sqrt{3}$ cm

$\overline{OM}\perp\overline{AB}$이므로 $\overline{AM}=\overline{BM}$

$\overline{AM}=x$ cm라 하면 △OAM은 직각삼각형이므로

$\overline{OA}^2=\overline{AM}^2+\overline{OM}^2$

$8^2=x^2+4^2$, $x^2=48$ ∴ $x=4\sqrt{3}$ (∵ $x>0$)

∴ $\overline{AM}=4\sqrt{3}$ cm

∴ $\overline{AB}=2\overline{AM}=8\sqrt{3}$ (cm)

041 답 ③

$\overline{AB}\perp\overline{OP}$이므로 $\overline{OM}$은 현 AB의 수선이지?

즉, $\overline{AM}=\overline{BM}=4$ cm이고 $\overline{OA}=x$ cm로
놓으면

$\overline{OM}=\overline{OP}-\overline{MP}=(x-2)$ cm

직각삼각형 OAM에서

$\overline{OA}^2=\overline{AM}^2+\overline{OM}^2$

$x^2=4^2+(x-2)^2$

$x^2=16+x^2-4x+4$

∴ $x=5$

따라서 원 O의 반지름의 길이는 5 cm야.

042 답 $\dfrac{17}{3}$ cm

점 D가 $\overline{AB}$의 이등분점이고,
$\overline{AB}\perp\overline{CD}$이므로 그림과 같이 $\overline{CD}$의
연장선은 이 원의 중심 O를 지나.

이때, 원의 반지름의 길이를 r cm라
하면 $\overline{OD}=(r-3)$cm

따라서 직각삼각형 AOD에서 피타고라스 정리를 적용하면

$r^2=(r-3)^2+5^2$

$r^2=r^2-6r+9+25$

$6r=34$ ∴ $r=\dfrac{17}{3}$

따라서 원의 반지름의 길이는 $\dfrac{17}{3}$ cm야.

043 답 ②

점 D는 $\overline{AB}$의 이등분점이므로 $\overline{AD}=4$

$\overline{AB}\perp\overline{CD}$이므로 그림과 같이 $\overline{CD}$의 연
장선은 이 원의 중심 O를 지나.

이때, 이 원의 반지름의 길이를 r라 하면

$\overline{AO}=r$, $\overline{OD}=r-2$

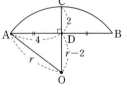

따라서 직각삼각형 AOD에서 피타고라스 정리를 적용하면
$r^2=4^2+(r-2)^2$
$r^2=16+r^2-4r+4$
$4r=20$ $\quad\therefore r=5$

044 답 ④

점 D는 $\overline{AB}$의 이등분점이고 $\overline{AB}\perp\overline{CD}$이므로 그림과 같이 $\overline{CD}$의 연장선은 이 원의 중심 O를 지나.
$\overline{OA}=10\,cm$,
$\overline{AD}=\dfrac{1}{2}\overline{AB}=6(cm)$

이므로 직각삼각형 AOD에서 피타고라스 정리를 적용하면
$\overline{OD}=\sqrt{10^2-6^2}=8(cm)$
$\overline{CD}=\overline{OC}-\overline{OD}=10-8=2(cm)$
$\therefore \triangle ACD=\dfrac{1}{2}\times\overline{AD}\times\overline{CD}=\dfrac{1}{2}\times6\times2=6(cm^2)$

045 답 13π cm

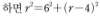

$\overline{CH}$가 $\overline{AB}$의 수직이등분선이므로 그림과 같이 $\overline{CH}$의 연장선은 이 원의 중심 O를 지나.
원의 반지름의 길이를 $\overline{OA}=r\,cm$라 하면
$\overline{OH}=(r-4)cm$
$\overline{AH}=\overline{BH}=6\,cm$이므로 직각삼각형 OAH에서 피타고라스 정리를 적용하면 $r^2=6^2+(r-4)^2$

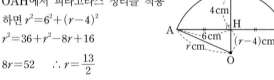

$r^2=36+r^2-8r+16$
$8r=52$ $\quad\therefore r=\dfrac{13}{2}$

따라서 원 모양의 접시의 반지름의 길이가 $\dfrac{13}{2}$ cm이므로 접시의 둘레의 길이는 $2\pi\times\dfrac{13}{2}=13\pi(cm)$야.

오답피하기

$\overline{CH}$가 $\overline{AB}$의 수직이등분선이라 함은 $\overline{CH}\perp\overline{AB}$이고 $\overline{AH}=\overline{BH}$임을 뜻하지?
즉, 현 AB의 수직이등분선이 $\overline{CH}$가 되므로 $\overline{CH}$를 연장하면 원의 중심 O를 지나. 그래서 $\overline{OC}=r\,cm$로 놓을 수 있는 거야. 동일한 의미를 다른 말로 표현을 하였을 때 식으로 표현하여 알고 있으면 문제가 변형이 되어도 금방 파악할 수 있어.

046 답 ⑤

$\overline{OA}=4\,cm$이고 원의 중심 O에서 $\overline{AB}$에 내린 수선의 발을 M이라 하면
$\overline{OM}=\dfrac{1}{2}\overline{OA}=2(cm)$

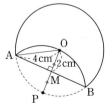

직각삼각형 OAM에서 피타고라스 정리를 적용하면
$\overline{AM}^2=\overline{OA}^2-\overline{OM}^2$이므로
$\overline{AM}=\sqrt{4^2-2^2}=\sqrt{12}=2\sqrt{3}(cm)$

이때, $\overline{OM}$은 현 AB의 수직이등분선이지?
$\therefore \overline{AB}=2\overline{AM}=4\sqrt{3}(cm)$

★ 접힌 원에서 현의 수직이등분선
원주 위의 한 점 P가 원의 중심 O에 오도록 접은 경우

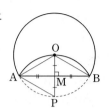

(1) 현 AB에서 $\overline{OM}$은 수선이므로
$\overline{AM}=\overline{BM}$
(2) $\overline{OM}=\overline{MP}$ (∵ 접은 선)이고,
$\overline{OA}=\overline{OP}$ (∵ 반지름)이므로
$\overline{OM}=\dfrac{1}{2}\overline{OP}=\dfrac{1}{2}\overline{OA}$
(3) $\triangle OAM$은 $\angle OMA=90°$인 직각삼각형이므로 피타고라스 정리에 의해 $\overline{OA}^2=\overline{OM}^2+\overline{AM}^2$

047 답 ④

원의 중심 O에서 $\overline{AB}$에 내린 수선의 발을 D라 하고, $\overline{OD}$의 길이를 $x\,cm$라 하면 이 원의 반지름인 $\overline{OA}$의 길이는 $2x\,cm$가 되겠지? 또, $\overline{AD}=\overline{BD}=3\,cm$야.

직각삼각형 OAD에서 피타고라스 정리를 적용하면 $\overline{OA}^2=\overline{OD}^2+\overline{AD}^2$
$(2x)^2=x^2+3^2$
$x^2=3$
$\therefore x=\sqrt{3}\ (\because x>0)$
따라서 원의 반지름의 길이는 $2x=2\sqrt{3}\,(cm)$야.

오답피하기

원 위의 한 점이 원의 중심과 겹치도록 접는 문제에서는 $\overline{OD}$의 길이가 반지름의 길이의 $\dfrac{1}{2}$임을 이용하여 방정식을 세워야 해.
접힌 도형의 특징을 이해하지 못한다면 풀기 힘든 유형이야. 접힌 도형과 펼친 도형은 합동이 돼. 즉, 접은 도형에서는 접힌 길이와 펼친 길이가 같으므로 $\overline{OD}=\overline{DP}$, $\overline{OA}=\overline{AP}$, $\overline{OB}=\overline{BP}$야.

048 답 $8\sqrt{3}$ cm

원의 중심 O에서 $\overline{AB}$에 내린 수선의 발을 D라 하면 반지름의 길이가 $8\,cm$이므로
$\overline{OD}=\dfrac{1}{2}\overline{OA}=4(cm)$

직각삼각형 $\triangle OAD$에서 피타고라스 정리를 적용하면 $\overline{AD}^2=\overline{OA}^2-\overline{OD}^2$이므로
$\overline{AD}=\sqrt{8^2-4^2}=4\sqrt{3}(cm)$
$\therefore \overline{AB}=2\overline{AD}=8\sqrt{3}(cm)$

049 답 120°

원의 중심 O에서 $\overline{AB}$에 내린 수선의 발을 D라 하고, 이 원의 반지름의 길이를 $2r$로 놓으면 $\overline{OD}=r$가 돼.
$\therefore \overline{AD}=\sqrt{(2r)^2-r^2}=\sqrt{3}r$

이때, 직각삼각형 OAD에서
$$\cos(\angle AOD) = \frac{\overline{OD}}{\overline{OA}}$$
$$= \frac{r}{2r} = \frac{1}{2}$$

그런데 $\cos 60° = \frac{1}{2}$이므로 $\angle AOD = 60°$

또한, $\triangle OAD$와 $\triangle OBD$에서
$\angle ODA = \angle ODB = 90°$, $\overline{AD} = \overline{BD}$, $\overline{OD}$는 공통이므로
$\triangle OAD \equiv \triangle OBD$ (SAS 합동)
$\therefore \angle AOB = 2\angle AOD = 120°$

[다른 풀이]
접은 원에서 원의 중심 O와 겹쳐지는 원주 위의
한 점을 P라 하고 원의 중심 O에서 $\overline{AB}$에 내
린 수선의 발을 D라 하자.

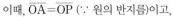

이때, $\overline{OA} = \overline{OP}$ ($\because$ 원의 반지름)이고,
$\overline{OA} = \overline{AP}$ ($\because$ 접은 선)이므로
$\overline{OA} = \overline{OP} = \overline{AP}$
즉, $\triangle OAP$는 정삼각형이므로
$\angle AOD = 60°$
$\triangle OAB$는 $\overline{OA} = \overline{OB}$인 이등변삼각형이므로
$\angle BOD = \angle AOD$
$\therefore \angle AOB = 2\angle AOD = 120°$

050 답 8 cm

원의 중심에서 같은 거리에 있는 두 현의 길이는 같지?
따라서 $\overline{AB} = \overline{CD}$가 되고 원의 중심 O에서 현 AB에 내린 수선은
현 AB를 이등분해.
즉, $\overline{AB} = 2\overline{BM} = 2 \times 4 = 8$(cm)
$\therefore \overline{CD} = \overline{AB} = 8$ cm

051 답 ④

$\triangle AMO$는 직각삼각형이므로
$\overline{AM} = \sqrt{\overline{OA}^2 - \overline{OM}^2} = \sqrt{5^2 - 3^2} = 4$
$\overline{AB} = 2\overline{AM} = 8$
원의 중심에서 같은 거리에 있는 두 현의 길이는 같아.
즉, $\overline{OM} = \overline{ON}$이므로 $\overline{CD} = \overline{AB} = 8$

052 답 ⑤

① 원의 중심 O에서 현에 내린 수선은 그 현을 이등분하므로
$\overline{AM} = \overline{BM} = 3$ cm (참)
② 원의 중심 O에서 같은 거리에 있는 두 현의 길이는 같으므로
$\overline{AB} = \overline{CD}$ (참)
③ $\angle AOC = \angle AOB + \angle BOC$, $\angle BOD = \angle COD + \angle BOC$
그런데 $\triangle OAB \equiv \triangle OCD$이므로 $\angle AOB = \angle COD$
$\therefore \angle AOC = \angle BOD$ (참)
④ 두 삼각형 OAB, OCD의 밑변은 각각 $\overline{AB}$, $\overline{CD}$이고 높이는 각
각 $\overline{OM}$, $\overline{ON}$이지?
그런데 $\overline{AB} = \overline{CD}$이고, 주어진 조건에서 $\overline{OM} = \overline{ON}$이므로 두 삼
각형의 넓이는 같아. (참)
⑤ 주어진 조건만으로 $\angle AOD = \angle BON$인지 알 수 없어. (거짓)

053 답 ③

원의 중심 O에서 $\overline{CD}$에 내린 수선의 발을
N이라 하면 $\overline{AB} = \overline{CD}$에서 길이가 같은
두 현은 원의 중심으로부터 같은 거리에
있으니까 $\overline{ON} = \overline{OM} = 3$ cm
$\overline{ON}$은 현 CD의 수선이므로 $\overline{CN} = \overline{DN}$이야.
이때, 직각삼각형 OCN에서 피타고라스
정리를 적용하면

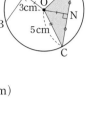

$\overline{CN}^2 = \overline{OC}^2 - \overline{ON}^2$이므로 $\overline{CN} = \sqrt{5^2 - 3^2} = 4$(cm)
$\therefore \overline{CD} = 2\overline{CN} = 8$(cm)
$$\therefore \triangle OCD = \frac{1}{2} \times \overline{CD} \times \overline{ON}$$
$$= \frac{1}{2} \times 8 \times 3 = 12 \text{(cm}^2)$$

054 답 ②

$\overline{OM} \perp \overline{AB}$, $\overline{ON} \perp \overline{AC}$이고, $\overline{OM} = \overline{ON}$이므로 $\overline{AB} = \overline{AC}$야.
즉, $\triangle ABC$는 이등변삼각형이지.
이등변삼각형 ABC의 두 밑각의 크기는 같으므로 $\angle C = \angle B = 65°$
$\therefore \angle x = 180° - (65° + 65°) = 50°$

055 답 62°

$\overline{AB} \perp \overline{OM}$, $\overline{AC} \perp \overline{ON}$이고 $\overline{OM} = \overline{ON}$이므로 $\overline{AB} = \overline{AC}$야.
즉, $\triangle ABC$는 이등변삼각형이므로 $\angle B = \angle C$야.
$\triangle ABC$의 세 내각의 크기의 합은 $180°$이고 $\angle A = 56°$이므로
$$\angle B = \frac{1}{2} \times (180° - 56°) = 62°$$

056 답 ④

사각형의 네 내각의 크기의 합은 $360°$이지?
$\square AMON$에서 $\angle A = 360° - (90° + 90° + 140°) = 40°$
이때, 원의 중심 O에서 두 현에 이르는 거리가 같으면 그 두 현의
길이는 같지? 즉, $\overline{OM} = \overline{ON}$이므로 $\overline{AB} = \overline{AC}$
따라서 $\triangle ABC$는 이등변삼각형이므로
$$\angle C = \frac{1}{2} \times (180° - 40°) = 70°$$

057 답 $4\sqrt{3}$ cm²

$\overline{AB} \perp \overline{OL}$, $\overline{BC} \perp \overline{OM}$, $\overline{AC} \perp \overline{ON}$이고,
$\overline{OL} = \overline{OM} = \overline{ON}$이므로 $\overline{AB} = \overline{BC} = \overline{CA}$
즉, $\triangle ABC$는 정삼각형이야.
한편, $\overline{ON}$은 현 AC의 수선이므로 $\overline{AN} = \overline{CN} = 2$ cm가 되지?
$\therefore \overline{AB} = \overline{BC} = \overline{CA} = 2\overline{CN} = 4$(cm)
$$\therefore \triangle ABC = \frac{\sqrt{3}}{4} \times 4^2 = 4\sqrt{3} \text{ (cm}^2)$$

058 답 130°

$\angle PAO = \angle PBO = 90°$에서
$\angle APB + \angle AOB = 180°$이므로
$\angle AOB = 180° - \angle APB = 180° - 50° = 130°$

059 답 66°

원 밖의 한 점 P에서 원 O에 그은 두 접선의 길이는 서로 같지?
따라서 $\overline{PA}=\overline{PB}$이므로 △APB는 이등변삼각형이야.
이등변삼각형의 두 밑각의 크기는 같고, 삼각형의 세 내각의 크기의 합은 180°이므로

$$∠PAB=\frac{1}{2}×(180°-48°)=66°$$

060 답 ④

반지름의 길이를 알고 있으므로 $\overparen{AB}$의 길이를 구하려면 ∠AOB의 크기만 구하면 되지?
$\overline{PA}$, $\overline{PB}$는 원 O의 접선이므로 ∠APB+∠AOB=180°가 성립해.
∠AOB=180°-∠APB=180°-45°=135°

$$∴ \overparen{AB}=2π×6×\frac{135}{360}=\frac{9}{2}π(cm)$$

061 답 $\frac{4}{3}π\,cm^2$

원 O의 넓이를 구하기 위해서는 원의 반지름의 길이만 알면 돼.
원의 반지름의 길이를 $r\,cm$라 하자.
직각삼각형 OAP에서 ∠APO=30°이므로

$$\tan 30°=\frac{\overline{OA}}{\overline{AP}}=\frac{r}{2}$$

그런데 $\tan 30°=\frac{\sqrt{3}}{3}$이므로

$$\frac{r}{2}=\frac{\sqrt{3}}{3} \qquad ∴ r=\frac{2\sqrt{3}}{3}$$

$$∴ (원 O의 넓이)=πr^2=π×\left(\frac{2\sqrt{3}}{3}\right)^2=\frac{4}{3}π(cm^2)$$

062 답 ③

$\overline{PA}$는 원 O의 접선이므로
$\overline{PA}⊥\overline{OA}$야.
△POA는 ∠PAO=90°인 직각삼각형이므로 피타고라스 정리를 적용하면
$$\overline{PA}=\sqrt{\overline{OP}^2-\overline{OA}^2}=\sqrt{8^2-4^2}=4\sqrt{3}(cm)$$

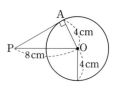

063 답 4 cm

반지름인 $\overline{OB}=3\,cm$이므로 $\overline{OA}=3\,cm$이고 $\overline{PA}$는 원 O의 접선이므로
∠OAP=90°
따라서 △PAO는 직각삼각형이므로 피타고라스 정리를 적용하면
$$\overline{PA}=\sqrt{\overline{OP}^2-\overline{OA}^2}=\sqrt{5^2-3^2}=4(cm)$$

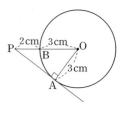

064 답 5

$\overline{PA}$는 원 O의 접선이므로
$\overline{PA}⊥\overline{OA}$지?
$\overline{OA}$, $\overline{OB}$는 원 O의 반지름이므로
$\overline{OB}=\overline{OA}=x\,cm$
직각삼각형 OPA에서 피타고라스 정리를 적용하면
$$\overline{OP}^2=\overline{OA}^2+\overline{PA}^2$$
$$(8+x)^2=x^2+12^2$$
$$16x=80 \qquad ∴ x=5$$

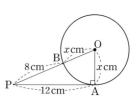

065 답 ③

원의 둘레의 길이가 $12π\,cm$이므로 원 O의 반지름의 길이를 $r\,cm$라 하면
$2πr=12π \qquad ∴ r=6$
$∴ \overline{OA}=\overline{OB}=6\,cm$
$\overline{PA}$는 원 O의 접선이므로
$\overline{OA}⊥\overline{PA}$
△PAO는 직각삼각형이므로 피타고라스 정리를 적용하면
$$\overline{OP}=\sqrt{\overline{PA}^2+\overline{OA}^2}=\sqrt{8^2+6^2}=10(cm)$$
$$∴ \overline{BP}=\overline{OP}-\overline{OB}=10-6=4(cm)$$

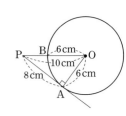

066 답 ④

원 밖의 한 점 P에서 원 O에 그은 두 접선의 길이는 같으므로 $\overline{PA}=\overline{PB}$지?
또한, △PAO, △PBO에서 $\overline{PO}$는 공통이고, $\overline{OA}=\overline{OB}$ (∵ 원의 반지름)이므로
△PAO≡△PBO(SSS 합동)
따라서 ∠APO=∠BPO=45°이고
∠PAO=90°이므로 △PAO에서
$$\cos 45°=\frac{\overline{PA}}{\overline{PO}}=\frac{6}{\overline{PO}}$$

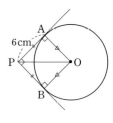

그런데 $\cos 45° = \dfrac{\sqrt{2}}{2}$이므로

$\dfrac{6}{\overline{PO}} = \dfrac{\sqrt{2}}{2}$ $\therefore \overline{PO} = 6\sqrt{2}$ cm

[다른 풀이]

$\overline{PA}$, $\overline{PB}$가 원 O의 접선이므로

$\angle APB + \angle AOB = 180°$, $\overline{PA} = \overline{PB} = 6$ cm

이때, $\angle APB = 90°$이므로

$\angle AOB = 180° - \angle APB = 180° - 90° = 90°$

즉, $\square OAPB$는 한 변의 길이가 6 cm인 정사각형이고, $\overline{PO}$는 이 정사각형의 대각선이므로

$\overline{PO} = \sqrt{2}\,\overline{AP} = 6\sqrt{2}$ (cm)

067 답 ⑤

두 삼각형 PAO, PBO에서

$\overline{PA} = \overline{PB}$ (∵ 접선), $\overline{PO}$는 공통,

$\overline{AO} = \overline{BO}$ (∵ 반지름)이므로

$\triangle PAO \equiv \triangle PBO$(SSS 합동)

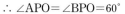

$\therefore \angle APO = \angle BPO = 60°$

원 O의 반지름의 길이는 $\overline{AO}$의 길이와 같고 $\triangle OPA$는 세 내각의 크기가 각각 30°, 60°, 90°인 직각삼각형이므로

$\tan 60° = \dfrac{\overline{OA}}{\overline{PA}} = \dfrac{\overline{OA}}{4}$

그런데 $\tan 60° = \sqrt{3}$이므로 $\dfrac{\overline{OA}}{4} = \sqrt{3}$ $\therefore \overline{AO} = 4\sqrt{3}$ cm

오답피하기

삼각형의 세 내각의 크기가 각각 30°, 60°, 90°인 직각삼각형의 세 변의 길이의 비는 항상 $1 : \sqrt{3} : 2$로 일정해. 이 삼각형의 세 변의 길이의 비가 생각이 나지 않을 때에는 정삼각형을 이등분하면 세 내각의 크기가 30°, 60°, 90°인 삼각형이 만들어지므로 여기에서 30°, 60°에 대한 sin, cos, tan의 값을 각각 구할 수 있지. 외우기보다는 원리를 아는 게 중요해.

068 답 $\dfrac{27\sqrt{3}}{4}$ cm²

$\triangle PAO$, $\triangle PBO$에서 $\overline{PA} = \overline{PB}$ (∵ 접선), $\overline{OA} = \overline{OB}$ (∵ 반지름), $\overline{OP}$는 공통이므로 $\triangle APO \equiv \triangle BPO$(SSS 합동)

$\therefore \angle APO = \angle BPO = 30°$

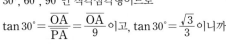

따라서 $\triangle APO$는 세 내각의 크기가 각각 30°, 60°, 90°인 직각삼각형이므로

$\tan 30° = \dfrac{\overline{OA}}{\overline{PA}} = \dfrac{\overline{OA}}{9}$이고, $\tan 30° = \dfrac{\sqrt{3}}{3}$이니까

$\dfrac{\overline{OA}}{9} = \dfrac{\sqrt{3}}{3}$ $\therefore \overline{OA} = 3\sqrt{3}$ cm

한편, $\angle APB + \angle AOB = 180°$에서 $\angle APB = 60°$이므로

$\angle AOB = 180° - 60° = 120°$

$\therefore \triangle OAB = \dfrac{1}{2} \times \overline{OA}^2 \times \sin(180° - 120°)$

$= \dfrac{1}{2} \times (3\sqrt{3})^2 \times \sin 60° = \dfrac{1}{2} \times 27 \times \dfrac{\sqrt{3}}{2}$

$= \dfrac{27\sqrt{3}}{4}$ (cm²)

[다른 풀이]

$\angle APB = 60°$이고 $\overline{PA} = \overline{PB}$이므로 $\triangle APB$는 정삼각형이야.

$\therefore \triangle OAB = \square PBOA - \triangle APB = 2 \times \triangle APO - \triangle APB$

$= 2 \times \left(\dfrac{1}{2} \times 9 \times 3\sqrt{3} \right) - \dfrac{\sqrt{3}}{4} \times 9^2 = \dfrac{27\sqrt{3}}{4}$ (cm²)

069 답 2π cm²

부채꼴 OAB의 넓이를 구하려면 원의 반지름의 길이와 중심각의 크기를 구해야겠지?

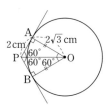

$\triangle PAO$, $\triangle PBO$에서

$\overline{PA} = \overline{PB}$ (∵ 접선), $\overline{OA} = \overline{OB}$ (∵ 반지름),

$\overline{OP}$는 공통이므로

$\triangle PAO \equiv \triangle PBO$(SSS 합동)

$\therefore \angle APO = \angle BPO = 60°$

따라서 $\triangle OPA$는 세 내각의 크기가 30°, 60°, 90°인 직각삼각형이므로

$\tan 60° = \dfrac{\overline{AO}}{\overline{PA}} = \dfrac{\overline{AO}}{2}$

그런데 $\tan 60° = \sqrt{3}$이므로

$\dfrac{\overline{AO}}{2} = \sqrt{3}$

$\therefore \overline{AO} = 2\sqrt{3}$ cm

이제 중심각의 크기를 구하자.

$\angle APB + \angle AOB = 180°$이므로

$\angle AOB = 180° - \angle APB = 180° - 120° = 60°$

$\therefore$ (부채꼴 OAB의 넓이) $= \pi \times (2\sqrt{3})^2 \times \dfrac{60}{360}$

$= 2\pi$ (cm²)

070 답 ⑤

$\overline{CP}$, $\overline{AC}$, $\overline{AR}$는 원 O의 접선이야.

원 밖의 한 점에서 그은 두 접선의 길이는 같으므로

$\overline{CP} = \overline{CQ}$, $\overline{AQ} = \overline{AR}$

이때, $\overline{CP} = 3$ cm에서 $\overline{CQ} = 3$ cm

$\overline{AQ} = \overline{AC} - \overline{CQ} = 7 - 3 = 4$ (cm)

$\therefore \overline{AR} = 4$ cm

또, $\overline{BR}$, $\overline{BP}$는 원 밖의 점 B에서 원 O에 그은 접선이므로

$\overline{BR} = \overline{BP} = 12$ cm

$\therefore \overline{AB} = \overline{BR} - \overline{AR} = 12 - 4 = 8$ (cm)

071 답 18 cm

$\overline{PB}$, $\overline{PA}$, $\overline{CD}$는 원 O의 접선이므로

$\overline{DB} = \overline{DE}$, $\overline{CA} = \overline{CE}$ ⋯ ㉠,

$\overline{PA} = \overline{PB}$ ⋯ ㉡가 성립해.

$$\therefore (\triangle PCD의\ 둘레의\ 길이) = \overline{PD} + \overline{CD} + \overline{CP}$$
$$= \overline{PD} + \overline{DE} + \overline{CE} + \overline{CP}$$
$$= (\overline{PD} + \overline{DB}) + (\overline{CA} + \overline{CP})\ (\because \bigcirc)$$
$$= \overline{PB} + \overline{PA} = 2\ \overline{PA}\ (\because \bigcirc)$$
$$= 2 \times (8+1) = 18\,(cm)$$

072 답 4 cm

$\overline{BC}$, $\overline{BY}$는 원 밖의 한 점 B에서 원 O에 그은 접선이므로
$\overline{BY} = \overline{BC} = 3\,cm$
$$\therefore \overline{PY} = \overline{PB} + \overline{BY} = 8+3 = 11\,(cm)$$
$\overline{PX}$, $\overline{PY}$도 원 밖의 한 점 P에서 원 O에 그은 접선이므로
$\overline{PX} = \overline{PY} = 11\,(cm)$
$$\therefore \overline{AX} = \overline{PX} - \overline{PA} = 11-7 = 4\,(cm)$$
또, $\overline{AX}$, $\overline{AC}$도 원 밖의 한 점 A에서 원 O에 그은 접선이므로
$\overline{AC} = \overline{AX}$　　$\therefore \overline{AC} = 4\,cm$

오답피하기

> 원의 외부의 한 점에서 원에 그은 두 접선의 길이는 같다는 사실
> 이 핵심이야. 따라서 원 O의 외부의 점인 A, B, P에서 그은 각
> 각의 접선들의 길이가 같다고 주어진 그림에 표시하여 풀면 쉽게
> 풀 수 있어. 도형 단원의 문제는 문제의 조건에 의해 생기는 다른
> 조건을 빠짐없이 문제에 나타내면 문제에 보다 쉽게 접근할 수 있
> 는 경우가 많으니까 여기에 주의하자.

073 답 24 cm

점 E는 접선 AE에 대하여 원 O의 접점
이므로 $\overline{AE} \perp \overline{EO}$지?
즉, $\triangle AEO$는 직각삼각형이야.
$$\therefore \overline{AE} = \sqrt{\overline{AO}^2 - \overline{EO}^2}$$
$$= \sqrt{13^2 - 5^2} = 12\,(cm)$$

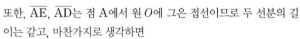

또한, $\overline{AE}$, $\overline{AD}$는 점 A에서 원 O에 그은 접선이므로 두 선분의 길
이는 같고, 마찬가지로 생각하면
$\overline{BE} = \overline{BF}$, $\overline{CF} = \overline{CD}$
따라서 $\triangle ABC$의 둘레의 길이는 두 접선인 $\overline{AD}$, $\overline{AE}$의 길이의 합과
같으므로
$$(\triangle ABC의\ 둘레의\ 길이) = \overline{AD} + \overline{AE}$$
$$= 2\ \overline{AE} = 24\,(cm)$$

074 답 $\sqrt{21}$

점 D에서 $\overline{BC}$에 내린 수선의 발을 H라
하고, 반원의 반지름의 길이를 r라 하면
$\overline{BH} = \overline{AD} = 3$, $\overline{CH} = 7-3 = 4$
$\overline{DE} = \overline{AD} = 3$, $\overline{CE} = \overline{CB} = 7$이므로
$\overline{CD} = 3+7 = 10$
직각삼각형 DHC에서 $\overline{DH} = \overline{AB} = 2r$이므로
$$10^2 = (2r)^2 + 4^2$$
$$r^2 = 21$$
$$\therefore r = \sqrt{21}\ (\because r > 0)$$

075 답 ⑤

$\overline{AD}$, $\overline{BC}$, $\overline{DC}$는 반원 O의 접선이므로
$\overline{DE} = \overline{AD} = 2\,cm$,
$\overline{CE} = \overline{CB} = 5\,cm$
$$\therefore \overline{DC} = \overline{DE} + \overline{CE} = 7\,(cm)$$
점 D에서 $\overline{BC}$에 내린 수선의 발을 H라 하
면 $\overline{BH} = \overline{AD} = 2\,cm$이므로
$\overline{CH} = \overline{BC} - \overline{BH} = 5-2 = 3\,(cm)$

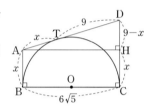

$\triangle DHC$는 직각삼각형이므로 피타고라스
정리를 적용하면
$$\overline{AB} = \overline{DH} = \sqrt{\overline{DC}^2 - \overline{HC}^2}$$
$$= \sqrt{7^2 - 3^2} = 2\sqrt{10}\,(cm)$$
따라서 반원 O의 반지름의 길이는
$$\frac{1}{2}\overline{AB} = \sqrt{10}\,(cm)$$

076 답 5

점 A에서 $\overline{CD}$에 내린 수선의 발을
H라 하고 $\overline{AB} = x$라 하자.
$\overline{AB}$, $\overline{AD}$, $\overline{CD}$는 반원 O의 접선이
므로
$\overline{AT} = \overline{AB} = x$,
$\overline{DT} = \overline{DC} = 9$
$\overline{AH} = \overline{BC} = 6\sqrt{5}$

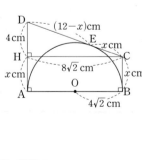

직각삼각형 AHD에서 피타고라스 정리를 적용하면
$$\overline{AD}^2 = \overline{DH}^2 + \overline{AH}^2$$
$$(x+9)^2 = (9-x)^2 + (6\sqrt{5})^2$$
$$x^2 + 18x + 81 = 81 - 18x + x^2 + 180$$
$$36x = 180\quad \therefore x = 5\quad \therefore \overline{AB} = 5$$

오답피하기

> 반원이 사각형에 내접하는 문제를 원이 사각형에 내접하는 문제
> 와 혼동하는 경우가 많아.
> 즉, $\overline{AB} + \overline{CD} = \overline{AD} + \overline{BC}$라고 무심코 놓고 푸는 경우가 아주
> 많아. 원이 사각형에 내접하는 경우가 아니라 반원이 내접하는 경
> 우이므로 원 밖의 한 점에서 그은 접선의 길이가 같음과 피타고라
> 스 정리를 이용해서 문제를 풀어야 돼!

077 답 4 cm

점 C에서 $\overline{AD}$에 내린 수선의 발을
H라 하자.
$\overline{DC} = 12\,cm$,
$\overline{CH} = \overline{AB} = 8\sqrt{2}\,cm$이므로
직각삼각형 DHC에서 피타고라
스 정리를 적용하면
$$\overline{DH} = \sqrt{\overline{DC}^2 - \overline{CH}^2}$$
$$= \sqrt{12^2 - (8\sqrt{2})^2} = 4\,(cm)$$
이때, $\overline{BC} = \overline{AH} = x\,cm$라 하면 $\overline{DE} = \overline{DA}$이므로
$$12-x = 4+x\quad \therefore x-4$$
$$\therefore \overline{BC} = 4\,cm$$

[다른 풀이]

$\overline{AD}$, $\overline{CD}$, $\overline{BC}$가 반원 O의
접선이므로
$\overline{BC}=\overline{CE}=x$ cm,
$\overline{DA}=\overline{DE}=(12-x)$ cm
$\Rightarrow \overline{DH}=(12-2x)$ cm

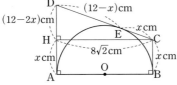

직각삼각형 CDH에서 피타고라스 정리를 적용하면
$$\overline{CD}^2=\overline{CH}^2+\overline{DH}^2$$
$$12^2=(8\sqrt{2})^2+(12-2x)^2$$
$$x^2-12x+32=0$$
$$(x-8)(x-4)=0$$
$$\therefore x=4 \ (\because \overline{AD}>\overline{BC})$$

078 답 6 cm

$\overline{AB}$는 반지름의 길이가 5 cm인 원의 접선이
기도 하지만, 반지름의 길이가 5 cm인 원의
현이므로 중심 O에 대하여
$\overline{OP}\perp\overline{AB}$, $\overline{AB}=2\,\overline{AP}$가 성립해.

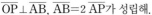

따라서 직각삼각형 OAP에서 피타고라스 정
리를 적용하면
$$\overline{AP}=\sqrt{\overline{OA}^2-\overline{OP}^2}=\sqrt{5^2-4^2}=3(\text{cm})$$
$$\therefore \overline{AB}=2\,\overline{AP}=2\times 3=6(\text{cm})$$

079 답 ⑤

$\overline{ON}$은 $\overline{AB}$를 수직이등분하므로 △OAM은
직각삼각형이고, $\overline{AB}=2\,\overline{AM}$이야.
$\overline{OA}=\overline{ON}=7(\text{cm})$

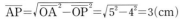

직각삼각형 OAM에 피타고라스 정리를 적용
하면
$$\overline{AM}=\sqrt{\overline{OA}^2-\overline{OM}^2}$$
$$=\sqrt{7^2-3^2}=2\sqrt{10}\ (\text{cm})$$
$$\therefore \overline{AB}=2\,\overline{AM}=4\sqrt{10}\ (\text{cm})$$

080 답 15

△OAH에서 $\angle AHO=90°$이므로 $\overline{AH}=\sqrt{10^2-6^2}=8$
$\overline{OH}\perp\overline{AB}$이므로 $\overline{BH}=\overline{AH}=8$
△ACD에서 $\angle ADC=90°$이고
$\overline{AD}=2\overline{OA}=20$, $\overline{AC}=\overline{AH}+\overline{BH}+\overline{BC}=25$이므로
$$\overline{CD}=\sqrt{25^2-20^2}=\sqrt{225}=15$$

081 답 1 cm

원의 중심과 접점을 이은 반지름은 접선과
수직이므로 $\overline{OR}\perp\overline{CD}$, $\overline{OQ}\perp\overline{AB}$이고
$\overline{OR}=\overline{OQ}=3$ cm지?

따라서 $\angle QPR=90°$이므로 □OQPR는 정
사각형이 돼.
이때, $\overline{OB}=5$ cm이므로 직각삼각형 OQB
에서 피타고라스 정리를 적용하면
$$\overline{QB}=\sqrt{5^2-3^2}=4(\text{cm})$$
$$\therefore \overline{BP}=\overline{QB}-\overline{PQ}=4-3=1(\text{cm})$$

082 답 6 cm

$\overline{CE}=\overline{CF}=x$ cm로 놓으면 $\overline{AD}=\overline{AF}=(9-x)$ cm,
$\overline{BD}=\overline{BE}=(10-x)$ cm
$\overline{AB}=\overline{AD}+\overline{BD}=(9-x)+(10-x)=7$이므로
$2x=12$ $\quad\therefore x=6$ $\quad\therefore \overline{CF}=6$ cm

[다른 풀이]

$\overline{CF}=\overline{CE}=x$ cm, $\overline{BE}=\overline{BD}=y$ cm, $\overline{AF}=\overline{AD}=z$ cm로 놓으면
$x+y=10 \cdots$ ㉠
$y+z=7 \cdots$ ㉡
$z+x=9 \cdots$ ㉢
㉠+㉡+㉢을 하면
$2(x+y+z)=26$, $x+y+z=13$
$x+7=13 \ (\because$ ㉡$)$ $\quad\therefore x=6$
$\therefore \overline{CF}=6$ cm

083 답 13 cm

두 접점 E, F에서 $\overline{AF}=\overline{AE}=3$ cm이므로
$\overline{BD}=\overline{BF}=11-3=8(\text{cm})$, $\overline{CD}=\overline{CE}=8-3=5(\text{cm})$
$$\therefore \overline{BC}=\overline{BD}+\overline{CD}=8+5=13(\text{cm})$$

084 답 ③

△ABC가 직각삼각형이므로 피타고라스 정리를 적용하면
$$\overline{BC}=\sqrt{\overline{AB}^2-\overline{AC}^2}=\sqrt{10^2-6^2}=8(\text{cm})$$
세 점 D, E, F가 원 O의 접점이므로
$\overline{AD}=\overline{AE}$, $\overline{BE}=\overline{BF}$, $\overline{CF}=\overline{CD}$
△ABC의 둘레의 길이는 $10+6+8=24(\text{cm})$이므로
$$(\overline{AD}+\overline{AE})+(\overline{BE}+\overline{BF})+(\overline{CF}+\overline{CD})=2\overline{AE}+2\overline{BF}+2\overline{CD}$$
$$=2(\overline{AE}+\overline{BF}+\overline{CD})$$
$$=24(\text{cm})$$
$$\therefore \overline{AE}+\overline{BF}+\overline{CD}=12(\text{cm})$$

085 답 13 cm

원 밖의 한 점에서 원에 그은 두 접선의 길이는 같음을 이용하여
△BDE의 둘레의 길이를 구하자.
$\overline{AB}$, $\overline{BC}$, $\overline{CA}$와 원 O의 접점을 각각 P, Q, R라 하면
$\overline{BP}=\overline{BQ}$, $\overline{CQ}=\overline{CR}$, $\overline{AP}=\overline{AR} \cdots$ ㉠
또, $\overline{ED}$와 원 O의 접점을 S라 하면
$\overline{EP}=\overline{ES}$, $\overline{DQ}=\overline{DS} \cdots$ ㉡

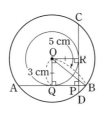

(△BDE의 둘레의 길이)
$$=\overline{BE}+\overline{BD}+\overline{DE}$$
$$=\overline{BE}+\overline{BD}+(\overline{ES}+\overline{DS})$$
$$=\overline{BE}+\overline{BD}+(\overline{EP}+\overline{DQ})(\because ㉡)$$
$$=\overline{BE}+\overline{EP}+\overline{BD}+\overline{DQ}$$
$$=\overline{BP}+\overline{BQ}$$
$$=(\overline{AB}-\overline{AP})+(\overline{BC}-\overline{CQ})$$
$$=(9-\overline{AP})+(11-\overline{CQ})$$
$$=20-(\overline{AP}+\overline{CQ})$$
$$=20-(\overline{AR}+\overline{CR})(\because ㉠)$$
$$=20-\overline{AC}=20-7=13(\text{cm})$$

$\overline{AP}=\overline{AR}=x$ cm라 하면 $\overline{BP}=(9-x)$ cm, $\overline{CR}=(7-x)$ cm

이때, 세 점 P, Q, R가 원 O의 접점이므로

$\overline{BQ}=\overline{BP}=(9-x)$ cm, $\overline{CQ}=\overline{CR}=(7-x)$ cm

한편, $\overline{BC}=\overline{BQ}+\overline{CQ}$이므로

$11=(9-x)+(7-x)$ $\therefore x=2.5$

즉, $\overline{AP}=2.5$ cm이므로

$\overline{BP}=\overline{AB}-\overline{AP}=9-2.5=6.5$(cm), $\overline{BQ}=\overline{BP}=6.5$ cm

따라서 △BDE의 둘레의 길이는

$\overline{BE}+\overline{ES}+\overline{SD}+\overline{DB}=\overline{BE}+\overline{EP}+\overline{DQ}+\overline{DB}$
$=\overline{BP}+\overline{BQ}$
$=6.5+6.5=13$(cm)

086 답 1 cm

직각삼각형 ABC에서 피타고라스 정리에 의해

$\overline{AB}=\sqrt{3^2+4^2}=5$(cm)

점 O에서 $\overline{BC}$, $\overline{AC}$, $\overline{AB}$에 내린 수선의

발을 각각 D, E, F라 하면

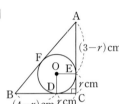

$\overline{CD}=\overline{CE}=r$ cm

$\overline{BF}=\overline{BD}=(4-r)$ cm

$\overline{AF}=\overline{AE}=(3-r)$ cm

$\overline{AB}=\overline{AF}+\overline{BF}$
$=(3-r)+(4-r)=5$

$\therefore r=1$

따라서 내접원의 반지름의 길이는 1 cm이다.

087 답 $(6-\pi)$ cm²

△ABC는 직각삼각형이므로 피타고라스 정리를 적용하면

$\overline{AB}=\sqrt{\overline{BC}^2+\overline{AC}^2}$
$=\sqrt{4^2+3^2}=5$(cm)

이때, 원 O의 반지름의 길이를 r cm라 하면

$(4-r)+(3-r)=5$ $\therefore r=1$

이때, 색칠한 부분은 △ABC의 넓이에서 원 O의 넓이를 뺀 부분이지?

$\therefore$ (색칠한 부분의 넓이)$=\dfrac{1}{2}\times 3\times 4-\pi\times 1^2=6-\pi$(cm²)

088 답 ⑤

원 O의 반지름의 길이를 r cm라 하면 정사각형 AFOE의 한 변의

길이는 r cm야.

$\overline{EC}=\overline{DC}=4$ cm, $\overline{BF}=\overline{BD}=6$ cm, $\overline{AF}=\overline{AE}=r$ cm이므로

직각삼각형 ABC에서 피타고라스 정리를 적용하면

$\overline{BC}^2=\overline{AB}^2+\overline{AC}^2=(\overline{AF}+\overline{BF})^2+(\overline{AE}+\overline{CE})^2$

$10^2=(r+6)^2+(r+4)^2$, $r^2+10r-24=0$

$(r+12)(r-2)=0$ $\therefore r=2$ ($\because r>0$)

따라서 원 O의 둘레의 길이는

$2\pi\times 2=4\pi$(cm)

★ 직각삼각형의 내접원의 성질

(1) $\overline{AB}^2=\overline{BC}^2+\overline{CA}^2$ $\therefore c^2=a^2+b^2$

(2) □ODCE에서

∠DCE = ∠ODC = ∠OEC = 90°

이고 $\overline{OD}=\overline{OE}=r$이므로

□ODCE는 한 변의 길이가 r인

정사각형이야.

(3) 세 접점 D, E, F에 의해 $\overline{DC}=\overline{EC}$, $\overline{AE}=\overline{AF}$,

$\overline{BF}=\overline{BD}$이므로

$\overline{BF}=\overline{BD}=a-r$, $\overline{AF}=\overline{AE}=b-r$

$\therefore c=(a-r)+(b-r)$

(4) △ABC = △OAB + △OBC + △OCA

$\therefore \dfrac{1}{2}ab=\dfrac{1}{2}r(a+b+c)$

089 답 60 cm²

□OMCN은 정사각형이고 원 O의 반지름의 길이가 3 cm지?

세 점 L, M, N이 원 O의 접점이므로

$\overline{MC}=\overline{NC}=3$ cm, $\overline{BL}=\overline{BM}=5$ cm야.

이때, $\overline{AL}=\overline{AN}=x$ cm라 하고 직각삼각형

ABC에서 피타고라스 정리를 적용하면

$\overline{BC}^2+\overline{AC}^2=\overline{AB}^2$이므로

$8^2+(3+x)^2=(5+x)^2$

$64+9+6x+x^2=25+10x+x^2$

$4x=48$ $\therefore x=12$

$\overline{AC}=\overline{NC}+\overline{AN}=3+12=15$(cm)

$\therefore$ △ABC$=\dfrac{1}{2}\times\overline{BC}\times\overline{AC}$

$=\dfrac{1}{2}\times 8\times 15=60$(cm²)

090 답 6 cm

원에 외접하는 사각형의 두 쌍의 대변의 길이의 합은 서로 같으므로

$\overline{AB}+\overline{CD}=\overline{AD}+\overline{BC}$이지?

$6+\overline{CD}=4+8$

$\therefore \overline{CD}=6$ cm

★ 외접사각형의 성질

□ABCD가 원 O에 외접하고 접점을 각각 P, Q,

R, S라 하면 원 밖의 한 점에서 원에 그은 두 접

선의 길이가 같으므로

(1) $\overline{AP}=\overline{AS}$, $\overline{BP}=\overline{BQ}$, $\overline{CQ}=\overline{CR}$, $\overline{DR}=\overline{DS}$

(2) $\overline{AB}+\overline{CD}=\overline{AD}+\overline{BC}$

$\therefore \overline{AB}+\overline{CD}=(\overline{AP}+\overline{BP})+(\overline{CR}+\overline{DR})$
$=(\overline{AS}+\overline{BQ})+(\overline{CQ}+\overline{DS})$
$=(\overline{AS}+\overline{DS})+(\overline{BQ}+\overline{CQ})$
$=\overline{AD}+\overline{BC}$

091 답 ⑤

□ABCD가 원 O에 외접하므로
$$\overline{AB}+\overline{CD}=\overline{AD}+\overline{BC}$$
$$7+5=3+5+\overline{CF}$$
$$\therefore \overline{CF}=4\ cm$$

092 답 ②

원에 외접하는 사각형의 두 쌍의 대변의 길이의 합은 서로 같으므로
$$(4x-1)+2x=3x+(2x+2)$$
$$\therefore x=3$$

093 답 ⑤

□ABCD가 원 O에 외접하므로
$\overline{AB}+\overline{CD}=\overline{AD}+\overline{BC}$가 성립해.
$$(\overline{AP}+6)+(\overline{CR}+4)=10+8$$
$$\therefore \overline{AP}+\overline{CR}=8\ cm$$

[다른 풀이]

원 밖의 한 점에서 그은 두 접선의 길이가
서로 같음을 이용해 보자.
$\overline{DS}=\overline{DR}=4\ cm$이므로
$\overline{AP}=\overline{AS}=10-4=6(cm)$
또, $\overline{BQ}=\overline{BP}=6\ cm$이므로
$\overline{CR}=\overline{CQ}=8-6=2(cm)$
$\therefore \overline{AP}+\overline{CR}=6+2=8(cm)$

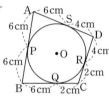

094 답 ③

$\overline{AQ}=\overline{AP}=4\ cm$이므로
$$\overline{AB}=\overline{AQ}+\overline{BQ}=2\overline{AQ}=2\times4=8(cm)$$
한편, □ABCD는 원 O에 외접하므로
$$\overline{AB}+\overline{CD}=\overline{AD}+\overline{BC}$$
$$8+10=\overline{AD}+12$$
$$\therefore \overline{AD}=6\ cm$$
이때, $\overline{AP}=4\ cm$이므로
$$\overline{DP}=\overline{AD}-\overline{AP}=6-4=2(cm)$$

[다른 풀이]

원 O의 접선인 $\overline{BC}$, $\overline{CD}$에서 접점을
각각 E, F라 하자. 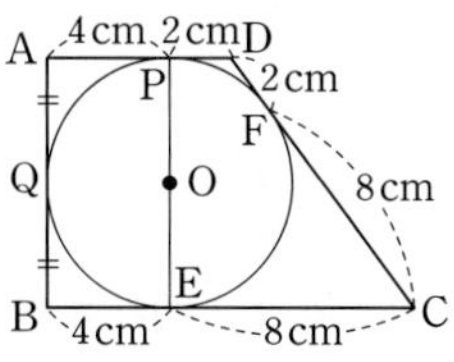
$\overline{BE}=\overline{BQ}=4\ cm$이므로
$\overline{CE}=\overline{BC}-\overline{BE}=12-4=8(cm)$
접선의 성질에 의해
$\overline{CF}=\overline{CE}=8(cm)$
$\therefore \overline{DP}=\overline{DF}=\overline{CD}-\overline{CF}$
$\qquad =10-8=2(cm)$

095 답 ②

△DBC는 직각삼각형이므로 피타고라스 정리를 적용하면
$$\overline{DC}=\sqrt{\overline{BD}^2-\overline{BC}^2}=\sqrt{15^2-12^2}=9(cm)$$
한편, □ABCD는 원 O에 외접하므로
$\overline{AB}+\overline{CD}=\overline{AD}+\overline{BC}$에서 $\overline{AB}+9=8+12$
$$\therefore \overline{AB}=11\ cm$$

096 답 6 cm

원 O의 반지름의 길이를 $r\ cm$라
하면 $\overline{AD}/\!/\overline{BC}$에 의해 $\overline{AB}$는
원 O의 지름이므로 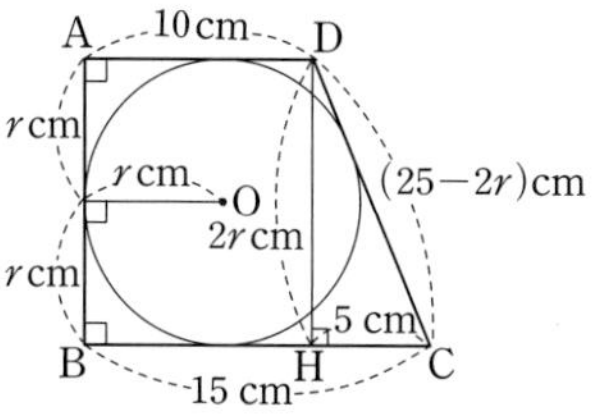
$\overline{AB}=2r\ cm$

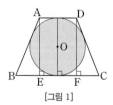

원에 외접하는 사각형의 두 쌍의
대변의 길이의 합은 서로 같으므로
$$\overline{AB}+\overline{CD}=\overline{AD}+\overline{BC}=10+15=25(cm)$$
$$2r+\overline{CD}=25$$
$$\therefore \overline{CD}=(25-2r)\ cm$$
이때, 점 D에서 $\overline{BC}$에 내린 수선의 발을 H라 하면 $\overline{BH}=10\ cm$이
고 $\overline{HC}=5\ cm$이므로 직각삼각형 DHC에서 피타고라스 정리를 적
용하면
$$(2r)^2+5^2=(25-2r)^2$$
$$4r^2+25=625-100r+4r^2$$
$$100r=600 \qquad \therefore r=6$$

097 답 ④

□ABCD는 등변사다리꼴이므로 $\overline{AB}=\overline{DC}$야.
이때, $\overline{AB}+\overline{DC}=\overline{AD}+\overline{BC}=8+16=24(cm)$이므로
$$2\overline{AB}=24 \qquad \therefore \overline{AB}=12\ cm$$
점 A에서 $\overline{BC}$에 내린 수선의 발을
H라 하면 직각삼각형 ABH에서 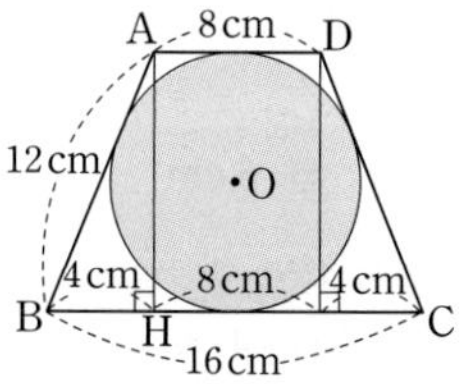
$\overline{BH}=\dfrac{1}{2}\times(16-8)=4(cm)$이므로
$\overline{AH}=\sqrt{12^2-4^2}=8\sqrt{2}\ (cm)$
따라서 원 O의 반지름의 길이는
$\dfrac{1}{2}\overline{AH}=4\sqrt{2}\ (cm)$이므로 원 O의 넓이는
$$\pi\times(4\sqrt{2})^2=32\pi(cm^2)$$

외답 피하기

외접사각형이 어떤 사각형이냐에 따라 적절한 도형의 성질을 이
용해야 해. 097번 문제를 살펴보자.
□ABCD가 등변사다리꼴이라고 하면
$\overline{AD}/\!/\overline{BC}$이고 $\overline{AB}=\overline{DC}$야.
따라서 [그림 1]과 같이 $\overline{BE}=\overline{CF}$,
$\overline{AD}=\overline{EF}$가 되지.
즉, $\overline{BE}=\dfrac{1}{2}(\overline{BC}-\overline{AD})$야.

[그림 1]

또한, [그림 1]에서 원 O의 반지름의 길이는 $\dfrac{1}{2}\overline{AE}$가 돼.
반면, 096번 문제의 도형은 $\angle A=\angle B=90°$이므로
$\overline{AD}/\!/\overline{BC}$가 되어 사다리꼴이지?
[그림 2]와 같은 □ABCD에 내접한
원의 반지름의 길이는 $\dfrac{1}{2}\overline{AB}$가 됨을
알 수 있겠지?
따라서 $\overline{AD}/\!/\overline{BC}$이고 $\overline{AD}$와 $\overline{BC}$가 원
의 접선일 때, 이 원의 반지름의 길이
는 두 선분 AD와 BC 사이의 거리의 $\dfrac{1}{2}$배임을 알아 두자.

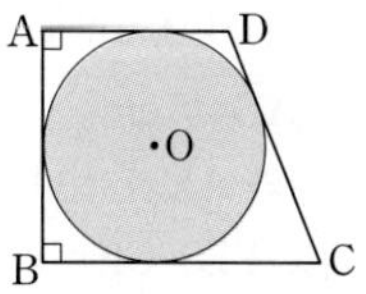

[그림 2]

098 답 **3 cm**

직각삼각형 DEC에 피타고라스
정리를 적용하면

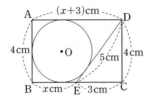

$\overline{CE}=\sqrt{5^2-4^2}=3\,(\text{cm})$

$\overline{BE}=x\,\text{cm}$로 놓으면

$\overline{AD}=\overline{BC}=(x+3)\,\text{cm}$이고

□ABED가 원 O에 외접하므로

$\overline{AB}+\overline{DE}=\overline{AD}+\overline{BE}$

$4+5=(x+3)+x$ ∴ $x=3$ ∴ $\overline{BE}=3\,\text{cm}$

099 답 **2**

$\overline{AB}=8$이므로 원 O의 반지름의 길이
는 4야. 즉, 그림과 같이 $\overline{AG}=\overline{BH}=4$야.

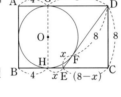

$\overline{EF}=x$라 하면 $\overline{BE}=4+x$이므로

$\overline{EC}=\overline{BC}-\overline{BE}=12-(4+x)=8-x$

원 밖의 한 점에서 원에 그은 접선의 길
이는 같지?

$\overline{AG}=4$이므로 $\overline{DF}=\overline{DG}=12-4=8$ ∴ $\overline{DE}=8+x$

△DEC는 직각삼각형이므로 피타고라스 정리를 적용하면

$\overline{DE}^2=\overline{CE}^2+\overline{CD}^2$

$(8+x)^2=(8-x)^2+8^2$

$64+16x+x^2=64-16x+x^2+64$

$32x=64$ ∴ $x=2$ ∴ $\overline{EF}=2$

100 답 **6 cm²**

그림과 같이 접점을 P, Q, R, S라 하자.

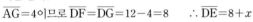

$\overline{DC}=\overline{AB}=4\,\text{cm},$

$\overline{AS}=\overline{BQ}=2\,\text{cm}$이므로

$\overline{QC}=\overline{SD}=\overline{DR}=4\,\text{cm}$

이때, $\overline{QE}=\overline{ER}=x\,\text{cm}$라 하면

$\overline{EC}=(4-x)\,\text{cm},$

$\overline{DE}=(4+x)\,\text{cm}$

직각삼각형 DEC에서 피타고라스 정리를 적용하면

$\overline{DE}^2=\overline{EC}^2+\overline{CD}^2$

$(4+x)^2=(4-x)^2+4^2$

$16+8x+x^2=16-8x+x^2+16$

$16x=16$ ∴ $x=1$

따라서 $\overline{CE}=4-1=3\,(\text{cm})$이므로

$\triangle CDE=\dfrac{1}{2}\times\overline{CE}\times\overline{CD}=\dfrac{1}{2}\times 3\times 4=6\,(\text{cm}^2)$

101 답 **10 cm**

□ABCD가 정사각형이므로

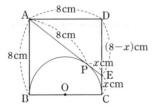

$\overline{AD}=\overline{AB}=8\,\text{cm}$

반원 O와 $\overline{AE}$가 접하는 점을 P
라 하고 $\overline{PE}=\overline{CE}=x\,\text{cm}$라 하
면 $\overline{AP}=\overline{AB}=8\,\text{cm}$이므로

$\overline{AE}=(8+x)\,\text{cm}$이고

$\overline{DE}=(8-x)\,\text{cm}$

직각삼각형 ADE에서 피타고라스 정리를 적용하면

$\overline{AE}^2=\overline{DE}^2+\overline{AD}^2$

$(8+x)^2=(8-x)^2+8^2$

$64+16x+x^2=64-16x+x^2+64$

$32x=64$ ∴ $x=2$

∴ $\overline{AE}=\overline{AP}+\overline{PE}=8+2=10\,(\text{cm})$

102 답 **4 cm**

$\overline{AB}=18\,\text{cm}$이므로 원 O의 반지름
의 길이는 9 cm야.

두 원의 중심 O, O'에서 $\overline{BC}$에 내
린 수선의 발을 각각 E, F라 하자.

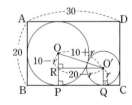

또, 점 O'에서 $\overline{OE}$에 내린 수선의
발을 H라 하고, 원 O'의 반지름의
길이를 $r\,\text{cm}$라 하면

$\overline{OO'}=(9+r)\,\text{cm},$

$\overline{HO'}=\overline{EF}=\overline{BC}-\overline{BE}-\overline{FC}$

$\qquad=25-9-r=(16-r)\,\text{cm}$

$\overline{OH}=(9-r)\,\text{cm}$

직각삼각형 OHO'에서 피타고라스 정리를 적용하면

$\overline{OO'}^2=\overline{OH}^2+\overline{HO'}^2$

$(9+r)^2=(9-r)^2+(16-r)^2$

$81+18r+r^2=81-18r+r^2+256-32r+r^2$

$r^2-68r+256=0$

$(r-64)(r-4)=0$

∴ $r=4\ (\because r<9)$

오답피하기

크기가 다른 두 원이 각각 직사각형에 내접하는 문제는 102번 풀
이에 있는 그림과 같이 두 원의 중심을 이은 선분을 빗변으로 하
는 직각삼각형을 만들어 피타고라스 정리를 이용하여 풀어야 하
는 거야. 이때, $\overline{HO'}$의 길이는 직사각형의 가로의 길이에서 두 원
의 반지름의 길이를 빼야 함을 이해하자.

103 답 $40(2-\sqrt{3})\pi$

원 O의 지름은 직사각형 ABCD의
세로의 길이와 같으므로 원 O의 반
지름의 길이는 10이야. 원 O'의 반지
름의 길이를 r, $\overline{BC}$와 두 원 O, O'의
접점을 각각 P, Q라 하면

$\overline{PQ}=\overline{BC}-\overline{BP}-\overline{CQ}$

$\qquad=30-10-r=20-r$

점 O'에서 $\overline{OP}$에 내린 수선의 발을 R라 하면

$\overline{O'R}=\overline{PQ}=20-r$

$\overline{OR}=\overline{OP}-\overline{RP}=10-r$

$\overline{OO'}=10+r$

△OO'R는 직각삼각형이므로 피타고라스 정리를 적용하면

$\overline{OO'}^2=\overline{OR}^2+\overline{O'R}^2$

$(10+r)^2=(10-r)^2+(20-r)^2$

$100+20r+r^2=100-20r+r^2+400-40r+r^2$

$r^2 - 80r + 400 = 0$

$\therefore r = 40 \pm 20\sqrt{3}$

이때, $0 < r < 10$이므로 $r = 40 - 20\sqrt{3}$이야.

$\therefore$ (원 O'의 둘레의 길이)$= 2\pi \times 20(2-\sqrt{3}) = 40(2-\sqrt{3})\pi$

104 답 2 : 1

반원 O의 반지름의 길이가 20이므로
원 P의 반지름의 길이는 10이야.
또한, 그림과 같이 원 Q의 반지름의 길
이를 r, 점 Q에서 $\overline{PO}$에 내린 수선의 발
을 H, $\overline{OQ}$의 연장선이 반원 O와 만나는 점을 I라 하면

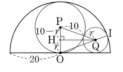

$\overline{HO} = r$, $\overline{OQ} = \overline{OI} - \overline{QI} = 20 - r$

$\overline{PQ} = 10 + r$, $\overline{PH} = \overline{PO} - \overline{HO} = 10 - r$

이때, $\triangle PHQ$, $\triangle OQH$는 직각삼각형이므로 두 삼각형에서 피타고라스 정리를 적용하여 원 Q의 반지름의 길이를 구하자.

(i) $\triangle PHQ$에서

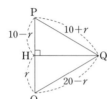

$\overline{HQ}^2 = \overline{PQ}^2 - \overline{PH}^2$
$= (10+r)^2 - (10-r)^2$
$= 40r \cdots$ ㉠

(ii) $\triangle OQH$에서

$\overline{HQ}^2 = \overline{OQ}^2 - \overline{HO}^2$
$= (20-r)^2 - r^2$
$= 400 - 40r \cdots$ ㉡

㉠=㉡이므로

$40r = 400 - 40r$ $\therefore r = 5$

따라서 원 P의 반지름의 길이는 10, 원 Q의 반지름의 길이는 5이므로 두 원의 반지름의 길이의 비는 2 : 1이야.

오답피하기

이 문제는 앞의 102, 103번 문제와는 그 성격이 달라. 아래 그림처럼 반원 O의 지름의 양 끝점을 A, B라 하고, 점 Q에서 $\overline{AB}$에 내린 수선의 발을 R라 하면 앞 문제들과는 달리 $\overline{RB} \neq r$이기 때문에 $\overline{OR} = \overline{HQ} = 20 - r$라고 놓을 수 없고, 이렇게 놓는다면 틀린 답이 나오게 돼. 따라서 $\overline{OQ}$를 추가적으로 그려서 피타고라스 정리를 두 번 사용해야 올바른 답이 나와.

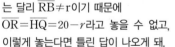

105 답 $2\sqrt{6}$ cm

원 밖의 한 점 P에서 원에 그은 접선의
길이는 같으므로

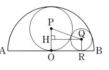

$\overline{PA} = \overline{PT} = \overline{PB} \cdots$ ㉠

또한, 두 점 A, B는 접점이므로

$\overline{OA} \perp \overline{AB}$, $\overline{O'B} \perp \overline{AB}$

이때, 점 O에서 $\overline{O'B}$에 내린 수선의 발을 H라 하면

$\overline{BH} = \overline{OA} = 4$ cm이므로

$\overline{O'H} = \overline{O'B} - \overline{BH} = 6 - 4 = 2$ (cm)

직각삼각형 OO'H에서 $\overline{OO'} = 10$ cm, $\overline{OH} = 2$ cm이므로 피타고라스 정리를 적용하면

$\overline{AB} = \overline{OH} = \sqrt{\overline{OO'}^2 - \overline{O'H}^2} = \sqrt{10^2 - 2^2} = 4\sqrt{6}$ (cm)

이때, ㉠에 의해 $\overline{PT} = \dfrac{1}{2}\overline{AB}$

$\therefore \overline{PT} = \dfrac{1}{2} \times 4\sqrt{6} = 2\sqrt{6}$ (cm)

잘 틀리는 유형 훈련 +1up
p. 68

106 답 ③

1st 평행하다는 조건과 이등변삼각형의 두 밑각의 크기가 같음을 이용하여 $\overparen{CD}$의 중심각의 크기를 구하자.

$\angle CDO = \angle BOD = 20°$($\because$ 엇각)

이때, $\triangle OCD$는 $\overline{OC} = \overline{OD}$인 이등변삼
각형이므로

$\angle DCO = \angle CDO = 20°$

$\therefore \angle COD = 180° - (20° + 20°)$
$= 140°$

2nd 한 원에서 호의 길이는 중심각의 크기에 정비례해.

$\overparen{BD} : \overparen{CD} = \angle BOD : \angle COD$

$3 : \overparen{CD} = 20° : 140°$

$\therefore \overparen{CD} = 21$ cm

오답피하기

평행선의 성질을 이용하여 중심각의 크기를 구할 수 있어야 해. '호의 길이는 중심각의 크기에 정비례한다.'는 것만으로는 문제를 해결할 수 없어. 평행선의 성질과 위치 관계 내용을 다시 생각해 봐!

107 답 5 cm

1st 이등변삼각형의 두 밑각의 크기는 같음을 이용하여 $\angle DOE$, $\angle AOC$의 크기를 각각 구하자.

$\overline{DE} = \overline{DO}$에서
$\angle DOE = \angle DEO = 15°$이고
$\angle ODC$는 $\triangle ODE$의 한 외각이므로
$\angle ODC = \angle DEO + \angle DOE = 30°$
이때, $\overline{OC} = \overline{OD}$에서 $\triangle COD$는 이
등변삼각형이므로 $\angle OCD = \angle ODC = 30°$
또한, $\angle AOC$는 $\triangle CEO$의 한 외각이므로
$\angle AOC = \angle OEC + \angle OCE = 45°$

2nd 한 원에서 호의 길이는 중심각의 크기에 정비례해.

$45° : 15° = \overparen{AC} : \overparen{BD}$

$3 : 1 = 15 : \overparen{BD}$

$\therefore \overparen{BD} = 5$ cm

정답 및 해설 63

108 답 $(12\pi - 9\sqrt{3})\,\text{cm}^2$

1st 원의 중심에서 현에 내린 수선은 그 현을 이등분해.
$\overline{AB} \perp \overline{OP}$이므로 $\overline{AM} = \overline{BM}$이야.
$\therefore \overline{AM} = 3\sqrt{3}\,\text{cm}$

2nd 피타고라스 정리를 이용하여 원 O의 반지름의 길이를 구하자.
이때, 원 O의 반지름의 길이를 $r\,\text{cm}$라 하면
$\overline{OM} = (r-3)\,\text{cm}$, $\overline{OA} = r\,\text{cm}$이므로 직
각삼각형 OAM에서 피타고라스 정리를
적용하면 $\overline{OA}^2 = \overline{AM}^2 + \overline{OM}^2$
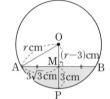
$r^2 = (3\sqrt{3})^2 + (r-3)^2$
$6r = 36$ $\therefore r = 6$

3rd 색칠한 부분의 넓이는 부채꼴 OAB의 넓이에서 삼각형 OAB
의 넓이를 빼면 되지?
$$\cos(\angle AOM) = \frac{\overline{OM}}{\overline{OA}} = \frac{3}{6} = \frac{1}{2}$$
그런데 $\cos 60° = \dfrac{1}{2}$이므로 $\angle AOM = 60°$
$\angle AOB = 2\angle AOM = 120°$
$\therefore$ (색칠한 부분의 넓이) $=$ (부채꼴 OAB의 넓이) $-$ (삼각형 OAB의 넓이)
$$= \pi \times 6^2 \times \frac{120}{360} - \frac{1}{2} \times 6\sqrt{3} \times 3$$
$$= 12\pi - 9\sqrt{3}\,(\text{cm}^2)$$

오답|피하기

색칠한 부분의 넓이를 구하기 위해 우선 원의 반지름의 길이가 필
요함을 알아야 해. 따라서 원의 반지름의 길이를 미지수로 두고
△OAM에서 피타고라스 정리를 이용해야 해. 문제에서 주어진 조
건을 이용하여 그림에 표시를 하면 조건을 이용하기가 좀 더 쉬워.
부채꼴의 넓이를 구하기 위해 중심각의 크기가 필요한데 알 수 있
는 것은 $\overline{OA}$, $\overline{AM}$, $\overline{OM}$의 길이이므로 삼각비를 이용하여 각의 크
기를 구해야 해. 특수각에 대한 삼각비는 자주 나오니까 반드시 기
억하고 있자.

109 답 10 cm

1st 한 원에서 현의 수직이등분선은 그 원의 중심을 지나지?
$\overline{CD}$는 현 AB를 수직이등분하므로
$\overline{CD}$의 연장선은 원 O의 중심을 지나.
이때, 원 O의 반지름의 길이를 $r\,\text{cm}$라
하면 $\overline{OD} = (r-4)\,\text{cm}$, $\overline{OA} = r\,\text{cm}$

2nd 피타고라스 정리를 이용하여 원 O
의 반지름의 길이를 구하자.
△ODA는 빗변의 길이가 $r\,\text{cm}$인 직각삼각형이므로 피타고라스 정
리를 적용하면 $\overline{OD}^2 + \overline{AD}^2 = \overline{OA}^2$, $(r-4)^2 + 8^2 = r^2$
$r^2 - 8r + 16 + 64 = r^2$, $8r = 80$ $\therefore r = 10$

110 답 ⑤

1st $\overline{AO}$와 $\overline{AP}$는 접었을 때 겹치는 부분이므로 길이가 같아.
△OAP에서 $\overline{AO} = \overline{OP} = \overline{AP}$이므로 $\angle AOP = 60°$
$\angle AOB = 2\angle AOP = 120°$
$\therefore \overparen{AOB} = \overparen{APB} = 2\pi \times 6 \times \dfrac{120}{360} = 4\pi\,(\text{cm})$

[다른 풀이]
$\overline{AB}$와 $\overline{OP}$의 교점을 M이라 하자.
삼각형 OAP에서 $\overline{OA} = 6\,\text{cm}$이고,
$\overline{AM} \perp \overline{OP}$이므로 $\overline{OM} = \overline{MP} = 3\,\text{cm}$가
돼.
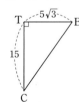
즉, △AOM은 $\overline{AO} = 6\,\text{cm}$,
$\overline{OM} = 3\,\text{cm}$인 직각삼각형이지.
이때, $\cos(\angle AOM) = \dfrac{\overline{OM}}{\overline{OA}} = \dfrac{3}{6} = \dfrac{1}{2}$이고,
$\cos 60° = \dfrac{1}{2}$이므로 $\angle AOM = 60°$
$\angle AOB = 2\angle AOM = 120°$
$\therefore \overparen{AOB} = 2\pi \times 6 \times \dfrac{120}{360} = 4\pi\,(\text{cm})$

오답|피하기

접은 도형에 대한 문제는 접어도 변하지 않는 것을 알지 못하면
풀 수 없어. 접은 도형이므로 $\overparen{AOB}$와 $\overparen{APB}$의 길이가 같음을 알
아채면 △AOP가 정삼각형임을 쉽게 알 수 있어.
접은 도형에서는 항상 접힌 도형과 펼친 도형이 합동이 됨을 기억
하자. 즉, $\overline{OA} = \overline{AP}$, $\angle OAM = \angle PAM$, $\overline{AM}$은 공통이므로
$\triangle AOM \equiv \triangle APM$(SAS 합동)이 됨을 꼭 알아 두자.

111 답 $10\sqrt{3}$

1st $\overline{AO}$와 $\overline{AP}$는 접었을 때 겹치는 부분이므로 길이가 같아.
$\overline{AO}$, $\overline{PO}$, $\overline{BO}$의 길이는 원의 반지름의 길이와 같으므로
$\overline{AO} = \overline{PO} = \overline{BO} = 10$이야.

2nd 두 활꼴 APB와 AOB는 $\overline{AB}$에 대하여 대칭이야.
이때, $\overline{AB}$와 $\overline{PC}$의 교점을 T라 하면 $\overline{PT} = \overline{OT}$이므로
$\overline{PT} = \overline{OT} = 5$야.
$\therefore \overline{CT} = \overline{CO} + \overline{OT} = 10 + 5 = 15$
한편, $\overline{AB} \perp \overline{PC}$이고 원의 중심에서 현에 내린 수선은 그 현을 이등
분하므로 $\overline{BT} = \overline{AT} = \sqrt{10^2 - 5^2} = 5\sqrt{3}$

3rd △TCB는 직각삼각형이므로 피타고라스 정리를 적용하자.
△TCB는 직각삼각형이므로 피타고라스 정리
를 적용하면
$\overline{BC} = \sqrt{\overline{CT}^2 + \overline{TB}^2} = \sqrt{15^2 + (5\sqrt{3})^2}$
$= \sqrt{300} = 10\sqrt{3}$

112 답 ②

1st 원의 중심에서 같은 거리에 있는 현의 길이는 같아.
$\overline{OD} = \overline{OE}$이므로 $\overline{AB} = \overline{BC}$지?
즉, △ABC는 세 내각의 크기가 각각
45°, 45°, 90°인 직각이등변삼각형이야.
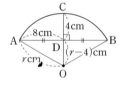

2nd 특수한 각의 삼각비를 이용하자.
$$\sin 45° = \frac{\overline{AB}}{\overline{AC}} = \frac{\overline{AB}}{2\sqrt{2}}$$
그런데 $\sin 45° = \dfrac{\sqrt{2}}{2}$이므로
$\dfrac{\overline{AB}}{2\sqrt{2}} = \dfrac{\sqrt{2}}{2}$ $\therefore \overline{AB} = \overline{BC} = 2\,\text{cm}$
$\therefore \triangle ABC = \dfrac{1}{2} \times 2 \times 2 = 2\,(\text{cm}^2)$

[다른 풀이]

△ABC가 직각이등변삼각형이므로 $\overline{AB}=\overline{BC}=x$ cm라 하면
$\overline{AB}^2+\overline{BC}^2=\overline{AC}^2$이지?

$x^2+x^2=(2\sqrt{2})^2$, $x^2=4$ ∴ $x=2(∵ x>0)$

∴ $\triangle ABC=\dfrac{1}{2}\times2\times2=2(\text{cm}^2)$

오답|피하기

△ABC의 넓이를 구하기 위해 △ABC가 어떤 꼴인지 알아야겠지? 우선, ∠B=90°이므로 $\overline{BC}$가 밑변, $\overline{AB}$가 높이야. 두 변의 길이를 알아야 하는데 원의 중심 O에서 $\overline{OD}=\overline{OE}$임을 이용하면 알 수 있어. 즉, 주어진 삼각형이 직각이등변삼각형임을 이용하여 세 내각의 크기를 구할 수 있고, 특수한 각의 삼각비를 이용하여 변의 길이를 구할 수 있어. 앞에서 배웠던 삼각비를 꼭 기억해 둬. 고등학교 가서도 유용하게 쓰여.

113 답 8 cm

1st 삼각형의 내심의 성질을 이용하자.

내심에서 삼각형의 세 변에 이르는 거리는 같아.

점 O에서 삼각형의 세 변에 내린 수선의 발을 각각 L, M, N이라 하면

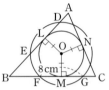

$\overline{OL}=\overline{OM}=\overline{ON} \cdots ㉠$

2nd 원의 중심으로부터 같은 거리에 있는 현의 길이를 생각해 보자.

한 원 또는 합동인 두 원의 중심으로부터 같은 거리에 있는 현의 길이는 모두 같아.

따라서 $\overline{FG}$, $\overline{DE}$는 내접원 O의 현이고 ㉠에 의하여

$\overline{DE}=\overline{FG}=8$ cm

114 답 ②

1st 원의 중심에서 현에 내린 수선은 그 현을 이등분함을 이용하자.

$\overline{AB}\perp\overline{OM}$, $\overline{AB}=8$ cm이므로 $\overline{AM}=4$ cm

직각삼각형 OAM에서 피타고라스 정리를 적용하면

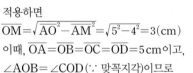

$\overline{OM}=\sqrt{\overline{AO}^2-\overline{AM}^2}=\sqrt{5^2-4^2}=3(\text{cm})$

이때, $\overline{OA}=\overline{OB}=\overline{OC}=\overline{OD}=5$ cm이고,

∠AOB=∠COD(∵ 맞꼭지각)이므로

△AOB≡△COD(SAS 합동)

2nd 길이가 같은 두 현은 원의 중심에서 같은 거리에 있어.

따라서 $\overline{AB}=\overline{CD}$이므로 $\overline{OM}=\overline{ON}$이야.

∴ $\overline{MN}=2\overline{OM}=2\times3=6(\text{cm})$

오답|피하기

이 문제를 해결하는 데 중요한 단서 중 하나가 △AOB≡△COD임을 아는 거야. 이걸 알지 못하면 문제의 조건이 부족하다고 느낄 거야. 즉, $\overline{CD}$의 길이를 구할 수가 없거든.
원 O에서 원 위의 점 A, B, C, D까지의 거리가 모두 같고, 특히 두 직선 AC와 BD가 만날 때, 생기는 ∠AOB와 ∠COD가 맞꼭지각임을 알아챌 수 있다면 거의 다 푼 셈이야. 도형 부분에서 문제의 조건이 부족하다면 삼각형의 닮음이나 삼각형의 합동을 이용해서 다른 조건들을 찾아내야 해.

115 답 14 cm

1st 원의 중심에서 현에 내린 수선은 그 현을 이등분함을 이용하자.

$\overline{OM}\perp\overline{AP}$, $\overline{O'N}\perp\overline{PB}$이므로

$\overline{AM}=\overline{MP}$, $\overline{PN}=\overline{NB}$ ⋯ ㉠

2nd $\overline{AB}$의 길이를 이용하여 $\overline{MN}$의 길이를 구하자.

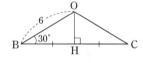

$\begin{aligned}\overline{AB}&=(\overline{AM}+\overline{MP})+(\overline{PN}+\overline{NB})\\&=2\overline{MP}+2\overline{PN}(∵ ㉠)\\&=2(\overline{MP}+\overline{PN})\\&=2\overline{MN}=28(\text{cm})\end{aligned}$

∴ $\overline{MN}=14$ cm

116 답 ③

1st △ABC가 어떤 삼각형인지 알아보자.

한 원의 중심에서 같은 거리에 있는 현의 길이는 같아. 조건에서 $\overline{OP}=\overline{OQ}$이므로 △ABC는 $\overline{AB}=\overline{AC}$인 이등변삼각형이지?

이때, ∠A=60°이므로

∠B=∠C=$\dfrac{1}{2}\times(180°-60°)=60°$야.

따라서 △ABC는 정삼각형이야.

2nd 특수한 각의 삼각비를 이용하여 $\overline{BC}$의 길이를 구하자.

원의 넓이가 36π이므로 이 원의 반지름의 길이를 r라 하면

$r^2\pi=36\pi$ ∴ $r=6(∵ r>0)$

즉, $\overline{OA}=\overline{OB}=\overline{OC}=6$

점 O에서 $\overline{BC}$에 내린 수선의 발을 H라 하면

∠OBH=$\dfrac{1}{2}$∠ABH=30°이므로

직각삼각형 OBH에서 $\cos30°=\dfrac{\overline{BH}}{\overline{OB}}=\dfrac{\overline{BH}}{6}$

그런데 $\cos30°=\dfrac{\sqrt{3}}{2}$이므로 $\dfrac{\overline{BH}}{6}=\dfrac{\sqrt{3}}{2}$ ∴ $\overline{BH}=3\sqrt{3}$

3rd 원의 중심에서 현에 내린 수선은 그 현을 이등분해.

∴ $\overline{BC}=2\overline{BH}=6\sqrt{3}$

[다른 풀이]

이 원의 반지름의 길이가 6이므로 $\overline{AO}=6$

직각삼각형 AOP에서 $\overline{AP}:\overline{AO}=\sqrt{3}:2$ ∴ $\overline{AP}=3\sqrt{3}$

이때, $\overline{OP}\perp\overline{AB}$이므로 $\overline{AB}=2\overline{AP}=6\sqrt{3}$

△ABC는 정삼각형이므로 $\overline{BC}=\overline{AB}=6\sqrt{3}$

오답|피하기

△ABC가 정삼각형임을 알지 못하면 문제 푸는 데 많은 어려움을 느낄 거야.
△ABC에서 한 내각의 크기가 60°이고 이 각을 끼고 있는 두 변의 길이가 같다면? 우선, △ABC는 이등변삼각형이 돼. 즉, 다른 두 내각의 크기가 같다는 거야. 이때, 삼각형의 내각의 크기의 합이 180°이므로 다른 두 내각의 크기의 합은 120°가 되어 한 내각의 크기는 60°가 돼. 따라서 △ABC는 정삼각형임을 알 수 있어. 정삼각형은 난이도 높은 문제에서 잘 나오니까 성질을 잘 정리하여 기억하자.

117 답 $4\sqrt{3}$ cm

1st $\triangle$ABC가 어떤 삼각형인지 알아보자.

원 O에 대하여 원의 중심 O에서 같은 거리에 있는 현의 길이는 같지? 즉, $\overline{OP}=\overline{OQ}$이므로 $\overline{AB}=\overline{AC}$야.

2nd 특수한 각에 대한 삼각비를 이용하여 $\overline{AP}$의 길이를 구해 보자.

$\triangle$OAP, $\triangle$OAQ는 $\overline{OA}$가 공통, $\angle$P$=\angle$Q$=90^\circ$,

$\overline{OP}=\overline{OQ}$이므로 $\triangle$OAP$\equiv\triangle$OAQ(RHS 합동)

$\angle$PAQ$=60^\circ$에서 $\angle$PAO$=30^\circ$이므로

$\tan 30^\circ=\dfrac{\overline{PO}}{\overline{AP}}=\dfrac{2}{\overline{AP}}$

그런데 $\tan 30^\circ=\dfrac{\sqrt{3}}{3}$이므로

$\dfrac{2}{\overline{AP}}=\dfrac{\sqrt{3}}{3}$ $\therefore \overline{AP}=2\sqrt{3}$ cm

3rd 원의 중심에서 현에 내린 수선은 그 현을 이등분해.

$\therefore \overline{AB}=2\overline{AP}=2\times 2\sqrt{3}=4\sqrt{3}$ (cm)

118 답 $\dfrac{4\sqrt{3}}{3}$ cm²

1st 두 삼각형 OAP와 OBP가 합동임을 보이자.

두 접선 PA, PB에 대하여 $\overline{PA}=\overline{PB}$,

$\overline{AO}=\overline{BO}(\because$ 반지름), $\overline{OP}$는 공통이므로 $\triangle$OAP$\equiv\triangle$OBP(SSS 합동)

$\therefore \angle$APO$=30^\circ$

2nd 특수한 각의 삼각비를 이용하여 $\overline{AO}$의 길이를 구하자.

직각삼각형 OAP에서

$\tan 30^\circ=\dfrac{\overline{OA}}{\overline{PA}}=\dfrac{\overline{OA}}{4}$

그런데 $\tan 30^\circ=\dfrac{\sqrt{3}}{3}$이므로

$\dfrac{\overline{OA}}{4}=\dfrac{\sqrt{3}}{3}$ $\therefore \overline{OA}=\dfrac{4\sqrt{3}}{3}$ cm

3rd $\triangle$OAB의 넓이는 $\square$PAOB의 넓이에서 $\triangle$PBA의 넓이를 빼면 돼. 또한, $\angle$APB$=60^\circ$이고 $\overline{PA}=\overline{PB}$이므로 $\triangle$PBA는 정삼각형이야.

$\therefore \triangle$OAB$=\square$PAOB$-\triangle$PAB$=2\triangle$APO$-\triangle$PBA

$\quad=2\times\left(\dfrac{1}{2}\times 4\times\dfrac{4\sqrt{3}}{3}\right)-\dfrac{\sqrt{3}}{4}\times 4^2$

$\quad=\dfrac{4\sqrt{3}}{3}$ (cm²)

[다른 풀이]

$\angle$APB$+\angle$AOB$=180^\circ$이므로

$60^\circ+\angle$AOB$=180^\circ$ $\therefore \angle$AOB$=120^\circ$

$\overline{PO}$가 $\angle$APB를 이등분하므로 $\angle$APO$=30^\circ$

$\therefore \overline{OA}=\overline{PA}\tan 30^\circ$

$\quad=\dfrac{4\sqrt{3}}{3}$ (cm)

$\therefore \triangle$OAB$=\dfrac{1}{2}\times\overline{OA}\times\overline{OB}\times\sin(180^\circ-120^\circ)$

$\quad=\dfrac{1}{2}\times\dfrac{4\sqrt{3}}{3}\times\dfrac{4\sqrt{3}}{3}\times\dfrac{\sqrt{3}}{2}$

$\quad=\dfrac{4\sqrt{3}}{3}$ (cm²)

---

119 답 $4(1+\sqrt{3})$ cm

1st 두 삼각형 OAP와 OBP가 합동임을 보이자.

두 점 A, B가 원 O의 접점이므로

$\angle$OAP$=\angle$OBP$=90^\circ$이고,

$\overline{OA}=\overline{OB}(\because$ 반지름),

$\overline{OP}$는 공통이므로

$\triangle$OAP$\equiv\triangle$OBP(RHS 합동)

$\therefore \angle$AOP$=\dfrac{1}{2}\angle$AOB$=60^\circ$

2nd 특수한 각의 삼각비를 이용하여 $\overline{AP}$의 길이를 구하자.

직각삼각형 OAP에서 $\tan 60^\circ=\dfrac{\overline{AP}}{\overline{OA}}=\dfrac{\overline{AP}}{2}$

그런데 $\tan 60^\circ=\sqrt{3}$이므로

$\dfrac{\overline{AP}}{2}=\sqrt{3}$ $\therefore \overline{AP}=2\sqrt{3}$ cm

3rd 접선의 길이가 같음을 이용하여 $\square$OAPB의 둘레의 길이를 구해.

원 밖의 한 점에서 원에 그은 두 접선의 길이는 서로 같으므로

$\overline{BP}=\overline{AP}=2\sqrt{3}$ cm

$\overline{OA}$, $\overline{OB}$는 원 O의 반지름이므로

$\overline{OA}=\overline{OB}=2$ cm

$\therefore$ (사각형 OAPB의 둘레의 길이)

$\quad=\overline{OA}+\overline{AP}+\overline{BP}+\overline{OB}$

$\quad=2+2\sqrt{3}+2\sqrt{3}+2$

$\quad=4(1+\sqrt{3})$ (cm)

120 답 $(2\sqrt{3}-\pi)$ cm²

1st 원의 접선은 그 접점을 지나는 반지름과 서로 수직이야.

$\overline{AB}$는 점 T에서 접하는 작은 원의 접선이므로 $\overline{OT}\perp\overline{AB}$지?

2nd $\triangle$OTB는 직각삼각형이므로 피타고라스 정리를 적용하자.

큰 원의 반지름의 길이가 4 cm이므로

$\overline{OB}=4$ cm

직각삼각형 OTB에 피타고라스 정리를 적용하면

$\overline{BT}=\sqrt{4^2-(2\sqrt{3})^2}=2$ (cm)

$\cos(\angle$BOT$)=\dfrac{\overline{OT}}{\overline{OB}}=\dfrac{2\sqrt{3}}{4}=\dfrac{\sqrt{3}}{2}$

그런데 $\cos 30^\circ=\dfrac{\sqrt{3}}{2}$이므로 $\angle$BOT$=30^\circ$

$\therefore$ (색칠한 부분의 넓이)$=\triangle$OTB$-$(부채꼴 OTC의 넓이)

$\quad=\dfrac{1}{2}\times 2\times 2\sqrt{3}-\pi\times(2\sqrt{3})^2\times\dfrac{30}{360}$

$\quad=2\sqrt{3}-\pi$ (cm²)

동심원이 주어졌을 때 작은 원의 접선이 큰
원의 현이 됨을 알아야 해.
(i) 작은 원에서 접선 AB는 원의 중심 O
에 의해 $\overline{AB} \perp \overline{OT}$
(ii) 큰 원에서 중심을 지나는 현의 수직이
등분선의 성질에 의해 $\overline{AT} = \overline{BT}$
개념을 그냥 외우려고 하지말고 이해하고 정리하여 암기하자.

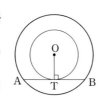

121 답 11.56π cm²

1st 원의 중심에서 현에 내린 수선은 그 현을 이등분해.

점 O에서 $\overline{AD}$에 내린 수선의 발을 H라
하면 원의 중심에서 현에 내린 수선은 현
을 이등분하므로 $\overline{AH} = \overline{HD}$,
$\overline{BH} = \overline{HC}$야.

이때, $\overline{AB} = \overline{BC} = \overline{CD} = 4$cm이므로

$$\overline{AH} = \frac{1}{2} \times (4+4+4) = 6(cm), \quad \overline{BH} = \frac{1}{2} \times 4 = 2(cm)$$

2nd $\triangle AOH$, $\triangle BOH$는 직각삼각형이므로 피타고라스 정리를 이
용하자.

이때, 큰 원과 작은 원의 반지름의 길이를 각각 R cm, r cm라 하자.
직각삼각형 AOH에서 피타고라스 정리를 적용하면

$$\overline{OH}^2 = \overline{AO}^2 - \overline{AH}^2 = R^2 - 6^2 = R^2 - 36 \cdots \bigcirc$$

또, 직각삼각형 BOH에서 피타고라스 정리를 적용하면

$$\overline{OH}^2 = \overline{BO}^2 - \overline{BH}^2 = r^2 - 2^2 = r^2 - 4 \cdots \bigcirc$$

$\bigcirc = \bigcirc$에서 $R^2 - 36 = r^2 - 4$, $R^2 - r^2 = 32$

$(R+r)(R-r) = 32 \cdots \bigcirc$

또한, 두 원의 반지름의 길이의 합이 10이므로

$R + r = 10 \cdots \textcircled{\tiny ㄹ}$

$\textcircled{\tiny ㄹ}$을 $\bigcirc$에 대입하면

$R - r = 3.2 \cdots \textcircled{\tiny ㅁ}$

$\textcircled{\tiny ㄹ} - \textcircled{\tiny ㅁ}$을 하면 $2r = 6.8$ $\therefore r = 3.4$

따라서 작은 원의 반지름의 길이가 3.4 cm이므로 작은 원의 넓이는
$\pi \times 3.4^2 = 11.56\pi(cm^2)$가 돼.

122 답 60 cm²

1st 원의 중심 O에서 $\triangle ABC$의 각 변에 수선의 발을 내리자.

그림과 같이 원의 중심 O에서 각 변에 내
린 수선의 발을 각각 P, Q, R라 하면
$\triangle ABC$의 각 변이 원 O의 접선이므로
$\overline{OP} \perp \overline{BC}$, $\overline{OQ} \perp \overline{CA}$, $\overline{OR} \perp \overline{AB}$

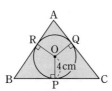

2nd $\triangle ABC$의 넓이를 원 O의 반지름의 길이를 이용하여 나타내보자.

$\overline{OP} = \overline{OQ} = \overline{OR} = 4$ cm이고 $\triangle ABC$의 둘레의 길이가 30 cm이므로

$\triangle ABC = \triangle OBC + \triangle OCA + \triangle OAB$

$$= \frac{1}{2} \times \overline{BC} \times 4 + \frac{1}{2} \times \overline{CA} \times 4 + \frac{1}{2} \times \overline{AB} \times 4$$

$$= \frac{1}{2} \times 4 \times (\overline{BC} + \overline{CA} + \overline{AB})$$

$$= \frac{1}{2} \times 4 \times 30 = 60(cm^2)$$

123 답 11 cm

1st 원의 접선의 성질을 이용하여 $\overline{AD}$의 길이를 구해.

$\overline{AD} = \overline{AF} = x$ cm라 하자.

$\overline{BD} = \overline{BE} = 8$ cm, $\overline{CE} = \overline{CF} = 9$ cm이고,

$\triangle ABC$의 둘레의 길이가 40 cm이므로

($\triangle ABC$의 둘레의 길이)

$= (\overline{AD} + \overline{BD}) + (\overline{BE} + \overline{CE}) + (\overline{CF} + \overline{AF})$

$= 2(\overline{AD} + \overline{BE} + \overline{CF})$

$= 2(x + 8 + 9) = 40$

$x + 17 = 20$ $\therefore x = 3$

2nd $\overline{AB}$의 길이를 구하자.

$\therefore \overline{AB} = \overline{AD} + \overline{BD} = 3 + 8 = 11(cm)$

124 답 $(40 - 8\pi)$ cm²

1st 접선과 접점을 지나는 반지름은 서로 수직이지?

원 밖의 한 점에서 원에 그은 두 접선
의 길이는 서로 같으므로
$\overline{DT} = \overline{DA} = 8$ cm,
$\overline{CT} = \overline{CB} = 2$ cm

이때, 점 C에서 $\overline{DA}$에 내린 수선의 발
을 H라 하고 직각삼각형 CDH에서
피타고라스 정리를 적용하면

$$\overline{CH} = \sqrt{\overline{DC}^2 - \overline{DH}^2}$$

$$= \sqrt{10^2 - 6^2} = 8(cm)$$

$\therefore \overline{AB} = \overline{CH} = 8$ cm

2nd 색칠한 부분의 넓이를 구하자.

색칠한 부분의 넓이는 사다리꼴 ABCD의 넓이에서 반지름의 길이
가 4 cm인 반원의 넓이를 뺀 것이지?

$$\therefore (구하는 넓이) = \square ABCD - \frac{(원 O의 넓이)}{2}$$

$$= \frac{1}{2} \times (2+8) \times 8 - \frac{1}{2} \times \pi \times 4^2$$

$$= 40 - 8\pi(cm^2)$$

색칠한 부분의 넓이를 구하려면 사다리꼴의 넓이부터 구해야 하는
데 사다리꼴의 높이, 즉 반원의 지름의 길이를 구해야 해. 즉, 도형
에서 적절한 선을 그어 $\overline{AB}$의 길이를 구할 수 있어야 해.
$\overline{AD}$와 $\overline{BC}$가 반원에 대한 접선이므로 $\angle A = \angle B = 90°$가 되지?
$\overline{AD} \parallel \overline{BC}$인 사다리꼴에서 높이를 구하는 방법을 이용하면 돼. 즉,
점 C에서 $\overline{AD}$에 수선의 발을 내리는 거지.

125 답 $24 - 4\pi$

1st 삼각형의 내각의 이등분선의 성질을 이용하자.

삼각형의 한 내각의 이등분선의 성질에 의
해 $\overline{AB} : \overline{AC} = \overline{BD} : \overline{DC} = 5 : 3$이므로
$\overline{AB} = 5x$, $\overline{AC} = 3x$라 하자.
이때, $\triangle ABC$는 직각삼각형이므로 피타
고라스 정리를 적용하자.

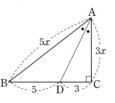

$$\overline{AC}^2 + \overline{BC}^2 = \overline{AB}^2$$
$$(3x)^2 + 8^2 = (5x)^2$$
$$9x^2 + 64 = 25x^2$$
$$16x^2 = 64, \ x^2 = 4 \quad \therefore x = 2 (\because x > 0)$$
$$\therefore \overline{AB} = 10, \ \overline{AC} = 6$$

2nd 원 O의 반지름의 길이를 구하자.

원 O와 $\overline{AB}$, $\overline{BC}$, $\overline{CA}$의 접점을 각각
E, F, G라 하고 원 O의 반지름의 길이
를 r라 하면 $\overline{CG} = \overline{FC} = r$

$\overline{AE} = \overline{AG} = 6 - r$,

$\overline{BE} = \overline{BF} = 8 - r$이므로

$\overline{BE} + \overline{AE} = \overline{AB}$, $(8-r)+(6-r)=10$

$2r = 4 \qquad \therefore r = 2$

따라서 원 O의 반지름의 길이는 2야.

3rd 색칠한 부분의 넓이를 구하자.

색칠한 부분의 넓이는 △ABC의 넓이에서 원 O의 넓이를 뺀 것이
므로

$$(\text{구하는 넓이}) = \frac{1}{2} \times 8 \times 6 - \pi \times 2^2 = 24 - 4\pi$$

[다른 풀이]

삼각형에 내접하는 원의 성질을 이용하여 구할 수도 있어.

원 O의 반지름의 길이를 r라 하자.

$\overline{AB} \perp \overline{OE}$, $\overline{BC} \perp \overline{OF}$, $\overline{CA} \perp \overline{OG}$이므로

$$\triangle ABC = \triangle OAB + \triangle OBC + \triangle OCA$$
$$= \frac{1}{2} \times \overline{AB} \times \overline{OE} + \frac{1}{2} \times \overline{BC} \times \overline{OF} + \frac{1}{2} \times \overline{AC} \times \overline{OG}$$
$$= \frac{1}{2} \times 10 \times r + \frac{1}{2} \times 8 \times r + \frac{1}{2} \times 6 \times r$$
$$= \frac{1}{2} r(10+8+6) = 12r \cdots \text{㉠}$$

또한, $\triangle ABC = \frac{1}{2} \times \overline{BC} \times \overline{CA} = \frac{1}{2} \times 8 \times 6 = 24 \cdots \text{㉡}$

㉠ = ㉡에 의해 $12r = 24 \qquad \therefore r = 2$

(이하 동일)

126 답 ④

1st 원 밖의 한 점에서 원에 그은 두 접선의 길이는 같음을 이용하자.

$\overline{CG} = \overline{CH} = x$ cm라 하자.

$\overline{AF} = \overline{AH} = (10-x)$ cm,

$\overline{BF} = \overline{BG} = (15-x)$ cm이고

$\overline{AB} = \overline{AF} + \overline{BF}$이므로

$(10-x)+(15-x)=11 \qquad \therefore x = 7$

$\therefore \overline{CG} = \overline{CH} = 7$ cm

2nd △DEC의 둘레의 길이는 $\overline{CH} + \overline{CG}$의 길이임을 이용하자.

$\overline{DE}$와 원 O가 접하는 점을 T라 하면 $\overline{DH} = \overline{DT}$, $\overline{EG} = \overline{ET}$야.

$\therefore (\triangle DEC$의 둘레의 길이$) = \overline{CD} + \overline{DE} + \overline{EC}$
$$= \overline{CD} + (\overline{DT} + \overline{ET}) + \overline{EC}$$
$$= \overline{CD} + (\overline{DH} + \overline{EG}) + \overline{EC}$$
$$= \overline{CH} + \overline{CG} = 2\overline{CH}$$
$$= 2 \times 7 = 14 \text{(cm)}$$

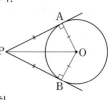
127 답 2

1st $\overline{BD}$의 길이부터 구하자.

△BDE는 직각삼각형이므로 피타고라스 정리를 적용하면

$\overline{BD} = \sqrt{4^2 + 3^2} = 5$

2nd 원 밖의 한 점에서 원에 그은 두 접선의 길이는 서로 같음을 이
용하자.

$\overline{DQ} = \overline{DP}$, $\overline{EQ} = \overline{ER}$이고 $\overline{BR} = \overline{BP}$지?

이때, 원 O의 반지름의 길이를 r라 하면

$\overline{EQ} = \overline{ER} = r$이고 $\overline{DP} = \overline{DQ} = 3 - r$이므로

$\overline{BP} = \overline{BD} + \overline{DP} = 5 + (3-r) = 8 - r$

$\overline{BR} = \overline{BE} + \overline{ER} = 4 + r$

따라서 $\overline{BR} = \overline{BP}$이므로

$4 + r = 8 - r \qquad \therefore r = 2$

128 답 $\dfrac{10}{3}$ cm

1st 원의 외접사각형의 성질을 이용하자.

□ABCD가 원 O에 외접하므로

$\overline{AB} + \overline{CD} = \overline{AD} + \overline{BC} = 12 + 18 = 30 \text{(cm)}$

2nd $\overline{AB}$, $\overline{CD}$의 길이를 각각 구하자.

이때, $\overline{AB} : \overline{CD} = 5 : 4$이므로

$\overline{AB} = \dfrac{5}{9} \times 30 = \dfrac{50}{3} \text{(cm)}$

$\overline{CD} = \dfrac{4}{9} \times 30 = \dfrac{40}{3} \text{(cm)}$

$\therefore \overline{AB} - \overline{CD} = \dfrac{50}{3} - \dfrac{40}{3} = \dfrac{10}{3} \text{(cm)}$

129 답 $(16 - 4\pi)$ cm²

1st 원의 외접사각형의 성질을 이용하자.

원의 외부의 한 점에서 원에 그은 접선의
길이는 서로 같으므로 $\overline{AH} = \overline{AE} = 2$ cm

이때, □ABCD가 원 O에 외접하므로

$\overline{AB} + \overline{CD} = \overline{AD} + \overline{BC}$에서

$(2 + \overline{EB}) + 9 = (2 + 5) + 8$

$\therefore \overline{EB} = 4$ cm

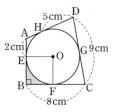

2nd 색칠한 부분의 넓이는 □EBFO의 넓이에서 부채꼴 OEF의 넓이를 빼면 돼.

그런데 □EBFO는 정사각형이므로 원 O의 반지름의 길이는 $4\,$cm야.

$\therefore$ (색칠한 부분의 넓이)$=$□EBFO$-$(부채꼴 OEF의 넓이)

$$=4^2-\left(\pi\times4^2\times\dfrac{90}{360}\right)$$
$$=16-4\pi\,(\mathrm{cm}^2)$$

🖊 서술형 다지기

문제편 p. 72

[130-131 채점기준표]

I	주어진 조건을 이용하여 필요한 ∠OAF의 크기를 구하거나 $\overline{DO}$의 길이를 구한다.	40%
II	$\overline{AF}$의 길이 또는 $\overline{PD}$의 길이를 구한다.	30%
III	삼각형의 둘레의 길이를 구한다.	30%

130 답 $10\sqrt{3}$

먼저, ∠OAF의 크기를 구하자.

$\overline{AF}\perp\overline{OF}$, $\overline{AE}\perp\overline{OE}$에서 $\angle OFA=\angle OEA=90°$이고,

$\overline{OF}=\overline{OE}$, $\overline{OA}$는 공통이므로

△AFO≡△AEO(RHS 합동)

$\therefore\angle OAF=\angle OAE=30°$ ··· I

그다음, $\overline{AF}$의 길이를 구하자.

△AFO에서 세 내각의 크기가 $30°$, $60°$, $90°$이므로

$\overline{AF}:\overline{OF}:\overline{OA}=\sqrt{3}:1:2$

$\overline{AF}:10=\sqrt{3}:2$ $\therefore\overline{AF}=5\sqrt{3}$ ··· II

그래서, △ABC의 둘레의 길이를 구하자.

$\therefore$ (△ABC의 둘레의 길이)$=\overline{AB}+\overline{BC}+\overline{CA}$
$=\overline{AB}+(\overline{BD}+\overline{DC})+\overline{CA}$
$=\overline{AB}+(\overline{BF}+\overline{CE})+\overline{CA}$
$=\overline{AF}+\overline{AE}=2\overline{AF}=10\sqrt{3}$ ··· III

131 답 24

먼저, $\overline{DO}$의 길이를 구하자.

직각삼각형 POD에서 $\cos(\angle POD)=\dfrac{\overline{DO}}{\overline{PO}}=\dfrac{\overline{DO}}{13}=\dfrac{5}{13}$

$\therefore\overline{DO}=5$ ··· I

그다음, $\overline{PD}$의 길이를 구하자.

$\overline{PD}=\sqrt{13^2-5^2}=12$ ··· II

그래서, △PAB의 둘레의 길이를 구하자.

$\overline{PC}=\overline{PD}$, $\overline{AE}=\overline{AC}$, $\overline{BE}=\overline{BD}$이므로

(△PAB의 둘레의 길이)$=\overline{PA}+\overline{AB}+\overline{PB}$
$=\overline{PA}+(\overline{AE}+\overline{BE})+\overline{PB}$
$=(\overline{PA}+\overline{AC})+(\overline{BD}+\overline{PB})$
$=\overline{PC}+\overline{PD}=2\overline{PD}=24$ ··· III

[132-133 채점기준표]

I	x의 값을 구한다.	40%
II	y의 값을 구한다.	40%
III	구하고자 하는 값을 구한다.	20%

132 답 7

먼저, x의 값을 구하자.

$\overline{AD}+\overline{BC}=\overline{AB}+\overline{CD}$이므로

$x+(2.7+5)=4.7+8$ $\therefore x=5$ ··· I

그다음, y의 값을 구하자.

원의 외부의 한 점에서 원에 그은 두 접선의 길이는 같으므로

$y=\overline{AB}-\overline{PB}=\overline{AB}-\overline{BQ}=4.7-2.7=2$ ··· II

그래서, $x+y$의 값을 구하자.

$\therefore x+y=5+2=7$ ··· III

133 답 9

먼저, x의 값을 구하자.

원 밖의 한 점에서 그은 두 접선의 길이가 서로 같으므로

$\overline{DG}=\overline{DH}=4$

$\therefore x=\overline{CF}=\overline{CG}=15-4=11$ ··· I

그다음, y의 값을 구하자.

$\overline{BE}=\overline{BF}=7$

$\therefore y=\overline{AH}=\overline{AE}=9-7=2$ ··· II

그래서, $x-y$의 값을 구하자.

$\therefore x-y=11-2=9$ ··· III

134 답 18 cm

원의 중심에서 현에 내린 수선은 그 현을 이등분하므로

$\overline{AB}=2\overline{AL}=2\times3=6\,(\mathrm{cm})$ ··· I

$\overline{OL}=\overline{OM}=\overline{ON}$이므로 $\overline{AB}=\overline{BC}=\overline{CA}$ ··· II

따라서 △ABC는 정삼각형이므로

(△ABC의 둘레의 길이)$=\overline{AB}+\overline{BC}+\overline{CA}$
$=3\overline{AB}=3\times6=18\,(\mathrm{cm})$ ··· III

[채점기준표]

I	현 $\overline{AB}$의 길이를 구한다.	40%
II	△ABC가 정삼각형임을 알아낸다.	40%
III	구하고자 하는 값을 구한다.	20%

135 답 $4\sqrt{13}$ cm

$\overline{OA}=\overline{OB}$($\because$ 원의 반지름)이고 $\overline{OP}\perp\overline{AB}$이므로 $\overline{AP}=\overline{BP}$이다. ··· I

직각삼각형 OBP에서 $\overline{BP}=\sqrt{13^2-5^2}=12\,(\mathrm{cm})$

$\therefore\overline{AP}=\overline{BP}=12\,\mathrm{cm}$ ··· II

$\overline{CP}=13-5=8\,(\mathrm{cm})$

직각삼각형 ACP에서 피타고라스 정리에 의해

$\overline{AC}=\sqrt{12^2+8^2}=\sqrt{208}=4\sqrt{13}\,(\mathrm{cm})$ ··· III

정답 및 해설 **69**

[채점기준표]

I	$\overline{AP}$, $\overline{BP}$의 길이를 비교한다.	20%
II	$\overline{AP}$의 길이를 구한다.	40%
III	$\overline{AC}$의 길이를 구한다.	40%

136 답 1 cm

원 O의 반지름의 길이를 r cm로 놓으면

$\overline{BF}=\overline{BD}=3\,\text{cm}$, $\overline{CE}=\overline{CD}=2\,\text{cm}$,

$\overline{AF}=\overline{AE}=r\,\text{cm}$

$\therefore \overline{AB}=(3+r)\,\text{cm}$, $\overline{AC}=(2+r)\,\text{cm}$ ⋯ I

직각삼각형 ABC에서 피타고라스 정리를 적용하면

$\overline{AB}^2+\overline{AC}^2=\overline{BC}^2$

$(3+r)^2+(2+r)^2=5^2$ ⋯ II

$r^2+5r-6=0$

$(r+6)(r-1)=0$

$\therefore r=1\,(\because r>0)$

따라서 원 O의 반지름의 길이는 $1\,\text{cm}$이다. ⋯ III

[채점기준표]

I	반지름의 길이를 r라 하고 이를 이용하여 $\overline{AB}$, $\overline{AC}$의 길이를 각각 나타낸다.	40%
II	피타고라스 정리를 적용하여 이차방정식을 세운다.	30%
III	반지름의 길이를 구한다.	30%

137 답 4π cm

원 O의 반지름의 길이를 r cm라 하면

$\overline{OA}=r\,\text{cm}$, $\overline{OH}=(r-3)\,\text{cm}$

$\triangle OAH$는 직각삼각형이므로

$(r-3)^2+(3\sqrt{3})^2=r^2$

$6r=36$ $\therefore r=6$

$\overline{OA}=6\,\text{cm}$, $\overline{OH}=3\,\text{cm}$ ⋯ I

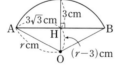

$\triangle OAH$에서 $\cos(\angle AOH)=\dfrac{3}{6}=\dfrac{1}{2}$이고, $\cos 60°=\dfrac{1}{2}$이므로

$\angle AOH=60°$ $\therefore \angle AOB=2\angle AOH=120°$ ⋯ II

$\therefore \widehat{AB}=2\pi\times 6\times\dfrac{120}{360}=4\pi\,(\text{cm})$ ⋯ III

[채점기준표]

I	반지름의 길이를 r라 하고 이를 이용하여 $\overline{OA}$, $\overline{OH}$의 길이를 구한다.	20%
II	$\angle AOB$의 크기를 구한다.	40%
III	$\widehat{AB}$의 길이를 구한다.	40%

138 답 $\sqrt{69}$ cm

그림에서 $\overline{OE}\perp\overline{CD}$이므로 점 E는 반원 O의 접점이고, 두 점 A, B도 마찬가지이므로

$\overline{CE}=\overline{CA}$, $\overline{DE}=\overline{DB}$

$\therefore \overline{CD}=\overline{CE}+\overline{DE}=\overline{CA}+\overline{DB}$

$\qquad\quad =5+3=8\,(\text{cm})$ ⋯ I

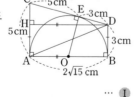

이때, 점 D에서 $\overline{AC}$에 내린 수선의 발을 H라 하면

$\overline{CH}=5-3=2\,(\text{cm})$이고, $\triangle CDH$는 직각삼각형이므로 피타고라스 정리를 적용하면

$\overline{DH}=\sqrt{\overline{CD}^2-\overline{CH}^2}$

$\qquad =\sqrt{8^2-2^2}=2\sqrt{15}\,(\text{cm})$ ⋯ II

따라서 $\overline{AB}=\overline{DH}=2\sqrt{15}\,\text{cm}$이므로 직각삼각형 ABD에서 피타고라스 정리를 적용하면

$\overline{AD}=\sqrt{\overline{AB}^2+\overline{BD}^2}$

$\qquad =\sqrt{(2\sqrt{15})^2+3^2}=\sqrt{69}\,(\text{cm})$ ⋯ III

[채점기준표]

I	$\overline{CD}$의 길이를 구한다.	40%
II	$\overline{DH}$의 길이를 구한다.	40%
III	$\overline{AD}$의 길이를 구한다.	20%

139 답 $\dfrac{32}{5}$

정사각형의 한 변의 길이를 x로 놓으면

$\overline{DP}=\overline{DC}=x$ $\therefore \overline{EP}=8-x$

$\overline{EB}=\overline{EP}$이므로 $\overline{EB}=8-x$ ⋯ I

그림과 같이 점 E에서 $\overline{DC}$에 내린 수선의 발을 F라 하면

$\overline{DF}=\overline{DC}-\overline{CF}$

$\qquad =x-(8-x)=2x-8$ ⋯ II

직각삼각형 DEF에서

$8^2=x^2+(2x-8)^2$

$64=x^2+4x^2-32x+64$

$5x^2-32x=0$

$x(5x-32)=0$ $\therefore x=\dfrac{32}{5}\,(\because x>0)$

따라서 정사각형의 한 변의 길이는 $\dfrac{32}{5}$이다. ⋯ III

[채점기준표]

I	정사각형 한 변의 길이를 x로 놓고 이를 이용하여 $\overline{EB}$의 길이를 나타낸다.	20%
II	정사각형 한 변의 길이에 대한 식을 세운다.	20%
III	정사각형 한 변의 길이를 구한다.	60%

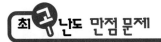

140 답 26 cm

1st 원 밖의 한 점에서 원에 그은 두 접선의 길이는 서로 같지?
$\overline{AE}=\overline{AG}=a$ cm라 하면
$\overline{BI}=\overline{BE}=6$ cm, $\overline{CI}=\overline{CF}=2$ cm,
$\overline{DF}=\overline{DG}=3$ cm가 되지?

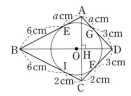

2nd 두 대각선이 직교하는 사각형의 성질을 이용하자.
□ABCD의 두 대각선이 직교하므로 네 개의 직각삼각형에 대하여
$\overline{AB}^2=\overline{AH}^2+\overline{BH}^2 \cdots$ ㉠
$\overline{AD}^2=\overline{AH}^2+\overline{DH}^2 \cdots$ ㉡
$\overline{BC}^2=\overline{BH}^2+\overline{CH}^2 \cdots$ ㉢
$\overline{CD}^2=\overline{CH}^2+\overline{DH}^2 \cdots$ ㉣
㉠+㉣=㉡+㉢이므로
$\overline{AB}^2+\overline{CD}^2=\overline{BC}^2+\overline{AD}^2$
$(a+6)^2+5^2=8^2+(a+3)^2$
$6a=12$ ∴ $a=2$
따라서 □ABCD의 둘레의 길이는
$\overline{AB}+\overline{BC}+\overline{CD}+\overline{AD}=2(\overline{AB}+\overline{CD})=2\times(8+5)=26$(cm)

★ 외접사각형의 성질
□ABCD가 원 O에 외접하고 접점을 각각 P, Q, R, S라 하면 원 밖의 한 점에서 원에 그은 두 접선의 길이가 같으므로
(1) $\overline{AP}=\overline{AS}$, $\overline{BP}=\overline{BQ}$, $\overline{CQ}=\overline{CR}$, $\overline{DR}=\overline{DS}$
(2) $\overline{AB}+\overline{CD}=\overline{AD}+\overline{BC}$
∴ $\overline{AB}+\overline{CD}=(\overline{AP}+\overline{BP})+(\overline{CR}+\overline{DR})$
$=(\overline{AS}+\overline{BQ})+(\overline{CQ}+\overline{DS})$
$=(\overline{AS}+\overline{DS})+(\overline{BQ}+\overline{CQ})$
$=\overline{AD}+\overline{BC}$

141 답 $9\sqrt{2}\pi$ cm³

1st 주어진 도형을 평면으로 옮겨서 생각해 보자.
원뿔을 축을 포함한 평면으로 자른 단면은 그림과 같아. 점 O는 △ABC의 내심이므로 점 O에서 세 변에 이르는 거리는 같지?
이때, $\overline{AB}=9$ cm, $\overline{BH}=3$ cm이고 △ABH는 직각삼각형이므로 피타고라스 정리를 적용하면 $\overline{AH}=\sqrt{9^2-3^2}=6\sqrt{2}$ (cm)

2nd △ABC의 넓이를 이용하여 반지름의 길이를 구하자.
원 O의 반지름의 길이를 r cm라 하자.
$\triangle ABC=\triangle OAB+\triangle OBC+\triangle OCA$
$=\frac{1}{2}\times9\times r+\frac{1}{2}\times6\times r+\frac{1}{2}\times9\times r$
$=\frac{1}{2}\times r\times(9+6+9)=12r\,(\text{cm}^2) \cdots$ ㉠

이때, △ABC의 밑변을 $\overline{BC}$, 높이를 $\overline{AH}$라 하면
$\triangle ABC=\frac{1}{2}\times6\times6\sqrt{2}$
$=18\sqrt{2}\,(\text{cm}^2) \cdots$ ㉡
㉠=㉡이므로 $12r=18\sqrt{2}$
∴ $r=\frac{3\sqrt{2}}{2}$

3rd 반지름의 길이가 a인 구의 부피는 $\frac{4}{3}\pi a^3$이지?
따라서 구의 반지름의 길이가 $\frac{3\sqrt{2}}{2}$ cm이므로 구의 부피를 V라 하면
$V=\frac{4}{3}\pi\times\left(\frac{3\sqrt{2}}{2}\right)^3=9\sqrt{2}\pi\,(\text{cm}^3)$

[다른 풀이]
구의 반지름의 길이 r를 비례식으로도 구할 수 있어.
$\overline{AB}\perp\overline{OP}$에서 △OAP∽△BAH(AA 닮음)이므로
$\overline{AO}:\overline{OP}=\overline{AB}:\overline{BH}$
$(6\sqrt{2}-r):r=9:3$
$9r=18\sqrt{2}-3r$
$12r=18\sqrt{2}$
∴ $r=\frac{3\sqrt{2}}{2}$

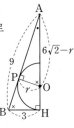

142 답 30 cm²

1st 원의 접선은 그 접점을 지나는 반지름에 수직이야.
반지름인 $\overline{CE}$를 그으면 $\overline{BE}\perp\overline{CE}$이므로 △BEC는 직각삼각형이야. 이때, $\overline{CE}$는 반지름이므로 $\overline{CE}=12$ cm지?
직각삼각형 BCE에서 피타고라스 정리를 적용하면
$\overline{BE}=\sqrt{\overline{BC}^2-\overline{CE}^2}$
$=\sqrt{13^2-12^2}=5$(cm)

2nd 원 밖의 한 점에서 원에 그은 두 접선의 길이는 서로 같아.
$\overline{FE}$, $\overline{FD}$는 점 F에서 사분원에 그은 접선이므로 $\overline{FE}=\overline{FD}=x$ cm라 하면
$\overline{AF}=(13-x)$ cm,
$\overline{BF}=(x+5)$ cm
직각삼각형 ABF에서 피타고라스 정리를 적용하면
$\overline{AF}^2+\overline{AB}^2=\overline{BF}^2$
$(13-x)^2+12^2=(x+5)^2$
$169-26x+x^2+144=x^2+10x+25$
$36x=288$ ∴ $x=8$

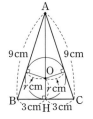

3rd △ABF의 넓이를 구하자.
$\overline{AF}=13-x=13-8=5$(cm)이므로
$\triangle ABF=\frac{1}{2}\times5\times12=30\,(\text{cm}^2)$

143 답 3π cm

1st $\overline{AB}$의 길이를 알고 있으므로 원 O'의 반지름의 길이를 구할 수 있지?

원 O'의 반지름의 길이는 $\dfrac{1}{2}\overline{DC}=\dfrac{1}{2}\overline{AB}=3$(cm)

원 밖의 한 점에서 원에 그은 두 접선의 길이는 서로 같으므로
$\overline{FE}=\overline{FG}=x$ cm라 하면 각 변의 길이는 그림과 같아.

$\overline{BF}=\overline{BC}-\overline{CF}=9-(x+3)$
$\quad=6-x$(cm)

$\overline{AF}=\overline{AE}+\overline{EF}=6+x$(cm)

직각삼각형 ABF에서 피타고라스 정리를 적용하면

$\overline{AF}^2=\overline{AB}^2+\overline{BF}^2$

$(6+x)^2=6^2+(6-x)^2,\ 36+12x+x^2=36+36-12x+x^2$

$24x=36 \qquad \therefore x=\dfrac{3}{2}$

$\therefore \overline{BF}=6-\dfrac{3}{2}=\dfrac{9}{2}$(cm), $\overline{AF}=6+\dfrac{3}{2}=\dfrac{15}{2}$(cm)

2nd 원 O의 반지름의 길이를 구하자.

원 O의 반지름의 길이를 r cm로 놓으면 $\triangle ABF$의 넓이를 이용하여 원 O의 반지름의 길이를 구할 수 있어.

$\triangle ABF=\triangle OAB+\triangle OBF+\triangle OFA$

$\quad=\dfrac{1}{2}\times r\times\left(6+\dfrac{9}{2}+\dfrac{15}{2}\right)$

$\quad=9r\,(\text{cm}^2)\ \cdots \㉠$

또한, $\triangle ABF$의 밑변이 $\overline{BF}$이고 높이가 $\overline{AB}$이므로

$\triangle ABF=\dfrac{1}{2}\times\overline{BF}\times\overline{AB}$

$\quad=\dfrac{1}{2}\times\dfrac{9}{2}\times6=\dfrac{27}{2}\,(\text{cm}^2)\ \cdots\ ㉡$

㉠=㉡이므로 $9r=\dfrac{27}{2} \qquad \therefore r=\dfrac{3}{2}$

3rd 두 원 O와 O'의 둘레의 길이를 각각 구하자.

원 O'의 반지름의 길이가 3 cm이므로 둘레의 길이는
$2\pi\times3=6\pi$(cm)

원 O의 반지름의 길이가 $\dfrac{3}{2}$ cm이므로 둘레의 길이는

$2\pi\times\dfrac{3}{2}=3\pi$(cm)

$\therefore$ (두 원 O, O'의 둘레의 길이의 차)$=6\pi-3\pi=3\pi$(cm)

★ **직각삼각형의 내접원의 성질**

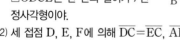

(1) □ODCE에서
$\angle DCE=\angle ODC=\angle OEC=90°$
이고 $\overline{OD}=\overline{OE}=r$이므로
□ODCE는 한 변의 길이가 r인 정사각형이야.

(2) 세 접점 D, E, F에 의해 $\overline{DC}=\overline{EC}$, $\overline{AE}=\overline{AF}$, $\overline{BF}=\overline{BD}$이므로 $\overline{BF}=\overline{BD}=a-r$, $\overline{AF}=\overline{AE}=b-r$
$\therefore c=(a-r)+(b-r)$

(3) $\triangle ABC=\triangle OAB+\triangle OBC+\triangle OCA$
$\therefore \dfrac{1}{2}ab=\dfrac{1}{2}r(a+b+c)$

---

144 답 12

1st 원의 반지름의 길이를 r로 놓고, $\overline{OP}$, $\overline{OH}$, $\overline{PH}$의 길이를 r에 대한 식으로 각각 나타내자.

원 O의 반지름의 길이를 r라 하고, 점 O에서 $\overline{BC}$, $\overline{AD}$에 내린 수선의 발을 각각 H, R라 하면

$\overline{RH}=\overline{AB}=18$, $\overline{OR}=r$이므로

$\overline{OH}=\overline{RH}-\overline{OR}=18-r$

또한, $\overline{BH}=r$이고 $\overline{BP}=4$이므로

$\overline{PH}=r-4$

2nd $\overline{PH}$의 길이를 구하자.

$\triangle OPH$는 직각삼각형이므로 피타고라스 정리를 적용하면

$\overline{OP}^2=\overline{PH}^2+\overline{OH}^2$

$r^2=(r-4)^2+(18-r)^2,\ r^2-44r+340=0$

$(r-10)(r-34)=0 \qquad \therefore r=10(\because 0<r<18)$

$\therefore \overline{PH}=10-4=6$

3rd 원의 중심에서 현에 내린 수선은 그 현을 이등분하지?

원의 중심에서 현에 내린 수선은 그 현을 이등분하므로

$\overline{QH}=\overline{PH}=6$

$\therefore \overline{PQ}=2\overline{PH}=2\times6=12$

---

145 답 $\dfrac{27\sqrt{5}}{2}$ cm²

1st $\overline{BC}$의 길이부터 구해.

그림과 같이 선분 AO''의 연장선이 반원과 만나는 점을 I라 하면 $\overline{AI}$는 반원의 반지름이므로 $\overline{AI}=9$ cm

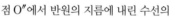

점 O''에서 반원의 지름에 내린 수선의 발은 C이고 원 O''의 반지름의 길이가 2 cm이므로

$\overline{O''C}=\overline{O''I}=2$ cm

$\therefore \overline{AO''}=\overline{AI}-\overline{O''I}=9-2=7$(cm)

따라서 직각삼각형 ACO''에서 피타고라스 정리에 의해

$\overline{AC}=\sqrt{\overline{AO''}^2-\overline{O''C}^2}=\sqrt{7^2-2^2}=3\sqrt{5}$(cm)

이때, 직선 OA에 대하여 주어진 그림은 대칭이므로

$\overline{AB}=\overline{AC}=3\sqrt{5}$ cm $\quad \therefore \overline{BC}=2\times3\sqrt{5}=6\sqrt{5}$(cm)

2nd 삼각형 OBC의 넓이를 구해.

한편, $\overline{OA}$의 길이는 반원의 반지름의 길이의 $\dfrac{1}{2}$배이므로

$\overline{OA}=\dfrac{1}{2}\times9=\dfrac{9}{2}$(cm)

$\therefore \triangle OBC=\dfrac{1}{2}\times\overline{BC}\times\overline{OA}=\dfrac{1}{2}\times6\sqrt{5}\times\dfrac{9}{2}=\dfrac{27\sqrt{5}}{2}\,(\text{cm}^2)$

 **원주각**

개념 체크 001~026 정답은 p. 3에 있습니다.

유형 다지기 학교시험+학력평가   p. 80

027 답 **65°**

한 원에서 한 호에 대한 원주각의 크기는 그 호에 대한 중심각의 크기

의 $\frac{1}{2}$이야. 즉, 그림에서 $\overarc{AB}$에 대하여 $\angle AOB$는 중심각이고

$\angle APB$는 원주각이지?

$\therefore \angle x = \angle APB = \frac{1}{2}\angle AOB = \frac{1}{2} \times 130° = 65°$

> ★ **한 호에 대한 원주각의 크기와 중심각의 크기**
> $\overline{AP'}$이 지름일 때, $\overarc{AB}$에 대한 원주각인
> $\angle APB = \angle a$라 하면 $\overarc{AB}$에 대한 원주각인
> $\angle AP'B = \angle APB = \angle a$지?
> $\overline{OB} = \overline{OP'}$($\because$ 반지름)이니까 $\triangle BOP'$은 이등
> 변삼각형이야. 즉, $\angle OBP' = \angle BP'O = \angle a$
> $\angle AOB$는 $\triangle BOP'$의 한 외각이므로
> $\angle AOB = \angle OP'B + \angle OBP' = 2\angle a$
> $\therefore \angle AOB = 2\angle APB \Rightarrow \angle APB = \frac{1}{2}\angle AOB$

028 답 ④

구하고자 하는 각은 $\overarc{AB}$의 원주각인 $\angle APB$이므로 중심각인

$\angle AOB$의 크기를 먼저 구하자.

$\overline{OA}$, $\overline{OB}$는 반지름이므로 $\triangle AOB$는 이등변삼각형이야.

따라서 이등변삼각형 AOB에서 $\angle OBA = \angle OAB = 28°$이고 삼각

형의 세 내각의 크기의 합이 $180°$이므로

$\angle AOB = 180° - (28° + 28°) = 124°$

$\therefore \angle x = \frac{1}{2}\angle AOB = \frac{1}{2} \times 124° = 62°$

029 답 ④

원주각과 중심각의 크기의 성질에 의해

$\angle AOB = 2\angle APB = 2 \times 36° = 72°$

이등변삼각형 AOB에서 $\angle OBA = \angle OAB$

$\triangle AOB$의 세 내각의 크기의 합이 $180°$이므로

$\angle AOB + \angle OBA + \angle OAB = 72° + 2\angle OAB = 180°$

$\therefore \angle OAB = \frac{1}{2} \times (180° - 72°) = 54°$

030 답 ③

구하고자 하는 $\angle AOB$는 $\overarc{AB}$의 중심각이지?

$\overarc{AB}$의 원주각인 $\angle APB$의 크기부터 구하자.

그림과 같이 원의 중심 O와 점 P를 연결

하면 $\overline{OA} = \overline{OP}$에서 $\triangle OAP$는 이등변

삼각형이므로

$\angle OPA = \angle OAP = 10°$

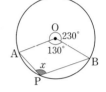

마찬가지로 이등변삼각형 OBP에서

$\angle OPB = \angle OBP = 30°$

$\therefore \angle APB = \angle OPB - \angle OPA = 30° - 10° = 20°$

$\therefore \angle AOB = 2\angle APB = 2 \times 20° = 40°$

031 답 **115°**

그림과 같이 원 O에서 호의 길이가 짧은

쪽을 $\overarc{APB}$, 긴 쪽을 $\overarc{AB}$라 하자.

원 O에서 $\overarc{AB}$에 대한 중심각의 크기가

$360° - 130° = 230°$이고 $\angle x$는 $\overarc{AB}$의 원

주각이므로

$\angle x = \frac{1}{2} \times 230° = 115°$

오답 피하기

> $\overarc{AB}$는 보통 작은 쪽의 호를 나타내고, 큰 쪽의 호를 나타낼 때는
> 점 C를 하나 넣어 $\overarc{ACB}$와 같이 나타내. 이 문제의 경우 점 P가
> 작은 쪽의 호 위에 있으므로 작은 쪽의 호를 $\overarc{APB}$라 하고 큰 쪽
> 의 호를 $\overarc{AB}$라 했으니까 혼동하지 말자. 원주각과 중심각의 크기
> 의 성질은 $180°$가 넘는 중심각에 대해서도 성립함을 알고 있자.

032 답 (1) **60°** (2) **65°**

(1) $\angle x = \angle APB$

  $= \frac{1}{2}\angle AOB = \frac{1}{2} \times (360° - 240°)$

  $= \frac{1}{2} \times 120° = 60°$

(2) $\overarc{AB}$의 원주각의 크기가 $\angle APB = 115°$이

  므로 이 호에 대한 중심각의 크기는

  $2 \times 115° = 230°$

  이때, $\angle AOB$의 크기를 구하면

  $\angle AOB = 360° - 230° = 130°$

  따라서 사각형 OAPB의 네 내각의 크기

  의 합은 $360°$이므로

  $\angle x = 360° - (130° + 50° + 115°) = 360° - 295° = 65°$

오답 피하기

> 간단하게 원주각과 중심각의 크기의 성질
> 에 의해 구할 수 있지?
> 그런데 (1)의 경우 $\frac{1}{2} \times 240° = 120°$라고
> 착각하지는 않았겠지?
> $240°$는 $\overarc{APB}$에 대한 중심각의 크기임을
> 잊지 말자. 우리가 구하려는 $\angle APB$는 $\overarc{AB}$에 대한 원주각이므로
> $\overarc{AB}$에 대한 중심각의 크기인 $360° - 240° = 120°$를 가지고 구해
> 야 해. 혼동하지 말자!!

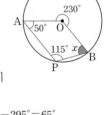

M

033 답 (1) 180° (2) 156°

원주각의 크기는 중심각의 크기의 $\frac{1}{2}$이지?

(1) $\overarc{ACB}$에 대한 원주각의 크기는 $\angle x$이고 중심각의 크기는
$360° - 100° = 260°$이므로
$$\angle x = \frac{1}{2} \times 260° = 130°$$
또, $\overarc{APB}$에 대한 원주각의 크기는 $\angle y$이고 중심각의 크기는
$100°$이므로
$$\angle y = \frac{1}{2} \times 100° = 50°$$
$$\therefore \angle x + \angle y = 130° + 50° = 180°$$

(2) $\overarc{APB}$에 대한 원주각의 크기가
$\angle ACB = 128°$이므로 이 호에 대한 중심
각 (큰 쪽 $\angle AOB$)의 크기를 구하면
(큰 쪽 $\angle AOB$) $= 2\angle ACB$
$\qquad\qquad = 2 \times 128° = 256°$
$$\therefore \angle x = 360° - 256° = 104°$$

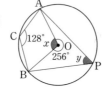

이때, $\overarc{ACB}$에 대한 중심각의 크기가 $\angle x = 104°$이므로 이 호에
대한 원주각의 크기는
$$\angle y = \frac{1}{2}\angle x = 52°$$
$$\therefore \angle x + \angle y = 104° + 52° = 156°$$

034 답 100°

$\overline{PA} = \overline{PB}$이므로 $\triangle APB$는 이등변삼각
형이지?
$$\therefore \angle PBA = \angle PAB = 25°$$
$\triangle PAB$의 세 내각의 크기의 합은 $180°$이
므로
$$\angle APB = 180° - (25° + 25°) = 130°$$

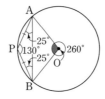

즉, $\overarc{AB}$에 대한 원주각의 크기가 $\angle APB = 130°$이므로 $\overarc{AB}$에 대한
중심각의 크기는 $260°$지?
따라서 $\overarc{APB}$에 대한 중심각의 크기는 $\angle AOB = 360° - 260° = 100°$

035 답 ③

원의 중심에서 접점에 그은 선분은
접선과 수직이므로 중심 O에서 두
점 A, B에 각각 선을 그으면
$$\angle OAP = \angle OBP = 90°지?$$
□OAPB의 네 내각의 크기의 합
은 $360°$이므로
$$\angle P + \angle OAP + \angle OBP + \angle AOB = 360°$$
$\angle P + \angle AOB = 180°$ $\quad\therefore \angle AOB = 180° - 70° = 110°$
$\overarc{AB}$에 대한 중심각이 $\angle AOB$이므로 원주각인 $\angle ACB$의 크기는
중심각 $\angle AOB$의 크기의 $\frac{1}{2}$이야.
$$\therefore \angle ACB = \frac{1}{2} \times 110° = 55°$$

036 답 ③

$\overrightarrow{PA}$, $\overrightarrow{PB}$는 원 O의 접선으로
$$\angle OAP = \angle OBP = 90°$$
□OAPB의 네 내각의 크기의 합은
$360°$이므로
$$\angle P + \angle OAP + \angle OBP + \angle AOB = 360°$$
$$\angle APB + \angle AOB = 180°$$
$$\therefore \angle AOB = 180° - 48° = 132°$$
이때, $\overarc{AQB}$에 대한 중심각의 크기는
$360° - 132° = 228°$이고, $\overarc{AQB}$에 대한 원주각은 $\angle ACB$이므로
$$\angle ACB = \frac{1}{2} \times 228° = 114°$$

037 답 ②

$\angle ACB$는 $\overarc{AQB}$에 대한 원주각이지?
따라서 $\overarc{AQB}$에 대한 중심각의 크기는
$$2\angle ACB = 2 \times 132° = 264°$$
$\overarc{ACB}$에 대한 중심각의 크기를 구하면
$$\angle AOB = 360° - 264° = 96°$$
$\overrightarrow{PA}$, $\overrightarrow{PB}$는 원 O의 접선으로
$$\angle OAP = \angle OBP = 90°$$
□APBO의 네 내각의 크기의 합은 $360°$이므로
$$\angle APB + \angle OAP + \angle OBP + \angle AOB = 360°$$
$\angle APB + \angle AOB = 180°$ $\quad\therefore \angle APB = 180° - 96° = 84°$

038 답 ①

$\overrightarrow{PA}$, $\overrightarrow{PB}$는 원 O의 접선이므로
$$\angle OAP = \angle OBP = 90°$$
□APBO의 네 내각의 크기의 합은
$360°$이므로
$$\angle APB + \angle OAP + \angle OBP + \angle AOB = 360°$$
$$\angle APB + \angle AOB = 180°$$
$$\therefore \angle AOB = 180° - 68° = 112°$$

이때, $\overarc{AB}$에 대한 원주각인 $\angle AQB$의 크기는 $\angle AOB$의 크기의 $\frac{1}{2}$
이니까 $\angle AQB = \frac{1}{2}\angle AOB = \frac{1}{2} \times 112° = 56°$

또한, $\overline{AQ} = \overline{BQ}$이므로 $\triangle ABQ$는 이등변삼각형이지?
따라서 $\angle ABQ = \angle BAQ$이므로
$$\angle ABQ = \frac{1}{2} \times (180° - \angle AQB) = \frac{1}{2} \times (180° - 56°) = 62°$$

039 답 ③

$\angle x$가 $\overarc{CDE}(=\overarc{CD} + \overarc{DE})$에 대한 원주각이고 같은 호에 대한 원
주각의 크기는 모두 같으므로
$$\angle x = \angle CAD + \angle DAE = \angle CBD + \angle DFE = 20° + 30° = 50°$$
[다른 풀이]
$\overarc{CD}$에 대하여 원주각과 중심각의 크기의 성질을 이용하면
$$\angle COD = 2\angle CBD = 2 \times 20° = 40°$$

$\overarc{DE}$에 대하여 원주각과 중심각의 크기의
성질을 이용하면

$\angle DOE=2\angle DFE=2\times30°=60°$

$\therefore \angle COE=\angle COD+\angle DOE$

$\qquad\qquad =40°+60°=100°$

따라서 $\overarc{CDE}$에 대하여

$\angle x=\angle CAE=\dfrac{1}{2}\angle COE=\dfrac{1}{2}\times100°=50°$

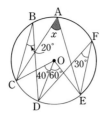

040 답 60°

$\angle x$가 $\overarc{BCD}$에 대한 원주각이므로 $\angle x$는 $\overarc{BC}$와 $\overarc{CD}$에 대한 원주각
의 크기의 합과 같지?

$\therefore \angle x=\angle BED=\angle BEC+\angle CED$

$\qquad\quad =\angle BAC+\dfrac{1}{2}\angle COD$

$\qquad\quad =25°+\dfrac{1}{2}\times70°$

$\qquad\quad =25°+35°=60°$

041 답 ④

같은 호에 대한 원주각의 크기는 모두 같
지? 즉, $\angle CPB=\angle CQB=\angle x$야.
이때, $\overarc{ACB}=\overarc{AC}+\overarc{CB}$에서 $\overarc{ACB}$에 대
한 원주각의 크기는 $\overarc{AC}$와 $\overarc{CB}$에 대한 원
주각의 크기의 합이고, $\overarc{ACB}$에 대한 원
주각의 크기는 중심각인 $\angle AOB$의 크기
의 $\dfrac{1}{2}$이므로

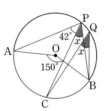

$\angle APB=\dfrac{1}{2}\times150°=75°$

$42°+\angle x=75° \qquad \therefore \angle x=33°$

042 답 $\angle x=35°$, $\angle y=65°$

$\overarc{BD}$에 대한 원주각의 크기는 모
두 같으므로

$\angle BAD=\angle BCD=\angle y$

$\triangle ABE$에서 한 외각의 크기는
그와 이웃하지 않는 두 내각의
크기의 합과 같으므로

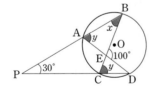

$\angle ABE+\angle BAE=\angle BED$

$\therefore \angle x+\angle y=100° \cdots \bigcirc$

또, $\angle BCD$는 $\triangle PBC$의 한 외각이므로

$\angle BCD=\angle PBC+\angle BPC \qquad \therefore \angle y=\angle x+30° \cdots \bigcirc$

$\bigcirc$을 $\bigcirc$에 대입하면

$\angle x+(\angle x+30°)=100° \qquad \therefore \angle x=35°$

$\therefore \angle y=35°+30°=65° (\because \bigcirc)$

043 답 ④

$\overarc{AB}$가 반원의 호이고, 반원에 대한 원주각의 크기가 $90°$이므로

$\angle ADB=90°$

삼각형의 한 외각의 크기는 그와 이웃하지 않는 두 내각의 크기의
합과 같으므로 $\triangle PBD$에서

$\angle APB=\angle PDB+\angle PBD$

$130°=90°+\angle x \qquad \therefore \angle x=40°$

044 답 28°

반원에 대한 원주각의 크기는 $90°$이므로

$\angle ACB=90°$

$\triangle ABC$의 세 내각의 크기의 합은 $180°$이므로

$\angle x+\angle ACB+\angle ABC=180°$

$\therefore \angle x=180°-(90°+62°)=28°$

045 답 ④

$\overarc{ADB}$가 반원의 호이므로

$\angle ACB=90°$

$\therefore \angle ABC=90°-33°=57°$

한 원에서 한 호에 대한 원주각의 크기
는 모두 같지? 즉, $\overarc{AC}$에 대하여

$\angle ADC=\angle ABC$이므로

$\angle x=57°$

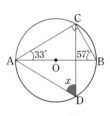

046 답 ④

$\overline{BD}$가 지름이므로

$\angle BCD=90°$

$\therefore \angle ACD=90°-50°=40°$

한 원에서 한 호에 대한 원주각의 크기는
모두 같으므로 $\overarc{AD}$에 대하여

$\angle ABD=\angle ACD$야.

$\therefore \angle x=40°$

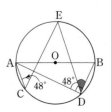

[다른 풀이]

그림에서 $\overline{AC}$는 원 O의 지름이므로

$\angle ABC=90°$

따라서 $\triangle ABC$는 $\angle B=90°$인 직각삼각형이고 $\angle ACB=50°$이므
로 $\angle BAC=40°$

이때, $\overline{OA}=\overline{OB}(\because$ 반지름$)$이므로 $\triangle OAB$는 이등변삼각형이야.

$\therefore \angle x=\angle OBA=\angle OAB=40°$

047 답 ⑤

한 원에서 한 호에 대한 원주각의 크기
는 모두 같으므로 $\overarc{AE}$에 대하여

$\angle ADE=\angle ACE=48°$

이때, $\overline{AB}$가 지름이므로

$\angle ADB=90°$

$\therefore \angle BDE=\angle ADB-\angle ADE$

$\qquad\qquad =90°-48°=42°$

048 답 23°

$\overline{BD}$가 지름이므로 $\angle BCD=90°$

$\therefore \angle x = \angle BCD - \angle ACD$

$\qquad = 90° - 26° = 64°$

$\angle BDA = \angle BCA = 64°(\because \overparen{AB}$에 대한 원주각)이고, 삼각형의 세 내각의 크기의 합은 $180°$이므로

$\angle y = 180° - (29° + 64°) = 87°$

$\therefore \angle y - \angle x = 87° - 64° = 23°$

049 답 ③

그림과 같이 두 점 B, C를 연결하면

$\angle ACB=90°$이므로

$\triangle PCB$에서 $\angle PBC=90°-60°=30°$

이때, $\angle PBC = \angle DBC$는 $\overparen{CD}$에 대한 원주각이고, $\angle COD$는 이 호에 대한 중심각이지?

$\therefore \angle COD = 2\angle DBC = 2 \times 30° = 60°$

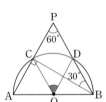

050 답 $8\sqrt{2}$ cm

그림과 같이 두 점 O', P와 두 점 B, Q를 연결하면

$\angle APO' = \angle AQB = 90°$이므로

$\triangle APO' \backsim \triangle AQB \cdots (*)$

$\triangle APO'$에서 $\overline{AO'}=9\,cm$, $\overline{O'P}=3\,cm$이 므로 피타고라스 정리에 의하여

$\overline{AP} = \sqrt{9^2 - 3^2} = 6\sqrt{2}\,(cm)$

닮은 두 도형의 대응변의 길이의 비가 일정하므로

$\overline{AO'} : \overline{AB} = \overline{AP} : \overline{AQ}$

$9 : 12 = 6\sqrt{2} : \overline{AQ}$, $3 : 4 = 6\sqrt{2} : \overline{AQ}$

$\therefore \overline{AQ} = 8\sqrt{2}\,cm$

오답피하기

왜 (*)가 될까?

두 직각삼각형 APO'과 AQB에서

$\angle APO' = \angle AQB = 90°$, $\angle A$는 공통이므로

AA 닮음이 되는 거야.

051 답 $\dfrac{7}{5}$

$\overline{AB}$가 원 O의 지름이므로

$\angle ACB = 90°$, $\overline{AB}=20$

직각삼각형 ABC에서 피타고라스 정리를 적용하면

$\overline{AC} = \sqrt{\overline{AB}^2 - \overline{BC}^2} = \sqrt{20^2 - 12^2} = 16$

$\therefore \sin A + \cos A = \dfrac{\overline{BC}}{\overline{AB}} + \dfrac{\overline{AC}}{\overline{AB}}$

$\qquad = \dfrac{12}{20} + \dfrac{16}{20} = \dfrac{28}{20} = \dfrac{7}{5}$

오답피하기

삼각비의 값을 구할 때에는 주어진 삼각형이 직각삼각형인가와 어떤 각을 기준으로 했느냐를 눈여겨봐야 해. 일단 삼각비는 직각삼각형에서 정의되는 거니까 당연히 직각삼각형이 있어야 해. 또, 기준이 되는 각이 다를 때는 밑변과 높이가 달라져.

$\angle A$를 기준으로 보면 밑변은 $\overline{AB}$, 높이는 $\overline{BC}$지? $\angle C$를 기준으로 보면 밑변은 $\overline{BC}$, 높이는 $\overline{AB}$가 되니까 삼각비의 값을 구할 때 기준이 되는 각을 잘 판단하자.

052 답 ③

$\overline{BO}$를 연장한 선과 원의 교점을 P라 하면 $\overparen{BC}$에 대한 원주각의 크기가 모두 같으므로

$\angle BPC = \angle BAC$

$\overline{BP}$가 원 O의 지름이므로

$\angle BCP = 90°$, $\overline{BP}=10$

$\therefore \sin A = \sin P = \dfrac{\overline{BC}}{\overline{BP}} = \dfrac{6}{10} = \dfrac{3}{5}$

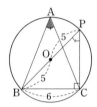

오답피하기

$\angle A$의 삼각비를 구해야 하는데 $\triangle ABC$가 직각삼각형이 아니네. 그럼 수선을 그어야겠지?

그런데 수선을 그어도 삼각비를 구할 수 없지? 문제의 다른 조건을 따져보자. $\triangle ABC$가 원에 내접하잖아. 반원에 대한 원주각의 크기는 $90°$이고 한 원에서 한 호에 대한 원주각의 크기가 모두 같음을 이용하여 $\angle A$와 크기가 같은 각인 $\angle P$를 직각삼각형 BCP에서 찾으면 돼.

053 답 $\dfrac{\sqrt{35}}{7}$

삼각비를 구하기 위해 직각삼각형을 만들어야겠지?

$\overline{BO}$를 연장한 선과 원의 교점을 P라 하자.

$\overparen{BC}$에 대한 원주각의 크기는 모두 같으므로

$\angle BPC = \angle BAC$

$\overline{BP}$가 원 O의 지름이므로

$\angle BCP = 90°$, $\overline{BP}=6$

$\triangle BCP$에서 피타고라스 정리를 적용하면

$\overline{PC} = \sqrt{\overline{BP}^2 - \overline{BC}^2} = \sqrt{6^2 - (\sqrt{15})^2} = \sqrt{21}$

$\therefore \tan A = \tan P = \dfrac{\overline{BC}}{\overline{PC}} = \dfrac{\sqrt{15}}{\sqrt{21}} = \dfrac{\sqrt{5}}{\sqrt{7}} = \dfrac{\sqrt{35}}{7}$

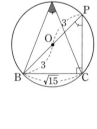

054 답 9

$\overline{BO}$를 연장한 선과 원의 교점을 P라 하면 $\overparen{BC}$에 대한 원주각의 크기가 모두 같으므로

$\angle BPC = \angle BAC$

$\therefore \sin P = \sin A$

$\overline{BP}$가 원의 지름이므로 $\angle BCP=90°$

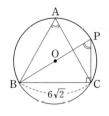

$$\therefore \sin P = \frac{\overline{BC}}{\overline{BP}} = \frac{6\sqrt{2}}{\overline{BP}} = \frac{2\sqrt{2}}{3} \left(\because \sin A = \frac{2\sqrt{2}}{3} \right)$$
$$\therefore \overline{BP} = 9$$
따라서 원 O의 지름의 길이는 9야.

055 답 ③

$\overline{AC}$가 원의 지름이므로 $\angle ABC = 90°$
직각삼각형 ABC에서
$$\sin 30° = \frac{\overline{BC}}{\overline{AC}}, \quad \frac{1}{2} = \frac{6}{\overline{AC}}$$
$$\therefore \overline{AC} = 12 \, \text{cm}$$
따라서 원 O는 반지름의 길이가 $\frac{1}{2}\overline{AC} = 6(\text{cm})$이므로
(원 O의 넓이)$= \pi \times 6^2 = 36\pi \,(\text{cm}^2)$

056 답 $(6 + 2\sqrt{3})$ cm

$\overline{AB}$가 원의 지름이고 △ABC가 원에 내접하므로
$\angle ACB = 90°$
즉, △ABC는 직각삼각형이므로 △ABC에서
(i) $\sin 60° = \frac{\overline{BC}}{\overline{AB}}, \quad \frac{\sqrt{3}}{2} = \frac{\overline{BC}}{4} \qquad \therefore \overline{BC} = 2\sqrt{3} \,\text{cm}$
(ii) $\cos 60° = \frac{\overline{AC}}{\overline{AB}}, \quad \frac{1}{2} = \frac{\overline{AC}}{4} \qquad \therefore \overline{AC} = 2 \,\text{cm}$
(i), (ii)에 의하여 △ABC의 둘레의 길이는
$$\overline{AB} + \overline{BC} + \overline{AC} = 4 + 2\sqrt{3} + 2$$
$$= 6 + 2\sqrt{3}\,(\text{cm})$$

057 답 ①

점 B와 원의 중심 O를 잇는 선의 연장선이
원과 만나는 점을 P라 하면 $\overline{BP}$가 원의 지
름이므로 $\angle BCP = 90°$
$\overset{\frown}{BC}$에 대한 원주각의 크기는 모두 같으므로
$\angle P = \angle A = 45°$

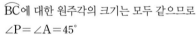

$$\sin P = \sin 45° = \frac{\overline{BC}}{\overline{BP}}, \quad \frac{\sqrt{2}}{2} = \frac{10}{\overline{BP}}$$
$$\therefore \overline{BP} = 10\sqrt{2}$$
따라서 △ABC의 외접원 O의 반지름의 길이는 $\frac{1}{2}\overline{BP} = 5\sqrt{2}$야.

[다른 풀이]

$\overline{BP}$가 원의 중심을 지나므로 $\angle BCP = 90°$
$\angle P = \angle A = 45° (\because \overset{\frown}{BC}$에 대한 원주각$)$
△BCP가 직각이등변삼각형이므로
$\overline{BP} : \overline{BC} = \sqrt{2} : 1, \quad \overline{BP} : 10 = \sqrt{2} : 1$
$\therefore \overline{BP} = 10\sqrt{2}$
따라서 △ABC의 외접원 O의 반지름의 길이는 $5\sqrt{2}$야.

058 답 $27\sqrt{3}$ cm²

$\overline{OB}$를 연장한 선과 원의 교점을 P라 하면
$\overline{BP}$가 원의 지름이므로
$\angle BCP = 90°$, $\overline{BP} = 12 \,\text{cm}$
이때, △ABC가 정삼각형이고 $\overset{\frown}{BC}$에 대한
원주각의 크기는 모두 같으므로
$\angle P = \angle A = 60°$

직각삼각형 BPC에서
$$\sin P = \sin 60° = \frac{\overline{BC}}{\overline{BP}}, \quad \frac{\sqrt{3}}{2} = \frac{\overline{BC}}{12}$$
$$\therefore \overline{BC} = 6\sqrt{3} \,\text{cm}$$
한 변의 길이가 a인 정삼각형의 넓이는 $\frac{\sqrt{3}}{4}a^2$이지?
$$\therefore \triangle ABC = \frac{\sqrt{3}}{4} \times (6\sqrt{3})^2 = 27\sqrt{3}\,(\text{cm}^2)$$

[다른 풀이]

△ABC는 정삼각형이고 △OBC는 이등
변삼각형이므로 점 O에서 $\overline{BC}$에 내린 수
선의 발을 H라 하면
△AOB≡△AOC≡△BOC(SSS 합동)
$\cdots (*)$

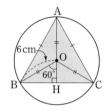

$$\angle BOC = \frac{1}{3} \times 360° = 120°$$
$$\therefore \angle BOH = \frac{1}{2}\angle BOC = 60° \cdots (**)$$
$$\overline{BH} = \overline{BO} \times \sin 60° = 6 \times \frac{\sqrt{3}}{2} = 3\sqrt{3}\,(\text{cm})$$
$$\therefore \overline{BC} = 2\overline{BH} = 6\sqrt{3}\,(\text{cm}) \cdots (***)$$
따라서 정삼각형 ABC의 한 변의 길이는 $6\sqrt{3}$ cm이므로
$$\triangle ABC = \frac{\sqrt{3}}{4} \times (6\sqrt{3})^2 = 27\sqrt{3}\,(\text{cm}^2)$$

오답피하기

[다른 풀이] 를 보면 이등변삼각형의 성질과 합동 조건을 가지고도
풀수 있지?
$(*)$의 경우 $\overline{AO} = \overline{BO} = \overline{CO}$, $\overline{AB} = \overline{BC} = \overline{CA}$이므로 세 삼각형
은 SSS 합동!!
$(**)$의 경우 △BOC는 이등변삼각형이므로 수선인 $\overline{OH}$는 $\angle BOC$
를 이등분해. 즉, $\angle BOH = \angle COH$
또한, $(***)$의 경우 $\overline{OH}$가 $\overline{BC}$를 수직이등분하므로
$\overline{BH} = \overline{CH}$
도형의 성질을 잘 이용하면 나만의 빠른 풀이를 할 수 있어.

059 답 ②

$\overline{AB}$가 원 O의 지름이므로
$\angle ACB = 90°$
한 원에서 길이가 같은 호에 대한 원주각
의 크기는 같으므로
$\overset{\frown}{AD} = \overset{\frown}{DE} = \overset{\frown}{EB}$
$\therefore \angle ACD = \angle DCE = \angle ECB$
$\therefore \angle DCE = \frac{1}{3}\angle ACB$
$\qquad = \frac{1}{3} \times 90° = 30°$

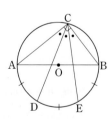

060 답 $64°$

$\overset{\frown}{AB} = \overset{\frown}{BC}$이므로 $\overset{\frown}{AC} = 2\overset{\frown}{AB}$
한 원에서 원주각의 크기와 호의 길이는 정비례하지?
$\therefore \angle x = \angle AQC = 2\angle APB = 2 \times 32° = 64°$

061 답 ①

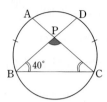

$\overset{\frown}{AB}=\overset{\frown}{CD}$이므로 두 호의 원주각의 크기는 같아.

즉, $\angle ACB=\angle DBC=40°$

$\triangle BCP$에서 세 내각의 크기의 합이 $180°$이므로

$\angle BPC+40°+40°=180°$

$\therefore \angle BPC=100°$

062 답 28°

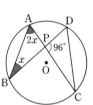

$\overset{\frown}{BC}=2\overset{\frown}{AD}$이고, 한 원에서 원주각의 크기와 호의 길이는 정비례하므로

$\angle BAC=2\angle ABD=2\angle x$

$\angle APB=\angle DPC=96°(\because$ 맞꼭지각)

$\triangle ABP$에서 세 내각의 크기의 합은 $180°$이므로

$2\angle x+\angle x+96°=180°$

$3\angle x=84°$　$\therefore \angle x=28°$

063 답 $\angle A=60°$, $\angle B=80°$, $\angle C=40°$

$\overset{\frown}{AB} : \overset{\frown}{BC} : \overset{\frown}{CA}=2 : 3 : 4$이므로

$\overset{\frown}{BC}$에 대한 원주각의 크기는

$\angle A=\dfrac{3}{2+3+4}\times180°=60°$

$\overset{\frown}{CA}$에 대한 원주각의 크기는

$\angle B=\dfrac{4}{2+3+4}\times180°=80°$

$\overset{\frown}{AB}$에 대한 원주각의 크기는

$\angle C=\dfrac{2}{2+3+4}\times180°=40°$

★ 원 O에 내접하는 삼각형 ABC에서

$\overset{\frown}{AB}$의 길이가 원주의 $\dfrac{1}{m}$이면

$\angle ACB=\dfrac{1}{m}\times180°$

(1) $\overset{\frown}{AB}$, $\overset{\frown}{BC}$, $\overset{\frown}{CA}$에 대한 원주각은 각각 $\angle C$, $\angle A$, $\angle B$야. 이 세 호에 대한 원주각의 크기의 합은 $180°$이므로 한 호의 길이가 원주의 $\dfrac{1}{m}$일 때, 이 호에 대한 원주각의 크기는 $\dfrac{1}{m}\times180°$가 되는 거야.

(2) 호의 길이는 중심각의 크기에 정비례하지? 원주에 대한 중심각의 크기는 $360°$이고 호의 중심각의 크기는 원주각의 크기의 2배이므로 $\overset{\frown}{AB}$의 길이가 원주의 $\dfrac{1}{m}$이면

$\overset{\frown}{AB}=2\pi r\times\dfrac{1}{m}=2\pi r\times\dfrac{2\angle ACB}{360°}$

$\dfrac{1}{m}=\dfrac{\angle ACB}{180°}$　$\therefore \angle ACB=\dfrac{1}{m}\times180°$

---

064 답 80°

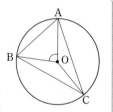

$\overset{\frown}{AB}$가 원주의 $\dfrac{1}{3}$이므로

$\angle AQB=\dfrac{1}{3}\times180°=60°$

또, $\overset{\frown}{APB}$가 원주의 $\dfrac{2}{3}$이므로 $\overset{\frown}{APB}$에 대한 원주각의 크기는

$\dfrac{2}{3}\times180°=120°$

근데, $\overset{\frown}{AP}=\overset{\frown}{PQ}=\overset{\frown}{QB}$이므로

$\angle PBQ=\dfrac{1}{3}\times(\overset{\frown}{APB}$에 대한 원주각의 크기$)=\dfrac{1}{3}\times120°=40°$

$\triangle BCQ$의 세 내각의 크기의 합은 $180°$이므로

$\angle PCA=\angle BCQ(\because$ 맞꼭지각)

　　　　　$=180°-(60°+40°)=80°$

065 답 ④

그림에서 두 점 A, C를 연결하는 보조선을 긋자.

$\overset{\frown}{AB} : \overset{\frown}{BC} : \overset{\frown}{CD} : \overset{\frown}{DA}=3 : 2 : 5 : 2$

이므로

$\overset{\frown}{BC}$는 원주의 $\dfrac{2}{3+2+5+2}=\dfrac{2}{12}$

$\therefore \angle BAC=\dfrac{2}{12}\times180°=30°$

$\overset{\frown}{CD}$는 원주의 $\dfrac{5}{3+2+5+2}=\dfrac{5}{12}$

$\therefore \angle CAD=\dfrac{5}{12}\times180°=75°$

$\therefore \angle BAD=\angle BAC+\angle CAD=30°+75°=105°$

[다른 풀이]

$\angle BAD$는 $\overset{\frown}{BCD}$에 대한 원주각이지?

호의 길이는 원주각의 크기에 정비례하므로 $\overset{\frown}{BCD}$는 원주의

$\dfrac{2+5}{3+2+5+2}=\dfrac{7}{12}$

$\therefore \angle BAD=\dfrac{7}{12}\times180°=105°$

066 답 25°

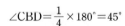

$\overline{DB}$를 그으면 $\overset{\frown}{AB}$가 원주의

$\dfrac{1}{9}$이므로

$\angle ADB=\dfrac{1}{9}\times180°=20°$

$\overset{\frown}{CD}$가 원주의 $\dfrac{1}{4}$이므로

$\angle CBD=\dfrac{1}{4}\times180°=45°$

이때, $\angle DBC$는 $\triangle PBD$의 한 외각이므로

$\angle DPB+\angle PDB=\angle DBC \Rightarrow \angle DPB+20°=45°$

$\therefore \angle DPB=25°$

$\therefore \angle APB=\angle DPB=25°$

067 답 $\dfrac{1}{9}$배

$\overset{\frown}{AB}$는 원주의 $\dfrac{1}{6}$이므로

$\angle ACB = \dfrac{1}{6} \times 180° = 30°$

삼각형에서 한 외각의 크기는 그와 이웃하지 않는 두 내각의 크기의 합과 같고 $\angle APB$는 $\triangle BCP$의 한 외각이므로

$\angle APB = \angle PCB + \angle CBP$
$\qquad = 30° + \angle CBP = 50°$

$\therefore \angle CBD = \angle CBP = 20°$

이때, $\angle CBD$는 $\overset{\frown}{CD}$에 대한 원주각이지?
원주각의 크기는 호의 길이와 정비례하므로 $\overset{\frown}{CD}$의 길이는 원주의 $\dfrac{20°}{180°} = \dfrac{1}{9}$ (배)야.

068 답 ④

삼각형의 한 외각의 크기는 그와 이웃하지 않는 두 내각의 크기의 합과 같지?
$\triangle ACP$에서

$\angle CPB = \angle CAP + \angle ACP$이므로
$\angle CAP = \angle CPB - \angle ACP$
$\qquad = 80° - 35° = 45°$

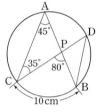

즉, $\overset{\frown}{BC}$에 대한 원주각의 크기가 45°이고, 호의 길이와 원주각의 크기가 정비례하므로 원의 둘레의 길이를 x cm라 하면

$45° : 180° = 10 : x$

$\therefore x = 40 \text{(cm)}$

069 답 14π

원의 중심에서 두 현 AB, AC에 이르는 거리가 같으므로

$\overline{AB} = \overline{AC}$

즉, $\angle ACB = \angle ABC = 55°$이므로 $\triangle ABC$에서

$\angle BAC = 180° - (55° + 55°) = 70°$

따라서 원주각의 크기와 호의 길이는 정비례하므로

$70° : 55° = \overset{\frown}{BC} : 11\pi$ $\therefore \overset{\frown}{BC} = 14\pi$

070 답 ④

그림과 같이 두 점 A, B를 연결하는 보조선을 긋자.

$\overset{\frown}{AD}$의 원주각의 크기를 $\angle a$, $\overset{\frown}{BC}$의 원주각의 크기를 $\angle b$라 하자.

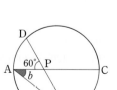

$\triangle ABP$에서 한 외각의 크기는 그와 이웃하지 않는 두 내각의 크기의 합과 같으므로

$\angle a + \angle b = 60°$

즉, $\overset{\frown}{AD}$와 $\overset{\frown}{BC}$에 대한 원주각의 크기의 합이 60°이지?

따라서 $\overset{\frown}{AD} + \overset{\frown}{BC}$의 길이는 원의 둘레의 길이의 $\dfrac{60°}{180°} = \dfrac{1}{3}$ (배)야.

071 답 ③

③ 네 점 A, B, C, D가 한 원 위에 있을 조건은
$\qquad \angle ABD = \angle ACD = 55°$ 또는 $\angle ACB = \angle ADB = 55°$
인 경우야.

072 답 ③

$\triangle ABD$의 세 내각의 크기의 합은 180°이므로

$\angle BAD + \angle ABD + \angle ADB = 180°$
$68° + 52° + \angle ADB = 180°$

$\therefore \angle ADB = 60°$

네 점 A, B, C, D가 한 원 위에 있으므로 $\angle x = \angle ACB = \angle ADB = 60°$

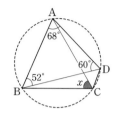

오답|피하기

주어진 각의 크기인 52°, 68°, 60° 때문에 혼동스럽지?
□ABCD의 변 중 하나를 중심으로 같은 쪽에 있는 각의 크기가 같은지 판단해야 해.
한 개의 변을 중심으로 만들어지는 호에서 원주각의 크기가 같은 각을 찾으면 되는 거야.
즉, $\overline{BC}$를 기준으로 $\angle BAC = \angle BDC$,
$\overline{CD}$를 기준으로 $\angle CBD = \angle CAD$,
$\overline{DA}$를 기준으로 $\angle ABD = \angle ACD$,
$\overline{AB}$를 기준으로 $\angle ACB = \angle ADB = 60°$
이 중 조건을 이용할 수 있는 것을 찾아 어느 각의 크기와 같은지 확실하게 구분해야 해.

073 답 ②

네 점 A, B, C, D가 한 원 위에 있으므로 $\angle DAC = \angle DBC$

$\therefore \angle x = 75°$

또한, $\triangle BDP$에서 한 외각의 크기는 그와 이웃하지 않는 두 내각의 크기의 합과 같으므로

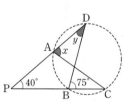

$40° + \angle y = 75°$ $\therefore \angle y = 35°$

$\therefore \angle x + \angle y = 75° + 35° = 110°$

074 답 ⑤

$\overline{AD}$가 지름이므로 $\angle ACD = 90°$

이때, $\triangle ACD$에서 $\angle ADC = 90° - 20° = 70°$

□ABCD가 원에 내접하므로 한 쌍의 대각의 크기의 합은 180°야.

즉, $\angle ABC + \angle ADC = 180°$이므로 $\angle x + 70° = 180°$

$\therefore \angle x = 110°$

[다른 풀이]

$\overline{BD}$를 그으면 $\overline{AD}$가 지름이므로 $\angle ABD = 90°$

$\overset{\frown}{CD}$에 대한 원주각은 모두 같으므로

$\angle CBD = \angle CAD = 20°$

$\therefore \angle x = \angle ABD + \angle CBD = 90° + 20° = 110°$

075 답 $\angle x = 112°$, $\angle y = 110°$

□ABCD가 원 O에 내접하므로
한 쌍의 대각의 크기의 합은 $180°$지?
□ABCD에서 $\angle D + \angle B = 180°$이므로
$\angle x = \angle D = 180° - \angle B = 180° - 68° = 112°$
또, $\angle A + \angle C = 180°$이니까
$\angle y = \angle C = 180° - \angle A = 180° - 70° = 110°$

076 답 $266°$

□ABCD가 원 O에 내접하므로
한 쌍의 대각의 크기의 합은 $180°$지?
□ABCD에서
$\angle A + \angle C = 180°$
$\therefore \angle x = \angle A = 180° - \angle C = 180° - 86° = 94°$
이때, $\overarc{DAB}$에 대한 중심각의 크기는 원주각의 크기의 2배이므로
$\angle y = 2\angle DCB = 2 \times 86° = 172°$
$\therefore \angle x + \angle y = 94° + 172° = 266°$

077 답 ③

△ABC에서 세 내각의 크기의 합은 $180°$이므로
$\angle ABC = 180° - (45° + 40°) = 95°$
□ABCD가 원에 내접하므로
$\angle ABC + \angle ADC = 180°$
$\therefore \angle x = \angle ADC = 180° - \angle ABC = 180° - 95° = 85°$

078 답 ⑤

$\overline{AB}$가 원 O의 지름이므로 $\angle ACB = 90°$
△ABC에서 $\angle CAB + \angle CBA = 90°$
$\therefore \angle CBA = 90° - \angle CAB = 90° - 28° = 62°$
□ABCD가 원 O에 내접하므로 $\angle B + \angle D = 180°$
$\therefore \angle ADC = \angle D = 180° - \angle B = 180° - 62° = 118°$

[다른 풀이]
$\overline{BD}$를 그으면 원 O의 지름이 $\overline{AB}$이므로 $\angle ADB = 90°$
$\overarc{BC}$에 대한 원주각의 크기는 모두 같으므로
$\angle BDC = \angle BAC = 28°$
$\therefore \angle ADC = \angle ADB + \angle BDC$
$\qquad = 90° + 28° = 118°$

079 답 ④

$\overline{AB} = \overline{AC}$이므로 $\angle ABC$는 이등변삼각형
이므로
$\angle ABC = \dfrac{1}{2} \times (180° - 30°) = 75°$
이때, □ABCD가 원에 내접하므로
$\angle ABC + \angle ADC = 180°$
$\therefore \angle ADC = 180° - \angle ABC$
$\qquad = 180° - 75° = 105°$

080 답 ②

□ABCD가 원에 내접하므로
$\angle B + \angle D = 180°$
$\therefore \angle x = \angle B = 180° - \angle D$
$\qquad = 180° - 86° = 94°$
$\overarc{ABC}$에 대한 원주각의 크기는 모두 같으므로 $\angle AEC = \angle ADC = 86°$
△AEF에서 한 외각의 크기는 그와 이웃하지 않는 두 내각의 크기의 합과 같으므로
$\angle y = \angle AFC = \angle FAE + \angle AEF$
$\qquad = 34° + 86° = 120°$
$\therefore \angle x + \angle y = 94° + 120° = 214°$

081 답 $80°$

$\overline{AC}$를 그으면 □ACDE는 원 O에 내접하므로
$\angle ACD = 180° - \angle AED$
$\qquad = 180° - 116° = 64°$
$\angle ACB = 104° - 64° = 40°$
이때, 중심각의 크기는 원주각의 크기의 2배이므로
$\angle AOB = 2\angle ACB = 2 \times 40° = 80°$

082 답 ②

원에 내접하는 사각형에서 한 외각의 크기는 그와 이웃하는 내각의 대각의 크기와 같으므로 $\angle BAD = \angle DCE = 85°$
$\therefore \angle CAD = \angle BAD - \angle BAC = 85° - 50° = 35°$
한 원에서 한 호에 대한 원주각의 크기는 모두 같으므로 $\overarc{CD}$에 대하여
$\angle x = \angle CBD = \angle CAD = 35°$

083 답 ③

한 원에서 한 호에 대한 원주각의 크기는 모두 같으므로 $\overarc{BC}$에 대하여 $\angle BAC = \angle BDC = 70°$
원에 내접하는 사각형에서 한 외각의 크기는 그와 이웃하는 내각의 대각의 크기와 같지?
$\therefore \angle DCE = \angle BAD = \angle BAC + \angle CAD = 70° + 30° = 100°$

084 답 ③

△PCD의 세 내각의 크기의 합이
$180°$이므로
$\angle PDC = 180° - (30° + 78°)$
$\qquad = 72°$
원에 내접하는 사각형에서 한 외각의 크기는 그와 이웃하는 내각의 대각의 크기와 같으므로
$\angle PBA = \angle ADC$
$\therefore \angle x = 72°$

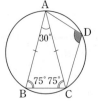

[다른 풀이]
□ABCD가 원에 내접하므로 $\angle BAD + \angle BCD = 180°$

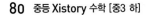

$\angle BAD=180°-\angle BCD=180°-78°=102°$

$\triangle ABP$에서 한 외각의 크기는 그와 이웃하지 않는 두 내각의 크기의 합과 같아. 즉, $\angle BAD=\angle APB+\angle ABP$

$\therefore \angle x=\angle ABP=\angle BAD-\angle APB=102°-30°=72°$

085 답 $65°$

한 원에서 한 호에 대한 원주각의 크기는 중심각의 크기의 $\frac{1}{2}$이므로 $\angle BAD=\frac{1}{2}\angle BOD=\frac{1}{2}\times130°=65°$

원에 내접하는 사각형에서 한 외각의 크기는 그와 이웃하는 내각의 대각의 크기와 같으므로

$\angle DCE=\angle BAD=65°$

086 답 ③

두 점 B, D를 연결하는 보조선을 긋자.

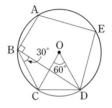

$\square ABDE$가 원 O에 내접하므로

$\angle ABD+\angle AED=180°$ … ㉠

$\widehat{CD}$에 대한 중심각의 크기가

$\angle COD=60°$이므로 이 호에 대한 원주각의 크기는

$\angle CBD=\frac{1}{2}\angle COD=\frac{1}{2}\times60°=30°$

$\angle ABD=\angle ABC-\angle CBD=120°-30°=90°$

$\therefore \angle AED=180°-\angle ABD(\because ㉠)$

$=180°-90°=90°$

[다른 풀이]

$\widehat{AEC}$에 대한 원주각의 크기가 $120°$이므로 $\widehat{AEC}$에 대한 중심각의 크기를 구하면

$\angle AOC=2\angle ABC=240°$

이때, $\angle COD=60°$이므로 $\angle AOD=240°-60°=180°$

따라서 $\overline{AD}$는 원 O의 지름이므로 $\angle AED=90°$

087 답 ③

두 점 C, E를 연결하는 보조선을 긋자.

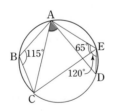

$\square ABCE$가 원에 내접하므로

$\angle ABC+\angle AEC=180°$

$\angle ABC=115°$이므로

$\angle AEC=180°-\angle ABC$

$=180°-115°=65°$

이때, $\widehat{CD}$에 대한 원주각인 $\angle CAD$와 $\angle CED$의 크기는 같지?

$\therefore \angle CAD=\angle CED=\angle AED-\angle AEC=120°-65°=55°$

[다른 풀이]

두 점 C, D를 연결하는 보조선을 긋자.

원에 내접하는 두 사각형 ABCD, ACDE에서 각각 한 쌍의 대각의 크기의 합이 $180°$임을 이용하면

$\angle ABC+\angle ADC=180°$

$\Rightarrow \angle ADC=65°$

$\angle AED+\angle ACD=180° \Rightarrow \angle ACD=60°$

$\triangle ACD$의 세 내각의 크기의 합은 $180°$이므로

$\angle CAD=180°-(60°+65°)=55°$

088 답 ③

두 점 A, D를 연결하는 보조선을 긋자.

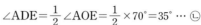

$\square ABCD$가 원 O에 내접하므로

$\angle ABC+\angle ADC=180°$ … ㉠

$\widehat{AE}$에 대한 중심각의 크기가

$\angle AOE=70°$이므로 이 호에 대한 원주각의 크기는

$\angle ADE=\frac{1}{2}\angle AOE=\frac{1}{2}\times70°=35°$ … ㉡

$\therefore \angle ABC+\angle CDE=\angle ABC+(\angle ADC+\angle ADE)$

$=(\angle ABC+\angle ADC)+\angle ADE$

$=180°+35°(\because ㉠, ㉡)=215°$

[다른 풀이]

두 점 C와 E, A와 C를 연결하는 보조선을 각각 긋자.

한 호에 대한 원주각의 크기는 중심각의 크기의 $\frac{1}{2}$이므로

$\angle ACE=\frac{1}{2}\angle AOE=35°$

원에 내접하는 두 사각형 ABCE, CDEA에서 각각 한 쌍의 대각의 크기의 합은 $180°$이므로

$\angle ABC+\angle CEA=180°$, $\angle CEA=180°-\angle x$

$\angle CDE+\angle CAE=180°$, $\angle CAE=180°-\angle y$

$\triangle ACE$의 세 내각의 크기의 합은 $180°$이므로

$\angle ACE+\angle CEA+\angle CAE=180°$

$35°+(180°-\angle x)+(180°-\angle y)=180°$

$\therefore \angle x+\angle y=215°$

089 답 ⑤

두 점 A, D를 연결하는 보조선을 긋자.

$\square ABCD$가 원에 내접하므로

$\angle BAD+\angle C=180°$ … ㉠

또, $\square ADEF$가 원에 내접하므로

$\angle DAF+\angle E=180°$ … ㉡

㉠+㉡을 하면

$\angle BAD+\angle C+\angle DAF+\angle E=360°$

$\therefore \angle A+\angle C+\angle E=360°(\because \angle BAD+\angle DAF=\angle A)$

오답피하기

도형에서는 보조선을 긋는 것이 아주 중요해.

원에 내접하는 다각형의 내각의 크기를 구하는 방법을 꼭 기억하자. 089번의 경우는 각의 크기가 주어져 있지 않기 때문에 당황했을 거야.

이때는 각각의 크기가 아니라 구하고자 하는 각의 합이나 차를 구하는 게 일반적인 유형이야.

즉, 구하려고 하는 것은

$\angle A+\angle C+\angle E$의 크기니까 어떻게 하면 쉽게 구할 수 있느냐가 문제야. 이 때는 보조선 $\overline{AD}$를 그으면 단번에 알 수 있어.

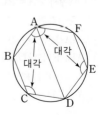

090 답 ④

원에 내접하는 사각형에서 한 외각의 크기는 그와 이웃하는 내각의 대각의 크기와 같다는 사실을 이용하여 풀자.

두 점 P, Q를 연결하는 보조선을 긋자.

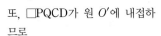

□ABQP가 원 O에 내접하므로

$\angle PQC = \angle A = 75°$

또, □PQCD가 원 O'에 내접하므로

$\angle PQC + \angle D = 180°$

$\therefore \angle D = 180° - \angle PQC = 180° - 75° = 105°$

★ 원에 내접하는 사각형의 성질의 응용

□ABQP, □PQCD가 각각 원에 내접할 때,

$\angle A + \angle D = 180°$,

$\angle B + \angle C = 180°$

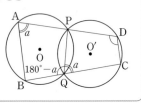

---

091 답 ⑤

□ABQP가 원에 내접하므로 한 쌍의 대각의 크기의 합은 180°지?

$\angle A + \angle x = 180°$

$\therefore \angle x = 180° - \angle A$

$\qquad = 180° - 95° = 85°$

또, □PQCD가 원에 내접하므로 한 외각의 크기는 그와 이웃하는 내각의 대각의 크기와 같으므로

$\angle y = \angle x = 85°$

$\therefore \angle x + \angle y = 85° + 85° = 170°$

---

092 답 ㄱ, ㄴ, ㄷ

ㄱ. □ABFE가 원 O에 내접하므로

$\angle A = \angle EFC$ ··· ㉠

□EFCD가 원 O'에 내접하므로

$\angle EFC + \angle CDE = 180°$

$\therefore \angle CDE = 180° - \angle EFC$

$\therefore \angle A + \angle CDE = \angle EFC + (180° - \angle EFC)$

$\qquad\qquad\qquad = 180°$ (참)

ㄴ. $\overline{ED}$를 연장하여 그림과 같이 $\overrightarrow{ED}$ 위의 점을 G라 하자.

□EFCD가 원 O'에 내접하므로

$\angle CDG = \angle EFC$ ··· ㉡

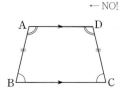

㉠, ㉡에서 $\angle A = \angle CDG$

즉, 동위각의 크기가 같으므로 $\overline{AB} /\!/ \overline{CD}$ (참)

ㄷ. □ABFE가 원 O에 내접하므로

$\angle B = \angle DEF$ (참)

ㄹ. $\angle A + \angle D = 180°$, $\angle B + \angle C = 180°$이지만 $\angle A = \angle C$임은 알 수 없어. (거짓)

따라서 옳은 것은 ㄱ, ㄴ, ㄷ이야.

---

093 답 ⑤

$\angle A + \angle D = 180°$이고, $\angle D = 94°$이므로

$\angle A = 180° - 94° = 86°$

이때, $\overparen{BQP}$에 대한 중심각인 $\angle POB$의 크기는 원주각인 $\angle A$의 크기의 2배지?

$\therefore \angle POB = 2 \angle A = 2 \times 86° = 172°$

---

094 답 (1) 92° (2) 95°

사각형의 한 쌍의 대각의 크기의 합이 180°이거나, 한 외각의 크기가 그와 이웃하는 내각의 대각의 크기와 같으면 그 사각형은 원에 내접하지?

(1) $\angle x + 88° = 180°$이므로 $\angle x = 92°$

(2) $\angle x = \angle BCD$이고, $\angle BCD + \angle DCE = 180°$이므로

$\angle x = 180° - \angle DCE = 180° - 85° = 95°$

---

095 답 ⑤

① △ABD의 세 내각의 크기의 합이 180°이므로

$\angle A + 25° + 35° = 180°$, $\angle A = 180° - (25° + 35°) = 120°$

따라서 □ABCD에서 한 외각의 크기가 120°일 때, 그와 이웃하는 내각의 대각의 크기가 $\angle A = 120°$와 같으므로 원에 내접해.

② $\angle A + \angle C = 100° + 80° = 180°$,

$\angle B + \angle D = 60° + 120° = 180°$

따라서 □ABCD에서 한 쌍의 대각의 크기의 합이 180°이므로 원에 내접해.

③ 두 점 A, D가 $\overline{BC}$에 대하여 같은 쪽에 있고

$\angle BAC = \angle BDC = 40°$로 같지?

따라서 네 점이 한 원 위에 있으므로 □ABCD는 원에 내접해.

④ $\angle ABC = 180° - 110° = 70°$이고, $\angle CDE = 70°$이므로

□ABCD는 원에 내접해.

⑤ 한 외각의 크기가 98°이고 이 각과 이웃하는 내각의 대각의 크기가 $\angle BAD = 92°$이므로 같지 않아.

즉, □ABCD는 원에 내접하지 않아.

---

096 답 ㄱ, ㄴ, ㅂ

ㄱ, ㄴ. 정사각형, 직각사각형의 네 내각의 크기는 모두 90°이므로 한 쌍의 대각의 크기의 합은 항상 180°야.

즉, 항상 원에 내접해. ← OK!

ㄷ, ㄹ. 평행사변형과 마름모는 대각의 크기가 각각 같을 뿐, 합이 180°가 되는 것은 아니므로 항상 원에 내접하지는 않아.

← NO!

ㅂ. 그림의 등변사다리꼴 ABCD에서

$\angle B = \angle C$, $\angle A = \angle D$가 성립하고

$\angle A + \angle B + \angle C + \angle D = 360°$

이므로

$2(\angle A + \angle C) = 360°$ $\therefore \angle A + \angle C = 180°$ ← OK!

따라서 항상 원에 내접하는 사각형은 ㄱ, ㄴ, ㅂ이야.

097 답 ③

(i) 수선의 발 E, F를 연결하자.
□ABEF에서 $\overline{AB}$에 대하여 같은
방향에 있는 ∠AFB, ∠AEB의
크기가 90°로 같으므로 네 점 A, B,
E, F는 한 원 위에 있어. ← ① OK!
마찬가지로 수선의 발을 각각 연결
하여 만들어진 □ADEC, □BCFD도 각각
∠ADC=∠AEC=90°, ∠BDC=∠BFC=90°이므로 네 점 A,
D, E, C와 네 점 B, C, F, D도 각각 한 원 위에 있어. ← ⑤ OK!

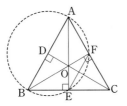

(ii) □ADOF, □BDOE, □CFOE에서
각각
∠ADO+∠AFO=90°+90°=180°
∠BDO+∠BEO=90°+90°=180°
∠CEO+∠CFO=90°+90°=180°
이므로 세 사각형은 원에 내접해.

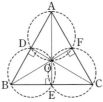

← ②, ④ OK!

098 답 ③

원의 접선과 그 접점을 지나는 현이 이루는 각의 크기는 그 각의 내
부에 있는 호에 대한 원주각의 크기와 같지?
∴ ∠x=∠BAC=70°, ∠y=∠ACT=50°

099 답 (1) 50° (2) 50°

(1) 접선과 현이 이루는 각의 성질에 의해 $\overrightarrow{AT}$가 원 O의 접선이므로
∠BCA=∠BAT=80°
△ABC에서 세 내각의 크기의 합은 180°지?
∴ ∠x=180°−(80°+50°)=50°

(2) $\overline{BC}$가 원 O의 지름이므로 ∠BAC=90°
접선과 현이 이루는 각의 성질에 의해 $\overrightarrow{AT}$가 원 O의 접선이므로
∠ABC=∠CAT=40°
△ABC에서 세 내각의 크기의 합은 180°지?
∴ ∠x=180°−(40°+90°)=50°

100 답 ②

접선과 현이 이루는 각의 크기가 주어
졌으므로 원 O에 △ABP가 내접하도
록 점 P를 잡자.
접선과 현이 이루는 각의 성질에 의해
$\overrightarrow{AT}$가 원 O의 접선이므로
∠APB=∠BAT=55°
이때, $\overset{\frown}{AB}$에서 중심각의 크기는 원주각의 크기의 2배이므로
∠AOB=2∠APB=2×55°=110°

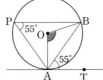

101 답 80°

접선과 현이 이루는 각의 성질에 의해 $\overrightarrow{CT}$가 원 O의 접선이므로
∠ACT=∠ABC
이때, ∠ABC는 $\overset{\frown}{CA}$에 대한 원주각이고,

$\overset{\frown}{AB}:\overset{\frown}{BC}:\overset{\frown}{CA}$=2 : 3 : 4이므로
$\angle ABC=\dfrac{4}{2+3+4}\times180°=80°$ ∴ ∠ACT=80°

102 답 29°

원의 접선과 그 접점을 지나는 현이 이루
는 각의 크기는 그 각의 내부에 있는 호에
대한 원주각의 크기와 같으므로
∠DBC=∠DCT=63°
이때, □ABCD가 원에 내접하므로
∠BCD+∠BAD=180°
∠BCD=180°−∠BAD
=180°−92°=88°
따라서 △BCD의 세 내각의 크기의 합은 180°이므로
∠x=180°−(63°+88°)=29°

103 답 ②

□ABCD가 원에 내접하므로
∠B+∠D=180°
∴ ∠D=180°−∠B
=180°−100°=80°
따라서 그림에서
∠CAT′=∠CDA=80°이므로
∠x=180°−(40°+80°)=60°

[다른 풀이]
접선과 현이 이루는 각의 성질을 △ABC에서 적용해 보자.
∠CAT=∠ABC이므로
∠x+40°=100°   ∴ ∠x=60°

104 답 ⑤

△ABD에서 접선과 현이 이루는 각의 성
질에 의해
∠DBA=∠DAT=50°
이때, △ABD의 세 내각의 크기의 합이
180°이므로
∠BAD=180°−(35°+50°)=95°
□ABCD는 원에 내접하므로
∠x+∠BAD=180°지?
∴ ∠x=180°−∠BAD=180°−95°=85°

105 답 ①

두 점 A, C를 연결하는 보조선을 긋자.
접선과 현이 이루는 각의 성질에 의해
△ABC에서 ∠ACB=∠BAT=30°
$\overset{\frown}{AB}=\overset{\frown}{BC}$이면 $\overline{AB}=\overline{BC}$이므로
∠CAB=∠ACB=30°
∴ ∠x=∠CAT=∠CAB+∠BAT
=30°+30°=60°

M

[다른 풀이]

두 점 D, B를 연결하는 보조선을 긋자.

접선과 현이 이루는 각의 성질에 의해

∠ADB＝∠BAT＝30°

이때, $\overset{\frown}{AB}=\overset{\frown}{BC}$이므로 이 두 호에 대한 원

주각의 크기는 같아.

∴ ∠ADB＝∠BDC

∴ ∠x＝∠ADC＝∠ADB＋∠BDC

＝30°＋30°＝60°

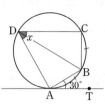

106 답 ②

$\overline{AB}$가 원 O의 지름이므로

∠ATB＝90°

접선과 현이 이루는 각의 성질에 의해

∠ABT＝70°이고 △ATB에서

∠BAT＝180°－(90°＋70°)＝20°

△APT에서 한 외각의 크기는 그와 이웃

하지 않는 두 내각의 크기의 합과 같으므로

∠x＋∠BAT＝70°

∴ ∠x＝70°－20°＝50°

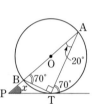

107 답 ④

△BPT는 $\overline{BT}=\overline{BP}$이므로 이등변삼각형이야.

∴ ∠BTP＝∠BPT＝40°

$\overline{PT}$는 원의 접선이므로

∠BAT＝∠BTP＝40°

이때, △APT의 세 내각의 크기의 합

이 180°이므로

(∠x＋40°)＋40°＋40°＝180°

∴ ∠x＝180°－120°＝60°

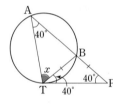

108 답 5 : 13

$\overset{\rightarrow}{PT}$는 원 O의 접선이므로

∠ABT＝∠ATP＝25°

$\overline{AB}$가 원 O의 지름이므로

∠ATB＝90°

△ABT의 세 내각의 크기의 합은 180°이므

로 ∠BAT＝180°－(90°＋25°)＝65°

한 원에서 호의 길이와 원주각의 크기는 정비례하지?

∴ $\overset{\frown}{AT}$: $\overset{\frown}{BT}$＝∠ABT : ∠BAT

＝25° : 65°

＝5 : 13

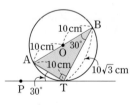

109 답 ⑤

$\overset{\rightarrow}{PT}$는 원 O의 접선이므로

∠ABT＝∠ATP＝30°

$\overline{AB}$가 원 O의 지름이므로

∠ATB＝90°

이때, 직각삼각형 ABT에서 삼각비

를 이용하면

(i) $\overline{AT}=\overline{AB}\sin B=20\times\sin30°=20\times\dfrac{1}{2}=10$(cm)

(ii) $\overline{BT}=\overline{AB}\cos B=20\times\cos30°=20\times\dfrac{\sqrt3}{2}=10\sqrt3$(cm)

∴ △ABT＝$\dfrac{1}{2}\times\overline{AT}\times\overline{BT}$

＝$\dfrac{1}{2}\times10\times10\sqrt3=50\sqrt3$(cm²)

110 답 ③

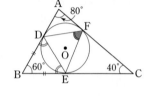

△ABC의 세 내각의 크기의 합이

180°이므로

∠B＝180°－(80°＋40°)＝60°

두 점 D, E는 원 O에 접하는 $\overline{AB}$

와 $\overline{BC}$의 접점이므로

∠BDE＝∠BED＝∠DFE야.

∴ ∠DFE＝$\dfrac{1}{2}\times(180°-60°)$＝60°

111 답 65°

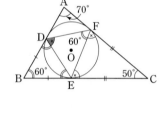

∠DFE＝60°이고 $\overline{AB}$와 $\overline{BC}$

가 각각 두 점 D, E에서의 원

O의 접선이므로

∠BDE＝∠BED

＝∠DFE＝60°

∴ ∠B＝180°－(60°＋60°)

＝60°

△ABC에서 ∠C＝180°－(70°＋60°)＝50°이고 $\overline{BC}$와 $\overline{AC}$가 각각

두 점 E, F에서의 원 O의 접선이므로

∠EDF＝∠CEF＝∠CFE

＝$\dfrac{1}{2}\times(180°-50°)$

＝65°

[다른 풀이]

△ABC는 원 O의 외접삼각형이므로 $\overline{AD}=\overline{AF}$

∴ ∠ADF＝∠AFD＝$\dfrac{1}{2}\times(180°-70°)$

＝$\dfrac{1}{2}\times110°=55°$

이때, 접선과 현이 이루는 각의 성질에 의해

∠DEF＝∠ADF＝55°

따라서 △DEF의 세 내각의 크기의 합이 180°이므로

∠EDF＝180°－(60°＋55°)＝65°

112 답 63°

$\overline{PA}$, $\overline{PB}$는 원의 접선이므로 $\overline{PA}=\overline{PB}$

∴ ∠PAB＝∠PBA

＝$\dfrac{1}{2}\times(180°-30°)$＝75°

접선과 현이 이루는 각의 성질에 의해

∠AQB＝∠PAB＝∠PBA＝75°

$\overgroup{AQ} : \overgroup{QB} = 2 : 3$이고 $\triangle AQB$에서 $\overgroup{AQ}$와 $\overgroup{QB}$에 대한 원주각의 크기의 합은

$180° - 75° = 105°$

$\therefore \angle BAQ = \dfrac{3}{2+3} \times 105° = 63°$

113 답 ④

$\overline{PA}$, $\overline{PB}$는 원의 접선이므로

$\overline{PA} = \overline{PB}$

$\therefore \angle PAB = \angle PBA$

$\qquad = \dfrac{1}{2} \times (180° - 66°)$

$\qquad = 57°$

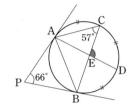

접선과 현이 이루는 각의 성질에 의해

$\angle ACB = \angle PAB = \angle PBA = 57°$

$\overgroup{AC} = \overgroup{CD} = \overgroup{DB}$이므로 $\angle ABC = \angle DAC = \angle BAD = \angle a$라 하면

$\triangle ABC$의 세 내각의 크기의 합은 $180°$이므로

$\angle BAC + \angle ABC + \angle ACB = 180°$

$2\angle a + \angle a + 57° = 180°$

$3\angle a = 123°$ $\qquad \therefore \angle a = 41°$

이때, $\triangle ABE$의 세 내각의 크기의 합은 $180°$이므로

$\angle CED = \angle AEB = 180° - (41° + 41°) = 98°$

114 답 ①

$\overleftrightarrow{PQ}$는 두 원의 공통으로 접하는 직선이므로 왼쪽 원에서

$\angle x = \angle ATP$, 오른쪽 원에서

$\angle CTQ = \angle CDT = 58°$이고

$\angle ATP = \angle CTQ(\because 맞꼭지각)$

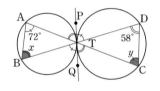

이므로 $\angle x = 58°$

또, 왼쪽 원에서 $\angle BTQ = \angle BAT = 72°$이고 오른쪽 원에서

$\angle y = \angle DTP$

이때, $\angle DTP = \angle BTQ(\because 맞꼭지각)$이므로 $\angle y = 72°$

[다른 풀이]

외접하는 두 원의 접점이 T이고 공통으로 접하는 직선이 $\overleftrightarrow{PQ}$이면

$\overline{AB} /\!/ \overline{CD}$야.

$\therefore \angle x = \angle ABD = \angle BDC = 58°(\because 엇각)$

$\qquad \angle y = \angle DCA = \angle BAC = 72°(\because 엇각)$

115 답 $\angle x = 65°$, $\angle y = 65°$

$\overleftrightarrow{PQ}$가 두 원에 공통으로 접하는 직선이므로 왼쪽 원에서

$\angle ABT = \angle ATP$

$\therefore \angle x = 65°$

마찬가지로 오른쪽 원에서

$\angle y = \angle CTQ$이고 $\angle CTQ = \angle ATP = 65°(\because 맞꼭지각)$

$\therefore \angle y = 65°$

[다른 풀이]

외접하는 두 원이 점 T에서 접하고 $\overleftrightarrow{PQ}$가 공통으로 접하는 직선이면 $\overline{AB} /\!/ \overline{CD}$이므로

$\angle ABD = \angle CDB(\because 엇각)$

$\therefore \angle x = \angle y$

접선과 현이 이루는 각의 성질에 의해

$\angle x = \angle ATP = 65°$

$\therefore \angle x = \angle y = 65°$

116 답 ②

외접하는 두 원이 점 T에서 접하고 $\overleftrightarrow{PQ}$가 공통으로 접하는 직선이므로

$\overline{AB} /\!/ \overline{CD}$

$\angle DCA = \angle BAC = 83°(\because 엇각)$

$\triangle DCT$의 세 내각의 크기의 총합은 $180°$지?

$\therefore \angle x = 180° - (83° + 51°) = 46°$

117 답 ③

두 원에 공통으로 접하는 직선이 $\overleftrightarrow{PQ}$이므로 접선과 현이 이루는 각의 성질에 의해

$\angle ABT = \angle ATP = \angle DTP = \angle DCT$

$\therefore \angle x = 75°$

마찬가지로

$\angle BAT = \angle BTQ = \angle CTQ$

$\therefore \angle y = 64°$

[다른 풀이]

내접하는 두 원의 접점이 T이고 공통으로 접하는 직선이 $\overleftrightarrow{PQ}$이면

$\overline{AB} /\!/ \overline{CD}$야.

$\therefore \angle x = \angle DCT = 75°(\because 동위각)$

또한, $\overleftrightarrow{PQ}$가 바깥쪽 원의 접선이므로

$\angle y = \angle BAT = 64°$

118 답 $\angle x = 62°$, $\angle y = 62°$

두 원에 공통으로 접하는 직선이 $\overleftrightarrow{PQ}$이므로 접선과 현이 이루는 각의 성질에 의해 안쪽 원에서

$\angle x = \angle CDT = \angle CTQ = 62°$

바깥쪽 원에서

$\angle y = \angle BAT = \angle BTQ = 62°$

[다른 풀이]

내접하는 두 원이 점 T에서 접하고 $\overleftrightarrow{PQ}$가 공통으로 접하는 직선이면 $\overline{AB} /\!/ \overline{CD}$이므로 $\angle x = \angle y = \angle BTQ = 62°$

119 답 ②

$\overleftrightarrow{PQ}$가 두 원에 공통으로 접하는 직선이므로

안쪽 원에서 $\angle DCT = \angle DTP \leftarrow$ ④ OK!

바깥쪽 원에서 $\angle ABT = \angle ATP \leftarrow$ ③ OK!

따라서 $\angle ABT = \angle DCT$이므로

동위각의 크기가 같지?

$\therefore \overline{AB} /\!/ \overline{CD} \leftarrow$ ① OK!

마찬가지로 $\angle BAT = \angle BTQ = \angle CTQ = \angle CDT \leftarrow$ ⑤ OK!

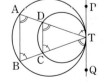

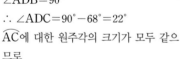

120 답 ④

1st 원의 중심을 지나면서 내접하는 삼각형은 직각삼각형임을 이용하자!

$\overline{AB}$가 원 O의 지름이므로 $\angle ADB = 90°$

$\overset{\frown}{BD}$에 대한 원주각의 크기는 모두 같으므로 $\angle BAD = \angle BCD = 32°$

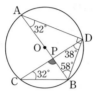

직각삼각형 ABD에서

$\angle ABD + \angle BAD = 90°$

$\therefore \angle ABD = 90° - 32° = 58°$

이때, △PBD의 한 외각인 $\angle BPC$의 크기는 그와 이웃하지 않는 두 내각의 크기의 합과 같지?

$\therefore \angle BPC = \angle PBD + \angle PDB = 58° + 38° = 96°$

[다른 풀이]

그림에서 두 점 A와 C, 두 점 O와 C를 각각 잇자.

$\overset{\frown}{CB}$에 대한 원주각의 크기는 모두 같으므로

$\angle CAB = \angle CDB = 38°$

이때, $\angle COB$는 $\overset{\frown}{CB}$에 대한 중심각이므로

$\angle COB = 2\angle CAB = 2 \times 38° = 76°$

$\therefore \angle AOC = 180° - 76° = 104°$

$\angle AOC$는 $\overset{\frown}{AC}$에 대한 중심각이므로 $\overset{\frown}{AC}$에 대한 원주각의 크기는

$\angle ABC = \frac{1}{2}\angle AOC = \frac{1}{2} \times 104° = 52°$

따라서 △CBP의 세 내각의 크기의 합은 180°이므로

$\angle BPC = 180° - (32° + 52°) = 96°$

121 답 ⑤

1st 원에 내접하는 삼각형에서 그 삼각형의 한 변이 원의 중심을 지나면 직각삼각형이 되지?

$\overline{AB}$가 원 O의 지름이므로

$\angle ADB = 90°$

$\therefore \angle ADC = 90° - 68° = 22°$

$\overset{\frown}{AC}$에 대한 원주각의 크기가 모두 같으므로

$\angle ABC = \angle ADC = 22°$

따라서 △BPC의 세 내각의 크기의 합은 180°이므로

$\angle BPC = 180° - (22° + 30°) = 128°$

122 답 ②

1st 원주각과 중심각을 혼동하지 않도록 주의하자.

△ACP에서 한 외각의 크기는 그와 이웃하지 않는 두 내각의 크기의 합과 같지? 즉, $\angle BPC = \angle CAP + \angle ACP$

$\angle CAP = \angle BPC - \angle ACP = 75° - 30° = 45°$

즉, $\overset{\frown}{BC}$에 대한 원주각의 크기가 45°야.

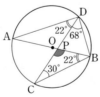

2nd 원주각의 크기와 호의 길이는 정비례해.

이때, 원주각의 크기와 호의 길이는 정비례하고 원주에 대한 원주각의 크기는 180°이므로 원의 둘레의 길이를 x cm라 하면

$45° : 180° = \overset{\frown}{BC} : x$, $1 : 4 = 8 : x$

$\therefore x = 32$

따라서 이 원의 둘레의 길이는 32 cm야.

오답피하기

$\angle BPC$가 $\overset{\frown}{BC}$에 대한 중심각이라고 착각하면 안되겠지? 문제에서 점 P가 원의 중심이라는 언급이 없었는데 그렇게 푼다면 문제를 제대로 읽지 않은 거지!! 따라서 삼각형에서 한 외각의 크기는 그와 이웃하지 않는 두 내각의 크기의 합과 같음을 이용하여 $\overset{\frown}{BC}$에 대한 원주각의 크기를 구해야 해. 원의 둘레, 즉 원주의 중심각의 크기가 360°이므로 원주각의 크기는 180°임을 혼동하지 말자. 그럼, 호의 길이와 원주각의 크기의 관계를 이용하여 적절한 비례식을 세우면 돼.

123 답 ②

1st 원주에 대한 원주각의 크기가 180°임을 생각하고 풀자.

$\overline{OA} = 8$ cm이므로 원 O의 반지름의 길이는 8 cm야.

이때, 원의 둘레의 길이는 $2\pi \times 8 = 16\pi$ (cm)

$\overset{\frown}{AC}$, $\overset{\frown}{BD}$에 대한 원주각의 크기가 각각 $\angle ADC = 44°$, $\angle BCD = 46°$이고, 원주에 대한 원주각의 크기가 180°이므로

$\overset{\frown}{AC} + \overset{\frown}{BD} = 16\pi \times \frac{44+46}{180} = 8\pi$ (cm)

[다른 풀이]

$\overset{\frown}{AC}$, $\overset{\frown}{BD}$에 대한 원주각의 크기가 각각 $\angle ADC = 44°$, $\angle BCD = 46°$이므로 중심각의 크기는 각각 $\angle AOC = 2\angle ADC = 88°$, $\angle BOD = 2\angle BCD = 92°$

$\overset{\frown}{AC} = 2\pi \times 8 \times \frac{88}{360}$, $\overset{\frown}{BD} = 2\pi \times 8 \times \frac{92}{360}$

$\therefore \overset{\frown}{AC} + \overset{\frown}{BD} = 2\pi \times 8 \times \left(\frac{88}{360} + \frac{92}{360}\right)$

$= 2\pi \times 8 \times \frac{88+92}{360}$

$= 2\pi \times 8 \times \frac{180}{360} = 8\pi$ (cm)

124 답 ③

1st 원주각의 크기는 중심각의 크기의 $\frac{1}{2}$이지?

그림과 같이 두 점 A, E를 연결하는 보조선을 긋자.

$\overline{AB}$가 지름이므로 $\angle AEB = 90°$

$\overset{\frown}{DE}$에 대한 원주각의 크기는 중심각인 $\angle DOE$의 크기의 $\frac{1}{2}$이므로

$\angle DAE = \frac{1}{2}\angle DOE = \frac{1}{2} \times 40° = 20°$

직각삼각형 ACE에서 외각의 성질을 이용하면

$\angle ACE + \angle CAE = 90°$

$\therefore \angle ACE = 90° - \angle CAE = 90° - 20° = 70°$

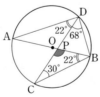

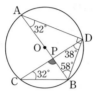

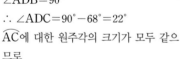

125 답 ③

1st 지름이 빗변인 삼각형은 직각삼각형이지?

그림과 같이 두 점 A, E를 연결하는 보조선을 긋자.
$\overline{AB}$는 원 O의 중심을 지나므로
$\angle AEB = 90°$

2nd 같은 호에 대한 원주각의 크기는 항상 같아.

직각삼각형 ACE에서
$\angle CAE + \angle ACE = 90°$
$\angle CAE = 90° - \angle ACE$
$\quad = 90° - 50° = 40°$
$\overarc{DE}$에 대한 원주각의 크기가 모두 같으므로
$\angle DFE = \angle DAE = 40°$

3rd 보조선을 하나 더 그어 직각삼각형을 하나 더 만들자.

이번엔 두 점 D, B를 연결하는 보조선을 긋자.
$\angle DBE = \angle DFE = 40°(\because \overarc{DE}$에 대한 원주각)
이때, $\overarc{AD} = \overarc{BE}$이므로 $\angle DBA = \angle BAE = \angle a$라 하자.
$\triangle ABE$의 세 내각의 크기의 합이 $180°$이므로
$\angle BAE + \angle ABE + \angle AEB = 180°$
$\angle a + (\angle a + 40°) = 90° \qquad \therefore \angle a = 25°$
$\angle ABE = 25° + 40° = 65°$
$\therefore \angle DFE + \angle ABE = 40° + 65° = 105°$

126 답 ③

1st 원에 내접하는 사각형의 한 쌍의 대각의 크기의 합은 $180°$지?

원에 내접하는 사각형은 한 쌍의 대각의 크기의 합이 $180°$이므로
$\square ABCD$에서 $\angle B + \angle D = 180°$
$\therefore \angle x = \angle B = 180° - \angle D = 180° - 110° = 70°$
또한, 원에 내접하는 사각형에서 한 외각의 크기는 그와 이웃하는 내각의 대각의 크기와 같으므로
$\angle y = \angle A = 80°$
$\therefore \angle x + \angle y = 70° + 80° = 150°$

127 답 ④

1st 원에 내접하는 사각형에서 한 외각의 크기는 그와 이웃하는 내각의 대각의 크기와 같지?

$\square ABCD$가 원 O에 내접하므로
$\angle BAD = \angle DCE$
$\therefore \angle x = 100°$

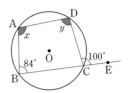

2nd 원에 내접하는 사각형은 한 쌍의 대각의 크기의 합이 $180°$지?
$\angle ABC + \angle ADC = 84° + \angle y = 180°$
$\therefore \angle y = 180° - 84° = 96°$
$\therefore \angle x + \angle y = 100° + 96° = 196°$

128 답 ③

1st 한 원에서 한 호에 대한 원주각의 크기는 중심각의 크기의 $\frac{1}{2}$이지?

두 점 A, C를 연결하는 보조선을 긋자.
한 원에서 한 호에 대한 원주각의 크기는 중심각의 크기의 $\frac{1}{2}$이므로
$\angle BAC = \frac{1}{2}\angle BOC$
$\quad = \frac{1}{2} \times 94° = 47°$

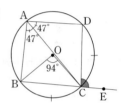

2nd 한 원에서 호의 길이가 같으면 원주각의 크기도 같아.

한 원에서 원주각의 크기는 호의 길이에 정비례하고 $\overarc{BC} = \overarc{CD}$이므로
$\angle CAD = \angle BAC = 47°$
$\therefore \angle BAD = 47° + 47° = 94°$

3rd 원에 내접하는 사각형 ABCD에서 한 외각의 크기는 그와 이웃하는 내각의 대각의 크기와 같지?
$\therefore \angle DCE = \angle BAD = 94°$

[다른 풀이]

$\angle DBC$, $\angle BDC$는 각각 $\overarc{CD}$, $\overarc{BC}$에 대한 원주각이지?
$\angle BOC = 94°$가 $\overarc{BC}$에 대한 중심각이고
$\overarc{BC} = \overarc{CD}$이므로 $\overarc{CD}$에 대한 중심각의 크기도 $\angle COD = 94°$야.
$\therefore \angle DBC = \angle BDC$
$\qquad = \frac{1}{2}\angle BOC$
$\qquad = \frac{1}{2} \times 94° = 47°$

이때, $\angle DCE$는 $\triangle BDC$의 한 외각이므로
$\angle DCE = \angle DBC + \angle BDC = 47° + 47° = 94°$

129 답 ⑤

1st 원에 내접하는 사각형에서 한 외각의 크기는 그와 이웃하는 내각의 대각의 크기와 같아.

$\angle BAD = \angle DCE = 81° \cdots ㉠$

2nd 원주각의 크기는 호의 길이와 정비례하지?

이때, $\overarc{BC} : \overarc{CD} = 2 : 1$이므로

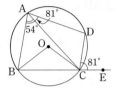

$\angle BAC : \angle CAD = 2 : 1$이고 ㉠에서

$\overarc{BD}$에 대한 원주각의 크기가 81°이므로

$\angle BAC = \dfrac{2}{2+1} \times 81° = 54°$

3rd 중심각의 크기는 원주각의 크기의 2배야.

$\overarc{BC}$에 대한 중심각인 $\angle BOC$의 크기는 원주각인 $\angle BAC$의 크기의 2배야.

$\therefore \angle BOC = 2\angle BAC = 2 \times 54° = 108°$

130 답 85°

1st 네 점이 한 원 위에 있을 조건에 주목하자.

네 점 A, B, C, D가 한 원 위에 있으므로 $\overline{BC}$를 기준으로 같은 방향에 있는 $\angle BAC$, $\angle BDC$의 크기가 같아.

$\therefore \angle BAC = \angle BDC = 60°$

△ABP의 세 내각의 크기의 합은 180°지?

$\therefore \angle APB = 180° - (60° + 35°) = 85°$

외답피하기

네 점이 한 원 위에 있기 위해서는 다음 중 하나만 성립하면 돼.

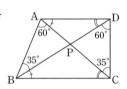

(i) $\overline{AB}$를 기준으로
$\angle ADB = \angle ACB$
(ii) $\overline{BC}$를 기준으로
$\angle BAC = \angle BDC$
(iii) $\overline{DC}$를 기준으로 $\angle CAD = \angle CBD$
(iv) $\overline{AD}$를 기준으로 $\angle ABD = \angle ACD$

131 답 38°

1st 네 점이 한 원 위에 있을 조건을 이용하자.

네 점 A, B, C, D가 한 원 위에 있으므로

$\angle ACD = \angle ABD = 32°$,

$\angle ADB = \angle ACB = 43°$

2nd 삼각형의 세 내각의 크기의 합은 180°야.

△ACD의 세 내각의 크기의 합은 180°이므로

$\angle DAC + \angle DCA + \angle ADC = 180°$

$\angle x + 32° + (43° + 67°) = 180°$ $\therefore \angle x = 38°$

132 답 ④

1st □ABCD는 원에 내접하므로 외각의 크기와 그와 이웃하는 내각의 대각의 크기는 같지.

$\angle CDE = \angle ABC = \angle x$

2nd 삼각형의 한 외각의 크기는 그와 이웃하지 않는 두 내각의 크기의 합과 같아.

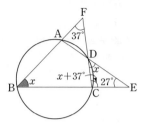

△BCF에서 한 외각인 $\angle FCE$의 크기는 그와 이웃하지 않는 두 내각의 크기 합과 같으므로

$\angle DCE = \angle FCE = \angle BFC + \angle FBC = \angle x + 37°$

3rd 삼각형의 세 내각의 크기의 합은 180°임을 이용하여 $\angle x$의 크기를 구하자.

△DCE의 세 내각의 크기의 합이 180°이므로

$\angle x + (\angle x + 37°) + 27° = 180°$

$2\angle x = 116°$

$\therefore \angle x = 58°$

외답피하기

도형이 앞에 언급했던 유형들처럼 단순하고 정형화되어 나온다면 개념이나 원리를 좀 더 쉽게 적용할 수 있을 거야.

하지만 132번처럼 변형이 되면 바로 앞에서 배웠던 유형들을 어떻게 이용할지 난감하지?

우선 □ABCD가 원에 내접해 있다는 것을 이용하고 △BFC, △ABE, △ADF, △CED를 각각 나누거나 또는 전체적으로 살펴서 그림에 조건들을 적절하게 표시하면서 해법에 접근해야 해.

133 답 ③

1st 원에 내접하는 사각형의 성질을 이용하자.

□ABCD가 원에 내접하므로

$\angle CDE = \angle ABC = 50°$

2nd 삼각형에서 한 외각의 크기는 그와 이웃하지 않는 두 내각의 크기의 합과 같아.

△BCF에서

$\angle DCE = \angle FBC + \angle BFC = 50° + 55° = 105°$

3rd 삼각형의 세 내각의 크기의 합이 180°임을 이용하여 $\angle x$의 크기를 구하자.

△DCE에서 $\angle x = 180° - (105° + 50°) = 25°$

134 답 ④

1st 보조선을 적절히 그어서 풀어야 해.

원 O의 중심이 $\overline{AB}$ 위에 있으므로 $\overline{AB}$와 원 O의 교점을 C라 하고 두 점 C, P를 연결하는 보조선을 그으면 $\angle APC = 90°$

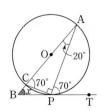

2nd 접선과 현이 이루는 각의 크기를 이용해 보자.

이때, $\overleftrightarrow{PT}$는 원 O의 접선이므로

$\angle ACP = \angle APT = 70°$

$\triangle ACP$의 세 내각의 크기의 합이 $180°$이므로

$\angle CAP + \angle ACP + \angle APC = 180°$

$\angle CAP + \angle ACP = 90°$

$\therefore \angle CAP = 90° - \angle ACP = 90° - 70° = 20°$

3rd 삼각형의 한 외각의 크기는 그와 이웃하지 않는 두 내각의 크기의 합과 같지?

$\triangle ABP$에서

$\angle APT = \angle BAP + \angle ABP$

$70° = 20° + \angle x$ $\therefore \angle x = 50°$

오답|피하기

문제에서 주어진 각의 크기는 한 개이므로 다른 조건들을 이용해야겠지?

$\overline{AB}$ 위에 원 O의 중심이 존재하므로 반원의 원주각의 크기가 $90°$임을 이용해야 해!

지름이 나오면 우선 그것부터 기억하고 그림에 표시하자. 이 문제 역시 삼각형의 한 외각의 크기가 그와 이웃하지 않는 두 내각의 크기의 합임을 이용해야 해. 자주 이용되는 개념이니까 꼭 기억하여 좀 더 쉽게 답에 접근하자.

135 답 ④

1st 적절하게 보조선을 그어 보자.

$\overline{AB}$와 원 O의 교점을 C라 하고, 두 점 C, P를 연결하는 보조선을 그으면 $\angle APC = 90°(\because \overline{AC}$는 지름$)$

그림과 같이 $\overleftrightarrow{PT}$는 원의 접선이므로

$\angle BPC = \angle CAP = 25°$

2nd 삼각형의 세 내각의 크기의 합은 $180°$임을 이용하여 $\angle x$의 크기를 구하자.

$\triangle ABP$에서

$\angle APB + \angle BAP + \angle ABP = 180°$

$(90° + 25°) + 25° + \angle x = 180°$

$\therefore \angle x = 180° - 140° = 40°$

136 답 ②

1st 두 점 A, C를 잇는 보조선을 긋고 접선과 현이 이루는 각의 성질을 이용하자.

두 점 A, C를 잇는 보조선을 긋자.

$\angle TAB = \angle x$라 하면 접선과 현이 이루는 각의 성질에 의해 $\angle ACB = \angle x$야.

2nd 반원에 대한 원주각의 크기는 $90°$지?

이때, $\overline{BC}$가 원 O의 지름이므로

$\angle BAC = 90°$

$\therefore \angle ABC = 90° - \angle x$

또한, $\overline{AB} = \overline{AP}$이므로 $\angle APB = \angle ABP = 90° - \angle x$

따라서 삼각형의 한 외각은 그와 이웃하지 않는 두 내각의 크기의 합과 같으므로 $\triangle ABP$에서

$\angle x = (90° - \angle x) + (90° - \angle x)$

$3 \angle x = 180°$ $\therefore \angle x = 60°$

137 답 ②

1st 두 점 C, D를 잇는 보조선을 긋고 접선과 현이 이루는 각의 성질을 이용하자.

두 점 C, D를 잇는 보조선을 그으면 $\overleftrightarrow{AE}$가 작은 반원의 접선이므로 접선과 현이 이루는 각의 성질에 의해 $\angle DCB = \angle x$

2nd 반원에 대한 원주각의 크기는 $90°$야.

이때, $\overline{CB}$가 작은 반원의 지름이므로 $\angle CDB = 90°$지?

즉, $\triangle DCB$에서 $\angle DBC = 90° - \angle x$

삼각형의 한 외각은 그와 이웃하지 않는 두 내각의 크기의 합과 같지?

$\triangle DAB$에서 $\angle x = 24° + (90° - \angle x)$, $2 \angle x = 114°$

$\therefore \angle x = 57°$

138 답 $\dfrac{32}{5}$

$\overline{AB}$가 원의 지름이므로 $\angle ACB = 90°$

$\therefore \overline{AB} = \sqrt{6^2 + 8^2} = 10$

직선 TC가 원 O의 접선이므로 $\angle BAC = \angle BCD$이고,

$\angle ACB = \angle CDB = 90°$이므로

$\triangle ACB \sim \triangle CDB$(AA 닮음)

$\overline{AB} : \overline{CB} = \overline{BC} : \overline{BD}$에서

$10 : 8 = 8 : \overline{BD}$, $10\overline{BD} = 64$ $\therefore \overline{BD} = \dfrac{32}{5}$

139 답 $\dfrac{75}{2}$

$\triangle BCD$에서 $\angle BDC = 90°$이므로 $\overline{BC} = \sqrt{6^2 + 8^2} = 10$

직선 TC가 원의 접선이므로 $\angle BAC = \angle BCD$이고,

$\angle BCA = \angle BDC = 90°$이므로

$\triangle ACB \sim \triangle CDB$(AA 닮음)

$\overline{AC} : \overline{CD} = \overline{BC} : \overline{BD}$에서 $\overline{AC} : 6 = 10 : 8$

$\therefore \overline{AC} = \dfrac{15}{2}$

$\therefore \triangle ABC = \dfrac{1}{2} \times \overline{AC} \times \overline{BC} = \dfrac{1}{2} \times \dfrac{15}{2} \times 10 = \dfrac{75}{2}$

140 답 ⑤

1st 적절한 보조선을 그어서 원에 내접하는 사각형을 만들자.

두 점 P, Q를 연결하는 보조선을 그어 두 원 O, O'에 각각 접하는 $\square ABQP$, $\square PQCD$를 만들자.

2nd 원에 내접하는 사각형에서 한 외각의 크기는 그와 이웃하는 내각의 대각의 크기와 같지?

우선 $\square ABQP$가 원 O에 내접하므로

$\angle PQC = \angle BAP = 85°$

또, $\square PQCD$가 원 O'에 내접하므로

$\angle PQC + \angle D = 180°$

$\therefore \angle D = 180° - \angle PQC = 180° - 85° = 95°$

3rd 원주각의 크기는 호의 길이에 정비례해.

∠D = ∠PDQ + ∠CDQ는 $\overgroup{PQ}$, $\overgroup{QC}$에 대한 원주각의 크기의 합이지?

$\overgroup{PQ}$: $\overgroup{QC}$ = 3 : 2이므로

$\angle PDQ = \dfrac{3}{3+2} \times 95° = 57°$

$\overgroup{PQ}$에 대한 원주각의 크기는 모두 같지?

∴ ∠PCQ = ∠PDQ = 57°

오답피하기

문제에서 $\overline{PQ}$가 그어져 있다면 좀 더 쉽게 문제에 접근할 수 있었겠지만 그렇지 않으므로 보조선을 그어서 생각해야 해. 즉, 두 원이 두 점에서 만나고 두 원에 걸쳐서 접하고 있는 사각형의 문제가 주어졌다면 각각의 원에 내접하는 사각형을 만들고 내접하는 사각형의 성질을 이용해야 해.

141 답 ①

1st 원에 내접하는 사각형의 한 외각의 크기는 그와 이웃하는 내각의 대각의 크기와 같지?

두 점 P, Q를 연결하는 보조선을 긋자.

□PQCD가 원 O'에 내접하므로

∠BQP = ∠CDP = 96°

∴ ∠BAP = 180° - 96° = 84°

2nd 호의 길이와 원주각의 크기는 정비례하지?

$\overgroup{BQ}$와 $\overgroup{QP}$에 대한 원주각이 각각 ∠BAQ, ∠PAQ이고,

$\overgroup{BQ}$: $\overgroup{QP}$ = 4 : 3이지?

$\angle PAQ = \dfrac{3}{4+3} \times 84° = 36°$

∴ ∠PBQ = ∠PAQ = 36°

142 답 ⑤

1st 접선과 현이 이루는 각의 성질을 먼저 생각해 보자.

$\overleftrightarrow{TT'}$은 외접하는 두 원에 공통으로 접하는 직선이므로

∠DPT' = ∠DCP = 70°,

∠APT = ∠DPT' = 70°

　　　　　　(∵ 맞꼭지각)

따라서 ∠ABP = ∠APT = 70°

2nd 평각의 크기가 180°임을 이용하자.

∴ ∠x = 180° - ∠ABP = 180° - 70°

　　　= 110°

오답피하기

외접한 두 원에 공통으로 접하는 직선에서 접선과 현이 이루는 각과 그 각의 성질을 찾지 못한다면 틀릴 수밖에 없을 거야.
위의 풀이를 꼭 기억하고 빠른 풀이를 위해 외접하는 두 원에서 $\overline{AB}$ // $\overline{CD}$이므로 ∠PCD - ∠ABP = 70°가 됨을 알고 있자!

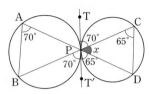

143 답 ②

1st 접선과 현이 이루는 각의 성질을 이용하여 크기가 같은 각부터 찾자.

원의 접선과 그 접점을 지나는 현이 이루는 각의 크기는 이 각의 내부에 있는 호에 대한 원주각의 크기와 같으므로

∠BPT' = ∠BAP = 70°,

∠CPT = ∠BPT' = 70°(∵ 맞꼭지각)

또, ∠DPT' = ∠DCP = 65°

2nd 평각의 크기는 180°지?

∠CPD + ∠CPT + ∠DPT' = ∠TPT'

∠x + 70° + 65° = 180°

∴ ∠x = 180° - 135° = 45°

 서술형 다지기　　　　　문제편 p. 96

[144-145 채점기준표]

I	반원에 대한 원주각의 크기를 구한다.	40%
II	∠x의 크기를 구한다.	40%
III	∠y의 크기를 구한다.	20%

144 답 ∠x = 54°, ∠y = 38°

먼저, 반원에 대한 원주각의 크기를 구하자.

$\overline{AB}$가 원의 지름이므로 ∠ACB = ∠ADB = 90°　　　… ❶

그다음, ∠x의 크기를 구하자.

∠CAB + ∠CBA = 90°이므로

∠x = 90° - 36° = 54°　　　　　　　　　　　… ❷

그래서, ∠y의 크기를 구하자.

∠ABD = ∠ACD = 52°이고 ∠DAB + ∠ABD = 90°이므로

∠y = 90° - 52° = 38°　　　　　　　　　　… ❸

145 답 ∠x = 50°, ∠y = 25°

먼저, 반원에 대한 원주각의 크기를 구하자.

$\overline{AB}$가 반원의 지름이므로 ∠ACB = 90°　　　… ❶

그다음, ∠x의 크기를 구하자.

∠x = 90° - 40° = 50°　　　　　　　　　　… ❷

그래서, ∠y의 크기를 구하자.

$\overset{\frown}{AP}=\overset{\frown}{PC}$이므로 $\overset{\frown}{PC}=\frac{1}{2}\overset{\frown}{AC}$

원주각의 크기는 호의 길이에 정비례하므로

$\angle y=\frac{1}{2}\angle x=\frac{1}{2}\times 50°=25°$ ··· Ⅲ

[146-147 채점기준표]

Ⅰ	∠ACD의 크기를 구한다.	30%
Ⅱ	∠ACB의 크기를 구한다.	30%
Ⅲ	구하고자 하는 각의 크기를 구한다.	40%

146 답 34°

먼저, ∠ACD의 크기를 구하자.

그림과 같이 두 점 A, C를 연결하면
$\overset{\frown}{AD}$에 대한 원주각의 크기는 모두 같으
므로 ∠ACD=∠ABD=70° ··· Ⅰ

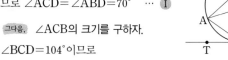

그다음, ∠ACB의 크기를 구하자.

∠BCD=104°이므로

∠ACB=104°−70°=34° ··· Ⅱ

그래서, ∠ABT의 크기를 구하자.

원의 접선과 그 접점을 지나는 현이 이루는 각의 크기는 그 각의 내
부에 있는 호에 대한 원주각의 크기와 같으므로

∠ABT=∠ACB=34° ··· Ⅲ

[다른 풀이]

원의 접선과 그 접선을 지나는 현이 이루는 각의 크기는 그 각의 내
부에 있는 호에 대한 원주각의 크기와 같으므로

∠DBT=∠BCD=104°

∴ ∠ABT=∠DBT−∠DBA=104°−70°=34°

147 답 72°

먼저, ∠ACD의 크기를 구하자.

그림과 같이 두 점 A, C를 연결하면 $\overset{\frown}{AD}$
에 대한 원주각의 크기는 모두 같으므로

∠ACD=∠ABD=30° ··· Ⅰ

그다음, ∠ACB의 크기를 구하자.

원의 접선과 그 접점을 지나는 현이 이루
는 각의 크기는 그 각의 내부에 있는 호에 대한 원주각의 크기와 같
으므로

∠ACB=∠BAT=42° ··· Ⅱ

그래서, ∠BCD의 크기를 구하자.

∴ ∠BCD=∠ACD+∠ACB=30°+42°=72° ··· Ⅲ

[다른 풀이]

원의 접선과 그 접점을 지나는 현이 이루
는 각의 크기는 그 각의 내부에 있는 호에
대한 원주각의 크기와 같으므로

∠ADB=∠BAT=42°

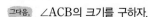

△ABD의 세 내각의 크기의 합이 180°이
므로

∠BAD=180°−(42°+30°)=108°

원에 내접하는 사각형의 한 쌍의 대각의 크기의 합은 180°이므로

∠BCD=180°−∠BAD=180°−108°=72°

148 답 25°

삼각형에서 한 외각의 크기는 그와 이웃하지 않는 두 내각의 크기의
합과 같으므로 △PBC에서

∠BCD=∠BPC+∠PBC=30°+∠PBC ··· ㉠ ··· Ⅰ

마찬가지로 △CQD에서

∠BQD=∠QCD+∠CDQ

$\qquad$ =∠QCD+∠ABC(∵ $\overset{\frown}{AC}$에 대한 원주각의 크기) ··· Ⅱ

$\qquad$ =30°+∠ABC+∠ABC(∵ ㉠)

$\qquad$ =80°

2∠ABC=50° ∴ ∠ABC=25° ··· Ⅲ

[채점기준표]

Ⅰ	∠BCD=∠PBC+30°임을 구한다.	30%
Ⅱ	원주각의 성질에 의해 ∠ABC=∠CDA임을 구한다.	40%
Ⅲ	∠ABC의 크기를 구한다.	30%

149 답 27π cm²

그림에서 $\overline{OA}=\overline{OB}=\overline{OC}$(∵ 원의 반지름)이
므로

∠OAB=∠OBA=40°,

∠OAC=∠OCA=20°

∴ ∠BAC=40°+20°=60° ··· Ⅰ

중심각의 크기는 원주각의 크기의 2배이므로

∠BOC=2∠BAC=2×60°=120° ··· Ⅱ

∴ (부채꼴 OBC의 넓이)$=\pi\times 9^2\times\frac{120}{360}$

$\qquad\qquad\qquad\qquad\qquad =27\pi(cm^2)$ ··· Ⅲ

[채점기준표]

Ⅰ	∠AOB, ∠AOC의 크기를 각각 구한다.	40%
Ⅱ	∠BOC의 크기를 구한다.	40%
Ⅲ	부채꼴 OBC의 넓이를 구한다.	20%

150 답 55°

원의 중심 O와 두 점 B, C를 각각 연결하자.
$\overline{BC}$의 길이가 원 O의 반지름의 길이와
같으므로 △OBC는 정삼각형이다.

$\therefore \angle BOC = 60°$ ··· Ⅰ

원주각의 크기는 중심각의 크기의 $\frac{1}{2}$이므로

$\angle BAC = \frac{1}{2}\angle BOC$

$= \frac{1}{2} \times 60° = 30°$ ··· Ⅱ

$\angle APB = \angle CPD = 95°(\because$ 맞꼭지각)이고 △ABP의 세 내각의 크기의 합은 180°이므로

$\angle ABD = 180° - (30° + 95°) = 55°$ ··· Ⅲ

[채점기준표]

Ⅰ	$\angle BOC$의 크기를 구한다.	40%
Ⅱ	$\angle BAC$의 크기를 구한다.	30%
Ⅲ	$\angle ABD$의 크기를 구한다.	30%

151 답 110°

그림에서

$\angle AOB = 180° - \angle APB$
$= 180° - 30°$
$= 150°$

이고, 원주각의 크기는 중심각
의 크기의 $\frac{1}{2}$이므로 ··· ㉠

$\angle ADB = \frac{1}{2}\angle AOB$

$= \frac{1}{2} \times 150° = 75°$ ··· Ⅰ

$\overset{\frown}{AD} = \overset{\frown}{DC} = \overset{\frown}{CB}$이므로

$\angle AOD = \angle DOC = \angle COB = \frac{1}{3} \times (360° - 150°) = 70°$

$\angle CAD = \frac{1}{2}\angle COD = \frac{1}{2} \times 70° = 35°(\because$ ㉠) ··· Ⅱ

△ADE에서 한 외각의 크기는 그와 이웃하지 않는 두 내각의 크기의 합과 같으므로

$\angle AEB = \angle EDA + \angle EAD = 75° + 35° = 110°$ ··· Ⅲ

[다른 풀이]

$\overline{AB}$를 그으면 $\overline{PA} = \overline{PB}$이므로

$\angle PAB = \angle PBA = \frac{1}{2} \times (180° - 30°) = 75°$

접선과 현이 이루는 각의 성질의 의해

$\angle ACB = \angle PAB = 75°$

$\overset{\frown}{AD} = \overset{\frown}{DC} = \overset{\frown}{CB}$이므로

$\angle ABD = \angle DBC = \angle BAC = \angle a$라 하면

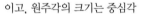

△ABC에서 세 내각의 크기의 합은 180°이므로

$\angle ABC + \angle BCA + \angle CAB = 180°$
$(\angle a + \angle a) + 75° + \angle a = 180°$
$3\angle a = 105°$
$\therefore \angle a = 35°$

따라서 △ABE의 세 내각의 크기의 합은 180°이므로

$\angle AEB = 180° - (35° + 35°) = 110°$

[채점기준표]

Ⅰ	$\angle ADB$의 크기를 구한다.	40%
Ⅱ	$\angle CAD$의 크기를 구한다.	30%
Ⅲ	$\angle AEB$의 크기를 구한다.	30%

152 답 39°

한 원에서 원주각의 크기와 호의 길이는 정비례하므로

$\angle ACD : \angle BAC = \overset{\frown}{AD} : \overset{\frown}{BC}$ ··· Ⅰ

$65° : \angle BAC = 5 : 2$

$\therefore \angle BAC = 26°$ ··· Ⅱ

삼각형의 한 외각의 크기는 그와 이웃하지 않는 두 내각의 크기의 합과 같으므로 △ACP에서

$\angle x = 65° - 26° = 39°$ ··· Ⅲ

[채점기준표]

Ⅰ	원주각의 성질을 이용하여 $\angle ACD : \angle BAC = \overset{\frown}{AD} : \overset{\frown}{BC}$을 세운다.	40%
Ⅱ	$\angle BAC$의 크기를 구한다.	40%
Ⅲ	$\angle x$의 크기를 구한다.	20%

153 답 7

접선과 현이 이루는 각의 성질에 의해

$\angle BAP = \angle ACB$ ··· ㉠ ··· Ⅰ

삼각형의 한 외각의 크기는 그와 이웃하지 않는 두 내각의 크기의 합과 같으므로

△ADP에서 $\angle ADE = \angle APD + \angle DAP$ ··· ㉡

△ECP에서

$\angle AED = \angle EPC + \angle ECP$
$= \angle APD + \angle ECP(\because$ 이등분선)
$= \angle APD + \angle DAP(\because$ ㉠)
$= \angle ADE(\because$ ㉡) ··· Ⅱ

따라서 △ADE는 $\angle ADE = \angle AED$인 이등변삼각형이므로

$\overline{AE} = \overline{AD} = 7$ ··· Ⅲ

[채점기준표]

Ⅰ	$\angle BAP = \angle ACB$임을 구한다.	40%
Ⅱ	$\angle AED = \angle ADE$임을 구한다.	40%
Ⅲ	$\overline{AD} = \overline{AE}$임을 이용하여 $\overline{AE}$의 길이를 구한다.	20%

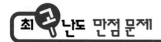

154 답 ①

1st 원주각의 크기는 중심각의 크기의 $\frac{1}{2}$ 이지?

두 점 A와 D를 이으면 $\widehat{AC}$에 대하여 ∠AOC는 중심각이고 ∠ADC는 원주각이므로

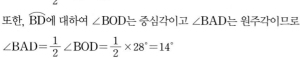

$$∠ADC=\frac{1}{2}∠AOC$$
$$=\frac{1}{2}×76°=38°$$

또한, $\widehat{BD}$에 대하여 ∠BOD는 중심각이고 ∠BAD는 원주각이므로

$$∠BAD=\frac{1}{2}∠BOD=\frac{1}{2}×28°=14°$$

2nd 삼각형에서 한 외각의 크기는 그와 이웃하지 않는 두 내각의 크기의 합과 같아.

△ADP에서

$$∠BPD=∠APD=∠ADC-∠PAD=38°-14°=24°$$

155 답 ②

1st 크기가 같은 두 원주각을 찾자.

그림과 같이 $\overline{AO}$를 연장하여 원 O와 만나는 점을 D라 하고, $\overline{BD}$를 그으면 $\widehat{AB}$에 대한 원주각의 크기는 모두 같으므로

∠ADB=∠ACB ···㉠

2nd 닮음이 되는 두 삼각형을 찾자.

$\overline{AD}$는 원 O의 지름이므로 ∠ABD=90°

∠ABD=∠AHC=90° ···㉡

㉠, ㉡에 의해 △ADB∽△ACH(AA 닮음)

$\overline{AD}:\overline{AB}=\overline{AC}:\overline{AH}$

$12:10=8:\overline{AH}$ ∴ $\overline{AH}=\frac{20}{3}$

156 답 ④

1st 합동인 두 원에서 같은 길이의 호에 대한 원주각의 크기가 같지?

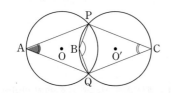

두 원의 반지름의 길이가 같으므로 두 원은 합동이야.

이때, $\widehat{PBQ}=\widehat{PQ}$이므로 $\widehat{PQ}$에 대한 원주각인 ∠PAQ와 $\widehat{PBQ}$에 대한 원주각인 ∠PCQ의 크기가 같아.

∴ ∠PAQ=∠PCQ ···㉠

2nd 원에 내접하는 사각형의 한 쌍의 대각의 크기의 합은 180°지?

□BQCP는 원 O'에 내접하므로

∠PBQ+∠PCQ=180° ···㉡

㉠, ㉡에 의해

∠PBQ+∠PAQ=180°

따라서 ∠PAQ : ∠PBQ=1 : 3이므로

$$∠PAQ=\frac{1}{1+3}×180°=45°$$

157 답 ②

1st 원에 내접하는 삼각형과 사각형의 성질을 이용해 보자.

$\widehat{CD}$에 대한 원주각은 원 O에 무수히 많지? 문제의 조건을 이용하기 위해 두 점 A, C를 연결하는 보조선을 그어 $\widehat{CD}$에 대한 원주각인 ∠CAD의 크기를 구해 보자.

접선과 현이 이루는 각의 성질에 의해

∠PAC=∠CBA=85°

또, □ABCD가 원에 내접하므로

∠PDA=∠CBA=85°

2nd 삼각형의 세 내각의 크기의 합은 180°지?

△ADP에서

∠PAD=180°-(45°+85°)=50°

∴ ∠CAD=∠PAC-∠PAD
=85°-50°=35°

[다른 풀이]

원에 내접하는 △ABC의 $\overline{AC}$와 접선 PA의 성질에 의해

∠PAC=∠CBA=85°

△ACP에서 ∠ACP=180°-(45°+85°)=50°

또, 원에 내접하는 △ACD의 $\overline{AD}$와 접선 PA의 성질에 의해

∠DAP=∠ACP=50°

∴ ∠CAD=85°-50°=35°

158 답 ⑤

1st 적절하게 보조선을 그어 ∠ATT'과 크기가 같은 각을 찾아 보자.

그림과 같이 두 점 B와 T를 연결하는 보조선을 긋자. 접선과 현이 이루는 각의 성질에 의해

∠ABT=∠ATT'=20°

2nd 한 원에서 같은 호에 대한 원주각의 크기는 모두 같아.

$\overline{AB}$가 원 O의 지름이므로

∠ATB=90°

△ATB의 세 내각의 크기의 합은 180°이므로

∠x=90°-20°=70°

$\widehat{BT}$에 대한 원주각의 크기는 모두 같으므로

∠BCT=∠BAT=70°

$\overline{BC}/\!/\overline{TT'}$에서

∠CTT'=∠BCT=70°(∵ 엇각)

∴ ∠ATC=∠CTT'-∠ATT'
=70°-20°=50°

3rd 삼각형의 세 내각의 크기의 합은 180˚야.

$\overline{AB}$와 $\overline{CT}$의 교점을 P라 하면 △APT에서

$\angle y = \angle APT(\because \text{맞꼭지각})$

$\quad = 180° - (\angle PTA + \angle PAT)$

$\quad = 180° - (50° + 70°)$

$\quad = 60°$

$\therefore \angle x + \angle y = 70° + 60° = 130°$

159 답 $40°$

1st 적당한 보조선을 그어 접선과 현이 이루는 각의 성질을 이용하자.

$\overleftrightarrow{TB}$가 두 원에 공통으로 접하는 접선이므로

$\angle ACB = \angle ABT = 45°$

$\angle FDB = \angle FBT = 45°$

△ABC에서

$\angle ABC = 180° - (55° + 45°) = 80°$이므로

$\angle ABD = \angle x$라 하면

$\angle DBC = 80° - \angle x$

두 점 D, F를 잇는 보조선을 그으면 $\overline{AC}$가 작은 원의 접선이므로

$\angle ADF = \angle FBD = \angle x$

2nd 삼각형의 한 외각의 크기는 그와 이웃하지 않는 두 내각의 크기의 합과 같아.

삼각형의 한 외각의 크기는 그와 이웃하지 않는 두 내각의 크기의 합과 같으므로 △DBC에서

$\angle ADB = \angle DBC + \angle DCB$

이때, $\angle ADB = \angle ADF + \angle FDB = \angle x + 45°$이므로

$\angle x + 45° = (80° - \angle x) + 45°$

$2\angle x = 80°$ $\quad \therefore \angle x = 40°$

N 대푯값과 산포도

개념 체크 001~019 정답은 p. 4에 있습니다.

유형 다지기 학교시험+학력평가   p. 102

020 답 (1) 84점 (2) 89점

(1) (네 과목 점수의 평균) $= \dfrac{88 + 92 + 76 + 80}{4} = \dfrac{336}{4} = 84$(점)

(2) 주어진 네 과목의 점수와 영어 점수의 평균이 85점이므로 영어 점수를 x점이라 하면

$\dfrac{88 + 92 + 76 + 80 + x}{5} = \dfrac{336 + x}{5} = 85$

$336 + x = 425$ $\quad \therefore x = 89$

따라서 윤주의 영어 점수는 89점이야.

021 답 5

A 분단의 평균이 80점이므로

$\dfrac{70 + 90 + x + 85 + 90 + 65}{6} = 80, \dfrac{400 + x}{6} = 80$

$400 + x = 480$ $\quad \therefore x = 80$

또, A, B 두 분단의 전체 평균이 75점이므로

$\dfrac{(\text{A 분단의 점수의 총합}) + (\text{B 분단의 점수의 총합})}{(\text{전체 도수})}$

$= \dfrac{480 + (70 + 70 + 85 + 70 + y + 50)}{12}$

$= \dfrac{480 + 345 + y}{12} = 75$

$825 + y = 900$ $\quad \therefore y = 75$

$\therefore x - y = 80 - 75 = 5$

022 답 83점

3번의 시험에서 얻은 수학 점수의 평균이 79점이므로

(3번의 시험의 총 점수) $= 3 \times 79 = 237$(점)

4번째 시험까지 수학 점수의 평균이 80점 이상이 되어야 하므로 4번째 시험에서 얻는 수학 점수를 x점이라 하면

(4번의 시험의 평균) $= \dfrac{(3번의 시험의 총 점수) + x}{4} = \dfrac{237 + x}{4} \geq 80$

$237 + x \geq 320$

$\therefore x \geq 83$

따라서 4번째 시험에서 수학 점수를 최소 83점 받아야 해.

> ★ (총점) = (도수) × (평균)인지 알아보자.
> n명의 점수가 각각 $a_1, a_2, \cdots, a_n$이라 하자.
> 그리고 평균을 m이라 하면
> $\dfrac{a_1 + a_2 + \cdots + a_n}{n} = m$
> $\therefore$ (총점) $= a_1 + a_2 + \cdots + a_n = n \times m =$ (도수) × (평균)

023 답 75.8점

상위 20명의 평균이 91점이므로

(상위 20명의 총점)$=20 \times 91 = 1820$(점)

나머지 학생들인 80명의 평균이 72점이므로

(나머지 학생들의 총점)$=80 \times 72 = 5760$(점)

$\therefore$ (전체 학생의 수학 성적의 평균)

$$= \frac{(\text{상위 20명의 총점})+(\text{나머지 학생들의 총점})}{(\text{전체 학생 수})}$$

$$= \frac{1820+5760}{20+80} = \frac{7580}{100} = 75.8(\text{점})$$

오답|피하기

어떤 전체 집단이 있을 때 그 집단의 일부분의 평균과 나머지 부분의 평균이 주어지고 전체 집단의 평균을 구하는 문제는 통계 문제에서 빠지지 않고 등장해. 이럴 때 항상 생각하고 있어야 하는 부분이 전체 평균은 총 변량의 합에서 그 변량의 개수로 나눠준다는 평균의 정의야. 이 내용만 제대로 기억하고 응용할 수 있다면 이 문제는 어렵지 않아. 여기서는 상위 20명의 평균이 주어졌으니 상위 20명의 총점을 구할 수 있고, 또 나머지 80명의 평균이 주어졌으니 그 80명의 총점을 구할 수 있어. 이렇게 해서 전체 100명의 총점을 알아냈으니 전체 평균을 구하는 것은 어렵지 않겠지?

024 답 ③

중앙값을 구하기 위해 크기 순서대로 나열해 보자.

76, 77, 79, ⑦⑨, 81, 81, 83

따라서 7개의 숫자 중 가운데 수는 왼쪽에서 네 번째 수인 79이고 이것이 중앙값이야.

025 답 51 kg

중앙값을 구하기 위해 크기 순서대로 나열해 보자.

42, 44, 45, 47, ④⑨ ㉝, 55, 57, 57, 59

이때, 자료의 개수가 10개로 짝수이므로 중앙값은 49와 53의 평균이지?

따라서 중앙값은 $\frac{49+53}{2} = 51$(kg)이야.

026 답 2편

주어진 수를 크기 순서대로 나열하면

0, 1, 2, 2, ② ②, 3, 3, 4, 4

이때, 자료의 개수가 10개로 짝수이므로 중앙값은 2와 2의 평균이야.

따라서 중앙값은 $\frac{2+2}{2} = 2$(편)야.

027 답 ③

주어진 수를 크기 순서대로 나열하면

174, 219, 249, ㉘㉑, 320, 334, 480

이때, 자료의 개수가 7개로 홀수이므로 왼쪽에서 네 번째 값인 273 쪽이 중앙값이야.

028 답 평균 8.4점, 중앙값 8.5점

먼저, 중앙값을 구하자.

6, 7, 7, 8, ⑧, ⑨, 9, 10, 10, 10

자료의 개수가 10개로 짝수이므로 중앙값은 8과 9의 평균이지?

따라서 중앙값은 $\frac{8+9}{2} = \frac{17}{2} = 8.5$(점)야.

이제, 평균을 구하자.

(평균)$= \frac{6+7 \times 2+8 \times 2+9 \times 2+10 \times 3}{10} = \frac{84}{10} = 8.4$(점)

따라서 평균은 8.4점, 중앙값은 8.5점이야.

029 답 78점

◯, ◯, ㉀, x, ◯, ◯

6명의 수학 점수를 크기 순서대로 나열하면 중앙값은 3번째 학생의 점수와 4번째 학생의 점수의 평균이야. 이때, 3번째 학생의 점수가 70점이고 중앙값이 74점이므로 4번째 학생의 점수를 x점이라 하면

(중앙값)$= \frac{70+x}{2} = 74 \qquad \therefore x = 78$

또한, 이 집단에 수학 점수가 80점인 학생이 들어 오면 80점은 78점의 우측에 배치돼. 따라서 이때의 중앙값은 7개의 자료를 크기 순서대로 나열하였을 때 4번째 학생의 점수이므로 78점이야.

030 답 7시간

주어진 자료가 다음과 같지?

5, 6, 6, 6, 7, 7, 7, 7, 8, 9

따라서 가장 자주 나오는 값이 최빈값이므로 7시간이야.

031 답 200만 원

100만 원의 도수는 2, 150만 원의 도수는 1,

200만 원의 도수는 3, 300만 원의 도수는 1,

500만 원의 도수는 2, 1000만 원의 도수는 1

따라서 이 회사 직원의 월급의 최빈값은 200만 원이야.

032 답 ⑤

주어진 표에서 도수(인원)가 가장 큰 진로가 최빈값이지?

진로	판사	교사	의사	회사원	공무원
인원(명)	5	6	8	7	⑨

최빈값

따라서 이 자료의 최빈값은 공무원이야.

033 답 ①

먼저, 중앙값을 구하기 위해 값을 크기 순서대로 나열하자.

24, 25, 34, 34, ㉚ ㊴, 56, 80, 128, 131

자료의 개수가 10개이므로 왼쪽에서 5번째 수와 6번째 수의 평균이 중앙값이지? 즉, 중앙값은 38과 54를 합한 값을 2로 나누면 되니까

(중앙값)$= \frac{38+54}{2} = 46$(kcal)

최빈값은 가장 많이 나타나는 값이므로 2개가 나온 34 kcal가 되겠지?

따라서 중앙값, 최빈값은 각각 46 kcal, 34 kcal야.

034 답 ③

중앙값을 구하기 위해 크기 순서대로 나열하자.

79, 82, 82, $\underline{84}$, $\underline{84}$, $\underline{84}$, 85, 86, 87

자료의 개수가 9개이므로 왼쪽에서 5번째 수인 84가 중앙값이야.

∴ $a=84$(개)

또한, 최빈값은 가장 많이 나타나는 값이므로 84가 최빈값이야.

∴ $b=84$(개)

∴ $a-b=84-84=0$

035 답 (1) 11 (2) 10

(1) 네 수 6, 12, 15, a의 평균이 11이므로

$$(\text{평균})=\frac{6+12+15+a}{4}=11$$

$33+a=44$ ∴ $a=11$

(2) a의 값을 모르므로 가능한 경우를 다음과 같이 나누어 순서대로 나열하여 보자.

  (i) a, 6, 12, 15인 경우

  (ii) 6, a, 12, 15인 경우

  (iii) 6, 12, a, 15인 경우

  (iv) 6, 12, 15, a인 경우

  (i), (iv)의 경우는 중앙값이 11이 아니야.

  (ii), (iii)의 경우에는

$$(\text{중앙값})=\frac{a+12}{2}=11$$

$a+12=22$ ∴ $a=10$ ((iii)의 경우는 크기 순서에 맞지 않아.)

036 답 46

7개의 자료의 평균이 65이므로

$$(\text{평균})=\frac{37+x+65+55+77+93+82}{7}=\frac{x+409}{7}=65$$

$x+409=455$ ∴ $x=46$

037 답 16

5개의 자료를 크기 순서대로 나열했더니 다음과 같다지?

11, 13, 14, 16, x

자료의 개수가 5개로 홀수이므로 중앙값은 14가 돼.

한편, $(\text{평균})=\frac{11+13+14+16+x}{5}=\frac{54+x}{5}$이고 평균과 중앙값이 같으므로

$\frac{54+x}{5}=14$, $54+x=70$ ∴ $x=16$

038 답 $a=1$, $b=2$

7개의 수 -5, 4, 0, a, 2, b, 3의 평균이 1이므로

$\frac{-5+4+0+a+2+b+3}{7}=1$, $4+a+b=7$

∴ $a+b=3$ ··· ㉠

한편, 최빈값이 2이므로 a, b 중 적어도 하나는 2여야 해.

(i) $a=2$이면 ㉠에 의해 $b=1$

  이것은 $a<b$에 모순이지?

(ii) $b=2$이면 ㉠에 의해 $a=1$ ←OK!

(iii) $a=2$, $b=2$이면 ㉠에 모순이야.

∴ $a=1$, $b=2$

039 답 평균 86점, 중앙값 88점

5명의 수학 점수의 중앙값을 구하기 위해 점수를 크기 순서대로 나열하면 다음과 같아.

74점, 85점, 88점, 90점, 93점

자료의 개수가 5개로 홀수이므로 중앙값은 88점이야.

이제 평균을 구하자.

$$(\text{평균})=\frac{74+85+88+90+93}{5}=\frac{430}{5}=86(\text{점})$$

040 답 72

주어진 자료는 크기 순으로 나열되어 있고, 전체 자료의 중앙에 있는 값은 36이므로 이 자료의 중앙값은 36 m야.

∴ $x=36$

또, 36의 도수가 3으로 가장 크므로 이 자료의 최빈값도 36 m야.

∴ $y=36$

∴ $x+y=36+36=72$

041 답 평균 10.4개, 중앙값 10개, 최빈값 5개

먼저, 주어진 자료를 크기 순서대로 나열하자.

2, $\underline{5}$, $\underline{5}$, 7, $\boxed{8}$, $\boxed{12}$, 13, 14, 16, 22

자료의 개수가 10개로 짝수이므로 중앙값은 8과 12의 합을 2로 나눈 것이므로

$$(\text{중앙값})=\frac{8+12}{2}=\frac{20}{2}=10(\text{개})$$

자료 5만 도수가 2이고 나머지는 도수가 1이므로 최빈값은 5개야.

이제 평균을 구해 보자.

$$(\text{평균})=\frac{2+5+5+7+8+12+13+14+16+22}{10}$$

$$=\frac{104}{10}=10.4(\text{개})$$

042 답 ②

A, B 두 모둠의 평균, 중앙값, 최빈값을 각각 구해 보자.

먼저 A 모둠의 자료를 크기 순서대로 나열하면

70, 78, $\underline{80}$, $\underline{80}$, $\boxed{80}$, 82, 82, 84, 84

총 개수가 9개로 홀수이므로 중앙값은 80점이야.

최빈값은 자료의 개수가 가장 많은 80점이고,

$$(\text{평균})=\frac{70+78+80+80+80+82+82+84+84}{9}$$

$$=\frac{720}{9}=80(\text{점})$$

이제 B 모둠의 자료를 크기 순서대로 나열하면

60, 60, 75, 75, $\boxed{80}$, 80, 85, 90, 95

총 개수가 9개로 홀수이므로 중앙값은 80점이야.

최빈값은 60점 또는 75점 또는 80점이야.

$$(\text{평균})=\frac{60+60+75+75+80+80+85+90+95}{9}$$

$$=\frac{700}{9}=77.777\cdots(\text{점})$$

① A 모둠의 평균은 80점, B 모둠의 평균은 77.777…점으로 다르지?

(거짓)

② A 모둠은 평균, 중앙값, 최빈값이 80점으로 모두 같아. (참)

③ B 모둠의 평균은 77.777⋯점이고, 중앙값은 80점으로 달라. (거짓)

④ B 모둠의 중앙값은 80점, 평균 77.777⋯점이므로 중앙값이 평균보다 크지? (거짓)

⑤ B 모둠의 중앙값은 80점, 최빈값은 60점 또는 75점 또는 80점으로 최빈값은 중앙값보다 작거나 같아. (거짓)

043 답 (1) 중앙값 6.5시간, 최빈값 6시간
(2) 중앙값 6시간, 최빈값 6시간

a, b를 제외한 8개의 자료를 크기 순서대로 나열하면

2, 3, 6, 6, 6, 7, 8, 10

(1) $6 < b < a$라 하므로 a와 b를 포함해서 10개의 자료를 크기 순서대로 나열하게 되면 a와 b는 6의 오른쪽에 위치하게 되지? 즉,

2, 3, 6, 6, ⑥, ⑦, 8, 10
　　　　　　⤴ (a, b)

자료의 개수가 10개로 짝수이므로 중앙값은 6과 7의 합을 2로 나눈 것인

$$\frac{6+7}{2}=\frac{13}{2}=6.5(\text{시간})$$

또한, $6 < b < a$에서 $a \neq b$이므로 최빈값은 7, 8, 10이 될 수 없지?

따라서 최빈값은 자료의 개수가 3개로 가장 많은 6시간이야.

(2) $a < b < 6$이라 하므로 a와 b를 포함해서 10개의 자료를 크기 순서대로 나열하게 되면 a와 b는 6의 왼쪽에 위치하게 되지? 즉,

2, 3, ⑥, ⑥, 6, 7, 8, 10
(a, b) ⤴

자료의 개수가 10개로 짝수이므로 중앙값은 6과 6의 합을 2로 나눈 것인

$$\frac{6+6}{2}=\frac{12}{2}=6(\text{시간})$$

또한, $a < b < 6$에서 $a \neq b$이므로 최빈값은 2, 3이 될 수 없지?

따라서 최빈값은 자료의 개수가 3개로 가장 많은 6시간이야.

044 답 25.15

주어진 표를 보면 학생 수가 가장 많은 점수가 최빈값이므로

$b = 9$

중앙값은 20개의 자료에서 작은 쪽에서 10번째 수 8과 큰 쪽에서 10번째 수 8의 합을 2로 나눈 것이므로

$$\frac{8+8}{2}=\frac{16}{2}=8(\text{점})$$

$\therefore c = 8$

이제 평균을 구해 보자.

$$(\text{평균})=\frac{6\times 2 + 7\times 3 + 8\times 6 + 9\times 8 + 10\times 1}{20}$$

$$=\frac{163}{20}=8.15(\text{점})$$

$\therefore a = 8.15$

$\therefore a+b+c = 8.15+9+8 = 25.15$

045 답 ②

평균을 대푯값으로 하기에 적절하지 않은 경우는 극단적인 값이 있을 때야.

따라서 선택지 중 평균을 대푯값으로 하기에 적절하지 않은 것은 ②야.

046 답 ①

① 【반례】 네 개의 자료 2, 4, 6, 8의 중앙값은 4와 6의 합을 2로 나눈 것이므로 $\frac{4+6}{2}=5$

5는 자료 중에 존재하지 않아. (거짓)

오답피하기

중앙값은 주어진 자료의 개수에 따라 자료 안에 존재할 수도 있고 아닐 수도 있어. 즉, 자료의 개수가 홀수일 때는 자료 안에 존재하고 짝수일 때는 중앙에 위치한 두 수의 평균이므로 자료 안에 존재하지 않을 수 있어. 기억해!

047 답 ②, ④

① 평균, 중앙값, 최빈값이 모두 같은 경우가 있어. (참)

② 자료를 크기 순서대로 나열하였을 때, 자료의 개수 n이 홀수이면 $\frac{n+1}{2}$번째 수가 중앙값이야.

자료의 개수 n이 짝수인 경우에는 $\frac{n}{2}$, $\frac{n}{2}+1$번째 수의 합을 2로 나눈 수가 중앙값이야.

따라서 중앙값은 항상 정해지지. (거짓)

③ 최빈값은 도수가 가장 큰 값을 의미해. 만약 변량이 각각 다르다면 최빈값은 존재하지 않아.

또, 자료가 1, 2, 3, 3, 4, 4, 5라면 최빈값이 3과 4로 2개일 수도 있어. (참)

④ 평균을 대푯값으로 하기에 적절하지 않은 경우는 극단적인 값이 있을 때야. (거짓)

⑤ 자료의 개수가 짝수이고, 이 자료를 크기 순서대로 나열하였을 때, 가운데 값 2개의 합을 2로 나눈 값이 중앙값이지. (참)

048 답 평균 6.6시간, 중앙값 2.5시간,
중앙값이 대푯값으로 적절하다.

주어진 자료를 크기 순서대로 나열하면 다음과 같아.

1, 1, 2, 2, 2, 3, 3, 3, 3, 46

자료의 개수가 10개로 짝수이므로 중앙값은 2와 3의 평균인

$$\frac{2+3}{2}=2.5(\text{시간})$$

평균을 구해 보자.

$$(\text{평균})=\frac{1+1+2+2+2+3+3+3+3+46}{10}$$

$$=\frac{66}{10}=6.6(\text{시간})$$

한편, 자료에서 46은 다른 값들에 비해 매우 큰 숫자야.

그래서 전체 변량을 합하여 전체 도수로 나누는 평균은 영향을 많이 받기 때문에 대푯값으로 적절하지 않아.

따라서 이 자료의 특성을 잘 나타내는 대푯값으로 적절한 것은 중앙값이야.

049 답 ②

편차의 성질에 의해 편차의 총합은 0이지?

$(-3)+4+(-1)+x+3=0$ $\therefore x=-3$

오답피해기

> 왜 편차의 합은 항상 0일까?
>
> n개의 자료 a_1, a_2, a_3, $\cdots$, a_n의 평균을 m으로 놓으면
>
> $\dfrac{a_1+a_2+a_3+\cdots+a_n}{n}=m$에서
>
> $a_1+a_2+a_3+\cdots+a_n=m\times n$ $\cdots$ ㉠
>
> 편차의 합을 구하자.
>
> $(a_1-m)+(a_2-m)+(a_3-m)+\cdots+(a_n-m)$
>
> $=(a_1+a_2+a_3+\cdots+a_n)-\underbrace{(m+m+\cdots+m)}_{n\text{개}}$
>
> $=m\times n-m\times n(\because ㉠)=0$
>
> 이해가 되지?

050 답 ④

편차의 합은 항상 0이므로 주어진 기록의 편차의 합은 0초야.

051 답 ①

편차의 합은 0이므로

$(-4)+3+x+(-2)+4+2=0$

$\therefore x=-3$

052 답 ④

편차의 합은 0이므로

$(-5)+1+a+3+b=0$

$\therefore a+b=1$

053 답 ④

편차의 합은 (편차)×(도수)의 합이지?

표에서 보면 편차가 -2, -1, 0, 1, 2, 3일 때, 도수가 각각 7, 8, 3, x, 3, 4이므로

$(-2)\times7+(-1)\times8+0\times3+1\times x+2\times3+3\times4=0$

$(-14)+(-8)+x+6+12=0$, $x-4=0$

$\therefore x=4$

054 답 ①

(평균)=(기준이 되는 점수)+(기준이 되는 점수와의 차의 평균)으로 구할 수 있지? $\cdots$ (*)

평균이 70점이므로 C의 점수를 기준으로 하면

$70=$(C의 점수)$+\dfrac{7+4+0+4+5}{5}=$(C의 점수)$+4$

$\therefore$ (C의 점수)$=66$점

D의 점수는 C의 점수보다 4점이 높으니까

(D의 점수)=(C의 점수)$+4=66+4=70$(점)

[다른 풀이]

C의 점수를 x라 하면 A, B, D, E의 점수는 각각 $x+7$, $x+4$, $x+4$, $x+5$야.

이때, A, B, C, D, E의 평균이 70점이므로

$\dfrac{(x+7)+(x+4)+x+(x+4)+(x+5)}{5}=70$

$\dfrac{5x+20}{5}=70$, $x+4=70$ $\therefore x=66$

즉, C의 점수는 66점이야.

$\therefore$ (D의 점수)=(C의 점수)$+4=70$(점)

오답피해기

> (*)이 이해가 안 된다구?
>
> n개의 자료 a_1, a_2, a_3, $\cdots$, a_n의 평균을 m으로 놓으면
>
> $\dfrac{a_1+a_2+a_3+\cdots+a_n}{n}=m$ $\cdots$ ㉠
>
> 이때, k를 기준이 되는 수라고 놓고 a_1, a_2, a_3, $\cdots$, a_n의 값에서 k를 뺀 값을 각각 구하면
>
> a_1-k, a_2-k, a_3-k, $\cdots$, a_n-k
>
> 이것의 평균을 구해 보자.
>
> $\dfrac{(a_1-k)+(a_2-k)+(a_3-k)+\cdots+(a_n-k)}{n}$
>
> $=\dfrac{(a_1+a_2+a_3+\cdots+a_n)-k\times n}{n}$
>
> $=\dfrac{a_1+a_2+a_3+\cdots+a_n}{n}-k$
>
> $=m-k$ $(\because ㉠)$
>
> $\therefore m=k+\dfrac{(a_1-k)+(a_2-k)+(a_3-k)+\cdots+(a_n-k)}{n}$
>
> 이제 이해가 되지?

055 답 70점

편차의 합은 0이므로

$(-2)+6+x+8+(-4)+(-3)=0$

$x+5=0$ $\therefore x=-5$

$\therefore$ (구하는 학생의 과학 성적)=(평균)+(편차)

$=75+(-5)=70$(점)

056 답 63 kg

(편차)=(변량)-(평균)이지?

윤석이네 반 학생들의 몸무게의 평균이 58 kg이고 윤석이의 몸무게의 편차가 5 kg이므로 윤석이의 몸무게를 x kg이라 하면

$5=x-58 \Rightarrow x=63$

따라서 윤석이의 몸무게는 63 kg야.

057 답 ③

편차를 구하기 위해서는 평균을 먼저 알아야겠지?

(평균)$=\dfrac{15+12+17+15+13+18}{6}=\dfrac{90}{6}=15$(점)

변량 15, 12, 17, 15, 13, 18에 대한 편차를 각각 구해 보면 0, -3, 2, 0, -2, 3이야.

따라서 선택지 중 편차가 될 수 없는 것은 ③ 1점이야.

058 답 87점

네 학생 A, B, C, D의 점수를 각각 a, b, c, d라 하자. A의 점수가 78점이므로 $a=78$

A의 점수는 B의 점수보다 5점이 낮으므로

$a=b-5 \Rightarrow b=a+5=83 \ (\because a=78) \cdots \textcircled{\footnotesize{ㄱ}}$

또, A의 점수는 C의 점수보다 2점이 높으므로

$a=c+2 \qquad \therefore c=a-2=76 \ (\because a=78) \cdots \textcircled{\footnotesize{ㄴ}}$

그리고 A의 점수는 A, B, C, D의 평균보다 3점이 낮으므로

$a=\dfrac{a+b+c+d}{4}-3$

$4a=a+b+c+d-12$

$\therefore d=3a-b-c+12=3\times78-83-76+12 \ (\because \textcircled{\footnotesize{ㄱ}}, \textcircled{\footnotesize{ㄴ}})$

$\qquad =234-83-76+12=87(점)$

059 답 80점

편차의 합은 0이므로

$(-2)+x+(-6)+4=0 \qquad \therefore x=4$

(편차)=(변량)−(평균)이므로

(편차)=(2회의 점수)−(평균)에서

(2회의 점수)=(편차)+(평균)$=4+76=80(점)$

060 답 87

자료의 총 개수가 28개이므로 총 도수는 28이지?

$8+7+a+1+5+4=28$

$25+a=28 \qquad \therefore a=3$

편차의 합은 (편차)×(도수)의 합이고, 그 합은 0이므로

$(-2)\times8+(-1)\times7+0\times3+1\times1+b\times5+3\times4=0$

$(-16)+(-7)+1+5b+12=0$

$5b-10=0 \qquad \therefore b=2$

구하려는 것은 편차가 b, 즉 2인 자료의 변량을 구하는 거잖아.

그런데 편차가 −2인 자료의 변량이 83이므로

(편차)=(변량)−(평균)에서

$-2=83-(평균) \qquad \therefore (평균)=85$

따라서 편차가 2인 자료의 변량은 (평균)+(편차)이므로

$85+2=87$이야.

061 답 ⑤

편차의 합은 항상 0이므로

$(-5)+(x+1)+x+(-2)+(x+3)=0$

$3x-3=0 \qquad \therefore x=1$

따라서 B의 편차는 $x+1=2$이고, 평균이 80점이므로

(B의 점수)=(평균)+(편차)$=80+2=82(점)$

오답피하기 ──────

편차에 대해 확실히 알아둘 필요가 있어. 편차는 변량에서 평균을 뺀 값이야. 그건 모두들 알겠지? 그런데 시간이 지나면 변량에서 평균을 빼는지 평균에서 변량을 빼는지 헷갈릴 때가 있어. 그때는 편차의 값이 양수인지 음수인지 보고 판단해 주면 돼. 편차가 양수면 값이 평균보다 크겠구나라고 생각하면 헷갈리지 않을 거야. 그리고 편차의 합이 0이라는 것도 꼭 기억해 두자.

062 답 ①

편차의 합이 항상 0이라는 것을 이용하여 a의 값을 구하자.

$2+(-3)+(-1)+a+(-2)=0$

$\therefore a=4$

$(분산)=\dfrac{(편차)^2의 총합}{(변량)의 개수}$ 을 이용하여 분산을 구하자.

$(분산)=\dfrac{2^2+(-3)^2+(-1)^2+4^2+(-2)^2}{5}$

$\qquad =\dfrac{4+9+1+16+4}{5}=\dfrac{34}{5}=6.8$

따라서 D의 편차 $a=4$, 분산은 6.8이야.

오답피하기 ──────

$(분산)=\dfrac{(편차)^2의 총합}{(변량)의 개수}$ 에서 왜 $(편차)^2$의 총합일까?

분산이란 평균에서 얼마만큼 떨어져 있느냐라는 것이므로 '편차의 합의 평균을 구하면 되지 않을까' 라는 생각은 안 해봤어?

일리 있는 말이지만 편차의 합은 항상 0이잖아. 그래서 편차의 합의 평균은 항상 0이 되니까 쓸모가 없는 거야.

편차의 합이 0이 되는 이유는 편차가 양수와 음수 모든 값이 나올 수 있기 때문이지?

그래서 쓸모있는 값이 나오려면 음수가 나오지 않게 하면 되니까 각 편차에 대해 제곱을 하는 거라구.

063 답 3.6

분산을 구하기 위해 평균을 구하자.

$\therefore (평균)=\dfrac{1+3+1+4+6}{5}=\dfrac{15}{5}=3$

이때, 나온 눈의 수 1, 3, 1, 4, 6에 대한 편차를 구하면 각각 −2, 0, −2, 1, 3이지?

$(분산)=\dfrac{(편차)^2의 총합}{(변량의 개수)}$

$\qquad =\dfrac{(-2)^2+0^2+(-2)^2+1^2+3^2}{5}$

$\qquad =\dfrac{4+0+4+1+9}{5}=\dfrac{18}{5}=3.6$

064 답 ④

편차의 합은 0이므로

$(-6)+5+(-3)+x+3=0$

$x-1=0$

$\therefore x=1$

$\therefore (분산)=\dfrac{(편차)^2의 총합}{(변량)의 개수}$

$\qquad =\dfrac{(-6)^2+5^2+(-3)^2+1^2+3^2}{5}$

$\qquad =\dfrac{36+25+9+1+9}{5}=\dfrac{80}{5}=16$

065 답 216

5개의 자료 20, 10, 50, 20, 40의 평균을 구하면

$$(평균)=\frac{20+10+50+20+40}{5}=\frac{140}{5}=28(분)$$

주어진 자료에 대한 편차를 각각 구하면 -8, -18, 22, -8, 12이 므로 분산을 구하면

$$(분산)=\frac{(-8)^2+(-18)^2+22^2+(-8)^2+12^2}{5}$$

$$=\frac{64+324+484+64+144}{5}=\frac{1080}{5}=216$$

066 답 ②

5개의 변량 7, 6, x, 10, 3의 평균이 7이므로

$$\frac{7+6+x+10+3}{5}=7,\ x+26=35 \qquad \therefore x=9$$

그럼, 5개의 변량 7, 6, 9, 10, 3에 대한 편차를 각각 구하면 0, -1, 2, 3, -4이므로 분산을 구하면

$$(분산)=\frac{0^2+(-1)^2+2^2+3^2+(-4)^2}{5}$$

$$=\frac{1+4+9+16}{5}=\frac{30}{5}=6$$

067 답 2

연속한 5개의 자연수를 $a-2$, $a-1$, a, $a+1$, $a+2$ (단, $a\geq3$인 자연수)라 하자.

이때, 5개의 자연수의 평균을 구하면

$$(평균)=\frac{(a-2)+(a-1)+a+(a+1)+(a+2)}{5}=\frac{5a}{5}=a$$

연속한 5개의 자연수 $a-2$, $a-1$, a, $a+1$, $a+2$에 대한 편차를 각각 구하면 -2, -1, 0, 1, 2지?

$$\therefore (분산)=\frac{(-2)^2+(-1)^2+0^2+1^2+2^2}{5}$$

$$=\frac{4+1+1+4}{5}=\frac{10}{5}=2$$

068 답 평균 20, 분산 20

5개의 자료 a, b, c, d, e의 평균이 10, 분산이 5이므로

$$\frac{a+b+c+d+e}{5}=10 \cdots ㉠$$

$$\frac{(a-10)^2+(b-10)^2+(c-10)^2+(d-10)^2+(e-10)^2}{5}=5 \cdots ㉡$$

이제 자료 $2a$, $2b$, $2c$, $2d$, $2e$의 평균과 분산을 각각 구하자.

$$(평균)=\frac{2a+2b+2c+2d+2e}{5}=\frac{2(a+b+c+d+e)}{5}$$

$$=2\times\frac{a+b+c+d+e}{5}=2\times10\ (\because ㉠)=20$$

$$(분산)=\frac{(2a-20)^2+(2b-20)^2+(2c-20)^2+(2d-20)^2+(2e-20)^2}{5}$$

$$=\frac{\{2(a-10)\}^2+\{2(b-10)\}^2+\{2(c-10)\}^2+\{2(d-10)\}^2+\{2(e-10)\}^2}{5}$$

$$=\frac{4(a-10)^2+4(b-10)^2+4(c-10)^2+4(d-10)^2+4(e-10)^2}{5}$$

$$=4\times\frac{(a-10)^2+(b-10)^2+(c-10)^2+(d-10)^2+(e-10)^2}{5}$$

$$=4\times5\ (\because ㉡)=20$$

오답피하기

각 변량에 a배 하고 b만큼 더한 자료의 평균과 분산을 알아보자! n개의 자료 x_1, x_2, x_3, $\cdots$, x_n의 평균을 m, 분산을 V라 하면

$$\frac{x_1+x_2+\cdots+x_n}{n}=m \cdots ㉠'$$

$$\frac{(x_1-m)^2+(x_2-m)^2+\cdots+(x_n-m)^2}{n}=V \cdots ㉡'$$

그럼, 각 변량에 a배하고 b만큼 더한 n개의 자료 ax_1+b, ax_2+b, ax_3+b, $\cdots$, ax_n+b의 평균과 분산은 어떻게 바뀔까? 먼저, 평균부터 구하자.

$$(평균)=\frac{(ax_1+b)+(ax_2+b)+\cdots+(ax_n+b)}{n}$$

$$=\frac{a(x_1+x_2+\cdots+x_n)+n\times b}{n}$$

$$=a\times\frac{x_1+x_2+\cdots+x_n}{n}+b$$

$$=am+b\ (\because ㉠')$$

$$(분산)=\frac{(ax_1+b-am-b)^2+(ax_2+b-am-b)^2+\cdots+(ax_n+b-am-b)^2}{n}$$

$$=\frac{a^2(x_1-m)^2+a^2(x_2-m)^2+\cdots+a^2(x_n-m)^2}{n}$$

$$=a^2\times\frac{(x_1-m)^2+(x_2-m)^2+\cdots+(x_n-m)^2}{n}$$

$$=a^2V\ (\because ㉡')$$

결국, 평균은 a배하고 b만큼 더해지는 것이고, 분산은 a^2배가 되는 것을 알 수 있지? 따라서 이 문제에서 구하고자 하는 자료의 변량은 원래 변량에 2배한 거니까 평균은 $2\times10=20$, 분산은 $2^2\times5=20$이 되는 거야. 실전에서도 자주 나오는 유형이니까 원리와 결과를 기억해 놓고 잘 활용하면 좋겠지?

069 답 ①

5개의 수 x, -1, 3, y, -1의 평균이 1이므로

$$\frac{x+(-1)+3+y+(-1)}{5}=1 \qquad \therefore x+y+1=5$$

$$\therefore x+y=4 \cdots ㉠$$

또, 분산이 5이므로

$$\frac{(x-1)^2+(-1-1)^2+(3-1)^2+(y-1)^2+(-1-1)^2}{5}=5$$

$$(x-1)^2+4+4+(y-1)^2+4=25$$

$$(x-1)^2+(y-1)^2=13$$

$$x^2-2x+1+y^2-2y+1=13$$

$$\therefore x^2+y^2=11+2(x+y)$$

$$=11+2\times4\ (\because ㉠)$$

$$=11+8=19 \cdots ㉡$$

㉠의 양변을 제곱하면

$$x^2+2xy+y^2=16에서$$

$$2xy=16-(x^2+y^2)=16-19\ (\because ㉡)=-3$$

$$\therefore xy=-\frac{3}{2}$$

[다른 풀이]

$(x+y)^2=x^2+2xy+y^2$이므로

$$x^2+y^2=(x+y)^2-2xy$$

⊙, ⓒ을 대입하면

$19 = 4^2 - 2xy$

$\therefore xy = -\dfrac{3}{2}$

070 답 1

먼저 평균을 구하자.

$(평균) = \dfrac{1\times6+2\times7+3\times8+4\times9}{10} = \dfrac{80}{10} = 8$

이제 분산을 구하자.

$(분산) = \dfrac{1\times(6-8)^2+2\times(7-8)^2+3\times(8-8)^2+4\times(9-8)^2}{10}$

$= \dfrac{(-2)^2+2\times(-1)^2+3\times0+4\times1^2}{10}$

$= \dfrac{4+2+4}{10} = \dfrac{10}{10} = 1$

$\therefore (표준편차) = \sqrt{(분산)} = \sqrt{1} = 1$

071 답 분산 6, 표준편차 $\sqrt{6}$

이 문제에서는 편차를 구하기 위해 평균을 구할 필요는 없지?

(편차)^{2}이 이미 주어졌기 때문이야. 따라서 바로 분산을 구할 수 있어.

$(분산) = \dfrac{(편차)^2의\ 총합}{(변량)의\ 개수} = \dfrac{16+1+0+4+9}{5} = \dfrac{30}{5} = 6$

$\therefore (표준편차) = \sqrt{(분산)} = \sqrt{6}$

072 답 $2\sqrt{3}$개

편차의 합은 항상 0임을 이용하여 x의 값을 구해야겠지?

$2+(-1)+3+x+(-2)+1+4=0,\ x+7=0$ $\therefore x=-7$

이제 편차의 제곱의 합을 변량의 개수로 나누면 분산을 구할 수 있지?

$(분산) = \dfrac{2^2+(-1)^2+3^2+(-7)^2+(-2)^2+1^2+4^2}{7}$

$= \dfrac{84}{7} = 12$

$\therefore (표준편차) = \sqrt{(분산)} = \sqrt{12} = 2\sqrt{3}$(개)

073 답 $\sqrt{10}$

4개의 자료 $a-4,\ a-2,\ a+2,\ a+4$의 평균부터 구하자.

$(평균) = \dfrac{(a-4)+(a-2)+(a+2)+(a+4)}{4} = \dfrac{4a}{4} = a$

평균이 a이므로 4개의 자료의 편차를 각각 구하면

$-4,\ -2,\ 2,\ 4$지?

$(분산) = \dfrac{(-4)^2+(-2)^2+2^2+4^2}{4} = \dfrac{16+4+4+16}{4}$

$= \dfrac{40}{4} = 10$

$\therefore (표준편차) = \sqrt{(분산)} = \sqrt{10}$

074 답 $\dfrac{5\sqrt{3}}{3}$개

6개의 자료 $a,\ 9,\ 6,\ 10,\ 8,\ 12$에 대하여 평균이 8개이므로 편차를 구하면 각각 $a-8,\ 1,\ -2,\ 2,\ 0,\ 4$지?

편차의 합은 항상 0이므로

$(a-8)+1+(-2)+2+0+4=0$ $\therefore a=3$

따라서 편차는 $-5,\ 1,\ -2,\ 2,\ 0,\ 4$이므로 분산을 구할 수 있지?

$(분산) = \dfrac{(-5)^2+1^2+(-2)^2+2^2+0^2+4^2}{6}$

$= \dfrac{25+1+4+4+0+16}{6} = \dfrac{50}{6} = \dfrac{25}{3}$

$\therefore (표준편차) = \sqrt{(분산)} = \sqrt{\dfrac{25}{3}} = \dfrac{\sqrt{25}}{\sqrt{3}} = \dfrac{5}{\sqrt{3}} = \dfrac{5\sqrt{3}}{3}$(개)

075 답 $\sqrt{6.8}$ 점

1회부터 5회까지의 성적의 편차가 a, b, c, d, e이므로 분산을 구하면

$(분산) = \dfrac{a^2+b^2+c^2+d^2+e^2}{5} \cdots$ ⊙

그런데 1회부터 3회까지의 분산이 7이므로

$\dfrac{a^2+b^2+c^2}{3} = 7$ $\therefore a^2+b^2+c^2=21 \cdots$ ⓒ

또, 4회부터 5회까지의 분산이 $\dfrac{13}{2}$이므로

$\dfrac{d^2+e^2}{2} = \dfrac{13}{2}$ $\therefore d^2+e^2=13 \cdots$ ⓒ

ⓒ, ⓒ을 ⊙에 대입하면

$(분산) = \dfrac{21+13}{5} = \dfrac{34}{5} = 6.8$

$\therefore (표준편차) = \sqrt{(분산)} = \sqrt{6.8}$ (점)

076 답 $-\dfrac{117}{2}$

5개의 변량의 편차가 $-2,\ -2,\ a,\ 3,\ b$이고, 편차의 합은 항상 0이므로 $(-2)+(-2)+a+3+b=0$

$\therefore a+b=1 \cdots$ ⊙

또, 표준편차가 $3\sqrt{3}$이므로 분산은 $(3\sqrt{3})^2=27$이지?

$\dfrac{(-2)^2+(-2)^2+a^2+3^2+b^2}{5} = 27$

$4+4+a^2+9+b^2=135$

$\therefore a^2+b^2=118 \cdots$ ⓒ

⊙의 양변을 제곱하면

$(a+b)^2=1,\ a^2+2ab+b^2=1$

$118+2ab=1$ (∵ ⓒ), $2ab=-117$

$\therefore ab=-\dfrac{117}{2}$

N

077 답 ⑤

총 횟수가 10회이므로 $a+2+b+4=10$

$\therefore a+b=4 \cdots \unicode{x24B6}$

또, 평균이 9점이므로

$(\text{평균})=\dfrac{7 \times a+8 \times 2+9 \times b+10 \times 4}{10}=\dfrac{7a+9b+56}{10}=9$

$7a+9b+56=90$

$\therefore 7a+9b=34 \cdots \unicode{x24B7}$

$\unicode{x24B6}$, $\unicode{x24B7}$을 연립하면 $a=1$, $b=3$

표를 다시 정리하고 편차를 구하자.

점수 (점)	7	8	9	10
횟수 (회)	1	2	3	4
편차 (점)	-2	-1	0	1

표준편차를 구하기 위해 분산을 먼저 구해야지?

$(\text{분산})=\dfrac{(-2)^2 \times 1+(-1)^2 \times 2+0^2 \times 3+1^2 \times 4}{10}$

$=\dfrac{10}{10}=1$

$\therefore (\text{표준편차})=\sqrt{(\text{분산})}=\sqrt{1}=1(\text{점})$

오답|피|하|기

이 문제에서 a, b의 값을 구하는 식이 하나 더 존재해.
편차의 합은 0이라는 성질을 이용해 구할 수 있어.
각 편차가 -2, -1, 0, 1이므로
$-2 \times a-1 \times 2+0 \times b+1 \times 4=0$에서 $a=1$
이것이 더 쉽지? 문제 푸는 방법이 꼭 하나만 있는 게 아니니까
정석인 풀이만 고집하지 말고 다각도로 생각하는 연습이 필요해.

078 답 ④

5개의 변량의 편차가 각각 -3, -1, a, 1, b이고, 편차의 합이 항상 0임을 잊지 않고 있지? 이를 이용하여 a에 대한 식을 찾으면

$(-3)+(-1)+a+1+b=0$

$\therefore a=3-b \cdots \unicode{x24B6}$

그런데 표준편차가 $\sqrt{6}$이므로 분산이 6이지?

$(\text{분산})=\dfrac{(-3)^2+(-1)^2+a^2+1^2+b^2}{5}$

$=\dfrac{9+1+a^2+1+b^2}{5}=6$

$a^2+b^2+11=30 \qquad \therefore a^2+b^2=19 \cdots \unicode{x24B7}$

$\unicode{x24B6}$을 $\unicode{x24B7}$에 대입하면

$(3-b)^2+b^2=19$, $b^2-6b+9+b^2=19$

$2b^2-6b-10=0$, $2(b^2-3b-5)=0$

따라서 이차방정식의 근과 계수의 관계에 의해 가능한 모든 b의 값의 합은 3이야.

079 답 ④

평균이 5회이므로 편차를 구하면 다음과 같아.

월	1	2	3	4	5
횟수 (회)	8	4	a	b	5
편차	3	-1	$a-5$	$b-5$	0

이때, 평균이 5회이므로

$\dfrac{8+4+a+b+5}{5}=5$

$a+b+17=25$

$\therefore a+b=8 \cdots \unicode{x24B6}$

또, 편차를 이용하여 분산을 구하면

$(\text{분산})=\dfrac{3^2+(-1)^2+(a-5)^2+(b-5)^2+0^2}{5}$

$=\dfrac{9+1+(a-5)^2+(b-5)^2}{5}$

$=\dfrac{(a-5)^2+(b-5)^2+10}{5}$

그런데 분산이 4이므로

$\dfrac{(a-5)^2+(b-5)^2+10}{5}=4 \qquad \therefore (a-5)^2+(b-5)^2=10 \cdots \unicode{x24B7}$

$\unicode{x24B6}$에서 $b=8-a$를 $\unicode{x24B7}$에 대입하면

$(a-5)^2+(8-a-5)^2=10$, $(a-5)^2+(3-a)^2=10$

$a^2-10a+25+9-6a+a^2=10$

$2a^2-16a+24=0$, $a^2-8a+12=0$, $(a-2)(a-6)=0$

$\therefore a=2$ 또는 $a=6$

$\unicode{x24B6}$에 의해 $\begin{cases} a=2 \\ b=6 \end{cases}$ 또는 $\begin{cases} a=6 \\ b=2 \end{cases}$

$\therefore ab=12$

[다른 풀이]

$\unicode{x24B7}$을 정리해 보자.

$(a-5)^2+(b-5)^2=10$

$a^2-10a+25+b^2-10b+25=10$

$a^2+b^2-10(a+b)=-40$

$a^2+b^2-10 \times 8=-40 \ (\because \unicode{x24B6})$

$a^2+b^2=40 \cdots \unicode{x24B8}$

$a^2+b^2=(a+b)^2-2ab$이므로 $\unicode{x24B6}$, $\unicode{x24B8}$에서

$40=8^2-2ab \qquad \therefore ab=12$

080 답 ③

3개의 변량 6, $a+5$, $2a+1$에 대한 평균을 구하면

$(\text{평균})=\dfrac{6+(a+5)+(2a+1)}{3}=\dfrac{3a+12}{3}=a+4$

각 변량에 대한 편차를 각각 구하면 $2-a$, 1, $a-3$이므로 분산을 구하면

$(\text{분산})=\dfrac{(2-a)^2+1^2+(a-3)^2}{3}=\dfrac{a^2-4a+4+1+a^2-6a+9}{3}$

$=\dfrac{2a^2-10a+14}{3}$

그런데 표준편차가 $\sqrt{2}$이므로 분산은 $(\sqrt{2})^2=2$지?

따라서 $\dfrac{2a^2-10a+14}{3}=2$에서

$2a^2-10a+14=6$, $2a^2-10a+8=0$

$2(a^2-5a+4)=0$, $2(a-1)(a-4)=0$

$\therefore a=1$ 또는 $a=4$

따라서 모든 a의 값의 곱은 $1 \times 4=4$야.

081　답 $a=0$, $b=10$

주어진 10개의 자료의 평균이 5이므로

$$\frac{4+8+5+a+7+8+3+3+2+b}{10}=5$$

$$\frac{40+a+b}{10}=5,\ 40+a+b=50$$

$$\therefore a+b=10 \cdots \text{㉠}$$

그리고 분산이 9이므로

$$\frac{(4-5)^2+(8-5)^2+(5-5)^2+(a-5)^2+(7-5)^2+(8-5)^2+(3-5)^2+(3-5)^2+(2-5)^2+(b-5)^2}{10}$$

$$=\frac{1+9+0+(a-5)^2+4+9+4+4+9+(b-5)^2}{10}$$

$$=\frac{40+(a-5)^2+(b-5)^2}{10}=9$$

$$(a-5)^2+(b-5)^2=50 \cdots \text{㉡}$$

㉠에서 $b=10-a$를 ㉡에 대입하면

$$(a-5)^2+(10-a-5)^2=50,\ (a-5)^2+(5-a)^2=50$$

$$2(a-5)^2=50,\ (a-5)^2=25,\ a-5=\pm\sqrt{25}=\pm5$$

$$\therefore a=0\ \text{또는}\ a=10$$

㉠에 의해 $\begin{cases}a=0\\b=10\end{cases}$ 또는 $\begin{cases}a=10\\b=0\end{cases}$

그런데 $a<b$이므로 $a=0$, $b=10$

082　답 $\sqrt{82}$ 점

A, B 두 그룹의 평균이 같지?
A, B의 도수가 각각 20명이고,
표준편차가 각각 10점, 8점이
므로

그룹	평균 (점)	표준편차(점)
A	80	10
B	80	8

(A, B 두 그룹 전체의 표준편차)

$$=\sqrt{\frac{20\times10^2+20\times8^2}{20+20}}=\sqrt{\frac{3280}{40}}$$

$$=\sqrt{82}\,(\text{점})$$

083　답 평균 75점, 분산 108

두 반 A, B의 평균이 75점으
로 같지?
그럼, 두 반 A, B를 합한 전
체 평균도 75점으로 같아.

반	학생 수(명)	평균 (점)	분산
A	30	75	100
B	20	75	120

$$(\text{표준편차})=\sqrt{\frac{30\times100+20\times120}{30+20}}$$

$$=\sqrt{\frac{3000+2400}{50}}=\sqrt{\frac{5400}{50}}$$

$$=\sqrt{108}\,(\text{점})$$

$$\therefore (\text{분산})=(\text{표준편차})^2=108$$

084　답 19.8

남, 여 두 그룹의 평균이 70점
으로 같지?
그럼, 남, 여 두 그룹의 전체
평균도 70점으로 같아.

그룹	도수(명)	평균 (점)	표준편차(점)
남	24	70	3
여	16	70	6

$$\therefore (\text{표준편차})=\sqrt{\frac{24\times3^2+16\times6^2}{24+16}}$$

$$=\sqrt{\frac{216+576}{40}}=\sqrt{\frac{792}{40}}$$

$$=\sqrt{19.8}\,(\text{점})$$

$$\therefore (\text{분산})=(\text{표준편차})^2=19.8$$

085　답 $\sqrt{26}$ kg

세 분단 A, B, C의 몸무게에
대한 평균이 모두 같으므로 세
분단 전체의 몸무게에 대한 평
균은 각 분단의 평균과 같겠지?
A 분단의 편차의 총합 : 10×5^2
B 분단의 편차의 총합 : 10×7^2
C 분단의 편차의 총합 : 10×2^2

분단	학생 수(명)	표준편차(kg)
A	10	5
B	10	7
C	10	2

$$\therefore (\text{A, B, C 세 분단의 표준편차})$$

$$=\sqrt{\frac{10\times5^2+10\times7^2+10\times2^2}{10+10+10}}$$

$$=\sqrt{\frac{250+490+40}{30}}=\sqrt{\frac{780}{30}}$$

$$=\sqrt{26}\,(\text{kg})$$

오답피하기

두 집단뿐만 아니라 세 집단 이상이 있어도 평균이 같다면 그 집
단 전체의 표준편차를 구할 수 있어. 그 이유는 집단이 하나씩 생
길 때마다 분자에는 새로 생긴 집단의 편차의 제곱의 총합을 더
넣기만 하면 되고 분모에는 증가한 도수만큼 더해 주면 되기 때문
이야. 즉, 평균이 같은 세 집단 A, B, C의 도수가 각각 a, b, c이
고, 표준편차가 각각 s, t, v라 하면

$$(\text{세 집단 전체의 표준편차})=\sqrt{\frac{as^2+bt^2+cv^2}{a+b+c}}$$

어때, 이해가 되지?

086　답 ②

표준편차가 크다는 것은 변량간의 격차가 크다는 거니까 주어진 자
료들 중에서 표준편차가 가장 큰 것은 ②야.

087　답 ①

087번과 마찬가지로 찾아보면 표준편차가 가장 큰 것은 ①이야.

088　답 ⑤

표준편차가 작다는 것은 변량들이 평균 가까이에 밀집되어 있다는
거지? 따라서 주어진 자료 중 표준편차가 가장 작은 것은 ⑤야.

089　답 ①

표준편차가 크면 변량들이 평균에서 멀리 떨어져야 해. 따라서 주어
진 자료들 중 표준편차가 가장 큰 것은 ①이야.

090 답 ㄱ, ㄷ

10명이 A, B 두 조로 나누어 치른 수학 시험 결과를 정리하면 다음과 같지?

A조(점)	8	7	7	6	7
B조(점)	7	5	8	9	6

ㄱ. (A조의 평균)$=\dfrac{8+7+7+6+7}{5}=\dfrac{35}{5}=7$(점)

(B조의 평균)$=\dfrac{7+5+8+9+6}{5}=\dfrac{35}{5}=7$(점)

따라서 A조와 B조의 시험 점수의 평균은 같아. (참)

ㄴ. A조의 평균이 7이므로 (편차)^{2}의 총합을 이용하여 분산과 표준편차를 구하자.

(A조의 분산)$=\dfrac{(8-7)^2+(7-7)^2+(7-7)^2+(6-7)^2+(7-7)^2}{5}$

$=\dfrac{2}{5}$

(A조의 표준편차)$=\sqrt{\dfrac{2}{5}}=\dfrac{\sqrt{10}}{5}$(점) (거짓)

ㄷ. A조와 B조 중 어느 조가 성적이 더 고른지는 표준편차를 구해야 알 수 있겠지?

ㄴ에서 A조의 표준편차는 $\dfrac{\sqrt{10}}{5}$점이므로 B조의 표준편차만 구하면 되겠지?

(B조의 분산)$=\dfrac{(7-7)^2+(5-7)^2+(8-7)^2+(9-7)^2+(6-7)^2}{5}$

$=\dfrac{10}{5}=2$

∴ (B조의 표준편차)$=\sqrt{2}$점

따라서 A조의 표준편차는 B조의 표준편차보다 작으니까 A조가 B조보다 수학 점수가 더 고르다고 할 수 있어. (참)

따라서 옳은 것은 ㄱ, ㄷ이야.

091 답 ④

과목	국어	영어	수학	사회	과학
표준편차(점)	4.3	3.8	8.0	3.4	5.7

점수가 고를수록 표준편차가 작지?

따라서 점수가 가장 고른 과목은 사회야.

092 답 ㄴ, ㄷ

ㄱ. (편차)=(변량)-(평균)이므로 평균보다 큰 변량의 편차는 양수지? (거짓)

ㄴ. (편차의 평균)$=\dfrac{(편차)의 총합}{(도수)의 총합}$에서 편차의 합은 항상 0이므로

(편차의 평균)$=\dfrac{0}{(도수)의 총합}=0$ (참)

ㄷ. 분포 상태가 고르면 변량들이 평균 근방에 모여 있으므로 표준편차가 작지? (참)

따라서 옳은 것은 ㄴ, ㄷ이야.

093 답 영훈

이름	민재	창민	영훈	세진	연준
평균(시간)	12	15	11	20	7
표준편차(시간)	1	0.5	1.6	0.8	1.4

독서를 가장 불규칙하게 한 학생을 구하는 것이므로 독서 시간이 가장 고르지 못한 학생을 구하면 되지?

즉, 표준편차가 가장 큰 학생을 찾으면 돼.

따라서 독서 시간이 가장 불규칙한 학생은 표준편차가 가장 큰 학생인 영훈이야.

094 답 A, C

A, B, C의 점수가 모두 42점이므로 평균은 $\dfrac{42}{6}=7$(점)이야.

표준편차를 구하기 위해 각각의 분산을 구하자.

(A의 분산)

$=\dfrac{(9-7)^2+(9-7)^2+(9-7)^2+(3-7)^2+(9-7)^2+(3-7)^2}{6}$

$=\dfrac{48}{6}=8$

(B의 분산)

$=\dfrac{(7-7)^2+(6-7)^2+(6-7)^2+(8-7)^2+(7-7)^2+(8-7)^2}{6}$

$=\dfrac{4}{6}=\dfrac{2}{3}$

(C의 분산)

$=\dfrac{(7-7)^2+(7-7)^2+(7-7)^2+(7-7)^2+(6-7)^2+(8-7)^2}{6}$

$=\dfrac{2}{6}=\dfrac{1}{3}$

∴ (A의 표준편차)$=\sqrt{8}=2\sqrt{2}$(점),

(B의 표준편차)$=\sqrt{\dfrac{2}{3}}=\dfrac{\sqrt{6}}{3}$(점),

(C의 표준편차)$=\sqrt{\dfrac{1}{3}}=\dfrac{\sqrt{3}}{3}$(점)

∴ (A의 표준편차)>(B의 표준편차)>(C의 표준편차)

[다른 풀이]

점수 폭의 차이가 가장 큰 사람은 A이고, 가장 작은 사람은 값이 모여 있는 C가 되지?

따라서 표준편차가 가장 큰 사람과 가장 작은 사람을 차례로 나타낸 것은 A, C야.

095 답 영어

영어 점수의 평균을 구하면

(평균)$=\dfrac{75+85+85+90+90}{5}=\dfrac{425}{5}=85$(점)

즉, 수학 점수의 평균도 85점이므로 5회째 수학 점수를 x점이라 하면

$\dfrac{75+80+85+90+x}{5}=85$, $330+x=425$

∴ $x=95$

따라서 5회째 수학 점수는 95점이다.

(영어 점수의 분산)$=\dfrac{(-10)^2+0^2+0^2+5^2+5^2}{5}=\dfrac{150}{5}=30$

$$(\text{수학 점수의 분산}) = \frac{(-10)^2 + (-5^2) + 0^2 + 5^2 + 10^2}{5} = \frac{250}{5} = 50$$

이때, 분산이나 표준편차가 작을수록 변량이 평균에서 흩어진 정도가 더 작으므로 구하는 과목은 영어이다.

096 답 ②

반	A	B	C	D
평균(cm)	161	164.5	163	162
표준편차(cm)	5	9	2	3

① A, B, C, D 네 반 모두 평균이 160 cm 이상이지만 주어진 자료만으로는 160 cm 이상인 학생 수를 알 수 없어. (거짓)

② 키 차이가 많이 나는 반이란 표준편차가 큰 반을 의미하는 거지? 따라서 키 차이가 가장 많이 나는 반은 표준편차가 가장 큰 반을 의미하므로 B반이야. (참)

③ 주어진 자료만으로는 B반이 A반보다 학생 수가 많은지 적은지는 알 수 없어. (거짓)

④ 평균이 가장 큰 반은 C반이 아니라 B반이지? 따라서 B반 학생들의 키가 다른 반에 비해 크다고 할 수 있어. (거짓)

⑤ 주어진 자료만으로는 D반에 160 cm 이하의 학생이 있는지 없는지 알 수 없어. (거짓)

097 답 D

오존 농도 / 도시	A	B	C	D	E
평균(ppm)	17	25	23	21	19
표준편차(ppm)	1.2	2.2	1.7	1.1	1.8

오존 농도의 변화가 작다는 의미는 평균 주위에 값이 모여있다는 것이므로 결국 표준편차가 작다는 것을 의미해.

따라서 오존 농도의 변화가 가장 작은 도시는 표준편차가 가장 작은 D야.

잘 틀리는 유형 훈련 +1up

p. 112

098 답 13

1st 자료의 개수가 홀수인 경우에는 중앙값은 자료 속에 존재하지?

$a<b$인 두 자연수 a, b에 대하여 변량 2, 3, 7, a, b의 중앙값이 5이고 자료의 개수가 5개로 홀수이므로 중앙값 5는 자료 속에 존재해. 그런데 a와 b를 제외한 수에서 5는 없으니까 a나 b 둘 중 하나가 5가 되어야 해. 이때, $a<b$이므로 $a=5$야.

2nd 자료의 개수가 짝수인 경우 중앙값을 구할 때 주의하자.

변량 6, 10, a, b에 $a=5$를 대입하고 미지수 b를 제외한 나머지를 크기 순서대로 나열하면 5, 6, 10이지?

b의 크기에 따라 중앙값이 달라지므로 중앙값이 7이 될 수 있는 b를 찾자. 이때, $b>a=5$이므로 변량 5, 6, 10, b를 크기 순서대로 나열하면 다음과 같이 3가지 경우가 존재해.

(i) 5, b, 6, 10인 경우 중앙값은 $\frac{b+6}{2}=7$ ∴ $b=8$

$b<6$이므로 이것은 모순이야. ← NO!

(ii) 5, 6, b, 10인 경우 중앙값은 $\frac{6+b}{2}=7$ ∴ $b=8$ ← OK!

(iii) 5, 6, 10, b인 경우 중앙값은 $\frac{6+10}{2}=8$ ← NO!

(i)~(iii)에 의하여 $b=8$

∴ $a+b=5+8=13$

오답피하기

변량에 문자가 있으면 크기 순서대로 나열할 수 없기 때문에 중앙값을 구하기 쉽지 않아.

이 문제도 그런 경우인데 주어진 조건 중 $a<b$가 a, b의 크기 순서를 정하는 데 역할을 하고 있지?

그리고 자료의 개수가 홀수라는 것으로 중앙값이 자료 속에 존재하게 된다는 것도 숨겨진 조건이지만 중요해!

모르는 변량이 주어지고 중앙값이 주어질 때 그 변량의 값을 구하는 게 쉽지 않지만 먼저 아는 변량을 배열하고 그 안에서 모르는 변량을 끼어 넣어서 중앙값을 추정해 보는 사고를 통해 모르는 변량의 값을 알 수 있어.

결국 이런 유형의 문제는 주어진 조건에 주의를 해야 하고, 경우를 잘 나누어 풀면 되는 거야.

099 답 $a=15$, $b=17$

1st 자료 A에서 a 또는 b의 값을 구해 보자.

자료 A의 자료의 개수가 5개로 홀수이므로 중앙값은 자료에 있지? 그런데 a와 b를 제외한 수에서 15는 없으므로 a나 b 둘 중 하나가 15가 되어야겠지?

여기서 $a<b$이므로 $a=15$가 되어야 해.

$b=15$라고 하면 $b<a$가 되어 모순이 되기 때문이야.

2nd 두 자료 A, B를 섞은 전체 자료에서 $b-1$과 b를 제외하여 크기 순서대로 나열하여 중앙값이 16이 되도록 b를 구해 보자.

두 자료 A, B를 섞은 전체 자료에서 $b-1$과 b를 제외하여 크기 순서대로 나열하자.

11, 13, 15, 15, 16, 18, 19, 20

여기에 $b-1$과 b를 넣으면 자료의 개수가 10개로 짝수이므로 중앙값이 16이 되려면 중앙의 2개의 값이 16으로 같아야 하지?

11, 13, 15, 15, 16, $b-1$, b, 18, 19, 20

$\frac{(b-1)+16}{2}=16$, $b=17$

100 답 40

1st 변량 3, 6, a의 중앙값이 6이 되기 위한 a의 조건을 구해 보자.

변량 3, 6, a의 중앙값이 6이 되기 위해서는 $a \geq 6$ ⋯ ㉠이어야 해.

2nd 변량 10, 15, a의 중앙값이 10이 되기 위한 a의 조건을 구해 보자.

변량 10, 15, a의 중앙값이 10이 되게 크기 순서대로 나열하면 a, 10, 15가 되어야 해. ∴ $a \leq 10$ ⋯ ㉡

㉠과 ㉡에 의해 $6 \leq a \leq 10$

따라서 자연수 a가 될 수 있는 것은 6, 7, 8, 9, 10이고, 이들의 합은 $6+7+8+9+10=40$

101 답 47

1st 자료의 개수가 홀수인 경우에는 중앙값이 자료에 존재하지?

조건 (가)의 다섯 개의 수 22, 15, 28, a, 12에서 a를 제외한 자료를 크기 순서대로 나열하면 12, 15, 22, 28이야.

그런데 여기에 a를 포함한 자료의 중앙값이 22이므로 a는 다음과 같이 22의 오른쪽에 위치해야겠지?

12, 15, 22, a, 28

$\therefore a \geq 22 \cdots$ ㉠

2nd 자료의 개수가 짝수인 경우에는 중앙의 2개의 값의 합을 2로 나눈 값이 중앙값이야.

조건 (나)의 네 개의 수 40, 25, a, 25에 a를 제외한 자료를 크기 순서대로 나열하면 25, 25, 40이야.

그런데 여기에 a를 포함한 자료의 중앙값이 25이므로 a는 25의 왼쪽에 위치해야겠지?

a, 25, 25, 40

$\therefore a \leq 25 \cdots$ ㉡

두 조건 (가), (나)를 모두 만족시키는 a의 범위는 $22 \leq a \leq 25$야.

따라서 a의 최솟값, 최댓값은 각각 22, 25이므로

(구하는 합)$=22+25=47$

102 답 3, 8

1st 먼저 평균을 구하자.

변량 5, 3, 8, 6, x의 평균을 구하면

(평균)$= \dfrac{5+3+8+6+x}{5} = \dfrac{22+x}{5}$

2nd 주어진 변량을 크기 순서대로 나열하여 중앙값을 구하자.

변량 5, 3, 8, 6, x에서 x의 크기에 따른 중앙값을 구하면 다음과 같아.

x, 3, ⑤, 6, 8/3, x, ⑤, 6, 8/3, 5, ⑥, x, 8/3, 5, ⑥, 8, x

즉, 중앙값이 될 수 있는 것은 5, 6, x야.

3rd 평균과 중앙값이 같다는 것을 이용하여 자연수 x를 구하자.

(i) 중앙값이 5라 하면

$\dfrac{22+x}{5}=5$, $22+x=25$ $\therefore x=3$ ← OK!

(ii) 중앙값이 6이라고 하면

$\dfrac{22+x}{5}=6$, $22+x=30$ $\therefore x=8$ ← OK!

(iii) 중앙값이 x라고 하면

$\dfrac{22+x}{5}=x$, $22+x=5x$ $\therefore 4x=22$

$\therefore x=\dfrac{11}{2}$ ← NO! (자연수가 아니지)

따라서 자연수 x는 3, 8이야.

103 답 7

1st 최빈값은 도수가 가장 큰 값임을 이용하자.

주어진 자료가 10, 11, 13, 10, x, 10, 9이므로 x가 어떤 값이든지 도수가 가장 큰 값은 10이지?

$\therefore$ (최빈값)$=10$회

2nd 최빈값과 평균이 같음을 이용하여 x를 구하자.

(평균)$= \dfrac{10+11+13+10+x+10+9}{7} = \dfrac{63+x}{7}$(회)

이때, 평균과 최빈값이 같으므로

$\dfrac{63+x}{7}=10$

$63+x=70$

$\therefore x=7$

104 답 28

1st 먼저 주어진 자료를 크기 순서대로 나열하자.

주어진 자료를 크기 순서대로 나열하면

3, 3, 4, 5, 6, 7, 8

2nd 크기 순서대로 나열된 자료의 중앙값을 구하자.

7개의 자료의 중앙값은 4번째 수인 5가 돼.

$\therefore$ (중앙값)$=b=5$

3rd 최빈값은 도수가 가장 큰 값을 찾으면 돼. 또한 평균은 전체 변량의 총합을 전체 도수로 나눈 거지?

주어진 자료에서 도수가 가장 큰 값은 3이지?

$\therefore$ (최빈값)$=c=3$

이제 평균을 구하자.

(평균)$=a=\dfrac{3+3+4+5+6+7+8}{7}=\dfrac{36}{7}$

$\therefore 7a-b-c=7\times\dfrac{36}{7}-5-3$

$\qquad\qquad\quad =36-5-3=28$

105 답 16.9

1st 중앙값을 구하기 위해 자료를 크기 순서대로 나열해 보자.

주어진 자료를 크기 순서대로 나열하면 다음과 같지?

2, 3, 4, 5, 5, <u>6</u>, <u>6</u>, <u>6</u>, 8, 9

자료의 개수가 10개로 짝수이므로 중앙값은

$\dfrac{5+6}{2}=\dfrac{11}{2}=5.5$ $\qquad\therefore b=5.5$

2nd 최빈값은 도수가 가장 큰 수지?

주어진 자료 중 6은 도수가 3개로 가장 크므로 최빈값은 6

$\therefore c=6$

3rd 평균은 변량의 총합을 전체 도수로 나눈 거지?

(평균)$=\dfrac{2+3+4+5+5+6+6+6+8+9}{10}$

$\qquad\quad =\dfrac{54}{10}=5.4$

$\therefore a=5.4$

$\therefore a+b+c=5.4+5.5+6=16.9$

106 답 142

1st 먼저 무엇을 구해야 하는지 알아보자.

구하는 것은 가로의 길이, 세로의 길이, 높이가 각각 a, b, c인 직육면체의 6개의 면의 넓이의 평균이야.

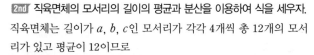

$\therefore$ (평균)$=\dfrac{ab+ab+bc+bc+ca+ca}{6}$

$\qquad\qquad\quad =\dfrac{2(ab+bc+ca)}{6}=\dfrac{ab+bc+ca}{3}$ $\cdots$ ㉠

2nd 직육면체의 모서리의 길이의 평균과 분산을 이용하여 식을 세우자.

직육면체는 길이가 a, b, c인 모서리가 각각 4개씩 총 12개의 모서리가 있고 평균이 12이므로

$\dfrac{4a+4b+4c}{12}=12$, $\dfrac{a+b+c}{3}=12$ $\quad\therefore a+b+c=36$ $\cdots$ ㉡

또, 직육면체의 모서리의 길이의 분산이 4이므로

$\dfrac{4(a-12)^2+4(b-12)^2+4(c-12)^2}{12}=4$

$\dfrac{(a-12)^2+(b-12)^2+(c-12)^2}{3}=4$

$a^2-24a+144+b^2-24b+144+c^2-24c+144=12$

$a^2+b^2+c^2-24(a+b+c)+432=12$

$a^2+b^2+c^2=24(a+b+c)-420$

$\qquad\qquad\quad =24\times36-420\,(\because\text{㉡})=444$ $\cdots$ ㉢

3rd $(a+b+c)^2=a^2+b^2+c^2+2(ab+bc+ca)$임을 이용하여 $ab+bc+ca$의 값을 유도하자.

$(a+b+c)^2=a^2+b^2+c^2+2(ab+bc+ca)$에 ㉡, ㉢을 대입하면

$36^2=444+2(ab+bc+ca)$, $2(ab+bc+ca)=852$

$\therefore ab+bc+ca=426$

$\therefore$ (구하는 평균)$=\dfrac{ab+bc+ca}{3}\,(\because\text{㉠})=\dfrac{426}{3}=142$

오답피하기

이 문제는 식을 제대로 세웠어도 곱셈 공식을 제대로 적용하지 못하면 풀 수 없는 난이도 있는 문제야.

이런 유형의 문제는 풀이처럼 무엇을 구해야하는지 식을 세우고, 조건을 어떻게 적절히 이용하여 구하려는 식으로 유도할지 생각해 보아야 해.

$(a+b+c)^2=(a+b+c)(a+b+c)$

$\qquad\qquad\quad =a^2+b^2+c^2+2ab+2bc+2ca$

복잡한 것 같지만 알아 두면 고등학교에서도 유용한 공식이야.

107 답 99

1st 먼저 무엇을 구해야 하는지 알아보자.

구하는 것은 가로의 길이, 세로의 길이, 높이가 각각 a, b, c인 직육면체의 6개의 면의 넓이의 평균이므로

$\dfrac{2(ab+bc+ca)}{6}=\dfrac{ab+bc+ca}{3}$ $\cdots$ ㉠

2nd 직육면체의 모서리의 길이의 평균과 분산을 이용하여 식을 세우자.

직육면체는 길이가 a, b, c인 모서리가 각각 4개씩 총 12개의 모서리가 있고, 평균이 10이므로

$\dfrac{4a+4b+4c}{12}=10$, $\dfrac{a+b+c}{3}=10$

$\therefore a+b+c=30$ $\cdots$ ㉡

또, 직육면체의 모서리의 길이의 분산이 2이므로

$\dfrac{4(a-10)^2+4(b-10)^2+4(c-10)^2}{12}=2$

$\dfrac{(a-10)^2+(b-10)^2+(c-10)^2}{3}=2$

$a^2-20a+100+b^2-20b+100+c^2-20c+100=6$

$a^2+b^2+c^2-20(a+b+c)+300=6$

$\therefore a^2+b^2+c^2=20(a+b+c)-294$

$\qquad\qquad\quad =20\times30-294\,(\because\text{㉡})$

$\qquad\qquad\quad =306$ $\cdots$ ㉢

3rd $(a+b+c)^2=a^2+b^2+c^2+2(ab+bc+ca)$임을 이용하여 $ab+bc+ca$의 값을 구하자.

$(a+b+c)^2=a^2+b^2+c^2+2(ab+bc+ca)$에 ㉡, ㉢을 대입하면

$900=306+2(ab+bc+ca)$, $2(ab+bc+ca)=594$

$\therefore ab+bc+ca=297$

$\therefore$ (구하는 평균)$=\dfrac{ab+bc+ca}{3}\,(\because\text{㉠})=\dfrac{297}{3}=99$

108 답 2, 10

1st 분산을 구하기 위해 평균을 먼저 구해야지?

5개의 변량 3, x, 5, $12-x$, 10의 평균을 구하면

$$\text{(평균)}=\frac{3+x+5+(12-x)+10}{5}=\frac{30}{5}=6$$

2nd 이제 분산을 구하자.

5개의 변량 3, x, 5, $12-x$, 10의 편차를 각각 구하면
-3, $x-6$, -1, $6-x$, 4지?

그런데 분산이 11.6이므로

$$\frac{(-3)^2+(x-6)^2+(-1)^2+(6-x)^2+4^2}{5}=11.6$$

$$9+(x-6)^2+1+(6-x)^2+16=58$$

$$x^2-12x+36+36-12x+x^2-32=0$$

$$2x^2-24x+40=0$$

$$x^2-12x+20=0$$

$$(x-2)(x-10)=0$$

$$\therefore x=2 \ \text{또는} \ x=10$$

오|답|피|하|기

변량 속에 문자 x가 나와서 평균을 구하기 힘들다고 생각했을 거야. 하지만 그것은 그냥 걱정일 뿐이야. 이런 유형의 문제들은 보통 평균을 구할 때 x가 없어지거든.
문자가 들어있는 식에 대해 어렵게 생각하지 말고 일단 펜을 들고 풀어보기 시작하면 방법이 보일 거야.

109 답 4, 6

1st 분산을 구하기 위해 평균을 먼저 구해야지?

5개의 변량 7, 8, $10-x$, 9, x의 평균을 구하면

$$\text{(평균)}=\frac{7+8+(10-x)+9+x}{5}=\frac{34}{5}=6.8$$

2nd 이제 분산이 2.96임을 이용하여 x의 값을 구하자.

5개의 변량 7, 8, $10-x$, 9, x의 편차를 각각 구하면 0.2, 1.2, $3.2-x$, 2.2, $x-6.8$이지?

그런데 분산이 2.96이므로

$$\frac{0.2^2+1.2^2+(3.2-x)^2+2.2^2+(x-6.8)^2}{5}=2.96$$

$$0.04+1.44+10.24-6.4x+x^2+4.84+x^2-13.6x+46.24=14.8$$

$$2x^2-20x+48=0$$

$$x^2-10x+24=0$$

$$(x-4)(x-6)=0$$

$$\therefore x=4 \ \text{또는} \ x=6$$

110 답 ②

1st A, B, C의 각 변량 사이의 관계를 따져 보자.

A : 1부터 20까지의 자연수, B : 21부터 40까지의 자연수
C : 1부터 40까지의 짝수
라고 주어졌지?

A : 1,　　2,　　3,　　4, …,　20
　　　↓+20　↓+20　↓+20　↓+20　　↓+20
B : 21,　22,　23,　24, …,　40

즉, A의 모든 변량에 대하여 20씩 더한 것이 B의 변량이 되는 거야.

A : 1,　　2,　　3,　　4, …,　20
　　　↓×2　↓×2　↓×2　↓×2　　↓×2
C : 2,　　4,　　6,　　8, …,　40

즉, A의 모든 변량에 대하여 2배씩 한 것이 C의 변량이 되는 거야.

2nd 분산이 S^2인 어떤 변량의 각각에 a배하고 b를 더한 것의 분산은 a^2S^2이지?

B는 A의 각 변량에 20을 더한 것이니까 분산은 변함이 없겠지? 즉, $a=b$
C는 A의 각 변량에 2배를 한 것이므로 A의 분산의 $2^2=4$(배)가 될 것이야. 즉, $c=4a$

$$\therefore a=b<c$$

111 답 $a=b<c$

1st A, B, C의 각 변량 사이의 관계를 따져보자.

A : 1부터 n까지의 자연수
B : $n+1$부터 $2n$까지의 자연수
C : 1부터 $2n$까지의 홀수
라고 주어졌지?

A :　1,　　2,　　3,　　4, …,　n
　　　↓+n　↓+n　↓+n　↓+n　　↓+n
B : $n+1$, $n+2$, $n+3$, $n+4$, …, $2n$

즉, A의 모든 변량에 대하여 n씩 더한 것이 B의 변량이 되지?

A : 1,　　2,　　3,　　4, …,　n
　　　↓×2,　↓×2,　↓×2,　↓×2,　　↓×2,
　　　−1　　−1　　−1　　−1　　　−1
C : 1,　　3,　　5,　　7, …, $2n-1$

즉, A의 모든 변량에 대하여 2배를 하고 1을 뺀 것이 C의 변량이 되는 거야.

2nd 표준편차가 S인 어떤 변량의 각각에 a배하고 b를 더한 것의 표준편차는 $|a|S$지?

B는 A의 각 변량에 n을 더한 거니까 분산은 변함이 없고 표준편차도 마찬가지지. 즉, $a=b$
C는 A의 각 변량에 2배를 하고 1을 뺀 것이므로 A의 표준편차의 $|2|$배, 즉 2배가 되지? 즉, $c=2a$

$$\therefore a=b<c$$

112 답 ①

1st 성적의 고르기만 따지는 것이므로 표준편차의 대소만 따지면 되겠지?

학급	A	B	C	D	E
평균(점)	70	70	70	70	70
표준편차(점)	$\sqrt{10}$	$\sqrt{15}$	$5\sqrt{2}$	$2\sqrt{3}$	$3\sqrt{2}$

a, b가 양수일 때, $a\sqrt{b}=\sqrt{a^2\times b}$임을 이용하자.

$$5\sqrt{2}=\sqrt{5^2\times 2}=\sqrt{25\times 2}=\sqrt{50}$$

$2\sqrt{3}=\sqrt{2^2\times3}=\sqrt{4\times3}=\sqrt{12}$

$3\sqrt{2}=\sqrt{3^2\times2}=\sqrt{9\times2}=\sqrt{18}$

따라서 $\sqrt{10}<\sqrt{12}<\sqrt{15}<\sqrt{18}<\sqrt{50}$이므로 표준편차의 값이 작은 학급부터 나열하면 $A \to D \to B \to E \to C$

2nd **1st** 에서 구한 표준편차의 대소 관계에 따라 문제에서 물어보는 것을 해석하자.

따라서 표준편차가 가장 작은 A학급의 성적이 가장 고르다고 할 수 있어.

113 [답] E, B

1st 성적의 고르기만 따지는 것이므로 표준편차의 대소만 따지면 되겠지?

학급	A	B	C	D	E
평균(점)	72	73	74	75	76
표준편차(점)	$3\sqrt{2}$	$2\sqrt{3}$	$\sqrt{15}$	$5\sqrt{3}$	$3\sqrt{5}$
	$\sqrt{18}$	$\sqrt{12}$		$\sqrt{75}$	$\sqrt{45}$

주어진 표에서 평균이 가장 높은 학급과 표준편차가 가장 작은 학급에 주목하자.

우선 성적이 가장 좋은 학급을 고르자. 성적이 좋을수록 평균이 더 높겠지? 그래서 A~E 중에서 성적이 가장 좋은 학급은 E가 되겠지.

표준편차의 대소 관계를 따지면

$2\sqrt{3}<\sqrt{15}<3\sqrt{2}<3\sqrt{5}<5\sqrt{3}$

따라서 표준편차의 값이 작은 학급부터 나열하면

$B \to C \to A \to E \to D$

2nd **1st** 에서 구한 표준편차의 대소 관계에 따라 문제에서 물어보는 것을 해석하자.

따라서 A~E 중에서 성적이 가장 고르게 분포된 학급은 B야.

🖊서술형 다지기

문제편 p. 116

[114-115 채점기준표]

I	주어진 자료를 크기 순서대로 나열한다.	20%
II	평균을 구한다.	40%
III	중앙값과 최빈값을 각각 구한다.	40%

114 [답] 평균 5.7, 중앙값 6, 최빈값 9

먼저, 주어진 자료를 크기 순으로 나열하자.

주어진 자료를 크기 순서대로 나열하면

1, 2, 4, 4, 5, 7, 7, 9, 9, 9 ··· I

그다음, 주어진 자료의 평균을 구하자.

$(평균)=\dfrac{1+2+4+4+5+7+7+9+9+9}{10}=\dfrac{57}{10}=5.7$ ··· II

그래서, 중앙값, 최빈값을 구하자.

$(중앙값)=\dfrac{5+7}{2}=6$, $(최빈값)=9$ ··· III

115 [답] 평균 23.9, 중앙값 23.5, 최빈값 23

먼저, 주어진 자료를 크기 순으로 나열하자.

주어진 자료를 크기 순으로 나열하면

12, 20, 21, 23, 23, 24, 25, 26, 29, 36 ··· I

그다음, 주어진 자료의 평균을 구하자.

주어진 자료를 모두 더하면

$12+20+21+23+23+24+25+26+29+36=239$ ··· II

$(평균)=\dfrac{239}{10}=23.9$

그래서, 평균, 중앙값, 최빈값을 구하자.

$(중앙값)=\dfrac{23+24}{2}=23.5$, $(최빈값)=23$ ··· III

[116-117 채점기준표]

I	평균을 이용하여 식을 세운다.	40%
II	분산 또는 표준편차를 이용하여 식을 세운다.	40%
III	구하고자 하는 값을 구한다.	20%

116 [답] 9

먼저, 평균을 이용하여 $a+b$의 값을 구하자.

$(평균)=\dfrac{1+3+a+b}{4}=3$

$\therefore a+b=8$ ··· ㉠ ··· I

그다음, 분산을 이용하여 a, b에 대한 식을 세우자.

$(분산)=\dfrac{(1-3)^2+(3-3)^2+(a-3)^2+(b-3)^2}{4}=5$이므로

$4+(a-3)^2+(b-3)^2=20$

$a^2-6a+9+b^2-6b+9=16$

$a^2+b^2-6(a+b)=-2$

$(a+b)^2-2ab-6(a+b)=-2(\because (a+b)^2=a^2+2ab+b^2)$ ··· II

그래서, ab의 값을 구하자.

$8^2-2ab-6\times8=-2(\because ㉠)$

$2ab=18$

$\therefore ab=9$ ··· III

117 [답] $2\sqrt{29}$

먼저, 평균을 이용하여 $a+b$의 값을 구하자.

$(평균)=\dfrac{8+4+10+a+b}{5}=8$

$\therefore a+b=18$ ··· ㉠ ··· I

그다음, 표준편차를 이용하여 ab의 값을 구하자.

표준편차가 4이므로 분산은 16

$\dfrac{0+16+4+(a-8)^2+(b-8)^2}{5}=16$

$a^2-16a+64+b^2-16b+64=60$

$a^2+b^2-16(a+b)=-68$

$(a+b)^2-2ab-16(a+b)=-68$

$324-2ab-288=-68(\because \text{㉠})$

$2ab=104$

$\therefore ab=52 \cdots \text{㉡}$ $\qquad \cdots$ Ⅱ

그래서, $a-b$의 값을 구하자.

$(a-b)^2=(a+b)^2-4ab=324-208(\because \text{㉠}, \text{㉡})=116$

$\therefore a-b=\sqrt{116}=2\sqrt{29} (\because a>b)$ $\qquad \cdots$ Ⅲ

118 답 9개

조건 (가)에서 중앙값이 22이므로 $a\leq16 \cdots \text{㉠}$ $\qquad \cdots$ Ⅰ

조건 (나)에서 중앙값이 8이므로 $a\geq8 \cdots \text{㉡}$ $\qquad \cdots$ Ⅱ

㉠, ㉡에서 $8\leq a\leq16$이므로 주어진 조건을 만족시키는 자연수 a의 개수는 8, 9, 10, $\cdots$, 16으로 9개이다. $\qquad \cdots$ Ⅲ

[채점기준표]

Ⅰ	a에 대한 첫 번째 부등식을 세운다.	40%
Ⅱ	a에 대한 두 번째 부등식을 세운다.	40%
Ⅲ	자연수 a의 개수를 구한다.	20%

119 답 (1) 평균 9.8권, 중앙값 6권, 최빈값 7권 (2) 풀이 참조

(1) (평균)$=\dfrac{2+3+5\times3+7\times4+50}{10}=9.8$(권) $\qquad \cdots$ Ⅰ

7권을 읽은 학생 수가 4명으로 가장 많으므로 (최빈값)$=7$권

주어진 자료는 크기 순으로 나열되어 있으므로 5번째 자료 5와 6번째 자료 7의 평균이 중앙값이다.

$\therefore$ (중앙값)$=\dfrac{5+7}{2}=6$(권) $\qquad \cdots$ Ⅱ

(2) 자료 50은 나머지 9개의 자료보다 더 큰 값으로 대푯값 중 평균이 자료의 중심경향을 잘 나타내지 못한다. $\qquad \cdots$ Ⅲ

[채점기준표]

Ⅰ	평균, 중앙값, 최빈값을 각각 구한다.	40%
Ⅱ	중심경향을 잘 나타내지 못하는 대푯값을 찾는다.	40%
Ⅲ	중심경향을 잘 나타내지 못하는 이유를 설명한다.	20%

120 답 52

표에서 잎의 개수는 $1+3+5+6+4=19$

즉, 이 자료의 전체 도수는 19이다. $\qquad \cdots$ Ⅰ

자료의 개수가 19개로 홀수이므로 자료를 크기 순서대로 나열하면 중앙값은 $\dfrac{19+1}{2}=10$번째 수가 된다. $\qquad \cdots$ Ⅱ

주어진 줄기와 잎 그림에서 10번째 수는 줄기 5, 잎 2인 52가 돼.

따라서 이 자료의 중잉값은 52이다. $\qquad \cdots$ Ⅲ

[채점기준표]

Ⅰ	자료 전체의 도수를 구한다.	40%
Ⅱ	자료를 크기 순서대로 나열한다.	40%
Ⅲ	중앙값을 구한다.	20%

121 답 2

세 수 a, b, c의 최빈값이 10이므로 세 수 중 적어도 두 수는 10이므로 $a=10$, $b=10$이라 하자. $\qquad \cdots$ Ⅰ

이때, 세 수의 평균이 9이므로 $\dfrac{a+b+c}{3}=\dfrac{10+10+c}{3}=9$에서

$20+c=27$ $\therefore c=7$

따라서 세 수는 10, 10, 7이다. $\qquad \cdots$ Ⅱ

$\therefore$ (분산)$=\dfrac{(10-9)^2+(10-9)^2+(7-9)^2}{3}$

$=\dfrac{1+1+4}{3}=\dfrac{6}{3}=2$ $\qquad \cdots$ Ⅲ

[채점기준표]

Ⅰ	평균을 이용하여 식을 세운다.	40%
Ⅱ	최빈값과 평균을 이용하여 세 수를 각각 구한다.	40%
Ⅲ	분산을 구한다.	20%

122 답 평균 80점, 분산 65

(전체 평균)$=\dfrac{25\times80+15\times80}{40}=80$(점) $\qquad \cdots$ Ⅰ

남학생의 평균은 80점이고 {(편차)^{2}의 총합}은

$25\times50=1250$

여학생의 평균은 80점이고 {(편차)^{2}의 총합}은

$15\times90=1350$ $\qquad \cdots$ Ⅱ

이때, 남학생의 평균, 여학생의 평균과 전체 학생의 평균은 모두 80점으로 같으므로 이 반의 전체 학생의 분산은

$\dfrac{1250+1350}{40}=65$ $\qquad \cdots$ Ⅲ

[채점기준표]

Ⅰ	전체 평균을 구한다.	40%
Ⅱ	남학생, 여학생 각각의 편차²의 총합을 구한다.	40%
Ⅲ	전체 학생의 분산을 구한다.	20%

123 답 15

(평균)$=\dfrac{4+(12-x)+x+14+10}{5}=8$ $\qquad \cdots$ Ⅰ

따라서 각 변량의 편차는 순서대로 -4, $4-x$, $x-8$, 6, 2이므로

(분산)$=\dfrac{(-4)^2+(4-x)^2+(x-8)^2+6^2+2^2}{5}=45.2$ $\qquad \cdots$ Ⅱ

$2x^2-24x-90=0$, $x^2-12x-45=0$, $(x-15)(x+3)=0$

$\therefore x=15$ 또는 $x=-3$

이때, x는 양수이므로 구하는 x의 값은 15이다. $\qquad \cdots$ Ⅲ

[채점기준표]

Ⅰ	평균을 구한다.	40%
Ⅱ	분산을 이용하여 x에 대한 식을 세운다.	40%
Ⅲ	x의 값을 구한다.	20%

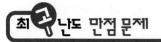
124 답 ⑤

1st 자료의 개수가 홀수일 때, 자료가 어떻게 배치가 되는지 파악하고, 자료가 추가될 때 중앙값의 변화를 살펴보자.

하늘이네 반 학생 중 두 사람을 제외하고, 점수를 크기 순서대로 나열할 때, 중앙값이 60점인 경우는 다음과 같이 나열할 수 있지?
두 사람을 제외한 학생 수를 홀수 N이라 하면

$$\underbrace{\bigcirc, \quad \bigcirc, \quad \cdots, \quad \bigcirc}_{\frac{N-1}{2}\text{개}}, \quad \underset{\text{중앙값}}{\boxed{60}}, \quad \underbrace{\bigcirc, \quad \cdots, \quad \bigcirc, \quad \bigcirc}_{\frac{N-1}{2}\text{개}}$$

그런데 추가되는 두 사람의 점수가 68점, 83점으로 중앙값 60점보다 크므로 추가하기 전의 중앙값이었던 60점은 왼쪽으로 옮겨져.
이때, 각 자료의 도수가 모두 1이므로 추가한 후의 중앙값은 60점보다 커져.

2nd 평균의 정의를 이용하여 평균의 변화를 살펴보자.

두 사람을 제외한 평균이 70점이므로 총 점수를 구하면 $70N$이지?
두 사람의 점수 68점과 83점을 반영한 평균을 구하자.

$$(\text{전체 평균}) = \frac{70N+68+83}{N+2} = \frac{70N+151}{N+2} = \frac{70N+140+11}{N+2}$$
$$= \frac{70(N+2)+11}{N+2} = 70 + \frac{11}{N+2} > 70$$

따라서 평균과 중앙값은 모두 커졌지?

125 답 24.5

1st 서로 다른 6개의 변량을 문자로 정하여 식을 세워보자.

서로 다른 6개의 변량을 a_1, a_2, a_3, a_4, a_5, a_6
$(a_1 < a_2 < a_3 < a_4 < a_5 < a_6)$이라고 놓자.
가장 작은 것을 제외한 5개의 변량 a_2, a_3, a_4, a_5, a_6의 평균이
27이므로 $\frac{a_2+a_3+a_4+a_5+a_6}{5} = 29$에서
$a_2+a_3+a_4+a_5+a_6 = 145 \cdots$ ㉠
또, 가장 큰 것을 제외한 5개의 변량 a_1, a_2, a_3, a_4, a_5의 평균이
23이므로 $\frac{a_1+a_2+a_3+a_4+a_5}{5} = 23$에서
$a_1+a_2+a_3+a_4+a_5 = 115 \cdots$ ㉡
㉠－㉡을 하면
$(a_2+a_3+a_4+a_5+a_6) - (a_1+a_2+a_3+a_4+a_5) = 145-115$
$-a_1+a_6 = 30 \cdots$ ㉢

2nd 주어진 조건을 이용하여 a_1 또는 a_6의 값을 구하여 6개의 평균을 구해 보자.

주어진 조건에서 가장 작은 변량과 가장 큰 변량의 합이 24이므로
$a_1+a_6 = 34 \cdots$ ㉣
㉢＋㉣을 하면 $(-a_1+a_6) + (a_1+a_6) = 30+34$
$2a_6 = 64$ ∴ $a_6 = 32 \cdots$ ㉤
이제 평균을 구하자.

$$(\text{평균}) = \frac{a_1+a_2+a_3+a_4+a_5+a_6}{6} = \frac{(a_1+a_2+a_3+a_4+a_5)+a_6}{6}$$
$$= \frac{115+32}{6} (\because ㉡, ㉤) = \frac{147}{6} = 24.5$$

따라서 소수점 아래 둘째자리에서 반올림하면 구하는 평균은 22.8이야.

126 답 40

1st 중앙값을 구하기 위해 자료를 크기 순서대로 나열해 보자.

주어진 자료가 다음과 같이 크기 순서대로 나열되어 있지 않지?
21, a, 50, 20, 48, 22, 50, 30
여기서 a를 제외하고, 나머지 변량을 크기 순서대로 나열해 보자.
20, 21, 22, 30, 48, 50, 50

2nd a의 값에 따라 중앙값이 어떻게 변하는지 추론해 보고, 중앙값이 35가 되는 a의 값을 구하자.

a가 제외된 나머지 변량의 중앙값은 30이지?
(i) $a < 30$인 경우
자료의 개수가 8개로 짝수이므로 중앙의 2개의 값의 합을 2로 나눈 값이 중앙값이지?
그럼, 22와 30의 합을 2로 나눈 값인 26이 중앙값이거나 a와 30의 합을 2로 나눈 값인 $\frac{a+30}{2}$이 중앙값이 되어야 하는데 a가 30보다 작기 때문에 $\frac{a+30}{2}$은 35가 될 수 없지?
(ii) $a > 30$인 경우
(i)과 마찬가지 방법으로 생각하자.
30과 48의 합을 2로 나눈 값인 39가 중앙값이거나 30과 a의 합을 2로 나눈 값인 $\frac{30+a}{2}$가 중앙값이 되어야 해?
중앙값이 35이므로
$$\frac{30+a}{2} = 35,\ 30+a = 70 \quad \therefore a = 40$$
(i), (ii)에 의하여 $a = 40$

127 답 42

1st $(\text{평균}) = \frac{(\text{변량})의 총합}{(\text{변량})의 개수}$ 을 이용하여 식을 세우자.

구하려는 것은 세 자연수 x, y, z의 제곱의 평균이므로
$\frac{x^2+y^2+z^2}{3} \cdots$ ㉠이지?
따라서 $x^2+y^2+z^2$의 값만 구하면 되겠지?
주어진 조건에서 세 자연수 x, y, z의 평균이 6이므로
$$\frac{x+y+z}{3} = 6$$
$$\therefore x+y+z = 18 \cdots ㉡$$
또, xy, yz, zx의 평균이 33이므로 $\frac{xy+yz+zx}{3} = 33$
$$\therefore xy+yz+zx = 99 \cdots ㉢$$

2nd $(x+y+z)(x+y+z)$를 전개해 보자.

$$(x+y+z)(x+y+z) = x^2+xy+xz+yx+y^2+yz+zx+zy+z^2$$
$$= x^2+y^2+z^2+2(xy+yz+zx)$$

㉡과 ㉢에 의해
$18 \times 18 = x^2+y^2+z^2 + 2 \times 99$
$324 = x^2+y^2+z^2 + 198$
$\therefore x^2+y^2+z^2 = 126$
따라서 ㉠에 의해 구하는 평균은 $\frac{126}{3} = 42$야.

128 답 $\sqrt{3}$

1st 10개의 자료의 평균을 구하자.

$x_1+x_2+x_3+\cdots+x_5=2\times 5=10$ ⋯ ㉠이므로

$x_1+x_2+\cdots+x_5+\cdots+x_{10}=10+2+5+3+4+6=30$ ⋯ ㉡

따라서 10개의 자료의 평균은 $\dfrac{30}{10}=3$이야.

2nd 5개의 자료의 변량 각각의 제곱의 총합을 구하자.

5개의 자료 x_1, x_2, x_3, x_4, x_5의 표준편차가 $\sqrt{2}$이므로 분산은 2야. 즉,

$\dfrac{(x_1-2)^2+(x_2-2)^2+\cdots+(x_5-2)^2}{5}=2$

$\therefore (x_1-2)^2+(x_2-2)^2+\cdots+(x_5-2)^2=10$

$x_1^2-4x_1+4+x_2^2-4x_2+4+\cdots+x_5^2-4x_5+4$

$=(x_1^2+x_2^2+\cdots+x_5^2)-4(x_1+x_2+\cdots+x_5)+5\times 4=10$

㉠에 의해

$(x_1^2+x_2^2+\cdots+x_5^2)-4\times 10+20=10$

$\therefore x_1^2+x_2^2+\cdots+x_5^2=30$ ⋯ ㉢

3rd 10개의 자료의 분산을 구하자.

$(x_1-3)^2+(x_2-3)^2+\cdots+(x_{10}-3)^2$

$=x_1^2+x_2^2+\cdots+x_{10}^2-6(x_1+x_2+\cdots+x_{10})+9\times 10$

$=(x_1^2+x_2^2+\cdots+x_5^2)+(x_6^2+x_7^2+\cdots+x_{10}^2)-6\times 30+90$ (∵ ㉡)

$=30+(2^2+5^2+3^2+4^2+6^2)-180+90$ (∵ ㉢)

$=30$

따라서 10개의 자료 x_1, x_2, ⋯, x_{10}의 분산은 $\dfrac{30}{10}=3$이므로

(표준편차)$=\sqrt{\text{(분산)}}=\sqrt{3}$

129 답 평균 8점, 분산 17

1st 전체 평균을 먼저 구해 보자.

6명의 점수를 각각 a_1, a_2, ⋯, a_6이라 하자.

이 6명의 점수의 평균이 6점이므로

$\dfrac{a_1+a_2+\cdots+a_6}{6}=6$ $\quad \therefore a_1+a_2+\cdots+a_6=36$ ⋯ ㉠

또, 나머지 4명의 점수를 각각 a_7, a_8, a_9, a_{10}이라 하고, 이 4명의 점수의 평균이 11점이므로 $\dfrac{a_7+a_8+a_9+a_{10}}{4}=11$

$\therefore a_7+a_8+a_9+a_{10}=44$ ⋯ ㉡

㉠과 ㉡에 의해 전체 평균을 구하면

(전체 평균)$=\dfrac{(a_1+a_2+\cdots+a_6)+(a_7+a_8+a_9+a_{10})}{6+4}$

$\qquad\qquad\quad =\dfrac{36+44}{10}=\dfrac{80}{10}=8$(점)

2nd 전체 분산을 구해.

10명의 점수 a_1, a_2, a_3, ⋯, a_{10}의 평균이 8점이므로 분산을 구하면

(전체 분산)$=\dfrac{(a_1-8)^2+(a_2-8)^2+(a_3-8)^2+\cdots+(a_{10}-8)^2}{6+4}$

$\qquad\qquad\quad =\dfrac{a_1^2+a_2^2+\cdots+a_{10}^2-16(a_1+a_2+\cdots+a_{10})+64\times 10}{10}$

$\qquad\qquad\quad =\dfrac{a_1^2+a_2^2+\cdots+a_{10}^2-16\times 80+64\times 10}{10}$ (∵ ㉠, ㉡)

$\qquad\qquad\quad =\dfrac{a_1^2+a_2^2+\cdots+a_{10}^2-640}{10}$ ⋯ ㉢

6명의 점수 a_1, a_2, ⋯, a_6의 평균이 6점, 분산이 9이므로

$\dfrac{(a_1-6)^2+(a_2-6)^2+\cdots+(a_6-6)^2}{6}=9$

$(a_1-6)^2+(a_2-6)^2+\cdots+(a_6-6)^2=54$

$a_1^2+a_2^2+\cdots+a_6^2-12(a_1+a_2+\cdots+a_6)+6\times 36=54$

$a_1^2+a_2^2+\cdots+a_6^2-12\times 36+216=54$ (∵ ㉠)

$\therefore a_1^2+a_2^2+\cdots+a_6^2=270$ ⋯ ㉣

또, 4명의 점수 a_7, a_8, a_9, a_{10}의 평균이 11점, 분산이 14이므로

$\dfrac{(a_7-11)^2+(a_8-11)^2+(a_9-11)^2+(a_{10}-11)^2}{4}=14$

$(a_7-11)^2+(a_8-11)^2+(a_9-11)^2+(a_{10}-11)^2=56$

$a_7^2+a_8^2+a_9^2+a_{10}^2-22(a_7+a_8+a_9+a_{10})+4\times 121=56$

$a_7^2+a_8^2+a_9^2+a_{10}^2-22\times 44+484=56$ (∵ ㉡)

$\therefore a_7^2+a_8^2+a_9^2+a_{10}^2=540$ ⋯ ㉤

㉣, ㉤을 ㉢에 대입하면

(전체 분산)$=\dfrac{a_1^2+a_2^2+\cdots+a_{10}^2-640}{10}$

$\qquad\qquad\quad =\dfrac{270+540-640}{10}$ (∵ ㉣, ㉤)

$\qquad\qquad\quad =\dfrac{170}{10}=17$

오답|피하기

이 문제를 유형 N14를 이용하여 풀었다면 개념을 잘못 적용한 거야.

그 개념은 두 집단의 평균이 같을 경우에 적용하는 거야.

두 집단의 평균이 다르면 주어진 조건을 이용하여 적절히 변형해서 풀어가자.

130 답 10.5

1st 구하려는 실제 자료의 평균을 구하자.

4개의 자료 중 제대로 쓴 2개의 자료의 값을 a, b라 하자.

2개의 잘못된 자료가 있는 4개의 자료 2, 6, a, b의 평균이 2이므로

$\dfrac{2+6+a+b}{4}=2$ $\quad \therefore \dfrac{a+b+8}{4}=2$ ⋯ ㉠

그런데 제대로 된 자료 5, 3, a, b의 평균을 구하면

$\dfrac{5+3+a+b}{4}=\dfrac{a+b+8}{4}=2$ (∵ ㉠)

따라서 잘못된 자료가 2개 들어간 평균과 제대로 된 자료가 들어간 평균은 2로 같지?

2nd 제대로 된 자료의 분산을 구해 보자.

이제 제대로 된 자료 5, 3, a, b의 분산을 구하자.

(분산)$=\dfrac{(5-2)^2+(3-2)^2+(a-2)^2+(b-2)^2}{4}$

$\qquad\;\; =\dfrac{(a-2)^2+(b-2)^2+10}{4}$ ⋯ ㉡

여기서 $(a-2)^2+(b-2)^2$의 값만 알면 분산을 구할 수 있지?

그런데 잘못된 자료가 있는 4개의 자료 2, 6, a, b의 분산이 12이므로

$\dfrac{(2-2)^2+(6-2)^2+(a-2)^2+(b-2)^2}{4}=12$

$16+(a-2)^2+(b-2)^2=48$

$\therefore (a-2)^2+(b-2)^2=32$

따라서 ⓒ에서 제대로 된 자료의 분산을 구하면

$$\frac{(a-2)^2+(b-2)^2+10}{4}=\frac{32+10}{4}=\frac{42}{4}=10.5$$

오답피하기

a, b의 값을 각각 구해서 풀기는 쉽지 않아. 잘못된 2개의 자료의 평균이 2라는 것에서

$$\frac{a+b+2+6}{4}=2 \qquad \therefore a+b=0 \cdots \text{㉠}'$$

또, 잘못된 2개의 자료의 분산이 12라는 것에서

$$\frac{(a-2)^2+(b-2)^2+(2-2)^2+(6-2)^2}{4}=12$$

$$(a-2)^2+(b-2)^2=32 \cdots \text{㉡}'$$

㉠′, ㉡′을 연립하여 풀면

$a=2\sqrt{3}$, $b=-2\sqrt{3}$ 또는 $a=-2\sqrt{3}$, $b=2\sqrt{3}$

그럼, 실제 자료는 5, 3, $-2\sqrt{3}$, $2\sqrt{3}$이고 평균이 2이므로 분산을 구할 수 있겠지만 변량의 제곱근 때문에 복잡하겠지?

어떤 방법으로 풀어도 상관없지만 좀 더 쉽고 빠르게 풀 수 있는 방법을 연구해 봐.

---

131 답 평균 2.5, 표준편차 $\dfrac{\sqrt{15}}{2}$

1st a, b, c, d의 평균을 구해보자.

a, b의 평균이 2지?

$$\frac{a+b}{2}=2 \qquad \therefore a+b=4 \cdots \text{㉠}$$

또한, c, d의 평균이 3이지?

$$\frac{c+d}{2}=3 \qquad \therefore c+d=6 \cdots \text{㉡}$$

따라서 a, b, c, d의 평균을 구하면

$$\frac{a+b+c+d}{4}=\frac{4+6}{4}\;(\because\,\text{㉠},\,\text{㉡})=\frac{10}{4}=2.5 \cdots \text{㉢}$$

2nd a, b, c, d의 표준편차를 구할 때, 필요한 식이 무엇인지 알아보자.

a, b, c, d의 평균이 2.5이므로 표준편차를 구하면

(표준편차)

$$=\sqrt{\frac{(a-2.5)^2+(b-2.5)^2+(c-2.5)^2+(d-2.5)^2}{4}}$$

$$=\sqrt{\frac{a^2-5a+6.25+b^2-5b+6.25+c^2-5c+6.25+d^2-5d+6.25}{4}}$$

$$=\sqrt{\frac{a^2+b^2+c^2+d^2-5(a+b+c+d)+4\times6.25}{4}}$$

$$=\sqrt{\frac{a^2+b^2+c^2+d^2-5\times10+25}{4}}\;(\because\,\text{㉠},\,\text{㉡})$$

$$=\sqrt{\frac{a^2+b^2+c^2+d^2-25}{4}} \cdots \text{㉣}$$

따라서 $a^2+b^2+c^2+d^2$의 값만 구하면 표준편차를 구할 수 있지?

3rd a, b와 c, d의 분산을 이용하여 $a^2+b^2+c^2+d^2$의 값을 구하고 표준편차를 구하자.

a, b의 평균이 2, 표준편차가 2이므로

$$(\text{분산})=\frac{(a-2)^2+(b-2)^2}{2}=4$$

$$a^2-4a+4+b^2-4b+4=8$$

$$\therefore a^2+b^2=4(a+b)=4\times4\;(\because\,\text{㉠})=16 \cdots \text{㉤}$$

또, c, d의 평균이 3, 표준편차가 $\sqrt{3}$이므로

$$(\text{분산})=\frac{(c-3)^2+(d-3)^2}{2}=3$$

$$c^2-6c+9+d^2-6d+9=6$$

$$\therefore c^2+d^2=6(c+d)-12=6\times6-12\;(\because\,\text{㉡})=24 \cdots \text{㉥}$$

㉤, ㉥에서 $a^2+b^2+c^2+d^2=16+24=40$

따라서 ㉣에서

$$(\text{표준편차})=\sqrt{\frac{a^2+b^2+c^2+d^2-25}{4}}=\sqrt{\frac{40-25}{4}}=\frac{\sqrt{15}}{2}$$

★ 분산을 구하는 또 다른 방법!

$$(\text{분산})=\{(\text{변량})^2\text{의 평균}\}-(\text{평균})^2$$

이것은 분산의 정의에 의해 구하는 것보다 더 자주 쓰이니까 반드시 알아 두자.

왜 그런지도 알고 있어야겠지?

변량 x_1, x_2, $\cdots$, x_n의 평균을 m이라 하면

$$(\text{분산})=\frac{(x_1-m)^2+(x_2-m)^2+\cdots+(x_n-m)^2}{n}$$

$$=\frac{(x_1^2-2mx_1+m^2)+(x_2^2-2mx_2+m^2)+\cdots+(x_n^2-2mx_n+m^2)}{n}$$

$$=\frac{(x_1^2+x_2^2+\cdots+x_n^2)-2m(x_1+x_2+\cdots+x_n)+nm^2}{n}$$

$$=\frac{x_1^2+x_2^2+\cdots+x_n^2}{n}-2m\times\frac{x_1+x_2+\cdots+x_n}{n}+m^2$$

$$=\frac{x_1^2+x_2^2+\cdots+x_n^2}{n}-2m\times m+m^2$$

$$=\frac{x_1^2+x_2^2+\cdots+x_n^2}{n}-m^2$$

$$=\{(\text{변량})^2\text{의 평균}\}-(\text{평균})^2$$

⊙ 산점도와 상관관계

개념 체크 001~012 정답은 p. 5에 있습니다.

유형 다지기 학교시험+학력평가   p. 122

013 답 해설 참조

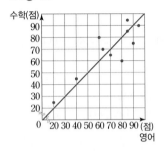

014 답 해설 참조

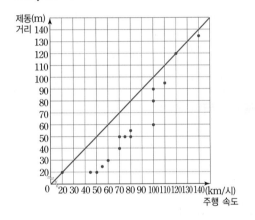

015 답 해설 참조

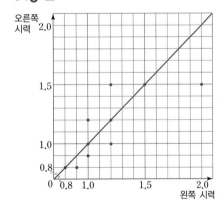

016 답 해설 참조

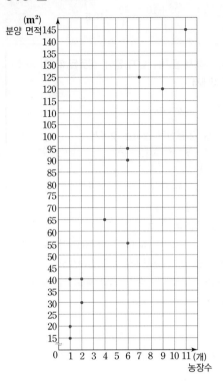

017 답 ③

기준선을 그었을 때, 그 기준선 위에 있는 점의 개수가 국어 성적과 수학 성적이 같은 학생 수이므로 5명이야.

018 답 ④

기준선을 그었을 때, 그 기준선 위에 있는 점의 개수가 수학 성적과 과학 성적이 같은 학생 수이므로 5명이야.

> ★ **산점도에서 기준선의 의미 파악하기**
> 산점도에서 x, y의 값이 같을 점들을 이어 직선으로 나타내고 이 직선을 기준선으로 할 때,
> ㉠ 기준선 위의 점 : $x=y$
> ㉡ 기준선보다 위쪽에 있는 점 : $y>x$
> ㉢ 기준선보다 아래쪽에 있는 점 : $x>y$

019 답 ④

기준선을 그었을 때, 기준선보다 아래쪽에 있는 점의 개수가 수학 성적이 과학 성적보다 높은 학생 수이므로 8명이야.

020 답 ②

기준선을 그었을 때, 기준선보다 위쪽에 있는 점의 개수가 과학 성적보다 수학 성적이 낮은 학생 수이므로 7명이야.
따라서 전체 학생수가 20명이므로 과학 성적보다 수학 성적이 낮은 학생은 전체의 $\frac{7}{20} \times 100 = 35$ (%)

021 답 ③

기준선을 그었을 때, 기준선보다 위쪽에 있는 점의 개수가 1차 때보다 성적이 향상된 학생 수이므로 4명이야.

022 답 ②

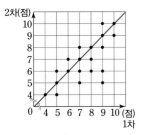

기준선을 그었을 때, 기준선 위에 있는 점의 개수가 1차와 2차 성적이 같은 즉, 성적이 변함없는 학생 수이므로 7명이야.

따라서 전체 학생 수가 20명이므로 1차 성적과 2차 성적이 변함없는 학생은 전체의 $\frac{7}{20} \times 100 = 35 \, (\%)$

023 답 ⑤

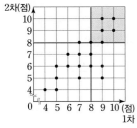

1차, 2차 성적이 모두 8점 이상인 학생 수는 산점도에서 색칠된 부분에 있는 점의 개수와 같으므로 6명이야.

024 답 ④

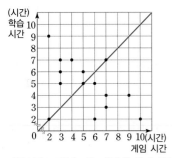

기준선을 그었을 때, 기준선 위에 있는 점의 개수가 학습 시간과 게임 시간이 같은 학생 수이므로 3명이야.

따라서 학습 시간과 게임 시간이 같은 학생은 전체의

$\frac{3}{15} \times 100 = 20 \, (\%)$

025 답 ②

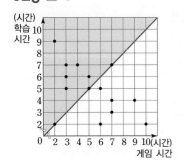

학습 시간보다 게임 시간이 더 적다는 것은 학습 시간이 게임 시간보다 더 많다는 뜻이므로 기준선보다 위쪽에 있는 점의 개수를 묻는 거지? 따라서 6명이야.

026 답 ③

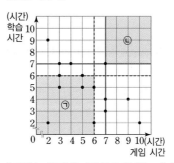

'모두'는 동시에 만족함을 뜻하는 것이지?

a의 값은 그림에서 ㉠ 부분에 해당하는 점의 개수와 같아. 즉, 경계를 포함하지 않는 사각형 안에 있는 점의 개수와 같으므로 $a = 3$

b의 값은 그림에서 ㉡ 부분에 해당하는 점의 개수와 같아. 즉, 경계를 포함하는 사각형 안에 있는 점의 개수와 같으므로 $b = 1$

따라서 $a + b = 4$야.

027 답 ⑤

③ 기준선 위의 점은 듣기와 말하기 성적이 같음을 뜻하니까 학생 D가 듣기 점수와 말하기 점수가 같아. (참)

⑤ 말하기 점수가 제일 낮은 학생은 B가 아니라 C야. (거짓)

028 답 ⑤

기준선보다 아래쪽에 있는 점은 키보다 몸무게가 많이 나가는 편으로 비만도가 가장 높은 사람은 B, C, E 중 하나야. 셋 중에서 C의 키가 B, E보다 크고, B, E의 키는 같지만 E의 몸무게가 더 많이 나가지?

따라서 몸무게보다 키가 제일 작은 학생은 E이므로 비만도가 가장 높은 학생은 E학생이야.

★ 산점도에서 기준선보다 위쪽, 아래쪽에 있는 점에 대한 의미 파악하기

산점도에서 기준선에 대하여 x, y의 변량을 비교할 때,

㉠ $x = y$, 즉 x의 값과 y의 값이 같다, 점수가 같다, 성적이 같다, 적당하다 등

㉡ $y > x$, 즉 y의 값이 x의 값보다 크다, y에 대한 정보가 x에 대한 정보보다 더 높다, 많다, 좋다 등
(x에 대한 정보가 y에 내한 정보보다 너 낮나, 적나, 쫗지 않다 등)

㉢ $x > y$, 즉 x의 값이 y의 값보다 크다, x에 대한 정보가 y에 대한 정보보다 더 높다, 많다, 좋다 등
(y에 대한 정보가 x에 대한 정보보다 더 낮다, 적다, 좋지 않다 등)

029 답 ①

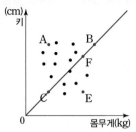

기준선 위의 점은 키와 비교하여 몸무게가 적당한 편인 학생들이지? 기준선 윗 부분의 학생들에 대해 생각하자.

기준선을 그었을 때, 기준선보다 위쪽에 있는 A학생이 마른 편이야.

030 답 B

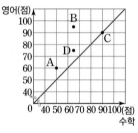

기준선을 그었을 때, 점 C를 제외하고 모두 기준선보다 위쪽에 위치하므로 수학보다 영어 성적이 좋은 편이야. 이 중 A와 D는 영어 성적이 수학 성적보다 10점 높지만 B는 30점이 높으므로 수학 성적에 비해 영어 성적이 가장 높은 학생은 B!

031 답 ③

ㄷ. 기준선 위에 있는 점은 C이므로 수학과 영어 점수가 같은 학생은 C야. (거짓)

따라서 옳은 것은 ㄱ, ㄴ이야.

032 답 ③, ⑤

기준선보다 위쪽에 있는지, 아래쪽에 있는지를 구분하여 성적을 파악하자.

① A는 독서량과 비교하여 국어 성적이 좋은 편이야. (거짓)
② B는 독서량과 비교하여 국어 성적이 좋은 편이라고 말할 수 없어. (거짓)
④ C는 국어 성적과 비교하여 독서량이 적은 편이야. (거짓)

033 답 ⑤

⑤ E의 노동 시간은 70시간, C의 노동 시간은 40시간이므로 E와 C의 노동 시간은 같지 않아. (거짓)

034 답 ④

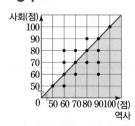

기준선을 그었을 때, 기준선보다 아래쪽에 있는 점들이 역사 성적이 사회 성적보다 높은 학생들이야.

이들에 대한 사회 성적을 표로 만들면 다음과 같지?

사회 성적(점)	50	60	70	80
인원수(명)	1	2	2	1

따라서 이 학생들의 평균을 구하면

$$\frac{50+60\times2+70\times2+80}{6}=\frac{390}{6}=65(\text{점})$$

035 답 ③

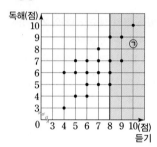

듣기 성적이 8점 이상인 학생들을 찾기 위해 세로축과 평행한 직선을 그어 볼까? 듣기 성적이 8점 이상인 학생들은 색칠된 ㉠ 부분의 학생들이야. 이들의 독해 점수에 대한 표를 만들면 다음과 같아.

독해 점수(점)	5	6	7	9	10
인원수(명)	1	1	2	2	1

따라서 이 학생들의 평균을 구하면

$$\frac{5+6+7\times2+9\times2+10}{7}=\frac{53}{7}≒7.6(\text{점})$$

036 답 3.5점

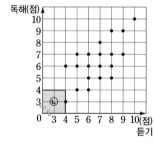

가로축과 세로축에 평행한 직선을 각각 그어 동시에 만족시키는 부분에서 생각해볼까?

듣기 성적과 독해 성적이 모두 4점 이하인 학생은 그림에서 ㉡ 부분에 위치하는 학생이야.

이 학생의 듣기와 독해 성적이 각각 4점, 3점이므로 평균은

$$\frac{4+3}{2}=\frac{7}{2}=3.5(\text{점})\text{이야.}$$

037 답 ②

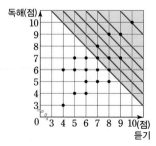

점 (10, 10)을 지나고 기울기가 −1인 직선 위의 점의 평균은 10

점, 점 $(9, 9)$를 지나고 기울기가 -1인 직선 위의 점의 평균은 9점이겠지?

그림과 같이 기울기가 -1인 직선을 그었을 때, 각 직선 위에 있는 점의 평균이 오른쪽 위에서부터 각각 10점, 9점, 8.5점, …이므로 상위 석차가 7등인 학생을 나타내는 점은 $(7, 7)$ 또는 $(8, 6)$인 학생이야.

이들의 평균을 각각 구하면

$$\frac{7+7}{2}=\frac{14}{2}=7(점) \text{ 또는 } \frac{8+6}{2}=\frac{14}{2}=7(점)$$

따라서 상위 석차가 7등인 학생의 두 영역 평균은 7점이야.

038 답 ④

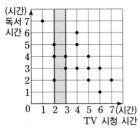

세로축과 평행한 직선을 그어볼까?

TV 시청 시간이 2시간 이상 3시간 이하인 학생들은 색칠된 부분의 학생들이므로 이들의 독서 시간의 평균을 구하기 위해 표를 만들면 다음과 같아. 이때, 2 이상 3 이하이면 직선 위의 점도 포함하겠지?

독서 시간(시간)	2	3	4	5
인원수(명)	1	1	2	1

따라서 평균 독서 시간을 구하면

$$\frac{2+3+4\times 2+5}{5}=\frac{18}{5}=3.6(시간)$$

039 답 4.3시간

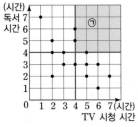

가로축과 세로축에 평행한 직선을 각각 그어 동시에 만족시키는 부분에서 생각해볼까?

조건을 만족시키는 학생은 ㉠ 부분에 위치하는 학생들이야.

이들 3명의 TV 시청 시간이 각각 4, 4, 5시간이므로 평균을 구하면

$$\frac{4+4+5}{3}=\frac{13}{3}≒4.3(시간)이야.$$

040 답 ④

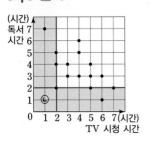

가로축과 세로축에 평행한 직선을 그어볼까?

TV 시청 시간과 독서 시간 중 적어도 하나가 2시간 이하인 학생들은 ㉤ 부분에 위치하는 학생 7명이야.

이들의 독서 시간의 평균을 구하기 위해 표를 만들면 다음과 같아.

독서 시간(시간)	1	2	4	5	7
인원수(명)	1	3	1	1	1

따라서 구하는 평균은

$$\frac{1+2\times 3+4+5+7}{7}=\frac{23}{7}≒3.3(시간)$$

041 답 ②

② 산의 높이가 높아질수록 온도는 낮아지므로 음의 상관관계야.

042 답 ③, ④

점들이 있는 방향으로 선을 그었을 때 양 또는 음의 기울기를 갖는 직선일 때만 상관관계가 존재해.

x가 증가할 때, y가 증가하는지 감소하는지 분명하지 않을 때, 상관관계가 없다고 말하지? 즉, 산점도에서 ④의 산점도처럼 점들이 한 직선에 있다고 말하기 어려운 경우와 ③의 산점도처럼 점들이 가로축에 평행한 직선에 가까이 있는 경우에 상관관계가 없어.

043 답 ③

주어진 그림의 상관관계가 양인지, 음인지부터 파악해보자.

기준선이 오른쪽 아래에 향하므로 음의 상관관계를 가지지?

② 수학 성적과 식사량은 상관관계가 없어.

③ 대류권에서는 높이가 높아질수록 기온은 내려가므로 음의 상관관계야.

044 답 ②

② 점 A는 기준선보다 위쪽에 분포해 있으므로 키와 비교하여 몸무게가 많이 나가는 편이야. (거짓)

045 답 ⑤

지능지수와 머리 크기는 상관관계가 없으므로 ⑤야.

046 답 4.7점

1st 실력이 떨어졌다는 것은 1차 성적이 더 높다는 뜻임을 기억하고 기준선을 기준으로 생각하자.

1차와 비교하여 2차에 영어 쓰기 실력이 떨어졌다는 것은 2차 성적보다 1차 성적이 더 높다는 거지? 기준선을 그었을 때, 기준선보다 아래쪽에 분포하는 학생들이 실력이 떨어진 학생들이야. 모두 6명이지?

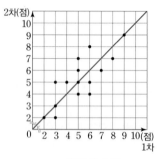

2nd (평균)= $\dfrac{(변량의\ 총합)}{(인원수)}$ 임을 이용하자.

이들의 표를 그리면 다음과 같아.

2차 점수(점)	2	4	5	6	7
인원수(명)	1	2	1	1	1

따라서 구하는 평균은

$$\frac{2+4\times2+5+6+7}{6}=\frac{28}{6}≒4.7(점)$$

047 답 ③

1st 성적이 높거나 같은 경우는 기준선 위쪽에 있는 점과 기준선 위의 점도 포함됨을 뜻해.

수학 성적이 과학 성적보다 높거나 같은 경우는 기준선 위쪽에 있는 점이거나 기준선 위의 점을 뜻해. 기준선을 그었을 때, 조건을 만족시키는 학생들은 기준선을 포함하여 색칠한 부분에 위치하지?

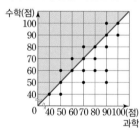

2nd (평균)= $\dfrac{(변량의\ 총합)}{(인원수)}$ 임을 이용하자.

이들의 표를 만들면

수학 점수(점)	80	90	100
인원수(명)	2	1	2

따라서 평균은 $\dfrac{80\times2+90+100\times2}{5}=\dfrac{450}{5}=90(점)$

048 답 ④

1st 가로축과 세로축에 평행한 직선을 각각 그어 학생 수를 구하자.

가로축과 세로축에 평행한 직선을 각각 그어 동시에 만족시키는 부분에서 생각해볼까?

두 영역에서 모두 7점 이상인 학생은 ㉠ 부분에 위치하는 학생들로 6명이야.

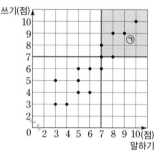

2nd 백분율을 계산하자.

따라서 전체의 $\dfrac{6}{15}\times100=40\,(\%)$야.

049 답 46.7 %

1st 가로축과 세로축에 평행한 직선을 각각 그어 학생 수를 구하자.

가로축과 세로축에 평행한 직선을 각각 그어 조건을 만족시키는 전체 부분을 생각해볼까?

적어도 한 영역이 5점 이하인 학생은 직선을 포함하여 색칠한 ㉡ 부분에 위치하지? 여기에 포함되는 학생은 7명이야.

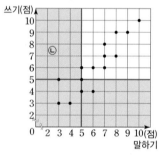

2nd 백분율을 계산하자.

따라서 전체의 $\dfrac{7}{15}\times100=\dfrac{140}{3}≒46.7\,(\%)$야.

050 답 ①

1st 세로축과 평행한 직선을 긋고 8점 미만임에 주의하자.

세로축과 평행한 직선을 그어 보면 만들기 성적이 6점 이상 8점 미만인 학생이니까 색칠한 부분에 속해. 이때, 8점 미만이니까 점선 위에 있는 3개의 점은 속하지 않겠지? 따라서 이 부분에 속하는 학생은 모두 7명이야.

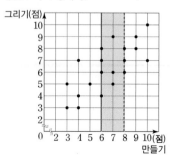

2nd (평균)=$\dfrac{(변량의 \ 총합)}{(인원수)}$ 임을 이용하자.

이들의 그리기 성적의 표를 만들면 다음과 같아.

점수(점)	4	5	6	7	8	9
인원수(명)	1	1	2	1	1	1

따라서 평균은

$$\frac{4+5+6\times2+7+8+9}{7}=\frac{45}{7}≒6.4(점)이야.$$

051 답 45 %

1st 가로축과 세로축에 평행한 직선을 각각 그어 학생 수를 구하자.

가로축과 세로축에 평행한 직선을 각각 그어 동시에 만족시키는 부분에서 생각해볼까? 두 영역 모두 6점 이상인 학생은 ㉠ 부분에 속한 학생으로 12명이야. 한편, 두 영역 모두 5점 미만인 학생은 ㉡ 부분에 속한 학생으로 점선 위의 점은 포함되지 않으니까 3명이지?

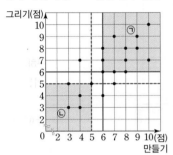

2nd 백분율을 계산하자.

이들 각각의 비율을 구하면

㉠ 부분 : $\dfrac{12}{20}\times100=60\,(\%)$

㉡ 부분 : $\dfrac{3}{20}\times100=15\,(\%)$

따라서 비율의 차는 $60-15=45\,(\%)$

052 답 8명

1st 정현이의 위치를 산점도에서 찾아보자.

정현이의 도덕 1차 성적은 60점이고, 2차 성적은 70점이므로 산점도에서 정현이를 나타내는 점은 그림과 같아.

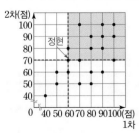

2nd 가로축과 세로축과 평행한 직선을 그어 학생 수를 구하자.

정현이의 점수를 기준으로 가로축과 세로축에 평행한 직선을 각각 그어 동시에 만족시키는 부분을 생각해 보면 정현이보다 1차 성적도 높고, 2차 성적도 높은 학생은 점선 위의 점을 포함하지 않는 색칠한 부분에 속하는 학생으로 8명이야.

053 답 ②

1st 가로축과 세로축에 평행한 직선을 그어 조건을 만족시키는 전체 부분을 생각하자.

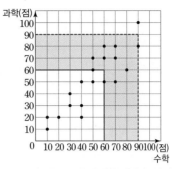

가로축과 세로축에 평행한 직선을 각각 그어 조건을 만족시키는 전체 부분을 생각해볼까? 적어도 한 과목이 60점 이상이고, 두 과목 모두 90점 미만인 학생들은 색칠한 부분과 같고, 이때의 학생 수는 9명이야.

2nd 백분율을 계산하자.

따라서 적어도 한 과목이 60점 이상이고, 두 과목 모두 90점 미만인 학생은 전체의 $\dfrac{9}{20}\times100=45\,(\%)$

054 답 ⑤

1st 학생 4명의 산점도를 가지고는 지능지수와 수학 성적 사이의 관계를 파악할 수는 없지만, 각 학생의 특징을 파악할 수는 있지?

① A는 지능지수는 높으나 수학 성적은 낮아. (거짓)
② B는 지능지수도 낮고 수학 성적도 낮은 편이야. (거짓)
③ C는 지능지수는 낮고 수학 성적은 높아. (거짓)
④ D는 지능지수도 높고 수학 성적도 높은 편이지만 두 값이 같다고 말할 수는 없어. (거짓)
⑤ 주어진 바로는 지능지수와 수학 성적은 강한 양의 상관관계가 있다고 판단할 수는 없어. (참)

055 답 ②

1st 소득과 비교하여 저축을 많이 하면 기준선 위쪽에 있겠지?

기준선을 그었을 때, 점 B, E는 기준선 위쪽에 있고, 이때 B가 소득은 낮은 편이나 저축액이 매우 높으므로 소득과 비교하여 저축을 가장 많이 했다고 할 수 있어.

[056-057 채점기준표]

I	문제에서 제시한 조건에 속하는 학생을 산점도에서 나타낸다.	50%
II	이 학생들에 대하여 원하는 변량을 확인한다.	30%
III	(평균)=$\dfrac{(변량의\ 총합)}{(인원수)}$임을 이용하여 평균을 구한다.	20%

056 [답] 92.5점

먼저, 문제에서 제시한 조건에 속하는 학생 수를 구하자.

15명 중 상위 20 %에 드는 학생 수는 $20 \times 0.2 = 4$(명)

이를 산점도에 나타내면 상위 20 % 안에 드는 학생은 색칠된 부분과 같다.

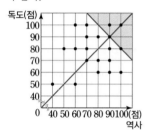

$\cdots$ I

그다음, 이 학생들에 대하여 원하는 변량을 확인하고 나열해 보자.

이들의 독도글쓰기 대회 점수는 80, 90, 100, 100점이다. $\cdots$ II

그래서, 이들의 평균을 구하자.

따라서 독도글쓰기 대회 점수의 평균은

$\dfrac{80+90+100+100}{4} = \dfrac{370}{4} = 92.5$(점)이다. $\cdots$ III

057 [답] 8점

먼저, 문제에서 제시한 조건에 속하는 학생 수를 구하자.

달리기 점수와 멀리 던지기 점수가 모두 7점 이상인 학생들은 가로축과 세로축에 평행한 직선을 각각 그어 동시에 만족시키는 부분은 색칠한 부분으로 3명이다.

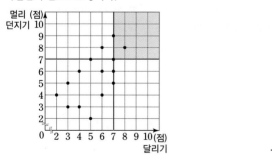

$\cdots$ I

그다음, 이 학생들에 대하여 원하는 변량을 확인하고 나열해 보자.

이들의 멀리 던지기 점수는 각각 7, 8, 9점이다. $\cdots$ II

그래서, 이들의 평균을 구하자.

따라서 평균은 $\dfrac{7+8+9}{3} = \dfrac{24}{3} = 8$(점)이다. $\cdots$ III

[058-059 채점기준표]

I	기준선을 긋는다.	10%
II	기준선을 기준으로 문제에서 제시한 성적 차이가 나는 점을 찾는다.	60%
III	구하고자 하는 값을 계산한다.	30%

058 [답] 35 %

먼저, 기준선을 긋자.

성적의 차이가 20점이면 어느 과목이 더 좋은지를 알 수 없으므로 기준선을 그어보자. $\cdots$ I

그다음, 기준선을 기준으로 제시한 성적 차이가 나는 점을 찾자.

기준선보다 위 또는 아래로 각각 20점 이상 차이가 나는 경우를 생각해 보면 기준선 위에 있는 학생들은 두 과목의 성적이 같은 학생들이므로 기준선 위 또는 아래로 각각 20점 이상 차이가 나는 점을 표시하면 아래와 같다.

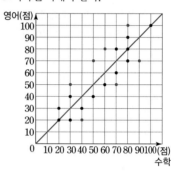

$\cdots$ II

그래서, 백분율 %를 구하자.

따라서 조건에 맞는 학생 수는 7명이므로

$\dfrac{7}{20} \times 100 = 35$ (%) $\cdots$ III

059 [답] 14

먼저, 기준선을 긋자.

기준선을 그어보자. $\cdots$ I

그다음, 기준선을 기준으로 제시한 성적 차이가 나는 학생 수를 구하자.

한 칸이 5점이므로 두 성적의 차가 5점 이상 10점 미만이면 한 칸 차이가 나는 것만 세면 됨에 주의하자.

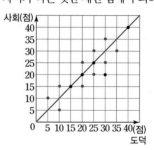

기준선을 그었을 때, 기준선 위에 있는 학생의 도덕과 사회 점수가 같으므로 $a=4$이다.

또, 두 성적의 차가 5점 이상 10점 미만인 학생을 표시하면 위와 같이 10명이므로 $b=10$이다. $\cdots$ II

그래서, $a+b$의 값을 구하자.

따라서 $a=4$, $b=10$이므로 $a+b=14$이다. $\cdots$ III

060 답 6명, 61.7점

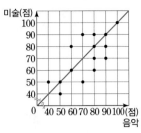

기준선을 그었을 때, 직선 위의 점들이 음악과 미술 성적이 같은 학생들이다. ····· Ⅰ

기준선보다 아래쪽에 분포하는 학생들이 음악 성적이 더 좋은 학생이므로 이들의 표를 만들면 다음과 같다.

미술 성적(점)	40	50	60	70	80
인원(명)	1	1	1	2	1

····· Ⅱ

따라서 구하는 학생 수는 6(명)이므로 이들의 평균은

$$\frac{40+50+60+70\times2+80}{6}=\frac{370}{6}≒61.7(점)$$ ····· Ⅲ

[채점기준표]

Ⅰ	기준선을 긋는다.	10%
Ⅱ	표를 작성한다	50%
Ⅲ	평균을 구한다.	40%

061 답 50 %

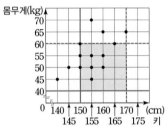

몸무게가 40 kg 이상 60 kg 미만이고, 키가 150 cm 이상 170 cm 미만인 학생들을 찾기 위해 가로축과 세로축에 평행한 직선을 각각 그어보자. ····· Ⅰ

이 학생들은 색칠된 부분에 포함되고, 미만은 경계를 포함하지 않으므로 몸무게가 60 kg이거나 키가 170 cm인 학생을 제외하면 7명이다. ····· Ⅱ

따라서 전체의 $\frac{7}{14}\times100=50$ (%)이다. ····· Ⅲ

[채점기준표]

Ⅰ	기준선을 긋는다.	10%
Ⅱ	몸무게와 키에서 미만인 경우는 제외하여 학생 수를 구한다.	50%
Ⅲ	백분율을 구한다.	40%

062 답 해설 참조

기준선보다 위쪽에 있으면 차량 수와 비교하여 대기 오염도가 심하다는 뜻이다. ····· Ⅰ

A지역은 차량 수와 비교하여 대기 오염도가 높은 편이다. ····· Ⅱ

B지역은 차량 수와 비교하여 대기 오염도가 낮은 편이다. ····· Ⅲ

[채점기준표]

Ⅰ	기준선을 기준으로 묻는 바를 파악한다.	20%
Ⅱ	A지역의 특징을 말한다.	40%
Ⅲ	B지역의 특징을 말한다.	40%

063 답 해설 참조

순서쌍 (수면 시간, 건강 점수)를 좌표평면에 나타내어 산점도를 완성하면 다음과 같다.

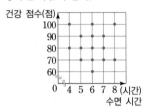

····· Ⅰ

위 산점도를 보면 잠을 많이 잔다고 해서 건강 점수가 높은 것은 아니고 잠을 적게 잔다고 해서 건강 점수가 낮은 것은 아님을 알 수 있다.
따라서 수면 시간과 건강 점수는 상관관계가 없다. ····· Ⅱ

[채점기준표]

Ⅰ	산점도를 완성한다.	50%
Ⅱ	완성한 산점도를 보고 상관관계를 파악한다.	50%

최고난도 만점 문제

p. 132

064 답 ㄷ

1st 먼저 필요한 직선들을 그어보자.

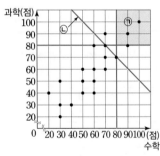

ㄱ. 수학과 과학 성적이 모두 80점 이상인 학생은 그림의 ㉠ 부분에 있으므로 3명이야. (거짓)

ㄴ. 수학 성적이 90점인 학생의 과학 성적이 80점, 90점이므로 과학 성적의 평균은 $\frac{80+90}{2}=\frac{170}{2}=85$(점)이야. (거짓)

2nd (평균)$=\frac{(변량의 총합)}{(인원수)}$임을 이용하고,

(석차)$=$(전체 인원수)$\times$(상위 백분율)임을 적용하자.

ㄷ. 과학 성적이 40점인 학생의 수학 성적은 각각 20, 50, 60점이므로 이들의 평균은 $\frac{20+50+60}{3}=\frac{130}{3}≒43.3$(점) (참)

ㄹ. 두 과목 성적의 평균이 상위 20 % 안에 들려면 석차가
$20 \times 0.2 = 4$(등)이어야 하는데, 직선 ㉡을 그어보면 수학 성적이
80점 이상인 학생은 상위 6명 안에 들게 되므로 상위
$\dfrac{6}{20} \times 100 = 30$ (%) 안에 들어. (거짓)

따라서 옳은 것은 ㄷ이야.

065 답 ③, ⑤

1st 기준선 위쪽에 있으면 학업 성취도가 높은 편이고, 아래쪽에 있
으면 공부 시간이 많은 편임을 이용하자.

③ B는 공부 시간과 비교하여 학업성취도가 낮은 편이야. (거짓)
⑤ C는 A와 비교하여 학업 성취도가 높아. (거짓)

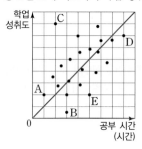

066 답 ③

1st 기준선 아래쪽에 있는 학생이 2회 실험 점수가 1회 실험 점수보
다 낮은 학생이지?

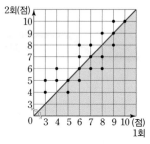

2회 실험 점수가 더 낮은 학생들은 기준선보다 아래쪽에 있는 6명
이야.

이들의 1회, 2회 점수의 평균을 각각 구하기 위해 표를 만들면 다음
과 같아.

1회 점수(점)	5	6	7	8	9
인원수(명)	1	1	1	2	1

2회 점수(점)	4	5	6	7	8
인원수(명)	1	1	2	1	1

2nd (평균)$=\dfrac{(변량의 총합)}{(인원수)}$ 임을 이용하자.

1차 점수의 평균은

$\dfrac{5+6+7+8 \times 2+9}{6} = \dfrac{43}{6} \fallingdotseq 7.2$(점)

2차 점수의 평균은

$\dfrac{4+5+6 \times 2+7+8}{6} = \dfrac{36}{6} = 6$(점)

따라서 1회 점수의 평균과 2회 점수의 평균의 차는 $7.2-6=1.2$(점)
이야.

067 답 ④

1st 기준선 위쪽에 있으면 1회보다 2회 실험 점수가 높아.

기준선을 그었을 때, 2회 실험 점수가 1회 실험 점수보다 높으면 기
준보다 위쪽에 있으면 되지?

2nd 평균이 5점인 학생들은 점 (5, 5)를 지나는 기울기가 -1인 직
선 위에 존재함을 이용하자.

또한, 평균이 5점 이상인 학생들은 점 (5, 5)를 기준으로 기울기가
-1인 직선을 그으면 그 직선 위에 있거나 그 직선보다 위쪽에 있으
면 되겠지? 둘의 공통인 부분, 즉 그림에 색칠된 부분에 있는 학생
은 2회 실험 점수가 1회 실험 점수보다 높고, 1, 2회의 실험 점수의
평균이 5점 이상으로 6명이야.

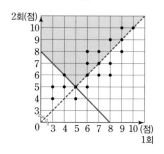

따라서 전체의 $\dfrac{6}{20} \times 100 = 30$ (%)

068 답 ③

1st 1회의 실험 점수로 매기는 등수는 세로축에 평행한 직선 위의
점들에서 생각하자.

1회의 실험 점수로 8등인 학생이 받는 점수는 7점이야. 이때, 7점인
학생은 3명이고, 이들의 1, 2회 점수를 순서대로 각각 순서쌍으로
나타내면 (7, 6), (7, 7), (7, 8)이야.

2nd 2회의 실험 점수로 매기는 등수는 가로축에 평행한 직선 위의
점들에서 생각하자.

이들이 2회 때 모두 다른 성적을 받았으므로 등수가 모두 다르겠
지?

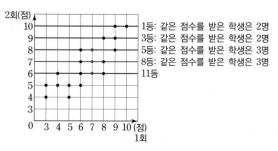

2회 점수가 10점인 학생이 2명, 9점인 학생이 2명이니까 점 (7, 8)
을 나타내는 학생은 5등이 될 수 있어.

한편, 8점인 학생이 3명이니까 점 (7, 7)을 나타내는 학생은 8등이
될 수 있고, 7점인 학생이 3명이므로 점 (7, 6)을 나타내는 학생은
11등을 할 수 있어.

즉, 2회의 실험 점수로 매기는 등수로 5등, 8등, 11등을 할 수 있어.
따라서 구하는 등수가 될 수 있는 것은 8등이야.

memo

memo

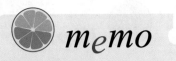

판매량 **1위**, 만족도 **1위**, 추천도서 **1위**!!

쉬운 개념 이해와 정확한 연산력을 키운다!!

수력충전

고등 · 중등 · 초등

☀ 수력충전이 꼭 필요한 학생들

- 계산력이 약해서 시험에서 실수가 잦은 학생
- 개념 이해가 어려워 자신감이 없는 학생
- 부족한 단원을 빠르게 보충하려는 학생

- 스스로 원리를 터득하기 원하는 학생
- 수학의 전체적인 흐름을 잡기 원하는 학생
- 선행 학습을 하고 싶은 학생

1 쉬운 개념 이해와 다양한 문제의 풀이를 따라가면서 수학의 연산 원리를 이해하는 교재!!

2 매일매일 반복하는 연산학습으로 기본 개념을 자연스럽고 완벽하게 이해하는 교재!!

3 단원별, 유형별 다양한 문제 접근 방법으로 부족한 부분의 문제를 집중 학습할 수 있는 교재!!

수력충전

초등 수학 1-1, 2 / 초등 수학 2-1, 2
초등 수학 3-1, 2 / 초등 수학 4-1, 2
초등 수학 5-1, 2 / 초등 수학 6-1, 2

수력충전 개념 총정리

중등 수학 개념 총정리
초등 수학 개념 총정리

수력충전 스타트

중등 수학 1 (상), (하)
중등 수학 2 (상), (하)
중등 수학 3 (상), (하)

수력충전

중등 수학 1 (상), (하)
중등 수학 2 (상), (하)
중등 수학 3 (상), (하)

수력충전

고등 수학 (상), (하)
수학Ⅰ / 수학Ⅱ / 확률과 통계
미적분 / 기하

학교 시험 일등급을 위한 중등 수학 고품격 유형서!

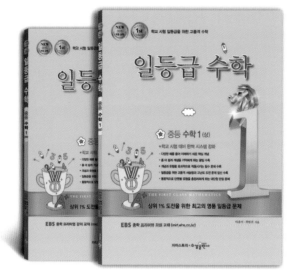

[일등급 중등 수학 시리즈]
· 중등 수학 1(상), 1(하)
· 중등 수학 2(상), 2(하)
· 중등 수학 3(상), 3(하)

어려운 수학 문제를 엄선하여 쉽고 단기간에 총정리하는 명품 문제집입니다!

1 개념이 쉽게 이해되는 꿀팁과 개념 필수 문제로 수학 완성

수학 개념을 이해하기 쉽게 다양한 예로 정리하였고,
꿀팁으로 개념을 좀 더 재미있게 공부할 수 있도록 하였습니다.
개념에 문제를 적용시켜 개념＋유형을 한꺼번에 총정리하고,
또 수학적 사고력을 키울 수 있도록 구성하였습니다.

2 수학 상위권 도달을 위한 고난도 도전 문제 집중 훈련

복잡하기만 한 문제가 아닌 폭넓게 생각하고, 종합적으로 판단하여
해법에 도달할 수 있는 고품격 서술형 문제와 고난도 도전 문제를
엄선하여 수록하였습니다. 한 문제 한 문제 고민하고, 차근차근
풀어가면 수학 실력이 한층 깊어지는 매력을 경험할 수 있을 것입니다.

3 대단원 개념을 총정리하여 상위 1%에 도달

대단원별로 종합적인 사고력을 측정하는 문제로 구성하였습니다.
소단원별 문제를 통합하여 한번에 풀어 가면 대단원별 개념을 충실히
이해할 수 있어 학교 시험 만점에 도달할 수 있을 것입니다.

중등 수학을 심플하고 쉽게 공부한다!

중등 수학1(상), 1(하) / 중등 수학2(상), 2(하) /
중등 수학3(상), 3(하)

수학을 쉽고 재미있게
잘 하는 비법은 있는 걸까?

심플 자이스토리로 개념을 쉽게
이해하고, 연산 훈련을 하면서
문제 유형을 익히면 되지!

1 개념 정리 + 개념 연습

이 책에서는 개념을 짧고 강렬하게 정리하였습니다.
또, 중요한 개념은 [ ]에 알맞은 말 넣기, 헷갈리기 쉬운 것은
○, × 문제의 형태로 출제하여 개념강화를 위한 가장
기초적인 문제를 수록하였습니다.

2 개념 연산 훈련

수학은 특히 기초가 튼튼해야 합니다. 튼튼한 기초 위에
실력이 쑥쑥 자라도록 연산 능력을 극대화할 수 있게 쉬운
연산 문제를 구성하였습니다.

3 개념 필수 유형 잡기

이 코너에서는 자주 나오는 유형을 분류하여 유형에 대한
적응력을 높이고, 수학을 쉽게 할 수 있는 방법을 제시하였습니다.

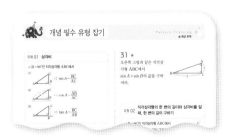

4 내신 대비 연습 문제 + 대단원 총정리 문제

학교 시험에서 자주 나오는 유형들로 구성된 연습 문제와
대단원 총정리를 통해 실전에 적용할 수 있는 실력을 키울 수
있습니다.

개념 · 유형 · 서술형 으로 중등 수학 완성!!

자이스토리 중등 수학

* 2015 개정교육과정에 꼭 맞춘 **자이스토리**

- 수학 문제는 개념 부족, 계산 착오, 유형 미숙 등의 이유로 틀리지만, 늘 틀리는 문제를 또 틀립니다.

- 자이스토리는 쉽게 이해되도록 개념과 유형을 촘촘히 잘라서 구성했습니다.

- 잘 틀리는 문제들을 모아서 1:1로 반복 훈련하게 구성했습니다.

- 서술형 문제는 [먼저], [그다음], [그래서]의 연결어로 단계 훈련을 하도록 해 쉽게 접근하여 재미있게 풀어낼 수 있도록 하였습니다.

- 자이스토리와 함께 하면 수학 실력이 하루하루 달라지는 놀라운 경험을 할 수 있습니다.

---

01 개념+유형 기본 다지기

개념 분석을 통해 정리된 대표유형을 시작으로 모든 유형의 문제를 반복, 확장하여 연습을 하자.

02 잘 틀리는 유형 훈련 +1Up

오답률이 높은 유형의 문제들을 학습하고, +1Up에서 비슷한 유형을 반복하여 풀어서 실수를 줄이자.

03 단계별 훈련 서술형 다지기

단계적으로 서술하는 방법을 익힌 후 스스로 논리적으로 서술하는 연습을 충분히 하여 서술형에 재미를 붙이자.

- 중등 수학 1 (상)
- 중등 수학 1 (하)
- 중등 수학 2 (상)
- 중등 수학 2 (하)
- 중등 수학 3 (상)
- 중등 수학 3 (하)